ヴィクトール・フォン・ヴァイツゼッカー

ゲシュタルトクライス

知覚と運動の人間学

木村 敏・濱中淑彦 訳

みすず書房

DER GESTALTKREIS

Theorie der Einheit von Wahrnehmen und Bewegen

by

Viktor von Weizsäcker

Georg Thieme Verlag, Stuttgart, 1940, 1950

ローバート・フォン・ヴァイツゼッカーに捧ぐ

3

生命あるものを研究するには、生命と関りあわねばならぬ。生命あるものを生命なきものから導き出そうとする試みは可能かもしれぬ。しかしそのような企ては、これまで成功してこなかった。或はまた、学問においては自分自身の生命を無視しようとする努力も可能かもしれぬ。しかしそのような努力の中には自己欺瞞が隠されている。生命は生命あるものとしてわれわれの眼の前にある。生命はどこかから出てくるものではなくて元来そこにあるものであり、新たに開始されるものではなくてもともと始まっているものである。生命に関するいかなる学問の始まりも、生命それ自体の始まりではない。むしろ学問というものは、問うということの目覚めと共に、生命のまっただなかで始まったものなのである。

したがって学問が生命から跳び出すありさまは、眠りからの目覚めに似ている。だから、よく行われているように生命のない物質、つまりは死せるものを出発点とすること、たとえば有機体の中に見出される化学的元素をいちいち数えあげたりすることを出発点とすることは間違っている。生命あるものは死せるものから発生するのではない。生命なきもの、或は無機物を、死せるものと同一視することすら、明確さを欠いたことである。なぜなら、そのような同一視は、死せるものが生命あるものから生じるかのごとき感を抱かせるからである。生命それ自身は決して死なない。死ぬのはただ、個々の生きものだけである。個体の死は、生命を区分し、更新する。死ぬということは転化を可能にするという意味をもっている。死は生の反対ではなくて、生殖および出生に対立するものである。出生と死とはあたかも生命の表裏両面といった関係にあるのであって、論理的に互に排除しあう反対命題ではない。生命とは出生と死である Leben ist: Geburt *und* Tod。このような生命がわれわれの真のテーマとなる。

死が生に関与しているということは、学問以外の方法によっても知ることができるだろう。しかしわれわれが今日、われわれの生命の諸秩序をかくも大々的に学問的な方法や思索によって規定している以上、この両者の関与の仕方に関する学問的研究もなされなくてはならぬはずである。もちろん、本書で試みられているささやかな生命学の実際的な利用価値は、まことに微々たるものであるとも思われよう。しかしわれわれは、全力を単一の問題点に集中することによって、この欠点を生かして行こうと思う。その問題点とは、主体を生の学問の中に導入する die Einführung des Subjektes in die Biologie ということである。これが私の意図である。

本書に論じられていることが私自身の手によってなされていると見えるのは、見かけ上のことにすぎない。これが本書にまとめられたような形をとったことについての責任は、むろん私にある。しかしこの二十年の間に、私と志を同じうする共同研究者たちが次々と現れ、それぞれ自らの意志でもって思索を一歩一歩と押しすすめて来た。この人たちについては本書の中で十分に触れることができなかったが、そこには例えば機能変動の研究におけるヨハネス・シュタイン*、ゲシュタルトクライスの力動論に従事したパウル・フォーゲル**がおり、さらにそこから生じてきた諸研究に関与したアルフレート・アウァスペルク公***、アルベァト・デアヴォルト****、パウル・クリスツィアン*****などがいて、彼らの思想と私自身の思想とは渾然一体をなしている。アウァスペルク公がハイデルベルクで私と一緒に過した何年間かの間に、彼はすでに私自身にとって決定的であったいくつかの思想をちゃんと持ちあわせていた。だからこれらの考えにとっては彼のみが正当な解説者なのであって、私はただ自分自身の手の届く限りにあるものをそこから取出したまでのことである。私の限界を超える部分については、それが実証されるにせよ反証されるにせよ、そこにその一つの出発点が見出されるだろう。それが私の希望である。

一言つけ加えるなら、この書物は一貫して神経系の生理学や病理学の専門領域から選ばれた諸事例を用いて書かれており、私が神経科の病室や検査室で知りえたこと、学びえたことは、だからどちらかというと考えつくままに取上げられている。ただ、主張さるべき根本命題ははっきりと前面に押出しておいた。この根本命題を言い表す用語は、読者が感じられるであろうように、まだ十分に明確なものになっていないし、過渡期的な様相が一般の要望にこたえうるほどには拭い去られていない。この欠点は、本書の目的とするところから見てやむをえないものである。また一方、あまりさっぱりと割り切った仕方で入り組んだ考察を進めて行く場合には、そこには細部にこだわりすぎるペダンティックな態度がしらずしらずの間にはいりこんで来る心配もある。残念ながら、もう既に多くの個所において自然現象の豊かさが概念的厳密性の犠牲になって、「総革製福音書」のように麗々しく仕上げられてしまっているといわねばならぬ。概念とは医者にとって不幸な恋のようなものではあるが、不幸そのものではない。

ハイデルベルクにて、一九三九年十一月

第二版は注の部分に若干の補足を加えたのみで、主なる部分については初版そのままの再版である。新たに加えられた注には、新しい研究所において時代の波に逆らいながらまとめられた実験的諸研究についても言及されている。これらの研究は「武器の間では歌は沈黙する」*という古い格言に対する反駁である。

ブレスラウにて、一九四三年三月

第三版もほとんど変更なしに出版されることになった。しかしこれは、一九三九年以降われわれの知見になんの変化もなかったことを意味するものではない。最初は先見の観を呈していたものがこの間に研究段階となり通過点となって過ぎて行った。本書の中で求められていた解決のうちのいくつかは、最近ジャン＝ポール・サルトル*の著作『存在と無』（パリ、一九四三）の中に見事な姿で、また幾重にも絡みついた経験の煩わしさから比較的離れて自由な立場をとりうる哲学者の特権からくる徹底した突込み方で、展開されている。サルトルはヘーゲル**からフロイトおよびハイデガー***への道をたどりながら、死の生への関与について決定的な言葉を述べることができたのであるが、この問題こそ私の終始変らぬ課題だったものである。生の学問への主体の導入ということは、この課題の一断片にすぎない。

ハイデルベルクにて、一九四六年十二月

ヴァイツゼッカー

第四版への序

「ゲシュタルトクライス」という用語は、元来意図されてはいなかった利点をもっていた。すなわちこの言葉は、例えば円形態《クライスゲシュタルト》という言葉から出て来るような直観可能《アンシャウリヒ》な像を形成しない。形態《ゲシュタルテン》ということには回転して円形を描くもの Kreisendes は含まれておらず、またこの語が結局言おうとしている Kreisen〔円環形成〕が決して心像的にならないため、そこにはどうしても割切れないものが残る。感性的直観《アンシャウウング》（ゲシュタルトとかクライスとかの語でもって喚起されるところの）と非感性的概念（この二つの語の結合から生じるところの）との間のこの割切れない矛盾、この緊張を帯びた不整合が、かえって徹底的な誤解を防いでくれることになった。利点といったのはこのことである。

誤解が生じるのはたとえば、本書の中には知覚と運動を一元化することによって一つの静止あるいは平衡が、すなわち矛盾のない精神物理学《プシヒョフュジーク》*が成立しうるような理論が達成されているかのように考えられる場合である。ところがそれは当っていないし、そのような目標が立てられていて、ただそれがまだ成就しないだけなのだということでもない。

この点の実状はどうかということは、この書物の病理学に対する関係から最も容易に見てとれる。この両者の比較が私の頭にすぐ浮んでくるのは、それを通じて私が新たな力でもって治療行為や医学研究に立向うことができたという理由にもよる。病的なものとは、やはり一つのゲシュタルトクライスなのだろうか、それともゲシュタルトクライスの障碍なのだろうか。かりにゲシュタルトクライスが、病気の場合に障碍されるような平衡状態のイメージであるならば、ゲシュタルトクライスの成立しなくなっている生体は病気だといえるだろう。ところがそうはゆかない。ゲシュタルトクライスというのはそんなイメージではなくて、変動と生成との綜括概念である。第V章にはこの概念の成立がそれ自身の歴史的段階を追うて述べられているが、この叙述の到達点は決して終結点ではなく、更に展開される生成と変動に見通しを与える点なのである。そこでは実体的形式から力動的形式を経てパトス的形式に至る道程が述べられており、この道の追求が既に安定性を超えてしまっている。——さて本書に多くの材料を提供してくれた病的現象についてみると、そこにもやはりゲシュタルトクライスの特性をなす自己隠蔽性 Selbstverborgenheit が備わっている。ところがこの自己隠蔽性が健康者に備わっていないとは言えない。健康者もやはりこの自己隠蔽性を有している。だから、健康な生命のみが、或は病的な生命のみがゲシュタルトクライスの姿を示すとは言いえない。この概念は両者に等しく与えられている。このことは、本書冒頭の三二頁で「障碍」が生物学的行為を導き出すために利用されていることからみても、驚くには当らない。

この書物が専門外の人にとって或る種の近づき難い雰囲気を帯びているとしても、それは別に気にするほどのことではない。ただ、学識ある読者にとっては、不分明さということが大きな非難の理由になろう。だが、この種の読者の側から不分明だとか少くとも難解だとか指摘されてきたこと、それは本当のところはやや筋違いである。つまりそれは斬新な見方に対する構えなのであって、「不分明」とか「難解」とかは攻撃を防ぐ側の煮え切らない気持を示しているに過ぎない。著者が自分の攻撃すべきものを予め自分自身の中に見出していたことは、いうまでもない。なぜなら、著者自身もかつてはそれを学んだ一人だったのだから。

ここでさまざまの分野での闘争を通約して一つの概念に綜括することは不可能ではない。しかしそのような綜括は稀にしか見出されないほどの抽象能力を前提としているし、また抽象的な叙述があらゆる見地から見て最高の価値を有するという訳でもない。この辺の消息は若干の具体的な分野においてより容易に見てとれることなので、ここで先に論じておくのがよかろう。そのうちここでは生物学的、病理学的・医学的、概念論的ないしは哲学的な三つの分野を無視するわけにはゆかないであろう。ただしこのような分け方は既に或る種の抽象化を持込むものであるし、ここでまた新しい本を一冊書くつもりもないのであるから、ここでは最近十年間に生じた若干の付随的な問題をまとめておくだけにとどめよう。つまりこの十年間に、われわれとても他の研究者におとらず少からぬ新しい研究を行ってきたし、いろいろなことを新しく始めもした。そこで以下若干の文献を挙げながらそれを回顧しておこう。他ならぬこれらの新しい活動が継続されたことは、以前から既に開拓されていた諸分野に関する私の文献的知識がどちらかというといまだに貧弱で不十分であることの原因にもなっている。とりわけ、われわれにとって外国文献が依然として入手しがたいという事情もあって、私は自分自身の研究と軌を一にする極めて重要な業績を見逃しているかもしれない。かといってわれわれは、われわれの踏み出した道が正しかったかどうかという不安に陥ることはなかった。われわれがこの研究を始めた頃、感官知覚に関しては既に極めて豊富な学問的研究がなされていたのに反して、随意運動はまだほとんど学問の中へ持込まれていなかった。ところがその後ますます、これが二つとも必要だということになってきた。生物学者や生理学者たちはややもするとこういったテーマには無関心であるが、もしも彼らが「主体の導入」ということを真面目に考えるようになれば、これは必ずや彼らの中心的課題となるに相違ない。しかしこのことはまだほとんどなされてはいない。だから、「生物学」というものを一つの独立した、全く論議の余地なく確実な学問だと考えるほどの勇ましい意見の持主がいる限り、われわれはこのいわゆる「生物学」なる普遍的概念規定を好まない。考察の形式としての生物学主義は私の拒否するものなのであるけれども、この点は以下の本書ではまだ明確に表明されていない。というのは、序章において「生物学的行為」が完結した統一として――もとよりそれを措定すると同時に止揚するという仕方ではあるが――出て来ているからである。これに続く叙述は一般に、時として弁証法的な構造を取っており、これが自然科学者の困惑と嫌悪を惹き起している。自然科学者というものは或る事柄についての意見の表明を聞きたがらないで、その事柄の呈示を見たがるものなのである。

　しかしわれわれ自身にとっての課題が、単なる一つの意見を表明したり、それに同意も反対もできるような一つの「立場」を取ったりすることではないということ、この点をわれわれは自然科学者の誰もがそうするように実験を通じて保証しておかねばならなかった。実験というものは、誰でもそれを繰返すことができるという意味を持つだけではない。それはまた、自然が自然自身の欲する仕方で、少くともイエスかノーかの答をもって応答することができるように仕組まれていなくてはならない。

　注の中に部分的に補足しておいた諸研究のほかに、そこに挙げなかった研究で、思想的に新しい局面を開いているもののいくつかをここで列挙しておこう。(1)

（1）これらの文献の短い展望は、*P. Christian*, Fiat Review of German Science 1939-1946. Neurology Part I〔『ドイツ科学の公的回顧、一九三九―一九四六年。神経学第一部』〕(Herausg. Schaltenbrand), S. 137～150, Dieterich, Wiesbaden 1948. のなかにもみられる。

　さきに「ゲシュタルトクライス」の名称は誤解を防ぐという利点だけを有すると言ったのは、或は極端すぎたかもしれない。だがこの概念の精密さは、自己隠蔽性 Selbstverborgenheit*（八頁参照）の語や回転扉の比喩 Gleichnis der Drehtür においてもっとよく表現されている。今ひとつこの概念の長所として挙げておかねばならぬのは、このような考え方から医学の一つの発展が生れるということであろう。この概念の成立にあたって恐らく最も発言力の強かったのは患者の観察ということであった。とはいうものの、運動性 Motorik と感覚性 Sensorik の統一的研究も、すべての行為において知覚と運動とを技術的に結びつける企てを、場合のいかんにかかわらず試みうるまでの方法的完成には至っていない。感官知覚と随意運動の両課題は、ゲシュタルトクライスの概念の成立以後も、実際にはしばしば別個に取扱われてきた。ただもちろん、この両者の持続的なからみ合いはその場合にもつねに意識されていた。

いわゆる随意運動の研究が、そこで次第に或る種の優位を占めるようになった。その第一の理由は、既に述べたように反射や伝導の概念に支配されている生理学においては、随意運動の研究が等閑に付されていたからであり、第二には「主体の導入」ということが感覚生理学においては（言うまでもなく見かけ上だけのことではあるけれども）既になされていたかに見えるのに反して、運動についてはこれが火急の要務となっていたからである。機能変動 Funktionswandel という考えだけをとってみても、これはもっぱら感官作業の領域において展開されたものといってよい。それだけに、この片手落ちな傾向に災されて、機能変動において真に変動するものは何なのかが十分に知られていなかった。つまりここで変動するものは単に神経実質の機能様式だけにはとどまらず、周囲の世界との関係も変動するのであって、この自我と環界との関係が真の研究対象なのだということは、運動による環界との交渉を考察してはじめて十全に認識されることになる。さらに、主体の導入ということは感覚とか知覚とかいった心的体験の導入とはいささか異った意味のことである。つまり感覚生理学や精神物理学からゲシュタルトクライスの真の狙いである知覚と運動の一元論への歩みが完全に明確化したのは、運動現象においてしばしばそうであるように、心的体験が全く欠如していたり或は少くとも不明確であったりするような場合なのであった。

こうしてわれわれは、生理学的運動性と外界の力動性との特異な結合に着目することになった。この結合は、どこまでが有機的でどこからが外的、物理学的であるかの境界点ないしは境界面をわからなくしてしまう。それにもかかわらず、人間（或は動物）が振子とか摩擦とかハンマーとかに関り合う場合には、そこに規則的な形式を持った運動の力動性が生じてくる。当時これらの形式の大半はまだ研究されていなかったけれども、これらはすべて、一々記録することによって記述したり力学的に分析したりすることもできる。これらの形式に対する研究の出発点は本書の中で述べておいた。それに引続いて行った研究としては次のものがある。

Derwort, Über die Formen unserer Bewegungen gegen verschiedenartige Widerstände usw. 種々の抵抗に対するわれわれの運動の形式について云々 Z. Sinnesphysiol. 70; 135, 1943.

Christian und *Pax*, Wahrnehmung und Gestaltung von Schwingungsvorgängen. 〔『振動現象の知覚と形態生成』〕Ibid. 70; 197, 1943.

Christian, Die Willkürbewegung im Umgang mit beweglichen Mechanismen. Sitzgsber. d. Heidelberger Akad. d. Wissenschaften 1948. 〔『可動的装置との交渉における随意運動』ハイデルベルク学士院会議記録一九四八年〕

Derwort, Zur Psychophysik der handwerklichen Bewegungen bei Gesunden und Hirngeschädigten. 〔『健康者および脳損傷患者における手仕事運動の精神物理学』〕Beiträge aus der Allg. Medizin. 4. Heft. Enke, Stuttgart 1948.

Christian, Vom Wertbewußtsein im Tun. Ein Beitrag zur Psychophysik der Willkürbewegung. 〔『動作における価値意識。随意運動の精神物理学への一寄与』〕Ibid. 1948.

この最後に挙げた論文においては、ゲシュタルトクライスの静的誤解ともいうべきものが完全に克服されている。というのは、この論文は価値の領域と力学の領域との関連の可能性を随意運動の例によって示し、かつこれを記載したものであるから。これによって、二個の実体の間の関係として考えられるような心《プシヒェ》と自然《フュージス》〔物、身体〕との関係は、現実についての記述から完全に除外された。これはパトス的諸範疇*への志向が踏み出した歩みと道を同じくしている。われわれの研究の新しい一ページが開かれたわけである。

次に、運動性の実験的研究においてはじめていわば不可避のものとなった第二のテーマは、われわれが交渉をもつのは道具や機械だけとではなく、われわれ同様の人間とでもあるということだった。これはもちろん知覚についても言えることだろう。しかし共同の手仕事ということは、この技術の時代における極めて切実な問題なのである。工業も社会学も経済学もこの問題を避けることはできない。これについてのわれわれの最初の実験的研究は次の論文にまとめられている。

P. Christian, u. R. Haas, Motorische Leistungen im Verband zweier Partner in „Wesen und Formen der Bipersonalität". 〔『二人性の本質と諸形式』における二人のパートナーが協力する際の運動作業〕Beitr. aus der Allg. Medizin, Heft 7, Enke, Stuttgart 1949.

この論文においても生理学に主体を導入することによって、有機体の物質性だけを分離するのは根拠のないことであるのみならず、生理学を普遍的かつ普遍妥当的なものに限局してしまう考え方は根本的にぐらついてきていることが、あらためて明示されている。つまりいかなる有機体もそれぞれ固有の主体を有するということである。そして感官知覚の場合なら、感覚器官の性状さえ同じであれば知覚者はすべて諸物体を同一に感覚し知覚するという仮説が立てうるのに対して（ただしこの仮説は厳密には証明不可能である）、二つの生命体の間の運動的交渉に際しては、それらの主体が一つの（いうなれば新しい第三の）主体へと融合するか、さもなくば（病気の場合）いつまでも二つに分れて別々のものであるかのどちらかだということが端的に立証できる。

複数の主体の複合論は、すでに早くからわれわれのぶつかっていた問題だった。回転めまい Drehschwindel の研究からは、例えば回転可能な小部屋の中での被験者の回転を検査する場合に、もしこの実験系中に含まれるいろいろな過程の全部について完全な相対性が成立するならば、そこに起るすべての現象の総体はただ一元的な形でのみ言い表しうるものであるという結論がえられた。この相対性はさしあたり「静的」と「動的」という二つの術語に関連している（注、第Ⅲ章8a一九九頁参照）。だがこの相対性は、主体が空間内に位置づけられるやいなや、この主体という概念自体にも及んでくる。つまり主体の位置（もしくは主体の静止や運動）が他の位置に対して相対的にしか規定されえず、ということはつまり交換可能である場合には、これらの他の位置（もしくは他の静止や運動）は、たちまちそれ自身もやはり主体であるかのようなあり方を示す。だから主体という規定は、この場合にはやはり他の（一個あるいは数個の）主体との相対性においてのみ可能である。そこで、客体間の相対性は、客体が（或は多くの客体の中の単一の客体のみにしても）主体性を有するものとみなされる場合には、その結果として主体間の相対性をもたらす。病人や負傷者を分析する場合にも、右のような前提の上に立ってのみはじめて現象の余すところなき理解が可能となる。この点については、

K. Hebel, Experimentelle Untersuchungen zum Verständnis des zentralen Schwindels nach Schädeltraumen. 〔『頭部外傷後の中枢性めまいの理解のための実験的研究』〕 Dtsch. Zschr. F. Nervenheilk. 156; 14, 1944.

K. Hebel u. E. Luther, über Nachbilduntersuchungen an Hirnverletzten unter Zugrundelegang normalphysiologischer Experimente. 〔『正常生理学的実験を基礎とする脳損傷患者の残像研究について』〕 Ibid. 158; 16, 1947.

空間内での定位《オリエンティールング》という現象は、ここでも他の場合にも、作業《ライストウング》に際しての感覚と運動のからみ合いのまたとない実例となる。定位は運動により限定された知覚、知覚により限定された運動である。しかしよく考えてみると、視覚についても、殊にそれが空間像の形成に関係する場合には、これと全く同じことの言える場合がほかにもいくつかある。例えば、P・クリスツィアンは彼が指導したいくつかの学位論文において、特に両眼視*と立体視についての研究を行った（前掲『公的回顧』参照）。それはたとえば、

H. Hielscher, Versuche über die binokulare Wahrnehmung. Diss. Breslau 1944. 〔『両眼視についての実験』ブレスラウ大学学位論文〕

F. Buethe, Untersuchungen über phänomenale Identität. Diss. Erlangen 1946. 〔『現象的同一性についての研究』エァランゲン大学学位論文〕

J. Wiesner, Zur Stereoskopie bewegter Objekte. Diss. Göttingen 1946.〔『運動客体の立体視について』ゲッティンゲン大学学位論文〕

ただしこれらの実験の眼目は、外眼筋の融合運動《フジオンスモトーリク》による空間印象の形成を調べる点にではなく、測定可能な筋運動だけでは理解できない対象知覚を成立せしめる「見る」という構成的行為の活動性を調べる点にある。

この場合、われわれが既に以前から問題にしていた、そしてクリスツィアンの実験に際して最初に明確に浮び上って来た一つの原理が実証された。つまり暗室の中でいくつかの光点を動かしてやると、それらの個々の運動や相互間の運動は、それを見ている眼には、客観的な軌道から外れてあたかもなんらかの力学的或は天文学的な法則に支配されているかのように見える。つまりそれを見る眼が、まるで眼自身がこの法則を知っているかのように――寓意的に言うとまるで眼自身が数学者か物理学者でもあるかのように――作用する。その実例が示されているのは、

P. Christian, Wirklichkeit u. Erscheinung in der Wahrnehmung der Bewegung.〔『運動知覚における現実と現象』〕Z. Sinnes-physiol. 68; 152, 1940.

P. Christian u. *V. v. Weizsäcker*, Über das Sehen figurierter Bewegungen von Lichtpunkten.〔『光点の図形運動を見る行為について』〕Ibid. 70; 30, 1943.

Christian u. *Pax*, Wahrnehmung und Gestaltung von Schwingungsvorgängen.〔『振動現象の知覚と形態化』〕Ibid. 70, 197; 1943.

われわれが好法則性《ノモフイリー》あるいは求法則性《ノモトロピー》と呼んでいるこの現象は、古典的感覚生理学*の知覚理論とはやはり相容れないもので、またこの現象が指向している方向は（ちょうど二人のパートナーの協力に際して見られた所見と同様に）ゲシュタルトクライス理論自体からもそのままの形では全く導き出せないものである。というのはここにみられる物理学的合法則性への親和性は、特殊な諸条件（ここでは暗黒ということ、つまりいってみれば視野の「空虚」という

こと）と結びついていて、恐らくは全く新しい知見への糸口となるだろうから。

生物学的行為においてここで示されている合理性への自然な傾きとは正反対の極をなすのは、生の現象が戦時の脳損傷という突拍子もない侵襲によって障害される場合の事態であろう。脳損傷の観察から出て来るのは、合理性がいかにして生物学的なものの中に保たれるかではなく、それがそこでいかにして失われるかという問題である。脳病理学の分野においていろいろな現象を古典的な局在原理、伝導原理、特殊性原理などに還元することがますます不可能となり、それに代るべき新しい思想、つまりまずゲシュタルト心理学や対象論として現れた思想が立てられねばならなかった事情が、ここで一々明らかとなる。ここに見られるもの、説明を要するものは、機能の脱落ではなくて機能の変形なのである。フォン・モナコフ*からゲルプ**およびゴールトシュタイン***へと継承された路線は、完全な承認を得るには至らぬまでも、少くとも明確に主張された。脳損傷患者の主観的病訴や作業障碍を要素的機能の脱落から説明するなどということは、およそ不可能なのである。このような事情のために、古典的学説を離れて別の一つの学説に移ろうという論議が強大な力をもって押寄せて来た。本書に述べられているのもそのような新しい学説の一つなのである。しかし、ゲシュタルトクライスは解剖学的・生理学的理論と並置されるべきものではなく、これを包含することによってこれを克服しようとする理論である。この意味においてのみ、「有機体実質の活動は、部分的な器質的障碍の場合においてすら、局在原理や伝導原理の枠内で見られていたものとは異っている」という近年の脳病理学の主****張が或る種の準備的な役割を果しうる。しかし主体が導入された以上、生物学的解釈は既に純粋に物理学的な解釈ではなくなっているのだから、当然これらの新しい知見は脳実質とその機能とについての旧来の見解への寄与とはみなされえない。さらに暗所適応、継起的刺戟の融合、視力など（これらはすべて古典的生理学によって定義されているものである）の働きについてみると、脳損傷患者が仕事中や日常生活上で有する病訴を理解するには機能の脱落ではなくて変動に着目する必要のあることがわかる。ブレスラウの研究所における事例を含んでいるものとしては例えば、

P. Christian u. *W. Schmitz,* Untersuchungen von Sehhirnverletzten mit optischen Periodenreizen. 〔『周期的視覚刺戟による視覚領脳損傷患者の研究』〕 Dtsch. Ztft. f. Nervenheilk. 154; 81., 1942.

N. Ullrich. Adaptationsstörungen bei Sehhirnverletzten. 〔『視覚領脳損傷患者の順応障碍』〕 Ibid. 155; 1, 1943.

v. Sydow. Diss. Breslau 1944. (前出の Derwort, Zur Psychophysik etc. を参照)

P. Christian u. W. Umbach, Sehschärfe, Beleuchtungshelligkeit und Riccòscher Satz bei Sehhirnverletzten. 〔『視覚領脳損傷患者における視力，明暗視，リッコの法則』〕

v. Weizsäcker, Über die Hirnverletzten. K. Goldstein-Festschrift. 〔『脳損傷患者について』K・ゴールトシュタイン記念論文集〕 Confin. Neurol. IX, 84, 1949.

黒白の閃光に色がついているように見る能力が脳損傷患者では高められているというクリスツィアンの観察は，健康者におけるフェヒナーの閃光着色*についての立入った研究をうながしたのみならず，色彩感覚一般の客観性についての新しい考え方への契機ともなった。知覚と運動のからみ合いということは，受入的《アフェレント》感覚器と送出的《エフェレント》運動器とがどこかで空間的かつ時間的に結びついているはずだということを意味するだけではない。いわんやそれは，前者が主観的心理的次元に属し，後者が客観的身体的次元に属しているなどという意味をもつものでは決してない。ゲシュタルトクライスの要点は，一切の生物学的行為において知覚と運動が互に一方を代理しうる二つの状態であること，この両者はつねに相互に隠蔽されていること，このからみ合い，代理，隠蔽には主体と客体の両者も関与していることにある。つまり「現実」は或は一方の，或は他方の状態で現れてくる。ところが或る一つの歴史的な流れのために，いろいろな感覚質はそっくり全部心理的主観の中に取込まれ，一方空間的時間的な秩序のみがもっぱら対象性を構成し，主観的にも客観的にも存在するものとされてしまった。しかしこのように量と質を差別した考え方は今日ではもはや成立しなくなっている。感覚質もやはりゲシュタルトクライスに関与していて，場合によって主観的とも客観的ともみなされなくてはならない。ところがここで大きな障碍となるのは、ヘルムホルツの色彩成分説によって代表されるいわゆる成分説《コンポネンテンテオリー》*が唯一の支配的学説だということである。それによると、さまざまの波長をもったさまざまな光線が独得の混合効果を示して、そこにスペクトル中の特定の色彩が感覚される具合が説明される。また純粋な色彩視は、或る種の極めて僅かな物質的単一過程を中間回路とする転換機転として説明される。かかる説明の根底に特定の感覚理論が置かれていることは容易に理解できるだろう。閃光色彩視の新しい分析は、見るという行為がこのような理論では説明のつかぬものだということを明かにした。この分析の結果に対する議論から、見るという行為は二つの理論の——正確には二つの実験操作の——力を借りることによってのみ完全に記述しうるものだということが差当り結論された。しかしここでも重要なことは、ゲシュタルトクライスにつきものの二重性がここにも姿を見せていることである。色彩を客観的とみなしても主観的とみなしても、結局その正しさに変りはないということ、これは既に述べたいろいろな例において例外なく示されたのと同じことを表している。だからこの問題に関しては二つの研究を挙げておくだけにとどめよう。

P. Christian u. *R. Haas,* Über ein Farbenphänomen, Sitzgs.-Ber. d. Heidelb. Ak. d. Wissenschaften 1. Abh. 1948.〔『一色彩現象について』ハイデルベルク学士院会議報告第一篇〕

Christian, Haas u. *v. Weizsäcker,* Über ein Farbenphänomen (Polyphäne Farben)〔『一色彩現象について（多現象性色彩）』〕Pflügers Arch. *Physiol.* 249; 655, 1948.

さて、ここで、ゲシュタルトクライスの名でもって言い表されている思想の学問的性格に関する最初の問いに眼を向けよう。それは一体、生物学なのか精神物理学なのか、それとも自然哲学**なのだろうか。その全部であるか、さもなくばそのいずれでもない。この思想が実験室、臨床、理論的思索のいずれから始ったかという問いには私自身も答えることができない。ショーペンハウアー*が世界を意志と表象としてこれに二重の形而上学的解釈を行った際、彼も私と同じような思索的状況に置かれていたに違いない、ということに私が気づいたのはずっと後のことであった。一方すぐ後に述べるように、私は一九〇八年前後からフロイトの影響をだんだん強く受けるようになった。**それは私が臨床的あるいは治療的な研究をも、実験的研究とならんで、すべて同一の精神的態度、心的態度の表現とみなしているからである。これらの全部がいっしょになって、そこで或る人間的なものが作りあげられる。次に、従来なされた諸研究から今後来るべき課題へと眼を向けてみると、実験的研究と臨床的病理学とが相互に他を基礎づけるという姿が眼に浮ぶ。かかる相互の基礎づけは自然科学による医学の基礎づけに似ているけれども、やはり全く異ったものであって、両者の間に類似を認めることはできない。実験的研究と臨床的病理学との関係は、まずこれら二つの学問相互間の関係を論じた後に学問一般の立場を論じることによって、最もよく明かにすることができるだろう。

　実験的研究を主とする自然科学者や生物学者は、彼にとって半ば或は全く非科学的と思われる論述の中に、彼自身最大の信頼をおいて慣れ親しんでいる方法が見出せない場合には、通例これに対して不信を示す。ところがこのように一見素人くさい論述が、実は極めて重要で正当な事実を発見していることもありうる。その著名な一例は、ローバート・マイヤー***による力の保存原理の発見とそれに対する当時の科学者たちの態度である。また、新奇な観察法や思考法に対する著しい無理解の示される場合もある。その例としては、精神分析に対する多くの精神科医や医学者たちの評価****を挙げることができよう。さらにまた、抽象能力の不足から来ることであるが、感覚的観察に手慣れている学者たちによって数学的あるいは哲学的な考え方が単なる牽強付会とか「思弁」とか「空想」とかみられてしまうこともある。例えば(今では殆ど姿を消してしまってはいるけれども)十九世紀の自然科学に見られた形而上学に対する敵意は、このようにして説明がつく。これらのことはすべて、研究者が自分にとって不慣れな立場から生み出された業績の良否を弁別するのに際して非常な困難を惹起する。また、物理学や後には化学がつねに高次の理論物理学によって裏付けられて来たのに反して、生物学は、これまでのところ恐らく的確には判っていないような仕方でさまざまの原因が組合わさって、このような監視者を持つことができず、そのため生物学の成果を理論生物学との緊密な関連の中で認識論的あるいは超生物学的《メタビオローギッシュ》な思索へと発展させることは不可能であった——或は少くとも、いかなる専門家によっても容認されるような形では不可能であった。この欠陥が本書にまとめられた諸研究によって幸にして埋められえたか否かの判断は、私にはできない。本書の立場が理論物理学の立場に相当するなどと主張することはできないし、それは事柄そのものから考えても不可能でもあり、望むべくもないことであろう。

従って以下に述べることは生物学とも精神物理学とも自然哲学とも名付けえないもので、むしろこれらの各領域から得られた手掛りを継承し、特別な方式の実験的研究を教え、ひいては病理学や治療医学の研究に今までとは違った裏付けと根拠とを与えようとするものである。この最後の点についてはすぐ後にもう一度述べることにする。このような立場に対して妥当するようなより一般的な学問概念とはいかなるものであろうか。またこのような学問の拠って立つ立場とはいかなる立場であろうか。これが理論的という名の学問であるから、それが実地の経験や感覚による観察を軽視するものではないかという疑念は、まずもって退けられてよい。逆にむしろ、実験的研究の概念の方がそれの理論的考察の概念よりもより大きな影響を及ぼしたのである。また主体の導入ということは、それによって客観性が制約されるというような意味をもつものではない。ここで問題にされているのは、主観性あるいは客観性のいずれかの一面だけではなく、この両面の結合である。ここで学問概念の改革について言及する必要があるのも、まさにそのためにほかならない。つまり本書において学問と呼ばれているのは単なる「客観的認識」なのではなく、主体と客体との交渉のまっとうなありかたなのである。そこで、出会いとか交渉とかの概念がここでは学問の中核的概念にまで高められることになる。しかし主体と客体との交渉には学問的以外のありかたもあるわけだから、その区別をはっきりさせることが次の課題になるだろう。それはともかくとして、学問的な主客の交渉は主として思索によるわけではあるけれども、決してそれだけに尽きるものではない。また逆に学問ではなくても思索はなされるのである。

このことを認めるならば、社会、政治、経済の中における学問の位置、あるいは教養、法律、道徳などの中における学問の位置を考慮することなしには話を進められないことになる。恐らく大多数の人々は、これらのいろいろな連関の中での学問の位置は従来決して不動のものではなかったし、現在ただ今も変化しつつあることを感じとっているだろう。このことを非難するにせよ歓迎するにせよ——というのはこの両方の態度が実際にあるわけだから——国防科学、技術科学、職業訓練といった事実が存することは否定できない。ここではこの事実を確認するだけに止めておくけれども、ただこれに関連して補足的に、われわれの実験に基いて立てられた理論が医学の中で占める意義について簡略に述べておきたい。

本書において特に生理学や神経病理学の知見に対して適用されている研究法や思考法は、医学の中では医学的人間学 medizinische Anthropologie* という独自の名称を与えられている。この名称もそれなりの欠点は有しているけれども、少くとも「人間《メンシュ》」という余りにも尊大な言葉の使用を差控えるという長所はもっている。もちろんそこに人間という意味が含まれているとはいえ、「人間の学」Lehre vom Menschen とか「病める人間」kranker Mensch の学とかの言い方は実際に少々大袈裟ではなかろうか。こういった言い方をやめて外来語のアントロポロギーという言葉を用いた場合、そこに学問性への義務感のごときものが生じてくるし、この場合それは一種の制約を意味することになる。もちろん、だからといって病める人間との交わりという意味が失われるわけではない。ただ学問とは病める人間に奉仕するためにあるべきものなので、病める人間を支配するためのものではないはずである。

ところで、ゲシュタルトクライス理論が臨床的病理学および医療行為あるいは医者という職業において果す役割とは簡単に言って何であろうか。この点でフロイトの精神分析が一つの連結部となったことはすでに触れた。リビド**、その「粘着性」、転位可能性、心と体の間の境界的位置などの考え方は、知覚と運動とに際する主体と客体の相即*** Kohärenz という考え方に対応している。心を意識と無意識の両部分に分け、後には自我とエスとを対置させた考え方は、生物学的行為における二元性と相互隠蔽性ということと近縁のものである。これらはすべて、いわば心理学的な諸原理を人間という身心統一体へと拡張したものといえる。人間全体の把握がそれによって可能になるなどと言うのではない。だが医学においては、心という半面を根本的に添加するということだけですでに一つの統合《インテグラツイオン》ともいえるものを――少くとも人間における医学的に重要な部分の統合ともいえるものを意味することになる。

しかし自然科学的医学において心的なものの取入れが補完を意味するのなら、（精神分析的）心理学にとっては身体的なものの添加が補完を意味する。この二つの補完は共に単純な加算によってなされうるものではなく、両者とも一元的な医学への歩みなのであり、恐らくはまたこれまで分裂していた両陣営を和解せしめて、そこに新しい第三の陣営を生ぜしめるものとなろう。そこで精神分析から何か違った或るものが出て来ると同時に、病理学の用に供される解剖学や生理学の姿も変って来るはずである。上述の実験的研究は、ほかならぬこの第二の課題に寄与しようという使命を有する。「身体」とは解剖学的生理学的な現象像とは違った別の何ものかだということが、そこで明かとなってくる。

さてこのような意図がどの程度までその成果を予示しうるか、或は医学的人間学における研究や教育が今日どんな形でなされているか――ここではこのことにはごく暗示的な形ですら立入らない。ただこの点に関心をもつ人のためになお若干の文献を挙げておく。ただしここに挙げるのはすべてわれわれ自身の研究グループから発表されたものに限っておこう。

v. Weizsäcker, Körpergeschehen und Neurose〔『身体事象と神経症』〕Intern. Z. Psychoanalyse Bd. 19. Wien 1933. 新版は Ernst Klett Verlag, Stuttgart 1947.

v. Weizsäcker, Studien zur Pathogenese〔『病因論研究』〕2. Aufl. Thieme, Stuttgart 1946.

v. *Weizsäcker*, Ärztliche Fragen〔『医療的諸問題』〕Ibid. 1933.
v. *Weizsäcker*, Klinische Vorstellungen〔『臨床講義録』〕3. Aufl. Hippokrates Vlg. Stuttgart 1947.
v. *Weizsäcker*, Fälle und Probleme〔『症例と問題点』〕F. Enke, Stuttgart 1947.
W. Kütemeyer, E. Hantel, P. Christian, A. Derwort, E. von Gadow, K. Schilling, Hollmann u. *Hantel* und *V. v. Weizsäcker* in Beiträge aus der Allgemeinen Medizin〔『医学総論論集』*〕1–6, Enke, Stuttgart 1947 u. ff.
v. *Weizsäcker*, Grundfragen der Medizinischen Anthropologie.〔『医学的人間学の根本問題』〕Furche Verlag 1948.
v. *Weizsäcker*, Arzt und Kranker, I. u. II.〔『医師と病者』第一、第二巻〕3. Aufl. Koehler Verlag, Stuttgart 1949.

生物学と医学と哲学とを——まるで説明のために不可避かつ有用な事柄は事象自身の中にすでに準備されているかのごとくに截然と区別してみても何の得るところもないとはいえ、やはりこの付加的序文の最後に、事態の哲学的な取扱い方についても一言しておくのが妥当だろう。人間存在の分裂から、理論面と実践面、学問と日常性といった区分が生じて来る。知性の分裂はその結果として自然科学、精神科学、歴史科学、文化科学などの区分とか大学の諸学部の区分とかを生む。しかし一つの対象と真剣に取組んでみると、そこにこのような区分を撤回しようとする気持が生じるのがつねであり、その結果、単に「隣接科学」だけでなく、さらにより遠隔の或はより中心領域の諸知見をも参考にしようとする要求が生じる。神学が、後には哲学が、また或る一時期には物理学が占めていた学問の王座などというものは歴史上の一時代を画するにすぎず、今日では恐らくどこを探しても見当らないだろう。現代では各分科を結ぶいくつもの対角線と共同研究とが最も著明なことになっている。一つの分野の専門的研究者が自らの興味から、或は才能があるために、自分の能力を他の分野でも試してみたり、或は少くとも自己の専門分野での研究成果と他の分野での成果との間の密接な関連性や、一般にますます近縁性を加える関係に気づいたりすることが稀ではない。こうしてこの絶望的な専門分化の極においてこの絶望的な状態そのもののために新しい一つの綜合が、或は単一化が、更にいえばむしろ一元化が生じる可能性もある。論理学と数学、物理学と化学との結合がその例として挙げられるだろう。さらに、生理学と心理学、精神物理学と哲学が医学的人間学の中で結合することも同じ系列の事態に属する。この医学的人間学の哲学的性格はゲシュタルトクライスによって準備されたものであるから、ここでそれについての若干の説明を補足しておくことは読者に対する私の責任だろう。

哲学的な言いまわしが哲学的な欲求に由来しているような場合があることも確かである。しかし特定のいくつかの問題点においては、哲学的表現が対象の本質によって、より正確には主体と客体の出会いの本質によって必然的に要求される場合もある。つまりそれは認識論的な正当さの問題でも方法的な信頼度の問題でもない。一つの対象を深く掘り下げようとする場合にはどうしてもいろいろの本質規定が必要となり、そのためにはまず哲学の歩みの中で見出された諸概念が採用され、それが改めて検討修正を受けて取捨選択されなくてはならぬ。そこで本書の目次だけを見ても、そこには「形式」、「運動」、「対象」などの長い哲学的歴史をもった一群の用語が見出される。その他、自然哲学として特徴づけうる分野に足を踏み入れている言葉も多い。使えば「空間」、「時間」、「機能」などがそうである。――本書の思考過程をさらに詳細に検討すると、そこには一つの転機《クリーゼ》の様相が認められる。つまり古典的自然科学の一段階に批判《クリティック》が加えられて、そこからゲシュタルトクライスの形での思考法が生み出されている。だからこの新しい段階は、古典的概念が或は改変され、或は新しい光に曝され、或は放棄されたことによってのみ成立しえたことになる。旧来の自然科学的世界像にかわって、ほかならぬわれわれがゲシュタルトクライスと呼ぶところの世界像が登場し、この世界像における現実は「循環形態的」cyklomorph なものだといってよい（この用語はここではじめて用いるものである）。

かくして、基礎的研究あるいは基礎概念の変動という課題が、次の仕事として浮び上ってくる。それについての研究は断片的にさまざまの論文中のあちこちでなされているにすぎない。またこの点に関しては、かような基礎的研究がわれわれの研究グループ以外でも多方面で進められていることを知っている。ここではそのうちから唯一のはっきりと哲学的な研究を取出しておくだけにしておこう。ジャン＝ポール・サルトルがハイデガーの思想を継承していわゆる実存哲学に与えた形式は、その多くの結果において（方法的にではなく）私が一九三九年にゲシュタルトクライスの思想において探究し、表現しようとしたものと一致しているようである。この感じは本書の第三版刊行以来さらに強くなった（一九四六年の序文参照）。このようにして勇気づけられ、このような一致が達成されているからには、当然それについても然るべき考察が加えられてよいはずである。たとえそのような考察を、私の医学的人間学が素描の形ででも出来上るまでは公表すべきではないとしても。もっとも私の医学的人間学は今はまだ素描の域にも達していない。やや断片的で気まぐれな形での論評は、「無題《アノニマ》」という標題で一九四六年にベルンのフランケ社から出版しておいた。

要するにゲシュタルトクライスは、生物学、医学、哲学のそれぞれと境を接している。その将来がいかなる方向に向うかは今後に残された問題であるけれども、現時点における著者の傾向からは、臨床医学を中心とし、医学的人間学を目標とするような一つの活動が志向されている。患者と共にある点において、その主要主題は人間であるけれども、生物学的なゲシュタルトクライスは必ずしも病態人間学への準備や手懸りにすぎないとみなしてしまう必要もない。

第四版の本文は従来と同一である。

ハイデルベルクにて、一九四八年十二月

ヴィクトーア・フォン・ヴァイツゼッカー

目次

I　緒　論

1　運　動

本書で考察するのは生命あるものの運動であって時空間体系中の任意の物体、或は単に考えられた物体の運動ではない。この両種の運動は違ったものである。すなわち、或るものが生きているかどうかを決定する場合、ことにそれが動物である場合には、われわれはまずその運動を見る。言葉は持前の単刀直入さでもって、「自分で動いているから生きているのだ」es bewegt sich, also lebt es という表現をする。この表現によって確認することは、自発性《スポンタネイテート》ないし自己運動《ゼルプストベヴェーグング》ということである。これはわれわれがそこに一つの主体《ズブイエクト》を、すなわち自己自身の力で自己自身との関係において動作を行う存在を想定していることを意味する。

実はこのような自己運動の確認には力学法則に対する一つの異論が結びついていると言ってもよい。なぜなら、砲弾の運動と鳥が不意に飛び立つのとは同じ感じ方で受取られはしないからである。私は、このような体験を特徴づけているのは運動の原因を力学的に期待することに対する抵抗、つまり他ならぬ外的原因の欠如であると言いたい。(1)アリストテレスは、水夫に対して船から伝わる運動と水夫自身の自己運動を区別している。(2)われわれは多くの場合、手足が外部の力によって外から動かされているのか、或は主体自身の力によって動かされているのかを直接的に知りうるものと思っている。機械論的な考えのために非難されている反射の概念のうちにすら、幾分かはこの区別が認められる。例えば蛙は刺戟によって動かされるのではなく、まず刺戟を受け、その後にその結果として「自分で動く」のだという考えがそれである。このハラー Haller の刺戟感応説* Irritabilitätslehre にかわるべき新しい知見が見当らず、またなんらの補助仮説も持合せていない限り、ただ自己運動を機械的運動と同一視するためという理由だけでこの理論の元来の意味を放棄することはできないだろう。

しかし一方、われわれは外部の機械的な力が生物体に作用を及ぼすことを否定するものでもない。するとここに或る器官《オルガン》あるいは有機体《オルガニスムス》の行う自己運動と外からの原因に基因する運動との対置が生じる。われわれの当面の関心は、生物体の運動についてのこの二重の規定にある。つまりこの二つの規定の競合の成行きが問題になる。もしも自己運動のみが唯一の決定的規定だとすると、それの成行きは外力が加わっている実際の運動とは多分違ったものとなるだろう。実際には、自己運動に明かな変更を加えて（やや心理学的な表現を用いるなら）これを「障碍」stören するところの、つまり恐らくはつねに好都合な影響ばかりを与えるとは限らぬところの環界 Umwelt が存在する。いずれにせよわれわれはこのような環界と自己界との対立から生じる結果に興味を持って、このような障碍の研究を行おうとするのである。

簡単な実例として、直立している人の静止の障碍を考えてみる。被験者の前腕を直角に曲げてそこに小さな籠を掛けておき、その中に順次に重い分銅を入れてゆく。すると次のような事態が観察される。例えば一キログラムの分銅を入れた場合には、前腕の屈筋に著明な攣縮反射が生じるだけで、それ以上の変化は認められない。ここで観察されるのはいわゆる固有反射《アイゲンレフレクス》**であって、そこで活動状態におかれるのはこの急激な衝撃による牽引を最も多く蒙った筋肉のみであり、かりにそれ以外の筋肉に作用が及ぶとしてもそれはごく僅かである。[3] そこで次に一〇キログラムの分銅を籠の中へ入れてみる。すると今度は新しい形の障碍が現れる。地面につけた両足の位置はもちろんまだ変化しないが、その人の全身は一つの新しい体位をとる。この特徴的な体位は重い荷物を持った手荷物運搬人や物売り女などに見られるもので、全身の筋肉のかなりの部分が以前と異った拘縮状態に移されたとみて間違いない。さらに重量を増してこれが一定の限度を超えるとそこに第三の形像が出現する。すなわち、それまでじっと立っていた被験者が、まるで歩き出そうとするかのように、重荷に引っぱられた方向へ片脚を踏み出す。いうまでもなく、彼はそうすることによって重量を負荷された身体の新しい重心を支えうるような新しい支点を獲得することになる。つまり、重量を付加することによって全身の重心が移動してそれまでの支点を外れてしまったために、片方の脚を踏み出さないことにはこの重量を支えている人は倒れてしまうことになる。

第一および第二の段階では、筋肉が外力によって牽引されて生じた突然の伸展を「刺戟」とみてもよいだろう。しかし、第三段階ではこのような固有反射の原理はうまくあてはまらない。転倒しようとするその瞬間に（すなわち重心から下した垂線が両脚という支柱の前方へずれたその時点で）重荷を支えている筋肉の緊張が突然弛緩して、位置エネルギーが運動エネルギーに転換する。ホフマン P. Hoffmann* の示したごとく、かかる場合には負荷を解かれた筋肉が反射的に弛緩して、これが片脚を踏出させるための新しい神経支配の準備として好都合に作用するに違いないということも考えられる。

要するにこの過程の刺戟面においては単に量的変化しか認められないのに、有機体の運動の面にはさまざまに相違した形像が出現する。第一の局面では体位の変化はなく、第二の局面では立っているということだけはそのままで体位は根本的に変化し、第三の局面では足を踏み出すことによって、つまりいわば歩行の要素を一部加えることによって起立がいったん中断され、その後に改めて確立されるという順序をふむことによってのみ、起立が確保される。ここへ更に大きな力を加えたならば、次は転倒ということになるだろう。ここで障碍の量的変化がもたらすものは、或る限度内では反応の量的変化と本質的に異るものでなくともよい。しかし障碍がこの限度を超えた場合には、そこに体位や位置の変化が、ということはつまり新しい種類の運動が生じることになる。

だからこのような運動を反射とみなしたり、さらに複雑さを加えた場合にはこれを協調反射 koordinierte Reflexe とみなしたりしようとする試みは、刺戟の量的変化が一定限度内にある時しかうまくゆかない。種類の異った運動形態への移行は単一の反射法則で説明のつくものではなく、それの説明には別種の反射法則の適用が必要となる。その意味で、この種の移行は反射法則の妥当性の中断を意味する。しかし、この中断が事態の唯一の側面ではなく、いわんやその最も重要な側面ではない。反射法則の妥当性の中断によって或る一つの神経支配形式から他の形式への移行が可能になるとはいっても、それがこの移行を説明することにはならない。身体の重心が保持されて障碍が克服されるということが重要なのであって、この過程が三段階それぞれに異った仕方でなされるのである。

ところでこの障碍克服ということは決して特別な出来事ではなく、生命体一般にみられる外力と自己運動との衝突の一例にすぎない。つまり例えば歩行というようなありきたりの有機体運動を考えてみても同じことが言える。直立歩行を水平面上だけではなく上り或は下りの傾斜面でも行う場合、歩行面の勾配を連続的に変えてやることによって、さきの例と全く類似した神経支配形式の変化が観察される。歩行とはいずれにせよ両脚の数個の大関節の交互屈伸から成立っているものであるが、上り坂を歩く場合には伸筋が関節を伸展させる働きをもつのに対して、下り坂の場合の伸筋の役目は屈曲を制禦することと自らの伸長によって屈曲を可能にすることにある。伸筋は上り坂では脚の伸展に際して、下り坂では脚の屈曲に際して作用する。上り坂では動力として、下り坂ではブレーキとして作用する。言い換えれば伸筋は上り坂では能動的な短縮によって、下り坂では能動的な伸長によって、上り坂では緊張の増加によって、下り坂では緊張の減少によって作用する。

歩行を屈曲反射と伸展反射という二つの協調反射の結合として理解する試みは、従来から研究者の興味をひいていた。シェリントン Sherrington* はさまざまの分析によってこの結合の生理学的、形態学的構造の法則を見出した。(4)

だが私の考えでは、シェリントン自身このような分析によって自然な歩行を解明し尽したものとみなして、歩行を組立てるためにはこれら二種類の反射だけでなくもっと多くのことが必要だという点を見逃していたとは思えない。ただ彼は、屈曲反射あるいは伸展反射の協調が屈曲あるいは伸展という現実の結果とは無関係に誘発され遂行される場合にのみ、いかなる地形の変化にも応じた歩行が可能なのだということを強調しなかった。だがいったん実現された運動がそれ自体さらに新たな、いわゆる固有感覚的《プロプリオツェプティーフ》な反射刺戟の起源となりうるものである以上、右に述べたいきさつは無視することができない。要するに運動の構造は単に神経支配によって左右されるだけではなく、この神経支配の結果生じた運動によっても左右されるものなのである。

このような混乱の責任の一半は、生体の代りに死体を用いた旧来の解剖学による諸筋肉の名称にある。つまり屈曲期には屈筋だけでなく伸筋も働いているのだという事実が無視されていたのである。この間違いはデュシェンヌ Duchenne* 以来ようやく徐々に認識されるようになってきた。最近ではことにフォン・バイヤー H. v. Baeyer[5]** が、同一筋肉が外部条件の異るに従って種々の用いられかたをすることを多くの例を挙げて指摘した。したがって、動物実験や病理学から出て来た古典理論の反射協調は、自然な環界での運動に対してほんの僅かの意味しか持たないと言わねばならぬ。

日常的に重要ないろいろの運動を分析することによって次のような結論が出てくる。起立、歩行、手仕事や機械仕事の動作などのいろいろな作業は、同一の結果が——つまり平衡とか目標への到達とか仕事の完成とかの結果が——さまざまに異った神経支配や協調の道筋を通って等しく達成される場合に成立するものなのである。つまり作業 Leistung は、反射につきものの法則的一様性によってではなく、神経支配と協調《コオルディナツィオン》とのさまざまに可能な多様性によって保証される。かくして、反射の研究は作業を理解するためではなく、神経実質自体の、殊に中枢神経系のそれの機能を知るために重要な研究だったのだということが判明して来た。ところでこの神経実質の機能は、それが病的変化に見舞われたときに最も興味の的になる。反射が大きな意味を得て来たのはかかる病的変化への興味を通じてであった。なぜなら、反射という概念は神経線維の構造や神経伝導路による諸器官の連絡に応じて考えられたものであり、有機体内の諸機転についての的確な、或は少くとも明確なイメージを提供してくれるものだからである。以上を要約すれば、作業に対しては種々の異った経路を通って同一の結果が達成されるという原理が、また神経の諸機能に対しては同一の経路を通る伝導という原理が最もよく適用しうるということになる。これを簡潔に表現して作業原理 Leistungsprinzip と伝導原理 Leitungsprinzip とを対置させてもよいだろう。つまり、歩行、起立、平衡などは、いずれも同一ならざるいくつかの機転を通じてもたらされる運動成果であって、元来——その運動面を見れば——形像の単位的統一、言い換えれば種々の個別例の間にみられる形像の類似性である。個別例は単にこの形像の単位的統一を代表しているにすぎない。というのはこの統一それ自体は決して現実に実現されえないものだからである。有機体というのも実はそれ自体、このような形像の一統一体にすぎない。

ここでわれわれの課題となるのは、もはや古典学説におけるがごとき、いかなる器官や機能により或る作業が実現されるかの問題ではなく、いかなる器官や機能を通じて作業の達成が可能になったり阻碍されたりするかの問題である。われわれは有機体の作業を有機体の諸機転から導き出すことをやめ、その代りに、与えられた作業の獲得と喪失 Erwerb und Verlust、範囲と変動 Spielbreite und Wandel を明かにせねばならぬ。一つの作業が実現されるということが研究対象ではなく、この作業が可能となったり阻碍されたりするのはいかにしてであるかを理解するのが眼目なのである。

2 知覚

前節では有機体が外部からの障碍によって示すいくつかの運動を見てきた。今度はわれわれ（研究者）自身が運動を行って、その運動の現れ方を観察しよう。ここでは、そこに現れてくる運動が環界の一対象について見られるのか、それとも有機体について見られるのかの区別はしないでおく。これは前節において運動が外力によっても、有機体の筋肉の力によっても同じように生じることについて詮索しなかったのと同様である。なぜならこの両者の共働ということこそ関心の的なのであるから。

そこでいま自己運動に際して現れてくることを観察すると、ここでもやはり、簡単に言うと障碍といえるものが問題になる。ただ今度は有機体が——例えば有機体の静止が——障碍されるのではなくて、私（研究者）の有機体が自己自身を障碍することになる。つまり私が部屋の中を数歩あるく。すると直ちに——恐らくは眼を通じて最も著明に——或る種の運動が現れる《エアシャイネン》。ところがこれを記述しようとしてみると、私によって知覚されているこの運動は決して一様なものではないことが判る。まず私の身体が全体としても個々の部分の相互関係においても動いている。周囲の事物も静止しているようには見えないで移動しているように、つまり互に動きあっているように見える。私と四方の壁との間ではいろいろな家具が移動して新しい位置を取る。窓枠も外の景色に対して位置を変える。この種の運動は鏡に映して見ると最も目立つ。われわれはこのような環界の動きをもちろん本気にはしない。だがその知覚は避けることができない。私が例えば垣根に沿って急速に動いたとする。すると、実際には動いていない客体の運動という現象が、もっと真に迫って来る——つまりかかる現象の感覚強度には段階的な差がありうるのである。またこの現象は、注意をそこから外らせたり或る一つの対象を「注目」したりすることによって、或る程度までは抑えることができる。ところがそうすることによって、それ以外のやはり客観的には静止している物体が注視している物体に対して動いてみえるという現象は、いっそう避けがたいものになる。——ところでこの現象はそれなりの客観的基礎をもっている。つまりそれは遠近法の有する幾何学的な自明性である。いま私が自分の左手にある一軒の家の前を通り過ぎるとする。

この家の前には一本の木が立っている。この場合私には、その木が家の右側から前を通って左側へと逐次移動するように見え、私の一歩一歩がこの移動を起させているように見える。このような本気にされない nicht ernst genommen 運動の知覚をも運動知覚と名付けるかどうかには議論の余地があろう。しかし、この種の客観的でない運動が本気にされる場合もいろいろある。そこで錯覚ということが起りうるのである。当然予想されるように、錯覚とは自分の運動がそれ自体としては私の知覚の中にないか、またはなかったかの場合に特に生じやすい。しかし客観的事態に関する知識ということもそれに一役買っている。つまり、客観的状態が知覚に対応していないことを私自身知っている場合に限って、私はこの知覚を錯覚と呼び、私がその事情を知らないでいる時には、その運動は私にとっては実際の運動とみなされ、本気に受取られ、錯覚とは呼ばれないことになる。

ところで、このようにして自己運動によって生じた仮象運動《シャインベヴェーグング》が単に幾何学的必然性を有するだけではなく、われわれがこれを本気にしないのは生物学的な必然性にも基くことなのだという点については、ふつうあまり明かにされていない。もしもわれわれがこの仮象運動を本気にするようなことがあったなら、いっさいの自己運動は右に考えた意味での環界的対象の運動と現実に一体になっている、という結論が出て来るに違いない。その場合、環界の諸対象は絶えずその配列を変えることになって、どちらかの方向を定めたり、固定した目標、たとえば住居に到達したりすることも不可能となるに違いない。というわけで、実際に起きている運動（および場所の変化）の一部を無視するということは、固定した環界を可能ならしめる条件なのである。われわれが知覚された運動を事実上の運動と見かけだけの運動とに区別できるのは、生物学的な必然性である。そこでわれわれは次にこの必然性の基盤を探究してみようと思う。

外的な力による機械的な障碍の場合と同様に、ここでもまず、単なる量的変化——今度は自己運動の量的変化——から始めよう。最初に挙げた実例のような取扱いに不満な仕組みのものは避けるが、その他の点ではよく似た実例を用いることにする。私の前に電気スタンドを置いて、それと私との間に小さな物体、例えば一本の指を眼の高さにじっと静止させておく。自己運動としては、私の頭を左右に廻す運動を用いる。この運動は、かぶりを振るときのように任意に速度を速めて行うことができる。この速度の変化が、この実験に属する唯一の変化だということにしておく。最初、ごくゆっくりと頭を回転させると、スタンドと指とはそのまま静止しているように見える。少し回転を速めると、客観的には静止している指が見かけ上、頭の回転とは逆方向の運動を始める。だから、頭の回転を繰返すと指はスタンドの前を左右に揺れ動いているように見える。次に頭の回転を一層速くして急激に振廻してみると、第三の現象として指と電気スタンドとの両方が一致して同一方向への逆向運動を示す。つまりこの二つの物体は、相互間の客観的関係を保ったまま、しかも観察者にはそれが仮象運動を行っているように知覚される(6)。

この実験においても、変化は連続的で単に量的なものであるのに、見るという作業の変動は段階的に起っている。環界の静止した両物体が、最初は静止したままで、次には部分的に動いて、最後には全体的に動いて見える。ここではまださしあたって知覚器官を統一的全体とみなしておくならば、ここに見られる作業は、環界の静止の保持を段階的に解体する作業としてとらえることができる。どの局面をとってみても、頭と環界との静止関係は障碍されているのに、第一の局面では環界が障碍されていないかのように、次の局面ではそれが部分的に、最終局面では全面的に障碍されているかのように見える erscheinen のである。この諸段階は、前節で述べた身体平衡の諸段階と同類のものである。両者の相違は、片方では身体の平衡が、片方では静止した環界の外観が、さまざまの程度に保持される点にある。また両者の共通点は、それを保持するという課題を解決するためには、障碍の種々の程度に応じてそれぞれに異った方途を用いざるをえないということである。有機体は、従来の体位ないし外観の一部を犠牲にし、それによって平衡ないし外見上の環界の恒常性を確保することに成功している。もちろん、このような手段がもはや成功しなくなるような限界的な場面は存在する。しかしこの極限に到達するまでの間に、なんとか間に合うような中間的解答が持ち出される。そしてわれわれの生命は、この場面場面に応じた暫定的解答によって保たれているのである。

そこで、自己運動ということからさしあたって一つの生物学的特性が取出される。それは、私が自分で動くとき、私は自分に対していろいろな運動を現出せしめる wenn ich mich bewege, so lasse ich mir Bewegungen erscheinen ということである。自己運動とここに現出する運動との関係が固定したものである限り、これらの知覚は自己知覚 Selbstwahrnehmung とも名付けることができる。しかし習慣的な用語法は、元来この「自己知覚」の語に、自己の身体もしくは自己の心の知覚を指す意味を与えてしまっている。ところがこの知覚 Wahrnehmung という語の中にはもともと「取る」Nehmen という能動的動作の契機が含まれている。われわれの考え方からしても、知覚する Wahrnehmen とは一つの自己・活動 *Selbst*-Tätigkeit にほかならない。さて私は、自分に対して現出してくる運動の一部を本気で受取り、一部は本気で受取らない。どういう条件のもとでこのどちらが起るのかは、まだ確かめられていない。ただ、外部からの力による運動系の障碍との比較から、次のことが判る。つまり障碍の程度に規則正しく対応して、環界の私に対する現出を現状のまま保持しようとする特別な様式がとられ、この保持の仕方によって結果が変ってくるということである。環界が静止しているのにこの静止ということの現出が私の運動によって障碍される場合には、私はそこで知覚される環界の運動を本気に受取らない。

この「本気に受取らない」Nichternstnehmen という言い方は、或は心理主義であるとのそしりを受けるかもしれない。しかしこのような批判に対しては、障碍の生じた場合に器官が行う作業の研究を通じて答えて行くことにしよう。すでに指摘しておいた通り、この「本気に受取らない」ということが生じなかったならば、環界は渾沌とした動きに巻込まれてしまって、われわれはその中で一切の方向性を見失ってしまうことになるに違いない。しかしそのような可能性は、単なる仮定にすぎぬと言われるかもしれぬ。だからこそ、環界の現出様式は、ごく単純かつ不可欠の作業にとってすらそれの現実条件 Realbedingung なのだという指摘がどうしても必要になってくる。

これを立証するにふさわしい事象としては、例えば回転めまい Drehschwindel に際してみられる諸事象も挙げられる。[7] 直立したまま、同じ場所で自分の身体を急速に回転すると、或る一定の速度においては環界の外見上の対向運動（回転）が現出する。これはわれわれの熟知していることである。ところが次にこの自己運動をやめて、その代りに環界の方を人為的に回転させてみると、われわれは新しい経験に出くわす。この実験には、身体のすっぽりはいる、内部を照明されたボール紙製の大きな回転円筒が適している。この円筒の回転を徐々に速くして行くことによって、この場合にもやはり、この客観的運動の知覚が停止して、その代りにわれわれが本気で受取らないようないろいろの知覚が現出することがわかる。静止した被験者が眼の前に一つの静止した物体を保持して、視線を（円筒を見ないで）この物体に固定すると、円筒の回転が特定の速度に達すると、あたかも円筒が急に停止して、その代りに自分の身体が逆方向に回転しているように感じられる。この運動もやはり非現実的なものとして体験され、本気には受取られない。そして被験者は、われわれが通常、回転盤の上で実際に回転させられるときに行うような動作をも行わないのである。もしもこの錯覚が生じなかったら、つまり円筒の急速な回転が知覚されたなら、この運動は恐らく出現することだろう。そしてその場合には、ふつうめまい感と呼ばれている感じが起って、身体は運動不穏状態に陥り、遂には身体平衡感覚が冒されて転倒の危険が生じることになるだろう。このことから、特定の仕方での環界の知覚がわれわれの平衡が保たれる一つの条件となっていることがわかる。視覚的な回転めまいは、環界の客観的事象が機械的な意味ではなんら平衡を障碍しなくても、知覚が一定の仕方で変化すれば平衡保持の作業は障碍されるという、多くの実例のうちの一つにすぎない。

3　生物学的行為

われわれの研究は、われわれが環界や環界の諸対象と全く特定の関係でもって結びついていること、或はそれらにいわば密着していることをはっきりと示すものである。そこには特定の仕組みが成立っていて、その機能が働くことによって身体ないし身体の諸器官と環界の特定の諸部分との接触は、強力な障碍によって関係が断ち切られない限り、いつも保たれている。この種の結合性を相即 Kohärenz (8) と呼んでおこう。視覚の領域においては、相即《コヘレンツ》は次のようなぐあいに成立している。或る人が視野の中に見えている一匹の蝶を観察している場合を考えてみよう。まず蝶の像が網膜の一部の上を動く、と考えてよいだろう。次には蝶の飛ぶ方向への視線の移動が起る。蝶の独得な飛び方に応じて、間もなく頭の運動、胴体の運動が、そして更に歩行運動も起ってくる。筋肉系のこのような多面的な動員は、つねに同一の成果をもたらしている。つまりそれによって、蝶の像をできる限り持続的に網膜の中心部に結像させることが可能となるという結果がめざされている。こうして多種多様な障碍にもかかわらず、観察者と蝶とはつねに視覚的に一体となっている。つまりここで、対象自体も対象の運動もこの相即《コヘレンツ》の維持によって現出するのである以上、この場合にも観察者の運動が対象を現出させていることになる。つまりこの相即《コヘレンツ》は右に述べた一連の運動という条件のもとでのみ維持されるので、このことから、見ることとプラス動くことという事象の全体を一つの行為とみなすことが正しいということになる。

こういった相即《コヘレンツ》の持続性《コンティヌイテート》をより精密に研究するための実例はいくらでもある。例えばいわゆる鉄道眼振 Eisen-bahn-Nystagmus* の場合がそうである。この場合、視線が網膜上に固定する客体は、またたく間に二度と見ることのできぬ遠方へと走り去ってしまう。相即《コヘレンツ》は断絶するが、すぐまた別の対象との間に新しく出来上る。だがそれも、この対象が消え去るまでの束の間のことにすぎない。これがそもそも視覚的な相即《コヘレンツ》の運命なのである。今度は読むという行為を考えてみよう。この場合にはちょうど反対に、見られている物体のできる限り急速な交替が求められることになる。つまり運動系は最大限の相即《コヘレンツ》の破壊をめざしているような態度を示す。本を読むのに眼を動かす代りに本を動かしたなら、眼はきっと一種の鉄道眼振を行うに違いない。以上の考察は、視覚的な行動においてはつねに、視界の中で相即《コヘレンツ》を保っている部分とそれを犠牲にしている部分とがある、ということを示している。そして元来、見るという行為の本質は、いかなる時でもまさにこの分割にある。運動系はこのような仕方で見るという行為の実現を可能にし、またこれを規定している。つまりわれわれが自己運動によって諸対象を現出せしめるという場合、この行為は環界を相即的《コヘレント》な部分とそれの犠牲にされた部分とに分割するということを含んでいる。

　われわれはここに、運動に関する最初の実験で見出された作業原理《ライストウングスプリンツイプ》の一つの応用を見ることができる。従来、感官作業と結びついた運動にも時としては反射法則が適用しうるものと考えられていた。例えば、右に挙げた「鉄道眼振」や、視覚および聴覚の領域での刺戟源への運動的指向がその例である。また引掻き反射、くすぐり反射その他の触覚的刺戟の結果も、それらの運動が反射特有の規則性と強制性を示した場合には、このような見解を強化するものでありえた。しかし、知覚の用に立てられる運動の分野においてこの運動に反射法則があてはまるのは、ただこの作業が反射的に成立しているときのみに限られるということが、早くから切実な問題になっていた。その作業が蝶を追うというようなことである場合には、ほとんど各瞬間ごとに別々の協調《コオルディナツイオン》、が新たに開始され、従って作業の成果は絶えず異った方途によって――つまりまさしく作業原理に従って――到達される。しかしこの作業原理が知覚に適用される場合には、本質的な拡大が行われることになる。知覚行為という作業は、運動系の事象と知覚作業によって実現される対象現出とのからみ合い Verschränkung を示す。この対象現出は相即的対象と犠牲対象との分割によってはじめて可能となることは右に述べた。この「犠牲」Opfer はさしあたり、本気に受取られない運動という形で分析に供される。だが後述するように、この形式は唯一のものではない。知覚された運動が本気にされるかどうかを決定する条件は、これまでは一つの方向だけに向って見出されてきた。つまりその決定は行為の対象に応じて決められているということだった。私が蝶に関心を向けている限り私は自分の運動によって生じるその他のいろいろな運動には無関心であり、それらを犠牲にする。私が走っている汽車の中から遠くの景色に関心を向けている限り、私は眼の前を走り過ぎる電柱を犠牲にする。しかし私がもし汽車の運動に注意を向けるのならば、私はそれらの電柱の走り去る速さから汽車の運動の見当をつけることになる。隣のレールに止っている列車が動き出す際に自分の列車が動き出したように知覚するという（よく生じる）錯覚の場合には、私は知覚された運動を、それがここでは客観的に起きている運動であるにもかかわらず、犠牲にしているのである。

いずれの場合にも、いろいろな物体が互にいかなる相対的運動を行うかとか、それらの物体のうちのどれが空間内で客観的に静止しているという絶対的な妥当性をもつかとかは決定的な問題にならない。知覚において決定的なのは、私が私自身を現にいかなる物体との関係に秩序づけて知覚しているかである。汽車の車室は今、私の作業空間であって、私自身の運動に関してもやはり静止せる環界として知覚されている。ところが私が窓から外を眺める場合には、私は今度は地面に対して自分を関連づけることになる。望遠鏡で星を眺めている時には、私は地球の回転の直接的な知覚さえも手に入れることができる――つまりこの場合には私は静止せるものとしての宇宙空間の中へ関連づけられている。

したがって、空間の物理学的・数学的統合と生物学的統合とはぜひとも区別しておかねばならない。物理学的・数学的統合の方は、時間の流れを通じて恒常的な一つの関連系《ベツークスジュステーム》を持つ。この関連系の座標軸は絶対静止の状態になくてはならず、それ故にこの座標軸との関係における全ての物体はそれら相互間においても矛盾を含まない。一方生物学的統合の方はつねにただ瞬間的妥当性を有するのみである。それの「関連系《ベツークスジュステーム》」は一応或る持続を占めうるけれども、いつでも別の関連系を現出させるために犠牲にされうる。だからそれは系 System というよりは、或る一つの現在において生物学的作業の占める一つの秩序 Einordnung である。或る一つの現在は絶え間なく別の一つの現在によって取って代られるものであるから、そのような現在は実際にはいつも「成立していた」gegolten hat としか言えないもので、決して「成立している」gilt とは言えないという矛盾が生じる。この矛盾は、さきに述べた或る一つの運動を本気で受取らないということと全く同一のことである。運動は時間の中で生じるものである以上、それは現在という一つの現実性《レアリテート》の中では決して現実的《レアール》ではありえない。数学的統合が矛盾なく実現されるのに対して、生物学的統合（それは一つの現在設定 Vergegenwärtigung である）は、矛盾の中でしか実現されない。

つまりここで生物学的統合と呼ばれるものは、（とりわけ）知覚においていろいろの運動を本気に受取るか受取らないかの区別に基いている。かかる区別を生ぜしめる秩序の中から、知覚対象が構成されて現出する。そうだとすれば、われわれが行為と呼ぶものは、大まかにまとめて考えられたこの種の生物学的作業のどれかだということになる。「実際の」と「見かけ上の」、或は「本質的」と「非本質的」の区別に基くこのような行為は、多くの点でゲシュタルト心理学派の言う「ゲシュタルト」を連想させる。背景から浮き出た図型《フィグーア》、これはここでわれわれの考えているものと現象的に同一のものである。これに反して、ゲシュタルト心理学の方法論や、それの創始者たちの或る種の自然哲学的学説*には賛同できない。つまり、われわれの信じるところでは、彼らは歴史的必然性の帰結として、自然のままの「加算不能」な要因のうちにゲシュタルト形成をうながす契機を求めねばならぬと考えていたようであるが、これに対してわれわれはこのような超加算的な契機をなんらかの分析的研究の中へ持ち込むことは不可能だと考えており、それは結局のところ生気論《ヴィタリスムス》の一変種にすぎないと考えている。私の考えでは、分析可能なもの、そして事実に即した方法で確定しうるものは決してゲシュタルトそれ自体ではなく、つねにゲシュタルトが現出するか消滅するかの境い目にすぎない。つまりそれはゲシュタルトの内容に関する原理の諸条件ではなくて、それの形式に関する原理の諸条件にすぎない。ただ、われわれがこの形式の条件をどこに求めるべきかという問いはまだ未解決のままである。しかし解剖学的・生理学的研究がやはり明確で確実な研究であることは疑いない。或る動いている像の速度が網膜の被刺戟性の機能閾値以下になると、われわれは一つのゲシュタルトの消滅を見ることになるが（例えばトールボット Talbot の融合*の場合）、この場合のゲシュタルト心理学者の言い分は、それはゲシュタルトとは関係のない出来事だとするか、それともこのような閾値は決して一定した量ではなく、ゲシュタルト側の事情によって変りうるものだとするかのどちらかだろう。つまり彼らは、ゲシュタルトの側の事態が網膜の側の閾値の変化によって左右されるとは考えない。しかしこの考え方に対しては、ゲシュタルトが閾値を作るのでもなく閾値がゲシュタルトを作るのでもない、と答えなくてはならない。両者は因果的な関係では決して考えられないものである。もしも充実した《プレグナント》ゲシュタルトでは弱いゲシュタルトの場合よりも閾値が低い値を示すとすれば、これはゲシュタルトが閾値に影響を及ぼしたことの証拠ではなく、生理学的理論にとってこの閾値が無意味であることの証拠である。閾値のこの非恒常性《インコンスタンツ》は、自然定数《ナトゥーアコンスタンテ》などというものはなくて可変函数《ヴァリアーブレ・フンクツィオン》があるのだということの表徴なのであって、それ以上のなにものでもない。われわれがそこで探究しうるものはいろいろなゲシュタルトの（われわれの用語では行為、作業、像の統一性などの）成立というようなことではなく、すでにはっきり述べておいたように、それらの獲得と喪失の形式論、それらの可能範囲と変動の形式面である。さてこの形式論は、有機体の中では他ならぬ器官構築と機能との諸関係に関して、——単に数学的操作としての計測という意味においてのみならず、それの構造的、機能的な多様性の全き豊富さにおいて——ただちに自らの有用性を実証することになる。だから私はこの問題の解答を有機体の諸学問の方法の中に求めるのである。もちろんその際、生命事象そのものは説明しえず、ただその限界条件の必然性にしたがって特徴づけうるにすぎない、という重大な留保をつけた上でのことである。このことは、われわれが生命事象をポジティヴにではなく、ただネガティヴにのみ規定しうるということ、つまり生命事象は本来的には決して記述されえないものだということを意味している。この意味において、われわれの立場はゲシュタルト心理学と同様に、否、むしろゲシュタルト心理学よりもいっそう徹底して、機械論的生物学から遠ざかっており、これを拒否する点においてゲシュタルト心理学と同じ道を歩んでいる。しかし私が思うには、ゲシュタルト心理学はゲシュタルトの「超加算的《ユーバーズンマティーフ》」性格をひとたび明確にとらえておきながら、生物学の研究原理としての説明《エアクレールング》ということを充分な徹底さでもって捨て去らなかった。そしてこの態度が、ケーラー W. Köhler[*] の自然哲学[(9)]において心身並行論への逆行という報いを招いたように思われる。

ここで神経系の諸事象についての話に戻ろう。各部分間の関連について従来よりも明瞭なイメージを作り出すに違いないもの、それはなによりもまず「からみ合い」Verschränkung と名付けられた運動と知覚の関連である。この問題に関しては、神経生理学が長年にわたってこの課題をめぐって思索を続けて来たことを立証する一連の重要な発見が挙げられる。感覚運動関連《ゼンゾモトーリッシャー・ツザメンハング》の知見と切離せないのは、ベル Bell[**]、フルーラン Flourens[***]、エクスナー Exner[****]、ライデン Leyden[*****] その他の名前である。そして遂に、運動は正しいあり方においてはただ感官の共働のもとでのみ成立しうるのだということを強調する概念として、独得の機能様式としての「感覚運動性」Sensomobilität が取出されるに至った。一方これと逆の関係、つまり感官知覚が運動に依存しているということも繰返し実証され、その意義を認められてきた。ただし、これらの感覚運動関係がどの程度の普遍性を有するのかという問題は当然未解決のままに残され、結局それは場合場合に応じて判断されてきた。つまりそれが基本法則として確立することはたいていの場合なかった。ことに、そのような基本法則が適用されうるのは、主として神経系の作業の空間的な諸規定に限られていた。

しかし、神経系の作業の空間的規定を理解するには、運動の場合は感官活動に注目し、知覚の場合には運動に注目することがどうしても必要であることがひとたび認識されたからには、ここから次のいま一つの帰結まではほんの一歩のことである。受入《アフェレント》系と送出《エフェレント》系とが互にこのように密接に関係しているものであるならば、今度は各種の感官領域相互間や種々の運動性作業相互間の関係もより理解しやすいものとなるはずである。というのは、犬が飼主を、鼻や耳や眼のいずれを用いても同一人物として認識するという事実、そしてそのいずれの場合にも同一の運動目標が定められて飼主が見出されるという事実——こういった、またその他の多くの事実は、空間的なさまざまの規定が感官の諸様態間 intermodal* に同一の秩序を設定するということをも、同一の感官様態の内部における場所的規定の多様性ということに劣らず要請するからである。一つの対象のいろいろな位置や運動を見るという前述の実例もやはり、この作業にはほとんど全身の筋肉系が（つまり決して単に眼筋のみというようなことではなしに）参加していることを示すものであった。しかしこの同一の筋肉系が、聴覚や触覚などにおける空間規定にも同様に組込まれる。だから一つの対象がいくつもの感官を通じて同一物として現出しうるためには、感覚運動性の概念よりも遙かに広い共通感覚 Konsensus と協調 Koordination、つまりいわば共通感覚運動性 Konsensomobilität のごときものを考える必要がある。

この必要は、しかしながら決して自明のことではない。心理学的および認識論的な諸見解、ことにカントの空間論**に基いた見解はむしろ、われわれが数学的な空間表象を所有しているという前提の上に立っていた。いま或る一つの知覚対象がそのような空間中の一定の場所に姿を現したとすると、この対象はそのことでもって絶対的な仕方で空間的規定を受ける、という考えである。つまり、私の空間表象に属する同一の場所から視覚的および聴覚的な印象が出て来たとすれば、それだけでこの両印象の同一対象への所属性が与えられたことになる。(10) しかしかかる見解は、行為における知覚と運動のからみ合いという考えとは相容れない。なぜなら、このからみ合いにおいては感性的な現在《ジンリッヘ・ゲーゲンヴァルト》はつねにそのつど新たに形成される。この感性的現在を同一の表象空間の中へ持込むこともこれまた一つの特別な作業であって、この作業は知覚と運動の後に続いて行われることはあっても必ず行われるとは限らず、まして知覚や運動に先行してなされることはない。われわれの見解によれば、種々の器官が同一秩序に参加するのは、それらの器官がそれぞれの位置指数《オルツヴェルト》によって同一の（数学的）空間の中に組込まれている、或は組込まれる、ということに基くのではなく、対象ごと行為ごとにそれぞれ一つの事象単位が形成され、しかもこれがおしなべて全体へと結合するのではなくて、むしろそのつど特定の観点からしてこのような全体への結合が放棄されているということに基いている。つまり本書でからみ合い《フェアシュレンクング》と呼ばれているものは、昔から言われていた運動性と感覚性の共同作用、すなわち結局のところ或る物質的実体の中で伝導原理によって考えられるにとどまっていた旧来のこの種の共同作用とは所詮別種のものなのである。もちろんこのような機能連関は確かに存在しているし、いろいろな作業の――すなわち従来から感官作業と呼ばれている作業も運動と呼ばれている作業も含めて――最も重要な条件の一つではあるだろう。しかしこのような旧来の考え方では、この種の作業それ自体の的確な像はこれまでも与えられなかったし、今後もこのような方法によっては到達されえない。以上を要約するならば、いろいろの器官やそれらの諸部分の協働は、これらの諸部分が各々固有の空間指数《ラウムヴェルテ》や位置指標《ロカールツァイヘン》（ロッツェ[*]）を所有していることに基くのではない。空間性に関係する特異的な感官エネルギーのようなものは存在しない。またいろいろな感覚印象相互間の関連も、それらが一つの普遍的で絶対的な空間表象に組込まれることに基くのではない。そもそもこのような協働が統一的にゲシュタルトを形成するのは、個々の構造や機能の諸状態に起因するものではない。むしろこれらの構造や機能の諸状態は、協働の統一的ゲシュタルト形成を絶え間なく中断し、限定し、場合によっては消滅せしめることもあるものであって、それはしかもそれらの構造や機能に本来的に属している必然性に由来することなのである。

器官の機能によって知覚が生じるのだという考えがいったん根を下してしまった以上、この考え方が知覚の空間性の問題だけにはとどまらず、知覚の質的内容に関してまでも行きつくところまで押し進められたという成行きは、避けがたいことであった。かくして、種々の感覚《エンプフィンドゥング》はこれらの器官の産物だという考えが生じたのである。そして、主だった感覚神経の神経線維には格別目立った相違が認められないからには、〔諸感覚の〕特殊性や、それらの質にそれぞれ対応した相違点は、神経線維の眼に直接見えないような機能の中に求められるか、それとも神経線維の局所解剖的な分離そのものの中に求められるかのどちらかでしかありえなかった。この方向に沿った多大の努力にもかかわらず、またごく最近にはかなりの研究成果が生み出されたにもかかわらず[11]、この種の理論の生理学的収穫はさして大したものだとはいえない。それ故、これらの〔諸感覚に〕特殊な機能とかそれの場所的意義《オルツベドイトウング》とかをいったいどう考えればよいのかという問題はこれまでは一つの神秘とされ、それだけにまた魅力的で印象的な問題でもあった。百年も前にヨハネス・ミュラー Joh. Müller* によって唱えられた特殊感官エネルギー spezifische Sinnesenergien の学説が今日でもなお多くの研究の出発点として多大の影響を及ぼしており、一方この学説を最も丹念に批判した一人であるフォン・クリース Joh. v. Kries** が、この理論には本来の証拠といえるものが余りにも乏しいことを見出した結果、この理論は興味深くはあるが疑わしいと言うにも足りぬ程度の仮説とみなされねばならぬことになった事実の方には、あまりにもわずかの注意しか向けられていない。

このしばしば「法則」とすら呼ばれることのある学説が主張するところは、或る一つの感覚神経はそれがどんな方法で刺戟されるかには無関係に、常に同一の、その神経固有の感覚を産出する、例えば聴神経は常に聴覚のみを、視神経は視覚のみを産出してそれ以外の感覚を産出しない、ということである。しかしいまこれらの神経のそれぞれに、光、音、電流、打撃などを加えてやることによって、常に同一の伝導可能な興奮の仕方のみがひき起されうるとするならば、この観察はただ、この興奮はたしかに種々の性質の衝撃によって解発されうるものではあるけれど（このことは感覚とは無関係である）、その他の点においては同一の原因が同一の結果を示し、聴神経は所詮聴神経であり、他の神経についても同じことだ、ということを意味しているに過ぎない。だがこの学説が、種々の感覚神経そのものが種々の感覚質《エンプファインドウングスクヴァリテーテン》に特異的に対応しているとかこの両者の間に転化《トランスフォルマツイオン》がみられるとかを意味するのであるならば、こういった法則は当然、同一の感覚器官に属する種々の異った感覚質《クヴァリテーテン》、例えば視覚における青と赤の相違などについてもあてはまるものでなくてはならぬ。ところがこの点に関しては、すでに以前からの観察によって、むしろこちらの方を法則と呼びたいほどの普遍性をもって妥当することの証明されている一つの事実がある。つまりそれは、厳密に量的な刺戟の変化によっていついかなる場合にも、一定の間隔を置いてそのつど飛躍的あるいは段階的な知覚質の変化が生じるという事実である。つまり「特殊感官エネルギー」の言うところとは正反対に、刺戟の質的多様性がつねに同質の感覚を生じるのではなく、刺戟の単なる量的差異が感覚の極めて多彩な質的多様性を現出せしめるのである。この通則は、光の波長と色彩、音の波長と音高、圧の強さと圧感、刺感、触感、擽感、痛感などとを対比してみると、どの場合にもあてはまる。(12) どの場合にも、感覚質の「ちょうど判別可能な差違」が刺戟の単なる量的変化に、しかも量的な見地から見れば何の特徴もない、むしろ「偶然」とすら思えるような変化に厳密に対応している。もう少し大きな変化、例えば赤から青へとか、a′音からgis″音へとかの場合にも同じことがいえる。だからどうしても基本命題のようなものを作りたいのならば、感覚生理学的な量の特殊性 Spezifität der Quantitäten というような言い方が必要になってくる。

「特殊感官エネルギーの法則」の意とする所とはまさに正反対のこの原理は、感覚についてだけでなく、運動の知覚についても確認することができる。今、はっきり見える一つの物体を非常に緩かな速度で動かしてやると、眼にはその運動は全然見えてこない。次にその速度をいくらか増してやると(例えばごく遠方の汽車や汽船)、短い間隔を置けば場所の変化は目につくが、運動という印象はまだ生じない——これがエクスナー Exner のいわゆる間接的運動視 indirektes Bewegungssehen である。もっと速度が上がると、今度は本当に運動を見るという範囲にはいる。この範囲内では、速度は感覚質の場合と同じく段階的にしか弁別できない。つまり速度に対しての目測の弁別閾がある。ところが更に速度を上げてやると、眼の前をヒュッとかすめる、パッときらめく、といった印象の生じる範囲にはいる。この範囲においては、それまで物体の運動といっしょに見られていた運動方向がもはや知覚できなくなる。そして最後の段階では、例えば飛行機のプロペラの廻転の場合のように、運動は全然見えなくなる。動いている物体を見る例におけるこのような相違を「質《クヴァリテーテン》」と呼ぶかいなかは用語上の問題にすぎぬ。いずれにせよ大切なことは、刺戟の側では生じていないこれらの諸段階が知覚の側ではかなり明確で鋭い区別として現れていて、この区別はもはや「量的」とは呼びえないということである。

そこで当然、諸感官は物理学の言うところのもの（われわれは刺戟を表現するには物理学を用いるのだが）とは違ったなにかを示すのだ、と言うことができる。もし諸感官《ジンネ》が感覚《エンプフィンドゥング》や知覚を通じて環界に関してわれわれに教えてくれるものを錯覚《トイシュンゲン》と呼ぶのであれば、これらの錯覚こそ環界についてのわれわれの感覚像《ジンリッヘス・ビルト》を構成《コンスティトウテイーフ》している不可欠なものだということになる。だが感官機能がこの像を産出するとか、刺戟によってもたらされる材料からこの像を製造するとかいう表現は、実のところなんら頼り甲斐のある意味をもたない。このような生産とか転化とかの考えは、物理学的および生理学的事象と知覚体験との間になんらかの類比が可能であるということを前提としている。しかし、刺戟と知覚内容との間の非連続的かつ異質的な対応という所見は、このような類比の可能性を示唆するよりもむしろ否定するものである。そしてわれわれはこの考察をごく基本的な認識にまで押進めて、われわれは知覚や感覚《エンプフィンドゥング》において感官機能とか環界刺戟の結果を得ているのではなく、まさにこれとは逆に、知覚や感覚によってはじめてわれわれは物質界の諸事象をわがものとしているのだ、ということを知らねばならぬ。だからこの研究を更に進めて行くにあたって眼を向けなくてはならない問題は、感覚像が器官機能の製品ではないというのなら、感覚像の構成《コンスティトウツィオン》をどう考えたらよいかという問題である。なぜなら、器官機能が感官作業の条件を含んでいるという認識は、それによって全然損われるものではないのだから。問題を量的なものと質的なものとの類比不可能性という点にまで尖鋭化することによって、同時にこの問題は因果関連という意味では解きえないということも示された。しかし他面、われわれわれがさしあたり知覚するのは量や質、或はこの両者の関係ではなくて、いろいろな対象そのものであることも明示された。この点を追求して行けば、対象の形式的性状ではなくてなによりもまず対象自体の同一性《デアゼルビヒカイト》、自同性《イデンティテート》が問題の核心となることがはっきりする。私が或る対象をそれ自体同一なるものとして、例えば一つの物体として知覚するということは、すぐ後に述べるように、特定の仕方で器官の側のいろいろな事情に依存している。

今度は網膜の興奮を例にとって次のような分析をしてみよう。静止せる網膜上の近すぎも遠すぎもしない二点aおよびbの各々に、二つの発光点から発した各一つの光刺戟を当ててやる。すると、この二つの刺戟が同時に与えられた場合にも、また一般的にいうと或る時間間隔を置いて与えられた場合にも、知覚は「二つの光点」を認める（一）。しかしストロボスコープ*を用いた実験で示されたように、この二つの刺戟の距離と時間間隔を適当に選ぶことによって、一定の範囲内では「一つの光点がaからbへ移動する」という知覚が生じる（二）。これは実際に一つの光点がaからbへ移動した場合にも同様である（三）。この実験では光刺戟が網膜上を一定の軌跡を画いて動くのであるが、次に眼の方を逆に動かすことによっても同一の移動実験を行うことができる。ところがこの場合には、「同一点に止っている一つの光点」という知覚が生じることになる（四）。以上の四種の場合を通じて、いずれも網膜上の二点a、bに興奮が起きている。第三**、第四の場合にはこの二点の間をうずめる諸点にもそれぞれ興奮が生じている。知覚が対象の客観的事態に合致しないのは第二の場合のみである。逆に知覚が網膜上の客観的事態と一致しているのは第一、第三の場合のみである。第二、第四の場合には、ストロボスコープによる運動（第二の場合）のように客観的には生じていない運動が知覚される、つまり錯覚が生じるという事実を説明するに足る特別な機能を仮定しなくてはならないし、また、対象ではなく眼の方が動く場合（第四）では、実際には眼だけしか動かなかったのに対象の方が動いたかのような錯覚が生じなかったという事実を説明するための特別な機能を仮定する必要が出てくる[13]。

すでに述べたように、古典学説は、感覚《エンプフインドウンゲン》や空間表象というものがあって或る一つの感覚がなんらかの仕方で知覚空間の中へ組込まれ、位置づけられる、という考え方に明かに基いている。そしてこの「なんらかの仕方」は生理学的装置の仕事、つまり或る特別な機能のせいにされる。すなわち網膜上の各要素はすべて独自の位置指標《ロカールツアイヘン》を有していて、これがその要素から解発される感覚に場所指数《オルツヴエルト》を与えるのであるが、この機能は自明のとまではいわぬまでも、かなり単純な機能だとみなされる。こうして視覚平面《ゼーフレツヘ》の体系もしくはモザイクが出来上る。ところが右の例の第二、第四の場合のように知覚がこの基本図式に当てはまらぬ時には、別のいくつかの機能が要求されることになる。それでも、なぜこの機能が或る場合に錯覚を生じ、或る場合に錯覚を防ぐのかの理由はなかなか判らない。後の第四の場合は生物学的もしくは目的論的に当然そうあるべき値打のあることだと考えられる。しかしはじめの第二の場合にしても、例えば映画においてのようにそこから利点も生じている。

そこで運動視については位置指標の基本学説では間に合わない。網膜の興奮と解剖学とを結びつけて、ばらばらの諸要素のモザイクという見方をする以上、なぜそれらの諸要素の上を走り去る光刺戟が各要素ごとに一つずつの新しい位置変化の印象を生じないのかが説明されなくてはならぬ。そこで新しい特別な機能として持出されるのが「融合」Verschmelzung の機能である。この融合は、同質の面や線を見る際にも持出される必要がある。そして、どのような時に融合が生じ、どのような時に生じないかの決定は、その器官の一定の解剖学的および機能的特性に求められることになる。ところが研究が進められるにつれて、融合の生じる空間的距離や時間間隔は決して固定したものではなく、われわれの見ている対象いかんによって著しく左右されるものだという事実がはっきりしてきた。たとえば二つの近接した興奮が二個の対象からのものである時には、それが一個の対象の二つの部分からのものである時よりも融合が起きにくい。

しかし、或る感覚が一定位置に定位され、それによって図形的な形像《ゲビルデ》が成立するのだという考え方を用いないようにするならば、これらの事態の叙述は本質的に異ったものとなる。例えば知覚における基本的な事実は「私が一つの物を見る」ということだという見方を出発点にしてみると、真に説明を要すること、また唯一の説明可能なこととしては、例えば私がもはやこの物を見ないでその代りに別の物を見る、というような事例があげられる。この物体が私の眼の前にある限り、私と物とを媒介する器官の必要性を内に含んだ私と物との分離は、体験の中にも思考の中にも生じていない。

　知覚が現在を構成すること Vergegenwärtigung〔現前〕に基いて成立しているこのような状態を、われわれは相即 Kohärenz と呼んでおいた。この概念でもって言おうとしていることは実のところただ、相即《コヘレンツ》を解消してしまうような力や事態が不在である、ということにすぎない。つまり、もし物が変化したり物がその位置を変えたりした場合には（後の場合では今度はその位置が知覚の対象となるのだが）、われわれは定義上、相即《コヘレンツ》が破られたものと仮定する。他方、相即《コヘレンツ》が保たれているということは、有機体と環界との関係が変化している場合には、この変化がそのままの姿では知覚されない時にのみ可能なことである。物理学的客観性《オブイエクテイヴイテート》と知覚における物体の対象性《ゲーゲンシュテントリヒカイト》との間のこの矛盾については、すでに以前から気付かれていた。特に、ヘーリング Hering が「被視物」Sehdinge とそれの「恒常性」Konstanz* ということを強調しているのは全く正当なことである。だが、被視物と物理学的客体とは根本的に類比不可能なものであって、右に述べた矛盾の源はこの点にあるのだということがなかなか承認されず、そのために両者を扱う際の問題のたて方が決定的に違うのだということが完全には気づかれなかった。知覚の対象に関しては、それが現在眼の前にあるものとして現出していることが一切の鍵になる。このことは最近、とりわけアウァスペルク公 Prinz Auersperg** によって明かにされた。更につけ加えると、それが同一のものとして現に眼の前にあるということが要点なのである。そこでいまこの種の対象が動いて見えた場合、これを感じた印象の方では位置の変化が生じているにもかかわらず、対象自体は同一の対象として、つまり動きながらも同一のものとして見られうるための条件を求めなくてはならない。何故に近接要素の興奮が互に融合するのかを解明したり、何故にａ点とｂ点とに生じた興奮が或る場合には同一の、他の場合には二個の別々の物体と結びつくのか、何故にこの二点の興奮が或る時は「こちらからあちらへ」の関係で結ばれるのに別の時にはこの関係で結ばれないのか、或はまた、何故に網膜の上を興奮が走った際に知覚面では物体の運動が見られたり物体の静止が見られたりするのかを解明したりすることが課題なのではない。問題となるのはつねに、いかなる相即《コヘレンツ》が破られたのか、そしてそれはいかなる条件によって破られなくてはならなかったのかということである。つまり発光点がａ点からもｂ点からも同一のものとして見えたという場合、問題はそれが同一のものとして見えたという事実ではなく、それがこの「同一の」という規定を失うかどうか、失うとすればどのようにして失われるのか、またそれは「動いている」という規定を与えられるかどうか、与えられるとすればどのようにして与えられるのか、ということである。これらの規定の諸条件を確定するのは従来からつねに生理学の任務であった。しかし生理学のこれまでの成果は、今や新しい光を当てられ、そこからはこれまでとは違った結論が取出されなくてはならぬ。それを示すのがわれわれの当面の課題である。すでに見てきたように、或る一つの対象を「同一のもの」として知覚することは、位置指数の助けを借りて対象を空間表象の中へ持ち込んだり、器官内部の個々の興奮のモザイクが融合したりすることとは結びついていない。対象の同一性《デアゼルビヒカイト》は機械的に製造しえないものである。しかしこの同一性は、もし相即《コヘレンツ》が破れたら、つまり別の或るものが現に眼の前に現れたなら、知覚の中で中断されることになる。そのような事態は例えばその物体の物理学的に計測可能な諸規定に関して或る量的限界が超えられたような場合に生じる。われわれはその場合、質の変化を認める。そこには次の二つの事態が考えられよう。つまり、「物が変化した」という知覚が生じるか（例えばカメレオンが色を変えたとかリンゴが赤くなったとか）、或は「別の対象が出現した」という知覚が生じるか（例えば今まで月のあった所に今は雲があるとか）のどちらかである。先の場合には自同性《ゼルビヒカイト》は実体の側に保たれていて、性質の一つが犠牲にされているし、後の場合には自同性は場所について保たれていて、その場所にある物が犠牲にされている。運動の知覚でも同じことである。つまり場所の自同性か物の自同性かのどちらかが犠牲にされる。われわれが感覚生理学から学んできたところによると、機能には限界のはっきり固定した条件があって、その範囲内でのみ機能の維持が可能である。しかしこの命題には即刻、自同性の維持は或る一つの規定を犠牲にすることと結びついている、という命題を補足してやらねばならぬ。この犠牲にされる規定に関しては私の相即《コヘレンツ》はつねにそのつど破られ、もう一方の規定に関してはそのつど建てなおされるのである。そこで次のようなことが言える。錯覚とか、或る体験を本気にしないこととかは、対象の自同性保持の条件なのであって、人間の知覚の不完全さというようなことではすまされない。そもそも、感覚器官がかかる構成的な意味のある「錯覚」を、すなわち体験内容の非現実性 Irrealismus der Erlebnisinhalte を許す場合にのみ、私はいろいろな物体を知覚の中で現前せしめることができるのである。

以上の見解の全体は、かりに器官の役割を一時的に無視してみると、結局ごく簡単に言い表すことができる。つまり、仮りに現在という時が過去や未来となんらの関係もなくあるものだとすれば、われわれは世界の中の出来事について知覚を通じては何一つ知ることはないであろう、と言ってよい。現在が過去や未来と関係をもっているからこそ、対象は時間を通じて変化を続けながらも同一のものでなくてはならぬのである。もしも体験が知覚においてこの矛盾を含まぬものであったなら、いかなる事象も知覚されえないことになろう。すなわち私はこれらの諸対象を、それらが私にとって種々に異った現出の仕方で体験されながらも、つねに同一のものである場合にのみ、知覚することができる。この事態を簡潔に表現するため、これを私と対象とのモノガミー〔一夫一婦制〕と呼ぶことにする。モノガミーの条件は相即《コヘレンツ》であり、同時にまた相即の破壊と新生でもある。相即の各段階とそれぞれ結びついた破壊と再生とが物《ディング》を構成し、感覚生理学がヘーリング以来「被視物の定常性」と呼んできた事態の特徴をなしている。

以上の観察はすべて一括して構成的錯覚の実例とみなすことができる。すなわち、知覚という行為において私にとって諸対象が時間における現在として、また変化しながらも同一のものとして与えられうるためには、知覚は事実このような構成的錯覚から成り立っており、また必然的にそうでなくてはならない。ところがこの「錯覚」Täuschung という言葉は、一つの余りにも特異な事態から出て来たものである。つまり、それはわれわれが或るものを常ならぬ仕方で、そしてこの同一の客体の普段の知覚には矛盾する仕方で知覚するという特殊な事態から由来する。太陽が天空を動いているのを錯覚と呼ぶとなると、もうわれわれは躊躇せざるをえない。また、波動、原子、量子などについての現代物理学的な観念が知覚を超えたものであることを錯覚と呼ぶことになると、これはもうナンセンスである。遠景の移動を運動としては本気にしないこととか、その他、注目しない、無視する、気づかないなどということ、さらにはいわゆる注意の辺縁に与えられているということ、これらすべての体験形式ないしは不体験形式 Erlebnis-bzw. Nichterlebnisformen をひとまとめにして、モノガミー的〔一夫一婦的〕に与えられた対象を私にとって現在的に現前せしめる行為全体の構成 Konstitution とみなすことができる。別の箇所で詳論を要することだが、ここで考えられている事態は、その形式面においては心理学が精神分析の知見に基いて「抑圧」Verdrängung と称しているものと同一の事態である。これはまた、ゲシュタルト心理学の言う背景関係 Hintergrundbeziehung とも近い関係にある。これらすべてに共通する表現として、われわれはこのような構成的作業をネガティヴな作業 negative Leistung と名付けておこう。これはいくぶん抽象的な響きをもった術語であるが、それは明確な一つの意味を有している。しかしその意味は、私が山を上りながら同時に山を下ることができないとか、今ここに青い花を見ていて、しかも同時に同じ場所に灰色の猫を見ることができないとかいうようなことにはとどまらない。運動と知覚とについての分析を思い出してみよう。この両者のからみ合い Verschränkung という概念は、私が自分で動くときに私は一つの知覚を感じるという事態として、また私が或るものを知覚するときに私にとって一つの運動が現前するという事態として成立したものであった。私にとって或るものを現出させる行動それ自体は私にとっては現出しておらず、私にとって或るものが現出することによって私は同時に行動してもいるのだということ、このことをこのからみ合いは必須の条件として含んでいる。この点にわれわれは、生命をかくもきわ立って特徴づけている自己運動の概念が――機械的運動との不一致のために最初はどうにも厄介なものであったこの自己運動の概念が――今や経験科学的な内容でみたされるのを見ることができる。知覚が自らを生ぜしめる要因として自己運動を含んでいるというのではない。むしろ、知覚はそれ自体、自己運動なのである。それはちょうど、回転扉を通り抜ける場合に、はいる時にだけ家の内部が見え、出て行く時には内部がもう見えないのと似ている。この比喩は、からみ合いの原理が生物学の現実原理であることを明かにするものである。つまりネガティヴな作業といってもなにも特別な一つの作業ではなく、この語が暗に意味しているところは、生物学的な作業の認識にあたっては知覚と運動の相互排除の関係が問題になるということである。この接合関係をスローガン的に回転扉の原理 Prinzip der Drehtür と呼んでいいだろう。(13a)

知覚することと動くこととのこのような相互隠蔽性 gegenseitige Verborgenheit がはっきり理解されず、古典的物理学的自然科学の諸原理から区別されていなかった間は、それは当然のこととして生物学における方法的思考の展開に対して極度に妨害的な影響を及ぼした。(14) この種の独立した学問としての生物学は、さまざまな試みの積重ねの上に徐々に作り出されてくるものである。だが、この原理の一般的な展開から個々の事実領域へと歩を進める前に、もうすこしだけ学問論的な注釈をつけ加えておいた方がよいだろう。

生体の自己運動を出発点とするということは、生物学の一切の困難を回避することなく、これを導入して引受けたということを意味する。というのは、この自己運動ということにこそ、生物学の対象とする生物の主体性 Subjektivität が存し、生物学の客体はそこで主体を獲得したことになるのだから。物理学やその理想にならって構築された一切の科学は、そのような主体を有しない。このような対象への主体性の導入を随意運動の名のもとで行うにしても、或はこれをまぎれもない自然哲学的概念である生命力、類精神《プシヒョイド》*、エンテレキー**などの形で行うにしても、大した差違はない。感覚生理学《ジンネスフュジオロギー》や感覚物理学《ジンネスフュジーク》にたずさわっていた人達は、この主体的与件を方法や理論の中へ導入するかいなかというような選択を行う余地を有さなかった。感覚《エンプフィンドゥング》や知覚は、主体の体験として以外どうにも確認の仕様のないものだからである。ただその場合、有機的な事象を記載したり説明したりする理論の中で、フェヒナー G. Th. Fechner のごとく感覚に主導権を与えるか、或はフォン・ヘルムホルツ Hermann v. Helmholtz のごとく知覚に、ということは彼のいう意味での判断行為に主導権を与えるかが、第二次的な問題として残る。どちらの場合にも、生理学的・機械的概念と心理学的・論理的概念との混合が生じているのであって、この異論の余地の多い混合理論はその後一般に放棄されてしまうことになる。その場合に事態がどのような様相を呈していたかというと、主体的なものの導入が或る意味で撤回されてその代りに客体化が行われるということであった。この客体化は、物理的な機序に付加的に上積みされた非物理的な、或は少くとも本来的には非物理的な、力《クラフト》とか実体《ズブスタンツ》とかを持出すことによってなされた。ところがその場合には、そこから生気論《ヴィタリスムス》*の余韻をすっかり取払ってしまおうとするのは到底不可能なことだと言ってよい。そこでフォン・ユクスキュール J. v. Uexkuell** にならって「有機体の中には機械を操作する技師が一人いるに違いない」という手取り早い言い方をするのが、同じく不満足とはいえ、少くとも正直な言い方だということになる。もちろんそれによってわれわれは十七世紀の神学や有神論***の出発点にまで逆行してしまうことになる。つまり創造の奇蹟が宇宙開闢の神話の中だけではなく、現在只今の生物学の中にも働いていて、自然科学的な説明では説明がつかぬと思われるものを司っているに違いない、ということになってしまう。

ここで一応、このような神話的な説明を受入れたものと前提しよう。つまり有機体が生産的、創造的な態度を示す場合には、創造というこの不滅の性質が来臨している、創造主が意のままに命令しているということは究極的に動かせないことだと前提しよう。さてこのような仕方で問題にぶつかってみると、一体いつどこで、どのようにして、なにゆえに創造主が働いているのかという問いに対しては殆ど何一つ答えられないということがすぐに判る。そしてこのような問題の取扱い方の中にこそ、自ら信仰篤き者と称していた昔の生気論者たちの自家撞着が存するのである。

つまりもし創造が遍在的なものであるならば、いつどこでとか、いかにして、なにゆえにとか問うことによってこの創造の限界を定める手段は存在しない。なぜなら、もしそのような限界が定められるのであれば、もはやそれは創造ではないし、その奇蹟ももはや真の奇蹟ではないということになるだろうから。限定という行為はすべて、創造の無限定性や創造主の万能に立向おうとする保身の試みにすぎない。

ともかく、このようにして自然な仕方では説明のつかない限界点に創造が関与していることを認識することは、そもそも全く不可能なことである。跳んだり走ったり、見たり聞いたりするような生物学的行為が、奇蹟が機械の中へと働くことによって生じるとか、それによって理解しうるようになるとかいうことを実際に見聞した人は一人もない。むしろその反対なのである。現在行われている作業についてわれわれの理解しているすべてのことは、ただ種々の器官やその構造、その機能や法則、そしてその条件などを通じてのみ理解される。だからもしわれわれが信仰篤い者になろうとするのなら、われわれは部分的にではなく全面的にそうなろうと決意しなければならぬ（ただしそれが可能であるかいなかは別問題である）。そしてわれわれは一切の事物、一切の出来事はただ創造の奇蹟によってのみ存在したり生じたりするのであって、そこにはいかなる限界も――つまりそこから先は自然に物事が進行し、創造主なしでも事が進んで行くような、いかなる限界も存在しないのだと言わねばならぬ。しかもこのことが、これらの事象の一部分を観察や分析によって理解しうるための唯一の条件でもあるのだ。なぜならば、それ以外にはそもそも何一つとして理解する方法はないだろうからである(15)。

しかしそれによって、自然科学の体系的なやり方とはことなった一つの立場が成立することになる。体系的なやり方の意図するところは、創造的なものを――或はより端的に言えば創造主を――自然から閉め出そうということなのだから。創造主の力を借りないでも成立しうるような、できる限り包括的な論理的関連をあらゆる知識について確立しようと試みること、これが自然体系の概念である。ここでは創造主は体系の外部に位置する点に対応していて、この点に関しても体系の中からの推論は可能である、或は必要であるとされる。ところがこれとは反対の方向に向い、体系に取って代って展開されるような道とは、いろいろな法則、秩序、条件、制約などのような自然科学的規定を創造主の現存ということから引き出すことによって、これらの諸制約を克服しようとする道である。この場合には逆にこういった関連が、学問によって生じたもの、創造の外部にあるものとなる。生物学が生きものを取扱うものである以上、そこには矛盾を含まぬ陳述を網羅する体系のごときものはありえない。生物学の進むべき道は、他との比較を絶した独得な出来事や存在を扱おうとする道である。そこでは現在は独自の実現の仕方を保ってはいるものの、それも結局は過去から未来に向って通過して行く存在の現在として以外のなにものでもない。つまりこのような現実性は空間および時間の中で演じられるのではなく、空間を貫き時間を貫いて durch Raum und durch Zeit *hindurch* 走っているのであり、空間や時間の「中に含まれている」Darin-enthalten-sein ことに基くのではなく、空間や時間を「貫通している」Durchgang ことに基いている。物理学的機序がいかなる任意の物質的部分についても、いかなる任意の時間、いかなる任意の場所においても同一の経過を示し、したがって一切が置換可能であるのに対して、生物学の分野にはこのような任意の置換可能性は一切存在しない。そこでは一切の作業がそれぞれ一回きりのオリジナルな作業であり、全体としても部分的にも置換のできないものなのである。

だから今われわれが、このような性質をもった学問に向って研究を進めようとするのなら、われわれの態度もやはりそのつどオリジナルなものである場合にのみ、研究に適した態度だといえる。ここで本質的なのは反復可能なものとか規則や法則にかなって常に同一なるものではなく、むしろそれとの間断なき接触が生の経過に随伴し生の経過を形成しているところの諸々の限界が本質をなしている。また、このような営みの中でわれわれの自己を確保するということも研究の対象となる。この自己主張の中で主体性が確立される。この自己主張は、死において決定的な試練を経験する。またこの試練に至る途上にある一切のこと、この試練に属している一切のことをも経験する。病気は、学問にとって歓迎すべき以外のなにものでもないところの峻厳さでもって、生命あるものの限界的な諸規定を強制し、同時にそれを可能にもする。これまでの「正常な」障碍の分析からはまだ得られなかった方法的明白さも、病理学からなら取り出しうるという事情も、そのためである。そこでわれわれはこれから病理学に眼を向けようと思う。

（1）ショーペンハウアー Schopenhauer の言葉に結びつけて言えば、次のように補足することもできよう。何か自然法則に反したことが起るように見える時には、われわれは恐怖心に囚われるものである。われわれは壁にかかっている絵が落ちると驚くが、死人が自分で身体を動かす時にも驚く。もし仮りに太陽が静止したとしても同じことであろうし、心臓が停止する時もそうであろう。これらいずれの場合をとって見ても、われわれが衝撃をうける理由は、合法則性もしくは合法則性への期待それ自体があやふやになるからではなくて、特別な存在の固有性が崩れたからに他ならない。そのような存在には、当然法則に反したある種の性質も備わっている。事柄の核心は、規則にかかわるものではなくて、本質にかかわるものが毀傷され歪められるということである。生物《いきもの》は自ら動くが、他の物体は〔自分以外のものに〕動かされるにすぎない、といったのは、このような意味なのである。もちろん神話の時代には太陽も生きものであった。

（2）Aristoteles, Über die Seele〔心について〕, 406a. (Meiners Philosophische Bibliothek, Bd. 4) ——アリストテレス Aristoteles はこの違いを指摘したのち、つづけて心を自ら運動するものとして定義した哲学者達に論駁を加えている。彼の反論は、心にはそもそも運動が所属するという点に向けられているが、それは心とは事物の概念的本体 begriffiches Wesen であり、心の有する諸力の一つが場所の移動だからである。心が動かすのは自己自身ではなく、有機体なのである。この意味でアリストテレス流に、生物とは自己運動するものだと言える。何故なら、生物とは心を宿す身体に他ならぬからである。

（3）P. H. Hoffmann; Die Eigenreflexe〔固有反射〕. Berlin 1922.

（4）C. S. Sherrington, The integrative action of nervous system〔神経系の統合作用〕. London 1906.

（5）H. v. Baeyer, *Das Seele-Leib-Umwelt-Problem in der Lehre von der menschlichen Bewegung*〔人間の運動論における心・身体・環境世界の問題〕, Münch. med. Wschr., *84*; 133, 1937. 更に同じ著者の *Die Wirkung der Muskeln auf die menschlichen Gliederketten in Theorie und Praxis*〔人間の四肢連結に対する筋肉の作用、その理論と実践〕, Z. orthop. Chir., 46; *1, 1924.* —— *Der natürliche Ausgleich von Bewegungsstörungen*〔運動障碍の自然的調整〕, Z. orthop. Chir., 50; *446, 1928.* —— *Zur Frage der mehrgelenkigen Muskeln*〔多関節筋の問題〕, Anat. Anzeig., *54*; 289, 1921. 参照。要約は *Über Bewegung des Menschen*〔人間の運動について〕, Z. f. Anat. u. Entw., 110; 645, 1940. にある。—— R. Mair が *Allgemeine Muskelmechanik*〔筋力学概論〕, Handbuch der Neurologie (*Hrsg. von O. Bumke u. O. Foerster*), *Berlin 1937*, Bd. 2, *S. 37* で v. Baeyer に対してもち出した反論は的はずれで

ある。

(6) この種の遠近視における相対的運動 perspektivische Verschiebung の知覚を分析したものとしては、Dauser, Inaug.-Diss. Heidelberg 1939 を見よ。ダウザー Dauser は相対的運動の知覚が、ある種のものから別種のものに転換する時の限界速度を測定した。このような転換が徐々に起ることは決してなく、どんな場合でも突然に起る。

(7) M. H. Fischer und *A. E.* Kornmüller, Der Schwindel〔眩暈〕, Handbuch der normalen und pathologischen Physiologie (*Hrsg. von A. Bethe u. a.*), *Berlin 1927*, Bd. 15, I, *s. 442* ——P. Vogel, *Über die Bedingungen des optokinetischen Schwindels*〔視覚運動性眩暈の諸条件について〕, Pflügers Arch. *Physiol.*, 228; 510, 1931. *Über optokinetische Reaktionsbewegungen und Scheinbewegungen*〔視覚運動性反応運動と仮象運動について〕, Pflügers Arch. *Physiol.*, 228; 632, 1931 —— K. Hebel, *Die Relativität in der Wahrnehmung von Bewegung*〔運動知覚における相対性〕, Z. Sinnesphysiol. 70; 75, 1943. 参照。

(8) 相即 Kohärenz なる概念の規定については V. v. Weizsäcker, Der Gestaltkreis, *dargestellt als psychophysiologische Analyse des optischen Drehversuchs*〔ゲシュタルトクライス、視覚性旋回実験の心理生理学的分析として提示〕, Pflügers Arch. *Physiol.*, 231; *630*, 1933. 参照。イェンシュ E. Jaensch* は、特に種々の人格類型を導き出すために、心理学的ではあるが、その他の点ではわれわれと似た意味で Kohärenz なる表現を用いた (Grundformen menschlichen Seins〔人間存在の基本形式〕, Verlag O. Elsner, Berlin 1929 特に一一頁以下)。

(9) W. Köhler, Die physischen Gestalten in Ruhe und im stationären Zustand〔静止、並びに定常状態における物理的形態《ゲシュタルテン》〕. 1920.

(10) J. v. Kries, Allgemeine Sinnesphysiologie〔感覚生理学概論〕. Leipzig 1923 の一九四頁以下。クリース J. v. Kries は「空間表象の心理学的性質」について吟味してはいるが、これについての彼の規定は、カント Kant の空間論における数学的・先験的諸特徴を殆どそのまま踏襲している。

(11) A. Adrian, The mechanism of nervous action〔神経作用の機序〕. London 1932.

(12) ここに論じた事態が、大きさ（長さ、距離、数など）の知覚に際して、一体知覚における何を量的と呼び、何を質的と呼ぶべきかという疑問が生れる因になっている。例えば「ゲシュタルト質」という用語の場合もそうである。既に Judd が見出した通り、例えば二つの触覚刺戟の間の距離を徐々に増すと、明確に異る様々な感覚質《エンピンドウングスクヴアリテート》が相ついで出現する。特に *A.* Buch und *W.* Malamud, *Über raumsinnliche Leistungen im Gebiete des Hautsinns*〔皮膚感覚領域における空間感覚的作業について〕, Dtsch, Z. Nervenhk., 93; 216, 1926 参照。

(13) 第五の場合は、手指で眼球を外から押し動かす時に見える対象の仮象運動《シャイン・ベヴェーグング》である。この事例の研究は、*H.* Kleint (*Versuche über die*

Wahrnehmung〔知覚の実験〕, Z. Psychologie, 138, *1934*; 141, *1937*; 142, *1938*）が行った正しい指摘の通り、今までのところ不十分にしかなされていず、その合法則性は未だ僅かしか解明されていない。

（13 a） この比喩は私が考えついたものではなく、ルウ・アンドレアス＝サロメ Lou Andreas-Salomé* が時折用いているものである（„Mein Dank an Freud"〔フロイトへの感謝〕, Wien 1931）。恐らく彼女の著書からいつの間にか私の無意識の中へ忍び込んだ比喩が、後になってまた立ち現れたのであろう。

（14） 私は、このような現代理論物理学の発展（不確定性関係式 Unbestimmtheitsrelation）との類比の可能性を検討してみたいという誘惑を覚えはするが、実際に行うつもりはない。それにはまず第一に、不確定性関係式に含まれる二元論と、われわれの言う知覚と運動の相互隠蔽性の原理**との間に、何らかの関りあいがあるか否かという点を明かにせねばならない。

（15） 自然法則を神の奇蹟と創造力の証しに他ならぬものとして崇めることができなくなり、その代りに自然法則が妥当する領域を、もはや殊更に創造主や主権者を必要とせぬ領域と見做すに至ったのは、もともと卑小な態度なのであった。ロマン系民族の感性と思惟には、数学のうちにこそ他の何ものにもまさる奇蹟を感じとるための前提条件が、特に有利に備っているように思われる――パスカルを見よ。

II　神経系の病的障碍

われわれは病理学において、通常まず第一に器質性障碍と非器質性すなわち機能性障碍とを区別している。さらに器質性障碍の中では、末梢神経系に生じている障碍と中枢器官つまり脳や脊髄に生じている障碍とを区別している。こうして、末梢疾患、中枢疾患、機能的疾患の三群がえられる。われわれはこれ以上の分類は試みないことにする。例えば、これまで論じて来たことから判るように、いろいろな作業は運動性《モトーリッシュ》および感覚性《ゼンソーリッシュ》の両機能のからみ合いとして以外把握されえないのだから、運動性障碍と感覚性障碍との二つの状態を区別したりするようなことはしない。また、主体性があらゆる作業に内在するものとして把握されねばならぬ以上、器質性疾患と心因性疾患および精神疾患との区別も原則的に不可能であるし、実際にもおそらく行われないだろう。いわゆる機能性障碍とは、ここではそれに属すべき構造の変化がまだ知られていない障碍のことであって、要するにやはり元来は物質的性質をもったものである。他方、すでに述べたように、いわゆる器質性障碍にも主体性という規定は決して欠如していない。本書でわれわれが末梢性、中枢性、機能性という表現を残したのは、誤解を招かぬためにはこれが恐らく一番よいだろうという利点があったからなので、これらの用語は決して満足すべきものではないし、われわれの本書における課題はなによりもまず、一貫して統一的な見地と理論を求め、結局はこれらの区別を克服しようとすることにある。

われわれが機能性障碍についてすら、解剖学的とはいわぬまでも少くともなんらかの物質的な種類の変化を神経系の中に想定する根拠は一体どこにあるのかという疑問が、ここで或る程度当然のこととして出てくるだろう。厳密な意味で生理学的な方法、例えば活動電流や電気的興奮性の検査などによっても、やはり何の明確な異常をも証明しえない場合には、この疑問はもっと強くなる。さらにまた、ヒステリーや神経症《ノイローゼ》の病像にあっては、神経領域以外にも、例えば分泌機能や内分泌機能にもかなりの機能異常が生じるということは、どうしても認めざるをえない。だがこの点を度外視するならば、ヒステリー性の麻痺や痛覚脱失《アナルゲジー》はその身体的表現の点では器質性神経疾患に見られる諸症状との著しい類似を示し、従ってこれを神経学の分野に属せしめる正当性をここから導き出すことも十分に可能である。[(1)] 臨床面においてもわれわれは現象様式に出発点を求めるのであるから、やはりこのような歴史的な慣習法には喜んで従うことにしよう。まさにこの理由から、われわれは一部の医者が神経症《ノイローゼ》の臨床を精神医学の一部とみなそうとする傾向を示しているのには同意できない。このような区別が自然そのものといかに無縁なことであるかを、神経学が如実に示している。

　末梢神経系が豊富な多様性と大きな独立性を有する一つの器官であることは、今日ではもはや疑問の余地がない。血液に一つの器官の地位を承認してやることが必要であるのと同様に、中枢神経系以外の神経組織にも器官の地位が認められなくてはならない。血液が単なる輸送機構ではないのと同様に、末梢神経系も単なる伝導路ではない。このことを立証するのはとりわけ以下のような諸発見である。体感覚性終末器官 sensible Endorgane は感覚器官 Sinnesorgane の本質的な一部分である。網膜、前庭蝸牛器官、嗅覚器官、味覚器官などにある受容器 Rezeptoren は、神経外胚葉性の起源のものである。皮膚の感覚点の発見（ブリックス[*]とゴールトシャイダー[**] Blix und Goldscheider、一八八〇年）は、皮膚感覚にもさまざまな分化のあることを証明した。軸索反射 Axonreflexe[***] の独立性（ラングレー Langley[****]）、皮膚の血管運動性《ヴァゾモトーリッシュ》、運動性《モトーリッシュ》、感覚性《ゼンゾーリッシュ》および分泌性《ゼクレトーリッシュ》の自律性《アウトノミー》（リュウィス Lewis）、さらに内臓諸器官における同様の諸機能の自律性は、非常に発達したものである。脳脊髄の体感覚《ゼンジーベル》神経系と交感神経系の他に、リュウイス[(2)]は第三の、毛細管機能と痛覚伝達機能を有する純末梢性の系統の存在が実証されたと考えている。このような組織が有する栄養的な意義は、栄養神経症 Trophoneurosen* や神経因性潰瘍形成 neurogene Ulzerationen の臨床からも、また神経外科学の成果からも、ひとしく明かにされている。上行性変性と下行性変性**の解剖学や、神経因性筋萎縮の解剖学からは、個々の末梢性の破壊部位から中枢と末梢とに向って拡がって行く破壊的な組織過程 agressiver Gewebsprozeß を立証する有効な証明が与えられた。逆行性伝導 antidrome Leitung ということが、或は一般的に言って一本の神経路を興奮が両方向に拡がるという事実が、いろいろと実証された。中枢から末梢への伝導路とその逆方向の伝導路とが全走向を通じて互に独立しているのだという仮定は、軸索《アクソン》の吻合《アナストモーゼン》や分枝《ガーベルンゲン》、とりわけごく末梢の部分における網形成《ネツツビルドウンゲン》などが知られるようになるにつれて、ますます妥当性の狭いものとなってきた。いわゆる運動神経の中に大量に含まれている体感覚路の発見（シェリントン Sherrington）や、脊髄前根の体感覚性（フェルスター Foerster)***、脊髄後根の血管拡張神経（ベイリス Bayliss)**** などは、運動神経と体感覚神経の厳密な区別に関する多くの学説の価値を狭めた。筋肉への運動性興奮の伝導がその筋肉の伸展状態によって変化するという想定は、フォン・ユクスキュールによってこの仮説が立てられて以来はっきりと確証されてはいないものの、否定することもできないものである。次に眼を植物神経系に向ければ、ここでは末梢神経の単なる伝導機能などというだけでは片付かないほど、その作業能力の大きさが目立っている。

しかし一方、或る一本の運動神経を人為的に興奮させるとこの神経の肉眼的解剖学的に分布している筋肉がとりわけ収縮すること、この神経を切断すると同じこの筋肉が麻痺し、他の筋肉には麻痺が及ばないこと、また或る皮膚神経に同じ処置を加えると、その解剖学的分布に一致した範囲の皮膚が無感覚になるけれどもその他の部分には異常がないということ、痛覚的異感覚《シュメルツパレステジーエン》もちょうどその部位に限局されること——これらの事実は大局においてなんら変っていない。デュシェンヌ Duchenne 以来の古典的研究が見出してきた事柄は、その大綱においては依然として成立っている。[3] しかし或る種の問題はそうそう無造作に片付けてしまうわけにもゆかない。例えば正中神経の切断に際して尺骨神経の領域にも障碍ないし神経支配の変化が生じたり、或る体感覚神経、例えば三叉神経の損壊に際して隣接する健全な神経にも知覚の変化が生じて、痛みや知覚過敏《ヒューパーパティー》が出現したりする。

そこで、問題のありかたを次のように言い表すことができよう。肉眼的解剖学の言うところの末梢神経系は、筋肉や感官装置が、そこに分布してきている末梢神経に機能的に依存していることを的確に示している。だから多数の病的現象は、解剖図の中の損傷の位置からわけなく説明がつく。ところが二番目の問題はまだそれだけでは解決されていない。その問題というのはつまり、このような局所解剖学的《トポグラフィー》原理では説明がつかず、従って伝導とは別の機能に基いて生じているに違いないような現象としては、どんなものが見られるのかという問題である。末梢神経機能の局所解剖学的図式は、われわれの有する伝導原理の応用の中では明かに最も完全なものである。この原理における最も単純な結果は脱落《アウスファル》である。われわれは今、この脱落をネガティヴな作業障碍 negative Leistungsstörung と呼んで、これをもう一つの、さしあたりは伝導の脱落としては理解できない障碍、すなわちポジティヴな作業障碍と対置することができる。

すると一般的に言ってこのポジティヴな変化として次の二群が区別される。

一　或る特定の神経がその機能を完全には中断しないで、単に機能を変えただけの場合、われわれはこの神経の分布領域あるいは支配領域に機能変動 Funktionswandel を見出す。

二　傷害された神経に隣接する、それ自体全く冒されていない領域にも、この神経の脱落の結果として、それが完全に統合されている時とは異った作業の現出が見られる。

第一群の実例は主に体感覚作業《ゼンジーブレ・ライストウング》の研究に際して、第二群の実例はむしろ運動作業の研究に際して見出される。ここですでに、次のことを指摘しておいた方がいいだろう。損傷領域における機能の変様は末梢神経路が最初の共通行程となっているような所に最もよく出現し(4)、これに反し損傷領域周辺部における機能の変様は末梢神経路が最終の共通行程となっているような所に最もよく出現する。つまり体感覚作業の場合には、末梢の刺戟部位における局所的起始が分析の対象となる。この場合には、器官の営む作業は知覚を通じてはじめて知られうることになる。そしてこれは、局所的な機能障碍、あるいは機能変動という外観を呈する。これに反して運動作業の場合には、われわれは末梢における興奮の終末に手懸りを求める。ここで眼に入るのは運動性全体においてすでに出揃った作業変化であって、個々の筋肉に生じている事態はつねにその一部に過ぎぬ。ここでは周辺部への放散、すなわち全般化《フェアアルゲマイネルング》という外観が呈される。つまりこの両方の場合の相違は、どちらかというと、中枢器官には分析が及びがたいという点と分析的手法の着手の仕方とに基因しているのである。

1　機能変動

シャルコー J. M. Charcot* はサルペトリエールでの彼の火曜講義で、一人の体感覚障碍患者の所見をこんなふうに叙述した[5]。「私が錯感覚 Dysästhesie と名付けた現象についてお話ししたい。これは主として次のようなことをさしている。この患者をつねってやると、これが時としてかなりの時間がたってから感じられ、しかも刺戟の与えられた箇所を正確に答えることができない。それだけではなく、感覚が刺したりつねったりした点から上下の方向に向って或る種の拡散を示す。遂には冷たいとか温かいとか刺されたとかの感じがそのままの感じとして認知されず、どれも一様に痛みの感覚を伴った戦慄、或は少くとも多かれ少かれ苦痛を伴った戦慄のような感じを生ぜしめる。そしてこの戦慄感というのはさきほどちょっと述べたような、つねられた時の感じと同じものである。」この巨匠の記述からは、後に臨床所見の記録を容易にした反面、場合によってはこれを曇らせて現実から離れたものにもしてしまった、厳密な解剖学的ならびに生理学的な分析はまだ全然認められない。その反面、この記述の中には二つの最も重要な事実が――すなわち患者の体験はそれ自体健康者とは別種のものだという事実と、患者の体験が刺戟に対応するその仕方が変化しているという事実とが――明白な形で含まれている。ここには主観的客観的の両種の体感覚障碍が特徴的に示されている。ところがその後の研究は、正常な体感覚《ゼンジビリテート》の障碍を生理学的に説明し、解剖学的に局在化しようとする試みに沿った発展を示してきた。この試みの理論的前提となっているのは、正常な機能や構造は知られているのだ、また病的機能は正常機能の変化として理解されうるのだ、ということだった。しかしこれは二つとも、厳密に考えれば不確かな前提である。というのは、まずいわゆる正常な状態の大部分は病的状態からの推論によってはじめて知られるようになったのであってその逆ではないからであり、さらに病気の中で新しい現象が産出される可能性も計算に入れる必要があるからである。こうしてその後、病的な体感覚を無条件に正常なそれの障碍として理解すべきではないことがわかってきた。病的な体感覚が何らかの意味で新しいものであるかも知れず、のみならず正常なそれよりもよく知られたものであるかも知れない以上、病理学それ自体からの全く独立の考え方というものも可能であろうし望ましいことでもあろう。つまり神経学の慣習的な記載がいつもきまって正常解剖学や正常生理学でもって始められるということは、神経学にとっては決して自明の利点ではないわけである。こうして知らず知らずの間に考え方が束縛され、誤った結果をもたらすことになるからである。

その後ヘッド Henry Head* により押進められた重要な進歩(6)も、同様の欠点から完全に脱しきったものではなかった。自身の側前腕神経の切断と再生という彼の有名な自己実験によって、体感覚《ゼンジビリテート》はその回復の第一段階では右に述べた錯感覚《ディスエステジー》と酷似した姿を呈することが示された。これをヘッドは原始感覚的 protopathisch と呼んだ。彼は、障碍部位では刺戟閾値は上昇しているのに感覚《エンプフィンドゥンゲン》は苦痛なほど過大になっており、その境界と局在がぼやけ、量的質的な差別が消失していることを見出した。位置的、時間的弁別や境界づけに関する以前同様の高い能力や、感覚の強さを細かい段階に弁別する高い能力は、数ヵ月を経てはじめて回復した。これらの高度の感覚能力をまとめて、ヘッドはこれを識別感覚的体感覚 epikritische Sensibilität と呼んだ。このことから〔原始感覚的《プロトパーテイッシュ》および識別感覚的《エピクリテイッシュ》の〕二つの体感覚系統が存在するという推論をした彼の考えが正しかったかどうか、私はこれをずっと疑問に思っていた。というのは、これとは別の二つの説明の可能性があったからである。まず第一に、神経の再生部位における未熟な組織が別種の、いわば幼若的、原始的な機能特性を有するのかもしれないし、第二に、切断手術の影響を受けなかった中枢器官がかくも完全に変化し退化した末梢器官からの要請で活動する場合に、別種の機能を帯びるのかもしれないのである。その後の研究によって、この二つの説明の方がどうやらより確からしいことが間違いなく実証されている。ボェーケ Boeke* も最近の著述の中で(7)、体感覚性末梢神経の二重支配を立証するような組織学的標徴は見出されないと述べている。そして明らかに、原始感覚的《プロトパーテイッシュ》な体感覚《ゼンジビリテート》のもつ特異な機能様式は幼若な再生組織のそれに他ならないという仮定の方の肩を持っている。再生組織の貧弱さとそれの形態的未熟さがこの仮定を裏づけるものである。しかし、第二の中枢的な解釈もやはり恐らくは取上げられるべきであろう。なぜならば、錯感覚《デイスエステジー》とか原始感覚的《プロトパーテイッシュ》なタイプの感覚は中枢性の疾患にも認められるからである。この事実はヘッドにとっては、原始感覚性《プロトパーテイッシュ》および識別感覚性《エピクリテイッシュ》の両系統の二元性が中枢性伝導路や中枢器官にまで連続しているという仮定によって説明のつくものであった。確かに中枢における二元性は、これとは全く異った形ですでにシフ Schiff** やブラウン＝セカール Brown-Séquard*** によって知られていた。つまり脊髄の後索と前側索とがこの二元性を代表している。しかしこのような多少なりとも承認しうる系統説が立てられたとしても(8)、長い間には、他の領域にも同様に生じてくる次の疑問が再三再四持上ってこざるをえなかった。つまり解剖学的に損傷を受けていないほうの系統は、連絡や機能的関係を断たれたり変えられたりした時にどんな態度を示すのか、という問題である。確実なことは、それが決してすべての点で以前と同一ではないということである。

　ヘッドによって開かれた研究史上の一時期の不変の核心としては、次の点を取出すことができる。病的に変化した体感覚《ゼンジビリテート》においては正常な作業が種々の程度に脱落したり欠損したりするだけでなく、刺戟と感覚の間の強度的、空間的、時間的、質的な対応も極めて特徴的な仕方で変化する。そこで、二つの別々の体感覚系統を考えたヘッドの推論はさしあたりその根拠を失ってしまう。だが一方、物理学的になるべく厳密に規定された刺戟を用いて分析を行い、従って感覚生理学の考え方にいくらかでも意識的に則って行こうとする点で、ヘッドの方法は多くの学者に強い示唆を与えた。この方向は、ことにフォン・フライ v. Frey* にならって、なお非常に多くの進歩をもたらした。私がシュタイン J. Stein と共にこの領域に足を踏入れた時代には、計測的な機能分析の実施が必要であり、それによって一種の体感覚協調理論が――シェリントンにより反射の運動機能について最も強く押進められた協調理論に対応するものとして――生れて来るに違いない、とする考え方が支配的であった。そして臨床的に認めうる現象が感覚生理学的な機能変化として理解されることが見出され、ここに機能変動《フンクツイオンスヴァンデル》という言葉を用いることができるようになった[9]。もちろん、機能分析の試みは事新しいものではなかった。例えば、シャルコーによって認められた痛覚遅滞はナウニン Naunyn** の教室で細部にわたって是認され、この症例は生理学者たちによって研究されていた累加現象 Summationsphänomene*** を拠り所にすることを可能にした。そこで用いられたのは、一般神経生理学の中で展開されていた神経興奮理論であった。

長年の間私は、多くの臨床症状の学問的に満足すべき把握は生理学的機能分析のこのような応用と精密化によって生み出されるものだと考えていた。しかしその後、このような分析は確かに多くの新事実を教えてくれはするけれども、窮極的にはもう一度問題の立て方の変更を余儀なくさせるものだということがはっきりしてきた。

シャルコーのような仕方で患者の陳述や検査から直接に観察された事実を記述するだけにとどまっている限り、難問は必ずしも生じてはこない。しかし、もしそこから有機体実質それ自体の中に起っている事象のイメージを作り出そうとするならば、困難が生じてくる。検査の観察結果と解剖学的所見や機能分析とを結びつけようとする精神的努力が、はじめて問題性を喚起する。ここでは、一連の研究の中で生じて来たこれらの問題性をいちいち繰返して述べることはしない。そこで出て来た問題連関を要約すると大体次のようになる。神経単位《ノイロン》学説*を興奮伝導の原理と結びつけると、有機体の中に生じている事象は多くの積木の組合せ、つまり多くの要素の協働効果だということになる。このような考え方からは、形態学的な意味でも生理学的な意味でもこれらの諸要素を分析する必要が生じ、こうした分析で得られた諸要素から有機体の作業がうまく合成されたなら、その分析は正しかったのだということになるはずである。分析の立証は、力学や化学の場合と同様、ここでも綜合の中にある。すると今度は、このような綜合が果して成功するかいなかという問題をめぐって議論が闘わされることになる。(10) そして、それが成功しない場合には、再び生気論的、自然哲学的、あるいは恐らくはゲシュタルト心理学的な種々の解決法が台頭してくる。これを受入れる人もあれば拒ける人もあるだろう。これらの解決法はそれぞれ非常に異ったものであるにもかかわらず、分析された多くの要素からの綜合ということを放棄する点ではすべて一致している。さてこのような事態は、生物学の多くの部領域に出現しているのだが、ここでは神経学のうちに生じている状況だけを追うことにしよう。神経学においては、従来実在すると思われていた諸要素そのものが、綜合の役には立たぬものとして放棄されざるをえないということが、すでに明かとなっていた。綜合がうまく行かぬのは、それによって綜合がなされねばならぬはずの諸要素が、そこで考えられていたような意味では全く実在していないからである。生命があまりにも複雑だからとか、検査が余りにも不完全だからとかの理由で従来は自ら慰めていたのに対して、今度は研究の出発点と従来の方法それ自体に疑いの目が向けられることになった。このような動きは神経単位《ノイロン》学説に対する攻撃において、つまり形態学においてはすでに始まっていた。それは次に反射学説や伝導原理に、つまり生理学の分野にも拡大した。このような変動が従来の研究や観察から得られたおびただしい知識そのものを疑問に付してしまうものでないことはもちろんである。変化するのは解釈であり、利用であり、理論なのである。そこで要請されるのは、諸々の観察結果を別の方法によって一般的理論の中に組入れなおすことなのである。

このような学問の再構成に際して直観的認識形式、ことに空間質、時間質、感覚質などが批判《クリティック》と転機《クリーゼ》の焦点に置かれることについては、後ほど述べよう。ここではさしあたり空間と時間を度外視して、応急的にはひとまず直観性《アンシャウリヒカイト》の問題を論じることなく取扱われうるような機能の一面、すなわち刺戟の側から見た力の強さの規定を最初に調べてみよう。これは古典物理学でもたいていは非直観的なもの、しかし数概念を用いて表現しうるものとみなされていた概念である。

したがってわれわれはここで病的感覚の機能分析の実例に立戻って、最初にまず圧刺戟とそれによって生じる感覚との対応について考えてみよう。

圧感覚の感覚生理学的分析

圧刺戟 Druckreiz が皮膚に与えられる場合、それが一定の強度《インテンジテート》を超えていないとわれわれは何も感じない。この一定の強さのことを圧刺戟の閾値《シュヴェレ》と呼ぶ。圧迫《ドルック》をもっと強くして行くと、感覚の方もそれになんらかの対応を示してだんだん強くなる。ところで身体表面つまり皮膚は、感覚器官として延長のみならず一元性《アインハイト》をも有する。すなわち皮膚上のあらゆる場所において感覚を感じとっているのは、同一の人間だということである。(10a) そこでヴェーバー Weber* やフェヒナー Fechner 以来行われて来たように刺戟量と感覚とを関係づける場合には、皮膚面を一元性として捉えるか、それとも主体を多様性として捉えるかのいずれかを選ばねばならなかった。皮膚を一元性とみなす立場からは、同時に種々の個所に加えられた負荷《ベラストゥング》がどういう作用を及ぼすかを調べる必要があった。しかしこれはかなり後になってはじめて採用された方法で、最初の間は皮膚の延長的多様性のことは全く思いつかれていなかったようである。というのは、当時はいつも同一個所に加えられた種々の負荷が比較され、従って主体の時間的多様性のみが前提されていたからである。この片手落ちなやり方は、すぐ後に述べるように驚くべき影響を及ぼすことになる。

皮膚面の一個所に加える重量を順次増して行くと、圧感覚《ドルックエンプフィンドゥング》の強さも増大する。そこで次のような法則が作られる——「刺戟量の増加に伴って感覚の強度が増加する」。この結果を神経機能の分析に応用してみよう。するとその結論は、「神経興奮の量の増加に伴って感覚の強度が増加する」ということになる。ここで神経興奮の量とは何かという問いに対しては二通りの答が出て来る。つまり、個々の感覚細胞や線維要素の中に興奮量の増減の段階を仮定せねばならないか、或はこの各要素の興奮は悉無律 Alles- oder Nichtsgesetz* に従って一定しており、興奮量の増減は興奮する要素の数の差から生じるとするかのいずれかなのである。大勢としては後者の考え方がますます大きく取入れられるようになり、やがてこの考え方は、各要素はそれぞれに固定した閾値を有し、それらの閾値は互に等しくないという仮定と結びつけられた。いずれにしても、ここに神経実質の要素的機序の分析と綜合の好例を見ることができる。

しかしこの場合には、刺戟個所は思弁的に隔離され、それ以外の身体表面との一元性を否定されている。ところがもっと多数の個所やもっと広い表面をいくつか取って、それらの間の共同効果を調べてみた場合には、どういう結果が出て来ただろうか。いまo点以外にこれと隣接する l m n、p q r の諸点も同時に刺戟すると、この場合にも感覚の強さは刺戟の総量の増加に伴って増大する。しかしその場合o点に配分される刺戟分《ライツアンタイル》の量は、感覚が同一あるいはより強い場合にすら、減少しているのである。[11] ここでやはり神経の興奮量について考察を向けてみると、o点における単一の神経要素の神経機能については、要素の興奮量は感覚強度の増大に伴って減少するという結果が得られる。以前の結論とここで必然的に生じて来た結論との矛盾を克服するためには、新しい仮定をたてる必要が生じてくる。そしてそれは、個々の神経要素がそれぞれ固定した閾値を有し、この閾値が感覚に対して恒常的な関係をもっているのだという考え方を捨てることによってのみ可能となる。なぜならば刺戟と興奮と感覚とのこのような対応は、要素にとってはそのつどの分け前を意味するに過ぎず、この分け前は器官全体に属する他の諸要素の興奮の仕方に応じて異ってくる、ということがやがて判って来たからである。つまり厳密には、器官全体の共同効果が機能を決定するものとなる。或る一点の興奮に際して隣接の諸要素を除外することは実際には決してできないのであるから、一個の「要素」を孤立的に分離するということも錯覚に過ぎなかったわけで、もはや原則的に通用することではなくなった。

　ヴェーバーとフェヒナーの実験の出発点においては、個々の点の周囲が、つまり単一体としての器官が無視されて、いわゆる要素に独立性が与えられたため、諸要素間の共同効果についての解釈も特定の形をとらざるをえなかった。以下これを考察してみよう。二つのぴったり隣接した個所を同時に刺戟すると、そこからは一つの圧感覚しか得られない。いわゆる「融合」Verschmelzung が生じているのである。これは従来の知見の中にははいっていなかった新しい機能である。或る一つの圧刺戟の閾値は、一定の距離でこれに第二の圧刺戟を添えてやると低下することがある。ここから要請される機能は「相互増強」gegenseitige Verstärkung と呼ばれる。この二つの刺戟の間の距離をもっと大きくとると、二つの圧刺戟が距離を置いて感じられる。ここで要請されるのは「弁別」Diskrimination の機能である。この距離を触覚的な感じで見積ると、視覚から予想していたよりも短く感じられることが多い。これを「牽引」Anziehung と呼ぶ。多数の圧刺戟がごく隣接して加えられたり一つの平面圧が加えられたりすると、感覚も平面的になり、ちゃんとした拡がりを持ったり漠然と感じられたり、或は浅く或は深く感じられたりする。つまりこの場合には空間的および質的な「標識」Merkmale が感覚にはいり込んで来る。二つの刺戟を非常に離してやると（例えば別々の腕や脚に加えると）、両方を同時に知覚するのは不可能となり、その代りにどちらか一方の刺戟が「注意」Aufmerksamkeit を伴って感じられる可能性が生じる。これらの実験が教えてくれることは、圧覚《ドルックジン》をそれの平面的、延長的な単一性に従って検査してみると、圧刺戟の量と感覚の強さとだけを関係づけることは困難となり、遂にはそのような純粋な関係は消滅してしまうということである。しかしここで新たに生じて来た問題を追求する前に、強度の問題についての考察を済ませておかねばならない。

これまでに判明したのは、刺戟、興奮、感覚の三者の対応を強度という観点から見ると、器官の延長的多様性を考慮に入れるかどうかによって神経機能は全く異った様相を呈するということだった。恒常的《コンスタント》な刺戟可能性《ライツバールカイト》と興奮《エアレークバール》可能性《カイト》をもつ要素を仮定してこれを出発点とするならば、いろいろの事実から、融合、増強、局在、注意などという新しい諸機能を包括する上層構築が要請されることになる。これらはすべて、一般神経生理学の興奮概念がほとんど或は全く役に立たぬような機能である。それはこのような興奮概念によっては全く表現しえない機能であり、のみならず閾値を実験的に捉える可能性すら、これによって失われてしまう。ここから特定の結論を引き出す前に、われわれはこれを圧感覚の病理学について考察しておこう。

圧感覚の病理学について

臨床医なら誰でも、体感覚検査があらゆる神経系疾患の部位決定に非常に大きな価値を有することを知っている。だから、障碍の部位決定の可能性を否定したり中枢器官のどこか比較的大きな領域における実質の機能的等価性を説いたりして軽率な非難を招くような臨床医はありえないだろうし、実際またありもしない。しかし、病的状態における体感覚検査の効用は、病的過程の部位を決定して治療を可能ならしめる、というだけにはとどまらず、ずっと広範囲に及んでいる。われわれはこのような病的事象の本質についても何らかのことを知ろうとするし、また知りうるのである。その際、すでに述べたように、異常なあり方は決して正常なあり方の変化として定義される必要はない。起ったことは起ったことなのであって、恐らくは全く実在しないだろうところの正常規範《ノルム》に即して判断される必要は、さしあたって毛頭ないのである。

患者に圧刺戟を加えてみると、全く何も感じない人、目立って少ししか感じない人、圧感覚の代りに前述の〈シャルコーの患者にみられた〕苦痛を伴う戦慄を感じる人などが見出される。それによって感覚脱失 Anästhesie、感覚低下 Hypästhesie、感覚過敏 Hyperpathie などが区別されるが、これは語義上は強度の区別である。ということはつまり、われわれはまだ機能分析の最も初歩的な方法にとどまっていて、シャルコーの錯感覚 Dysästhesie の記述に見られる豊かさと較べればむしろ貧困化を、或はひょっとすると退歩を示しているということではないのだろうか。もし計測的分析をただ計測のためだけに用いて、計測によって新しい事実が浮び上ることを見逃したりするなら、確かにそういうことにもなるだろう。例えば精密な量的尺度をもった閾値法(12)を用いれば、病的領野では閾値が全く一定せず、動揺していることを確認することもできる。このような閾値の動揺の最も重要な条件の一つとして、シュタイン J. Stein は器官自体の要求ということをはっきり認めた。閾値の不定さ Schwellenlabilität と名付けられたこの状態の本質は、一つの個所を反復刺戟すればこの個所の閾値は著しく上昇して、或る期間興奮できなくなるということになる。しかしここで真に見方が変ったと言える点は、この閾値の不安定さを病的でない時なら存在する一つの機能の――つまり閾値の恒常性保持に向けられている器官活動の――欠如の結果だとする考え方であった。この解釈をとった場合、閾値の恒常性は(原子に原子量が属しているように)固定的に要素機能に属している規定ではなく、(例えば質量平衡 Massengleichgewicht のような形で)他の恐らくは複雑な諸機能からの産物だということになる。

この見解が、さきに感覚生理学的分析から導き出しておいた見解といかに近いものであるかは、一見して明かであろう。そして、以前には単なる推論にとどまっていた閾値の非独立性が、ここでは直接的観察によって立証されていることを認めざるをえない。従来から恒常的閾値をその特徴とするものと考えられてきた要素機能が実は全く実在しないものなのだという考えが、こうして地盤を確保することになる。また、神経の実質の喪失によって閾値の恒常性が失われた場合、喪失した実質とは、それの機能によってそれまで閾値が恒常的に保たれてきたところの実質だということも明かとなる。このことが、「興奮可能性《エアレークバールカイト》はそれ自身一つの機能であって特性ではない」という形で言い表わされたのは当然のことであった。しかしこの主張は要素主義的見解を現実に危機に曝すものであっただけに、激しい反対をひき起さずにはいなかった。(13) 次には感覚器官の解体に際して要素への崩壊、要素の数的減少が見られるか否かを決定すべき拠り所を求める研究が進められた。組織学は疑いなくこの事実を示しているのに反して、機能分析はこれとは正反対の一連の事実を示している。例えば右に述べたように要素主義にとって重要な「増強《フエアシュテルクング》」の現象は病的解体の際にはより強められる、ということが明かになっている。(14) これに反して弁別《デイスクリミナツイオン》は多くの場合に悪くなる（つまり空間閾値や「触覚円」Tastkreise* が大きくなる）。位置決定《ロカリザツイオン》もやはり、不正確になったり誤示によって混乱したりする。普段は空間的にきちんと限局されている感覚が瀰漫的になり、不定の漠然としたものとなる。つまり特別な一つの機能であるはずの「融合《フエアシュメルツング》」が解体に際して障碍されず、むしろより広汎かつ完全なものとなる。もし個々の要素、例えば個々の感覚点《ジネスプンクト》がそれぞれの特徴を備えていて、これが基礎となって要素主義の考えるような高次作業への綜合の可能性が生じるものだとすれば、要素の喪失に際しては、興奮可能性、場所指標、質などの特異的属性を備えた要素的感覚はそれだけいっそう純粋なものとして出てこなければならないはずである。ところが機能変動においては事態はまるで逆であって、種々の感覚印象はこれらの特異性をすべて奪われてしまう。そこで、解体においては器官の連帯性 Solidarität が増大し特殊性 Spezifität は減じるというのが正しいことになる。障碍されているのは特殊化 Spezifikation でなくてはならず、残存するのは集合性 Kollektivismus である。このことをわれわれは既に何回も詳細に立証し記述してきた。(15)

　ここで忘れてならないのは、以上略述された体感覚の機能変動《フンクツイオンスヴアンデル》は決して唯一の病的形式ではないということである。機能変動は中枢性病巣、例えば脊髄病、索状性脊髄症《フニクレーレ・ミエローゼ》**、フリートライヒ型失調症その他の後索疾患の際にとりわけ著明に見出される。しかしその他の中枢性障碍でも種々の程度に機能変動が生じるし、末梢性障碍においてすらこれの存在を推測せしめる現象が認められる。機能変動の臨床病理学は、最近フォン・ハッティンベルク J. v. Hattinberg によって徹底的に研究された。(16) われわれは、疲労や睡眠や中毒（メスカリン、* アルコール）などが機能変動の徴候を生ぜしめることを知った。まだ完全に健康な人についても、原理的には機能変動と同列に置かれうる僅かな不安定さが、恐らくはつねに証明できる。この事実は、この現象の程度や特徴がさまざまな病気によってそれぞれ異っており、価値の高い部位診断的推論を可能ならしめるほどの類型性を有しているという事実となんら抵触しない。(17)

いわゆる力覚と固有感覚

皮膚器官の考察で問題となるのは、或る程度同質的な構造をした感覚面である。しかし例えば器官としての腕に着目すると、腕の感覚面は動くものであり、この運動それ自体がいろいろな力を感じとる手段であることがわかる。ヴェーバー E. H. Weber 以来、筋肉と皮膚すなわち「力覚《クラフトジン》」と「圧覚《ドルックジン》」は重さを知覚したり見積ったりするのに或る種の共感覚機能 synästhetische Funktion** でもって協働することが知られている。自由に動く手で重さを見積る作業が要素機能から構成しうるか否かという問題に対しても、正常状態および病的状態の分析からさきほどの圧覚の分析の場合と同じ結果がもたらされた。個々の要素の閾値はすべてこの共感覚作業の中で値を変えられるものであり、機械的構築のような形で要素から結果を量的に合成することは実際には決してうまく行かなかった。確実な根拠をもって言えるのは次のことだけである。「われわれの認識は筋肉の感覚性要素の自然のままの生活条件や活動条件を直接には捉えられない。それらの要素作業についてわれわれの抱いている憶測は、知覚という枠組の中でそれらの機能を帰納的、理論的に考察することから得られる。だからこうして得られた結果は決して絶対的なものではなく、そのつどの状況の総体の性格を通じて与えられる……」(18)。もちろんこれは真の合成ではなく、たかだか合成的な考察法であるにすぎない。寄合っている多くの部分器官や情勢や要因の発見をもって直ちに状況の総体が構成されたものと考えるのは、全くの循環論法にすぎぬ。むしろわれわれは個々の要素機能を実際に分離することの不可能さからこの状況の総体を推論したのであって、与えられた諸要素からこの総体を合成しえたのではない。

ここから一種の断念が生じてくるのは、どうしても避けることができない。一体これでいつかは進歩が望みうるのだろうかという一種絶望的な問いが浮んで来ても仕方がない。興奮している要素の数、個々の興奮の強さ、その面の広さなどがいずれも強度印象とは一義的な関係のないものだという分析の結果から、圧覚のごとき器官は一体どんな仕方で圧刺戟の大きさの見積りや秤量に役立ちうるのか、という疑問も生じてくる。そして重さの見積りの場合にも全く同じことで、ただ遙かにこみ入っているだけのことなのである。しかも郵便局員や市場の売子を見ていると、そこではまことに驚くべきことながら極めて正確な重量の見積りがなされているのだ。

この実例が示しているのは他でもない、閾値の非恒常性とか「要素機能」の非独立性とか、知覚の中へまぎれ込む可能性のある数多くの「錯誤《トイシュング》」とかは、単に作業の侵害を意味しないばかりかむしろ作業にとって必要不可欠の条件ですらあるという事情である。このことはまた種々の研究から生れた真の成果に他ならず、器官理論の礎たるべきものだということも明かとなる。生理学の要請した要素を出発点とすることをやめて器官それ自体を出発点にえらぶなら、感覚生理学的方法においてあのように屢々無意識的に前提されていた器官の特殊任務という考えがそもそも成立しえなくなる。例えば、手や腕の機能は物理学的な意味での重さの秤量や比較にあるなどというのは勝手な仮定である。これが手や腕の機能の一つの可能な結果だということなら言えるかもしれぬ。しかしこの器官の機能は——物理学的な意味で——物質の凝集状態、材質、比重、弾性、摩擦などを感じとることにあるというような言い方も、同じだけの正当さあるいは同じだけの不当さをもっている。さらに、この機能を生理学的な或は論理認識的な意味での均衡や形態や意味の知覚機能として捉えることも可能であろう。これらの観点のどれ一つとして研究の中にまで優位を持ちこむことはない。器官の働き方は、これらの用途の一つ一つにおいて、いずれにもわれわれの関心を惹くのである。

こういう留保条件を付けておいた上で研究の結果を調べてみよう。そこでは刺戟と感覚との間に期待された恒常的関係の見出されないことが、多くの実例によって示されている。こういう場合、生理学的思考法はきまって別種の興奮機能を持出してこれを説明しようとする。既に述べたように、ヴェーバー E. H. Weber は、彼が筋肉感《ムスケルゲフュール》（後にシェリントン Sherrington によって固有感覚 Propriozeptivität と呼ばれたもの）に基くと考えていた力覚の機能が、皮膚の圧覚の共感覚的共同作用によって補足されたり置換されたりしうるということを知っていた。力覚を筋肉の中に張りつめている緊張が重量感と機能的に対応したものと考えるならば、この関係が圧覚によって変様されるものと考える必要性が直ちに生じてくる。腕を水平に伸ばしてその手関節、肘関節、上腕の中央に順次おもりを掛けて行く時には、重量感のあまり大きな差は感じられない。ところがフォン・フライ v. Frey[19]は、腕に硬いケースをすっぽりかぶせて、それの末梢側《ディスタール》の部位に掛けられたおもりは胴体寄り《プロクシマール》に掛けられた場合よりも遙かに重く感じられることを発見した。この場合には圧が腕全体に均等に配分されてその位置が判らないため、被験者は重量を見積っているのではなく回転能率《ドレーモメント》（重量×てこの長さ）を見積っていることになる。——次に、筋肉内の緊張と、筋肉を引張ってこの緊張を生じさせる重量とのどちらを刺戟とみなすかは、それ自体は理論的には重要でないように思える。というのは、重量とそれによって生じた緊張とは純粋に機械的な比例関係にあるのだから。ところが実際の観察においては、この両者は生理学的には決して同じことではないことがわかる[20]。例えば垂直に下げた上腕と直角に前腕を水平に伸し、その手に二キログラムのおもりを掛ける。次にはこの直角に曲げた肘を下から支えて肩の高さに挙げ、滑車を用いて前と同じ個所に今度は水平に作用せしめた二キログラムの牽引力と比較してみる。この場合、両方の方法によって前腕の屈筋には同一の緊張は生じないことになる。つまり初めの場合には、前腕と手との二―三キログラムの重量がいわば自重として余分に負わされることになり、後の場合には二キログラムの重量だけが掛っているわけである。ところがここで感じられる重量は両方の場合とも等しい。つまりこの実験でも、緊張刺戟が重量感に対して恒常的な関係を保っていない。そこで、自重こみの全重量感から腕の自重分だけを消去するための補助的機能を新たに仮定する必要が出てくる。最初の実験の時のように筋肉内の緊張効果を皮膚の感じで補正する場合にも、重力の場における腕の位置の感じで補正する場合にも、緊張刺戟と力覚との関係の非恒常性ということが重量の正確な見積りのような作業を可能ならしめる不可欠の前提となる。或る一つの「対象」が、ここではつまり重量が「それ自身同一のもの」derselbe として、すなわちそれの重さとの関連において知覚されうるためにはこの非恒常性が是非とも必要なのだということが、このような実験からはじめて明かとなる。しかしこの非恒常性は決してでたらめなものではなく、精密な非恒常性である。この原理が恐らくはじめて気づかれたのは、ヘーリング E. Hering の被視物 Sehdinge の恒常性の研究においてであった。

自分の腕の重みは、知覚器官による外的な力の見積りにおいてこのようにして計算に入れられる——といってもここでは消去される——量としては唯一のものではない。運び皿や籠の重さについても同じことが起りうる。ここで、後に詳しく取扱われる次のような現象をあらかじめ指摘しておいてもよいだろう。ハンマーやテニスのラケットのような道具を使用して、これを媒介として目標に向う一定の力を道具自身の彼方にある別の客体に及ぼそうとする場合には、これらの道具はすべて自重として消去されることになる。

このテーマを終えるにあたって、重量を見積るとき周知のごとく無意識に手を揺すったり振ったりする運動が行われるいきさつについても、すこし考えておく必要がある。フォン・フライの行った計算的な考察によるとそれによって力学的な理由から弁別閾の精密化が期待されるし、実際にもその通りのことが見出されるという。ところがこのテクニックはこれまで触れられなかった新しい問題を提起することになる。それはこういった動作における時間と速度の意義という問題である。ミュラー*とシューマン G. E. Müller und Schumann やヴァルター Walter[21]は、おもりを動かしたり揺すったりする速度が変るとその見積りが錯覚を起すことを記述している。この所見はさしあたり、重さの見積りというような作業は完全なものではなく、或は少くとも文明人の用いる一定の技術的な機械よりは不完全なものであることを示している。しかしそれだけではなく、この「不完全さ」が同一の器官の別種の用途においては利点となりうることも、この錯覚から時として読み取ることができる。これらの研究者たちはこれをおおよそ次のように表現している。われわれはおもりの持ち上がる速度を重量を推論するのに利用している。つまり軽いおもりは速い速度で持ち上げられるというのである。確かにそういう場合もある。しかしいつもそうとは限らない。それは用いられる筋肉の働きに対する神経支配の対応の仕方によって異ってくるのである。いま、重量（力＝mg）ではなく、仕事や工率や運動量（$\frac{m}{2}v^2$, $\frac{m}{2}v^2$, mv）を見積るという課題が出されたとすると、これを正しく見積るためには時間を計算に入れねばならず、速度と加速度を計算に入れねばならぬ。最近デアヴォルト Derwort がこの領域の分析を行っている[22]。そこでは純粋に強度だけに対応する範囲は完全に踏み越えられ、抵抗感は決して筋緊張に比例しないことが明かになった。例えば運動に対立する半流動性の抵抗が減少すると、運動の速度は適応によって増大してその結果筋緊張は同一のまま保たれる。しかし感官知覚はこの事実をそのまま表現せず、被験者は抵抗の減少を感じとる。結論はこうである。被験者は外部の客体のあり方を知覚するのであって、筋肉内部の状態を知覚するのではない。つまり筋肉内部の状態についての錯覚が外部の対象についての正しい答を可能にしている。この力感の成立にあたって空間的、時間的な事情が関与していること、そしてその場合に器官は力を長さと時間と質量の三つの次元において定義する物理学者のような態度を示すこと、が明かになる。

病的な事態

力覚の病的事態はこれまでもしばしば研究されてきた。いましがた述べたことからみても、運動系の障碍も重さの見積りなどの成立にとって特別な関心の対象になりうることは明かである。ところが本書に展開されているような諸原理についての研究は、まだほとんど行われていない。物を摑んだり持ったり打ったり押したり引いたり動かしたり目標を狙ったりする器官である腕が、同時にまた知覚の器官でもあるということ、またこれらすべての作業においていわゆる力覚に訴えられる要求が極めて多様なものであるということ、これが本来なら研究の出発点とならねばならぬはずである。それ自体判り切ったことながらたいていの場合見落されているこういった事情が、病理学では非常に切実な問題となる。というのは、病理学においては純運動性あるいは純体感覚性の障碍など普通は決して見られないのであって、力覚についてもやはり運動性機能の条件変化をも考え併せる必要があるからである。また、筋緊張亢進、筋緊張減弱、小脳性失調、前灰白脊髄炎性不全麻痺*などのごときいわゆる純運動性障碍の研究からも、神経支配の異常や収縮効果の異常（例えば純粋な筋肉疾患やミオパティー）が重さの見積りを誤らせることが知られている(23)。そこで筋肉が弱くなるとたいてい負荷が過大評価されることが見出されたとすると、そこからまたしても新しい問題が出てくる。すでに運動の視覚的知覚の分析を通じて、われわれ自身が自己運動によって外部の運動を感覚的に現出せしめているのだということは、われわれにとって親しいものになっている。ここでもやはり、われわれが自分の腕の自己運動によって重量を感覚的に現出せしめている点は同じである。ところがこれに反して、運動と知覚とのこのようなからみ合い《フェアシュレンクング》によって知覚対象の（ここでは重量の）相即《コヘレンツ》が――ということはまたそれの恒常性《コンスタンツ》が――促されるのではなく、むしろかえってそれの非恒常性《インコンスタンツ》が促されるということ――つまりたとえば同一の重量が麻痺した左腕には健全な右腕よりも重く感じられ、真相を知らぬ被験者には別の物のように感じられるということ――については、われわれはこれまで予備知識を全く持合せていない。だからわれわれはこのことから器官機能についての新知識が得られるという希望を抱く。つまり機能がどのようにしてこの場合のようなからみ合い《フェアシュレンクング》の役に立っているかについての知識が期待されるのである。これまでのところでわれわれはこのからみ合い《フェアシュレンクング》という事実を確かめたわけであるが、今度はそれの働き具合についての恐らくもっと詳細な考えが出て来るだろうと思われる。

或る重量を持上げるときに実際よりも重く感じられるという場合、この過大評価には実際に存在しない重量が知覚される場合もあるということが思いつかれるだろう。さらに、神経支配の強さが同一なら、重量が大きいほど運動効果は小さいわけである。そこで自己運動と重量感《ゲヴィヒツアインドルック》とのこの関係が完全に障碍されたなら、重量の付加によって運動効果が変化してもそれは知覚されないということが考えられる。簡単に言うと、重量感と自己運動とが完全に関係を失って、一方が他方とは無関係に生じることになるだろう、ということである。事実、このような事態は経験的にも知られている。つまり、自分の手足が重いという感じを訴える患者、自分の手足の運動幻覚を抱く患者、自分で運動しながらそれを知覚しない患者、自らの意志なしに運動してこれを外部からの影響と感じる患者などが実際にいる。しかしこれらの症例の大多数は筋肉や皮膚の感覚脱失《アネステジー》に基くものではないことが実証できるし、四肢の運動や負荷を知覚する能力それ自体は障碍されていない。障碍されているのは、健康者において運動と知覚を相互に関係づけて、対象を動かしたり知覚したりすることを可能ならしめている、この両者のからみ合い《フェアシュレンクング》なのである。

ここで決定的な役割を演じるのはこのからみ合い《フェアシュレンクング》の障碍であって、損傷された器官における何らかの伝導障碍や異常興奮状態——ただしそれは実証されえないものであるが——ではないということ、このことはコーンシュタム Kohnstamm が健康者について実施し、マッテイ Matthäi によって分析された一つの実験*が証明している。(24) この実験では腕があたかも眼に見えぬ力によって持ち上げられたかのような感じが生じ、腕の重さが著しく減少したかのように感じられる。この錯覚は健康者の誰にでも簡単に生じさせることができる。

それではこのからみ合い《フェアシュレンクング》はいったい何に基いているのか、またそのポイントはいったいどこにあるのだろうか。右のような諸現象に純心理学的な解釈を行おうとする試みが繰返しなされたのは当然のことである。その橋渡しの役を果したのは、いわゆる神経支配感覚《インネルヴァツィオンスエンプフィンドゥング》の学説だった。この説によると、中枢器官は筋肉の神経支配が最初に成立する時点もしくは個所においても、例えば皮質においても一つの感覚をも生ぜしめる、従ってこの時点で既に力覚の印象に参加しているという。そこではこの参加の度合、つまり外的対象の知覚に対してこの印象が占める割合などが論じられた。他の諸学説においてもやはり同様に、努力感や作業効果の仮想像が知覚の心的綜合にはいり込むものとされた。われわれはこの学説の学問的効用を認めないから、ここでこれに対する論評はしないでおくが、ただこの学説が現象学的な観察に寄与した知見だけは取出しておこう。それは非常に重要な知見なのである。すなわちこの種の力覚の実験において、単にいかなる重量感が得られるかだけでなく、自己の身体のいかなる感覚が生じているかをも同時に知覚するようにしてみると、そこで興味深いことが見出される。われわれは対象以外に、そのつもりになれば負荷のかかっている皮膚領域への圧迫を感じるし、さらにバンドや把手に触れられているこの皮膚領域自身をも感じる。またこの把手などの材質、つまり木とか鉄とか冷たいとか温かいとかも、上腕や肩において力の加わっている筋肉の緊張とかも感じられる。重さを見積るときには、手の律動的な上下運動、圧迫と伸張との波状の交互出現、それと同時に行われる空間通過の運動などが知覚される。これらの知覚の本質的な部分は疑いなく重量感そのものに関与していると思われるけれども、この関与をなんらかの手段で本来の重量感から分離することは不可能である。われわれの観点によって或る時には一方が、或る時には他方がはっきり意識されることになるのであって、これらの契機《モメンテ》が全部同時に知覚されることは決してない。これらの契機を互に比較してみると、それらはその性質や感じられる場所を異にしている。性質の相違はなんらかの形で場所の相違と結びついている。そしてわれわれはそれらの全部をひとまず一定の部位に——われわれの身体の内部であれ外部であれ——知覚する。ここでわれわれはいわゆる感覚の投《プロイエク》影《ツイオン》という事実にぶつかる。われわれは一体どこで重量感を感じるのかという問いに対しては、このような多様性と変化に富んだ関連を示す多くの複合体《コンプレクセ》の全部を指摘する以外に答えようがない。一見してすぐ判るのは、感覚は刺戟部位や感覚器官の受容器の見出される部位に投影されるとは限らないということである。そういう場合もあるけれど、全然違った場合もありうる。触覚は皮膚に感じられ、緊張感は筋肉と関節のおよそそのあたりに感じられる。しかしわれわれが当の対象そのものを感じるのは身体の外部においてであり、しかもそれはこれらの感覚を対象の中へ組入れることによってである。そうだとすれば感覚が明かに場所を変えうることにはならないか。ところで投影《プロイエクツイオン》という表現は明かに、感覚成立のそもそもの起源は脳にあって、ここから遠方への投射がなされるという考えから出ている。しかし心的事象をそもそも空間的に位置づけようとすること自体が疑問である。明確な内容を有するのはただ、感官伝導路を刺戟しても中枢を刺戟してもやはり同様に投影された感覚が生じるという事実、或は腕や脚を完全に失った後にもその知覚は残存する、つまり純中枢性の知覚が発生するという事実だけである。このいわゆる幻影肢《ファントムグリート》は全く普通の出来事である。だからもし投影という言葉で表現されていることを、諸感覚がそれを規制している器官から離れた場所に位置づけられることと解するならば、この表現には異論をさしはさむ余地がない。ただ、これらの感覚がどの場所に投影されるかを規定する条件、これが研究の唯一の対象となる。この条件は一般には神経の興奮そのものの事情によってではなく、どんな対象が知覚されるかによって左右されると言ってよい。従ってシェリントンによって筋肉の受容性《レツエプテイヴイテート》を表すために選ばれた固有感覚《プロプリオツエプテイヴイテート》という名称には誤解が含まれている。筋緊張やそれによって生じた筋紡錘の刺戟は、内部からの能動的神経支配によっても外部からの環界の働きによっても起りうるし、同じことが知覚についても言える――つまりわれわれは自分の腕の状態も外部の対象も、同一の器官を用いて同じように知覚しうるのである。

だから力覚に関して固有感覚的《プロプリオツエプテイーフ》な作業と外受容的《エクステロツエプテイーフ》な作業を区別することは、実際的にも理論的にも不可能である。筋肉の神経支配はその筋肉に加わる力とつねに一体となって、単一の力学体系をなしている。力覚が使用される知覚にはこの固有・外部受容的《プロプリオ・エクステロツエプテイーフ》な体系に属するすべての分力が関与している。そしてこの力覚の使用にあたっては、すべての知覚とすべての運動がつねにからみ合っている。

力の大きさの印象を的確に決定するのは筋肉受容器の刺戟やこの刺戟の強度ではない、ということの興味深い実例は次の事実であろう。(25) パーキンソニズム*に罹っている患者の腕の筋肉について、われわれがそのいわゆる筋強剛《リゴール》を或る種の測定器を用いて測定してみたところ、驚いたことには強剛に陥っている腕を動かすのに必要な力の消費量は、時には健康な腕の場合よりも少いことがあるのが見出された。つまり知覚錯誤《ヴァールネームングストイシュング》が生じているのである。験者は強剛に陥っている腕を動かすには健康な腕よりも多くの力を消費したはずだと考えるのに、測定の結果は逆のことを証明している。この事実の解釈は多分こうである。われわれは対象への「投影《プロイエクツィオン》」によって——もっと適切な言葉を用いれば対象への感情移入《アインフューールング》によって——対象の中にどれだけの筋緊張が存するか、どれだけの筋緊張が患者の自己活動によって克服されているかを知覚することができる。つまりわれわれ験者はこの場合、われわれ自身の腕に生じている力を感じとるのではなく、被験者が抵抗を克服するために生じさせた力を感じとっていることになる。これは私が或る患者の顔つきから、彼が痛みを感じているとか困惑しているとかを読みとるのとなんら異るものではない。

からみ合い《フェアシュレンクング》を成立せしめている機能的条件についてここでさしあたって何か言っておくとすると、それはこういうことになる。感覚の投影という事実が、或はもっと精密で的確な表現を用いれば感覚の転位可能性 Dislozierbarkeit が、同一の受容器《レツェプトーレン》を用いて全く種々様々な対象を、さらには自己の身体をも知覚しうる能力を作り出す。手術の際ゾンデで組織の抵抗や骨の形状を触知する場合、われわれは腕と手とゾンデを消去《エリミニーレン》している。二本の金属棒の重さを比較する場合には腕と手の自重を消去するだけでよい。自分の皮膚の触覚を検査する時には刺戟を与えるために使用する物体の性状を消去し、大きいものを投げる時には圧感覚を無視する。つまり転位 Dislokation は消去 Eliminierung と結びついている。両者が合わさって刺戟‐興奮‐感覚関係の非恒常性《インコンスタンツ》を作り出し、それによって、同一器官が種々の物を知覚しうる条件となっている。しかしそれぞれの場合ごとにからみ合い《フェアシュレンクング》のあり方は異っている。これらの動作のいちいちにおいて自己運動の通る道筋が違っているのであって、このことがそもそも種々さまざまな対象をわれわれが知覚しうるための条件にほかならない。(25a)

材質の知覚について

前の個所で述べたことだが、圧覚受容器の興奮に際しては皮膚に並列している平面要素が相互に無関係にてんでんばらばらに感覚印象に参加しているのでも、また厳密な相互関係を保って、例えば単純加算の原理に従って感覚印象の全体を作り上げているのでもない。隣接した多くの興奮は融合して一つの感覚印象となるのであって、この印象の強度は刺戟された全平面の大きさないしは興奮している感覚点の数によっても、個々の要素に割当てられている分圧によっても規定されている。それにも拘らずわれわれはいろいろな圧を立派に見積ることができる。ところが今度は、われわれの刺戟の強度《インテンジテート》と拡がり《エクステンジテート》とを正確に区別しえないという、この能力の欠如をそっくり利用して、知覚者に見積りの対象についての錯覚を起させることができる。先ず平らに拡げた手の上に一個の木製の球をのせてやり、次にこれと同じ重さで十二分の一の大きさの鉛の球をのせてやる。被験者がこのことを知らない場合には、十分慎重にやればそこに何らの相違も気づかれない。球に触れている皮膚部分の圧変形は同一である。次にこの二つの球を握らせてみる。すると圧変形の形は全く違ったものになる。重量の比較は不確かになり、たいていは木球の方を軽く見積って、ここに全く異った知覚が生じる。つまりこの場合、被験者は重量ではなく比重を知覚しているのである。というよりむしろ、彼は二つの異った材質を知覚していると言う方が正確である。次に木の球を最初平らに拡げた手の上で、次に凹ませた手の上で知覚させる。この場合、被験者はこのことを知らされている。すると両者は何の苦もなく同一物として感じられる。そこで、もし「圧覚《ドルックジン》」がただ圧のみを、すなわち単位面積あたりの力のみを伝えるものであれば、このような素材認知の作業は不可能だということが判る。圧迫面積を拡げると圧覚印象が著しく増大するのは、圧覚が単に圧のみを伝えるものではないからである。同様にまた、圧覚が知覚しているのは力、すなわち圧×面積でもない。なぜならば、力を広い面積に分散した時には感覚印象が減少することをわれわれは見てきたからである。要するにこの皮膚感覚は圧覚でも力覚でもない。それは両者の間に定めがたくまたがっているように見える。しかし対象知覚としての作業を考える場合には、この不定性の効用はすぐ理解できる。木球が広い面積に置かれても狭い面積に置かれても同じ物として感じられうる場合にのみ、それはそもそも同じ物として感じられうるのであって、このことは圧覚が圧（力／面積）のみ或は力（圧×面積）のみの知覚をもたらすのではない場合にのみ可能なことである。むしろこのように異った二つの感覚印象が私にとって「同一対象」と感じられるのは、このように異った力の空間配分が知覚に入ってくる時に限られる。そしてこのことは、一つの圧とか一つの力とかではなくて同一対象の二つの空間像が、それぞれ異った力の配分で知覚されるという前提のもとでのみ生じうることである。

ここでわれわれは、動いている物体の知覚の場合と同様の原理にぶつかる。この同じ原理が材質知覚の研究にも再び姿を現わしている。いまわれわれは力の空間形像を通じて伝えられるものとしての比重の意義を検査した。しかしそれが木であるか金属であるかの決定は、カッツ Katz* の言うように温度感覚からも出てくる。(26) 金属はより迅速に皮膚から熱を奪うからより冷たく感じられるし、これを叩いてみると、その弾力的な振動という特徴が判別の役に立つ。ここでは温度覚の不完全さが材質の類別を可能にしている。というのは、それ自身で熱を出したり奪ったりして、測定しようとする物質を温めたり冷したりするような温度計があるとすれば、それは極めて不完全な温度計だろうからである。しかし温度覚もやはり単に温度計としてではなく、他の多くの感覚の一員として個々の材質の知覚や区別の役に立っている。ちなみに、圧覚と温覚とのこのような関連と結びついた一つの特徴的な錯覚がある。或る重量を手で持ってみた時、冷たければ重く温かければ軽く感じられるというのがそれである。

従来から力覚《クラフトジン》と呼ばれてきた感覚、つまり筋緊張の知覚についても類似の事態が見られる。与えられた力が筋肉の小さい横断面に配分された時と大きい横断面に配分された時とでは、無条件に同一の感覚印象も、無条件に別個の感覚印象も生じない。この場合にも問題になるのは恐らくこの種の量概念ではなく、いかなる作業がまさに今なされようとしているのかということだろう。つまり、重量の見積りであるのか、素材の検査であるのか、機械的あるいは構造的な状態の見分けであるのか等々が問題になってくるだろう。

2 運動作業の解体

生命的《ベレープト》および非生命的《ウンベレープト》自然という古典的対置においても、有機体の学問的研究に際して外部から出会ってくるものはすべて非生命的なものであり有機体に内在するものはすべて生命的なものだというような主張までが根拠を与えられているわけではなかった。実際われわれは、生きものにも出会うからである。ところがその後、生理学は環境《ウムゲーブング》を非生命的ということと同義に解することになった。これに対して、特にフォン・ユクスキュール J. v. Uexkuell によって環界《ウムヴェルト》という語に特別な意味が与えられるようになったのは、ずっと後のことなのである。この物理学的で死せる環境は、その後研究者にとっては方法的に最も確実で捉えやすい領域とみなされ、その結果、体感覚性《ゼンジビリテート》においては刺戟が、運動性《モトーリク》においては運動効果が研究の出発点とされることになった。つまり体感覚性では「刺戟によって器官内に何が起るか」が問われ、運動性では「いかなる器官機序《オルガンフォアガング》から運動が生じたか」が問われるようになった。しかし思考において原因から結果への進行は一義的なのに対し、結果から原因への帰納は多義的であるから、有機体の運動を扱う場合にも前者の道の方が成功の見込みが大きいはずである。また物理学的に捉えうるものを確実なものとするならば、確実なものとは外部起源のものであって、内部起源のものではないことになる。刺戟を出発点とすればよいのである。こうして反射生理学、運動の反射学説が出てくる。だがわれわれは、既に本書の序論でこの道を放棄し、自己運動を出発点とすることを主張した。そこでここでは研究の方法は病的事象に導かれて必然的に内部的なものへ、器官機序へと向わざるをえない。そこで起っている事象についての表象を形成する必要がある場合には、「どこ《ヴォー》」と

「どんな《ヴィー》」という問いが再び前景に押出されてくる。われわれは体感覚性機能を扱った時にも、この問いを全く回避していたわけではなかった。しかし運動性の領域では、部位決定《ロカリザツイオン》、伝導《ライトウング》、作業《ライストウング》についてのわれわれの知識はずっと豊富であるし、一見より明晰であるように思われる。もちろんこの領域の病理学においても、伝導原理《ライトウングスプリンツイプ》と作業《ライストウングス》原理《プリンツイプ》との絶対的対立は即座に現れてくる。われわれは作業が伝導原理によって説明されることを期待しえない。そして、いろいろな限界条件を発見するだけで満足しておかなくてはならないだろう。

まず、病理学と実験生理学がいろいろと一致して認めている観察に眼を向けよう。すると、伝導原理の限界がおのずとはっきりしてくる。神経筋標本《ネルフムスケルプレパラート》の生理学から思いつかれ、中枢神経系にも認められる線維構造によって繰返し裏付けされて、伝導原理は近代科学にとっては主導的な、既に余りにも自明の基本観念となっている。しかしこのような過大評価に対する疑義も全く提出されなかった訳ではない。それは生理学ではフォン・クリース v. Kries によって、病理学ではフォン・モナコフ v. Monakow によって表明されている。

さまざまな脳領域の構造と機能の非同質性が確認された後は、これらの諸領域の共同作用の問題が注目を集めるようになったのは当然のことである。しかしこのような協働を考えるためには、各領域の特殊な意義についての観念をもつことが必要となる。ところが、ほとんど偶然に依存して積み重ねられて来たわれわれの知識の中では、各領域の意義と協働の仕方とを満足すべき仕方で区別することは不可能であった。だから、その後いわゆる局在論《ロカリザツイオンスレーレ》として取出された学説も、多くの観察とややもすると余りにも不確実な解釈との不統一な寄せ集めなのである。それにも拘らずこの学説は、それが解剖学的実質と緊密な関係を有するために、殊に純粋に生理学的な考え方に対しては優勢を占めてきた。だが、今日においても恐らく局在論の最大の欠陥と思われることは、局在させ《ロカリジーレン》ようとしている〈機能とよばれる〉ものとは一体何なのか、またそのようなものはそもそもどこかに局在せしめうるものなのかが判らないうちに、或る機能をどこに局在させるべきかという問いが立てられてしまったことだ、と言わねばならぬ。

批判的な心構えで諸観察に眼を向けてみると、この課題は恐しく困難なものであることがわかる。即ち一方で神経《ノイロ》筋末梢《ムスクレーレ・ペリフエリー》と高次中枢、殊に皮質とのかなり厳密な対応が判明しているのに、他方では伝導原理が全く役に立たぬということも言える。ヒッツィヒ Hitzig* とフェリア Ferrier** が発見し、クラウゼ Krause***、フェアスター Foerster、ペンフィールド Penfield**** その他が人間について確かめたように、前ロランド野からの電気刺戟によって多数の個々の筋肉や筋肉群が収縮を起すにもかかわらず、またこの領野から出る錐体路を失った人間では四肢や四肢の諸部分の随意的な個別運動が失われてしまうにもかかわらず、この皮質領域を伝導原理に従ってこれらの筋肉の神経支配のための機能所持者と見ることには支障が伴う。われわれの知る限りでは、前中心回の一焦点の興奮それ自体が特定筋肉の興奮にとって決定的な条件だとは決して言えない。むしろ逆に、個々の筋肉の独立的神経支配は一般にずっと多量の実質の統合性を前提としてはじめて可能であるように見えるし、一方大きな筋肉群の共通の神経支配は残存している比較的小量の実質によっても依然として行われうるものである[27]。

このことはなによりもまず、前中心回の損傷による個別筋の麻痺がほとんど知られていないという事実によって裏付けられる。その場合にはむしろ四肢の一部が、或はもっと普通には四肢の一本や身体の半側が冒されるのが通例である。また皮質刺戟によって解発される運動の分析からも、それがほとんどの場合に複合《コンプレクス》的な運動、すなわち共同動作 Synergien であることが判明する。それの構造は自然な運動の複合と類似している。つまりそれにはいくつかの筋肉群が、或るものは収縮的に或るものは弛緩的に、参加している。また一定の運動がそこから解発されるといった皮質部位も完全に確定しているわけではない。それが短時間のうちに変化して全く運動を生じさせなくなったり別の運動を生じさせたりすることもある。ジャクソン Jackson***** の研究した皮質痙攣《リンデンクレンプフエ》の病像も、痙攣が筋肉群単位に発生し拡大して行く有様を極めて印象深く示してくれる。他方、前ロランド回は多くの興奮にとって独占支配を有するものでは決してない。そこから刺戟を受ける筋肉は、われわれの知っている限りでは頭頂部の刺戟からも、また恐らくは前頭部の刺激からも、別種の複合を形作って興奮させることができる。これは特に眼筋について言えることである。

次に言語や熟達運動《フェアティヒカイツベヴェーグンゲン》と側頭葉や頭頂葉の大領域との関連性を考えてみる。筋肉と皮質焦点との一義的対応はここではもはや全く問題にならない。もっとも、前中心領域に隣接する前頭葉部分は、他の諸部分よりも遥かに高度に複雑な共同動作《ジネルギーエン》と結びついている。噛む、口をペチャペチャ鳴らすなどの動作や、回旋運動《アドヴェアジーフベヴェーグンゲン》、つまり単一的に方向づけられた指向運動は、いろいろな動作の一部もしくは原始形態《プリミティーフフォルメン》とみなすことができる。これらの運動はさらに、前頭葉領域、頭頂葉領域ならびに脳梁の欠陥に際して発生することが知られている失行症《アプラクシー》*という障碍につながるものである。最後になお、進行麻痺、動脈硬化、中毒、変性などのような皮質全体の瀰漫性罹患に際して出現する運動の変化を挙げておかねばならぬ。これらの病気はとりわけ人間の文化生活の中で価値のある作業を制約したり変形したりする。これらの作業の記述には、心理学的あるいは精神的な概念を用いる必要がある。しかしそれらもやはり、適正な運動形成の障碍であることを免れない。書字、ヴァイオリニストの運弓、製図家の線の運び、言語における文章構成や抑揚など、あらゆる作業領域における器用さや熟練が重篤で特徴的な変化を蒙る。それは一般に内容や意味の変化がすべて必然的にそれぞれの運動的表現の変化と結びついているからに他ならない。

これらの全体を概観すると、錐体路系の皮質部は、それが皮質器官の包括的な意義の一部としてそこに根差しているということからのみ理解しうるということになる。人間の前中心回には、筋肉の神経支配機能よりもむしろ協調《コオルディナテ》機能《イーフェフンクツイオン》を帰属させるべきなのである。神経支配機能は運動神経の特権である。しかし皮質とその細胞について言えることは、恐らくはそこから発する錐体路についても言えるはずである。錐体路損傷に際して見られるものは、なおさらのこと個々の筋肉の麻痺ではなくて、つねに複合的《コンプレクス》あるいは総体的《グロバール》な脱落《アウスフエレ》である。ここで重要なのは、脱落よりはむしろ錐体路症状群の独得な集合性 Kollektivismus の方である。

この周知の運動障碍が示す多様な症状は、その内的な単一性についてはまだ完全に捉えられていない。ヒッツィヒとヴェルニッケ*は次の二つの重要な点を見出していた。第一に、四肢の一つが行いうる運動形態《ベヴェーグングスフィグーレン》の多様性が制限されること、第二に、麻痺は殆どの場合或る筋肉群を他の筋肉群よりも強く冒すこと、例えば脚では屈筋、腕では伸筋がより強く麻痺すること、の二点である。つまり錐体路の損傷の広さがさまざまであっても、また錐体路の脳区間と脊髄区間のどちらが冒されても、いずれにせよ運動の分化度喪失《エントディフェレンツィールング》と麻痺の偏向《プレディレクツィオン》とが錐体路損傷にとって典型的なことである。しかしここで次のような規則を作っておいてもよいだろう。損傷がより完全であればそれだけ、なお可能な神経支配はより集合的《コレクティーフ》になる。この命題の逆はこうである。運動がより分化したものであるためには、より多くの実質が保たれていなければならない。従って、個々の錐体細胞が個別的な筋肉との伝導的結合を通じて個別的な神経支配の規制を確保しているというのは本当ではなさそうである。[28] むしろ、多数の興奮が集合的に合流してしまうのを妨げて、例えば一本の示指伸筋の独立の神経支配といったことを可能ならしめるには、広大な中枢野に拡がった一つの機能が必要だということの方が遙かに真実らしい。この機能の拡大ではなく制限の方が、協調に際して真の課題となる。

さてこのような〔いわゆる錐体路性の〕運動障碍にあっては独得な生硬さと単調さをもつ変化に乏しい運動《ベヴェーグングス》類型《ティーピック》が出現し、意志はただ運動の強さのみを、しかもごく僅かに変化せしめるのみで、もはや運動の形式には何らの影響も及ぼしえない。またそこでは種々の筋肉が「すべてか無か」の規則で一括されて出現する。このような運動障碍においてわれわれの問わねばならぬことは、かかる極めて特徴的な運動は果してそれ自体、錐体路と何らかのポジティヴな関係を有しているのだろうかということである。本当のところはそうではないらしい。そしてどうやらわれわれがここで観察しているのは、中枢神経系に属する非錐体路性の機能の表現らしいのである。

もちろんこれだけでこの種の運動類型の局在決定がなされたわけではないだろう。というのは、錐体路系を除去してもなおこの種の運動類型のために使用しうる実質の量は、殆ど神経系の全部にわたっているからである。しかしここで或る領野の疾患が特に運動に対して大きな被害を及ぼすような、そんな領野のすべてに注意を向けてみると、そういった領野としてはいわゆる錐体外路系、すなわち線状体と淡蒼球、赤核、黒質および小脳がある。これらの領域の疾患に際して出現する運動障碍を概観してみると、〔錐体路系疾患に比して〕遙かに多彩な病像が現れている。つまり体姿異常、表情や身振りの緩慢化、防御行動の緩慢化、失調、振顫、強剛、四肢や軀幹の舞踏病*及びアテトーゼによる攣縮や彎曲など、要するに形のはっきりしない、とりわけ余分な諸現象の多彩な出現がみられる。その原因は、これらの疾患では自然な運動の有する多様性は必ずしもまだ減退していないで、むしろこれらの病的形態の分だけ余計に多彩になっていることにある。これはもちろん極めて重篤な錐体外路疾患やその末期にはあてはまらない。その場合には完全な硬直が登場して来る。そして運動の分化度の喪失も錐体路性の拘縮の程度に達することがある。しかしここで内包性片麻痺《カプスレーレ・ヘミプレギー》**の基本型を一方に、パーキンソン症状群と小脳性失調をもう一方に置いてみると、皮質性、錐体路性の損傷は作業類型の多様性 Mannigfaltigkeit der Leistungstypen の喪失を惹き起し、皮質下性、錐体外路性の損傷は作業の形式的遂行 formale Ausführung のみを冒して、その多様性はそのまま保持されるということが判る。ただし、錐体外路障碍の場合とても、結局は作業が遂行不可能となるまでに変形が及ぶことはありうる。

この〔錐体路性および錐体外路性障碍の〕対置の中にある意味の相違は、できれば明確な概念にまでもたらされることが望ましい。運動の特殊化 Spezifikation の条件としての皮質性-錐体路性領野と、運動の形式性 Formalismus の条件としての錐体外路性-小脳性領野とは、確かに或る種の局在的意義を有してはいるが、それは実は種々の具体的な作業や機能の局在ではなく、或る一つの観念を物質的実質の中で実現する種々の段階の局在を意味しているのだ、という点が重要である。つまり皮質-錐体路領域の実質喪失に伴って制約される特殊化《シュペツィフィカツィオン》は、実は運動の部分とか要素とかに関するものではなく、立つ、歩く、跳ぶ、握る、手仕事、書字などのような動作の種類に関するものであり、逆にまた物質的形式性《フォルマリスムス》は動作の種類に関するものではなく、そのような動作のために必要な運動のテンポ、道筋、範囲などのような、いかなる種類であれ、その運動の空間的、時間的、強度的な要素に関するものである。この二つの主要領域が損傷の際に助け合うことがほとんどできないという経験的事実も、この見解と符合する。内容が形式にとって代ったり、形式が内容にとって代ったりするようなことは考えられない。運動性皮質と運動性皮質下部との間に直接の解剖学的連絡は明かに存在しないという事実も、この見解と一致する。線維解剖学的所見によれば、両者の完全な協働は脊髄に至って——すなわち作業遂行器官である筋肉の領域への最終的分布をもって末梢がそこから始まるところの脊髄に至って、はじめて考えうることなのである。

投影《プロイエクツィオン》の概念、すなわち中枢の中に末梢が局所解剖的《トポグラーフィッシュ》に相似の配置を示し、その個所において代表されるという概念は、従って制限つきでしか受入れられない。筋肉と高次中枢部位との直接の、そして機能的にも実際に分化した伝導結合も問題になりえないし、中枢器官内での身体局所的《ゾマトトープ》な区分も末梢における区分と同じ意味では考えられない。というのは、神経筋末梢の解剖学は環界との機械的な関係にのっとって区分されていて、立つ歩く握るなどの条件を満たすものなのに対して、中枢における区分は単位的神経支配を、つまり機能単位としての筋肉系の組合せを可能ならしめるのに役立つものだからである。ちなみに小脳や中心神経核における投影は、大脳皮質のそれに較べれば明らかにもっと分化度の低い、ほんのおおざっぱなものにすぎない。

これに反して、特殊化《シュペツィフィカツィオン》と形式性《フォルマリスムス》の対比は厳密で移行を許さぬものである。円周運動と直線運動の区別は決して単なる量的な差異に変えうるものではない。中枢器官の中に内容と形式に対する領域的な業務分担があるという事実は、非常に大きな意味のあることである(29)。確かに、完全に厳密な局所解剖的区分と矛盾する事実は少くない。大脳皮質と錐体路とは系統発生的にも個体発生的にも遅れて形成されたものだということは銘記しておく必要がある。それがまだ出来上っていないところでは、それの機能は——それが実際に存在する限り——後に皮質下領域と呼ばれるようになる領域に帰属していなくてはならぬはずである。だから、皮質下領域は後になってもこれらの機能を決して完全には失うことがないとする仮定は、理由のあるものなのである。また病気とか皮質－錐体路領域の損傷とかに際しても、錐体外路領域が運動の多様性を或る程度まで特殊化しうることが証明されている。前進運動ということをとってみると、蛙では延髄の前部だけで十分であり、家兎では脳橋の前部が、犬や猫では間脳の後部が、猿では脳幹のもっと大きな部分が保たれている必要があることが判っている。そしてただ人間だけが、直立歩行という独得の運動様式を行いうるために皮質を必要とする。しかしこのことは、とかく一般に考えられているように、機能が上方へと移動することを意味してはいない。変化するのは運動様式がますます多様性を加えることと、僅かな運動類型でもって用を足す能力が減退することなのである。

次に、運動の特殊化《シュペツィフィカツィオン》と形式性《フォルマリスムス》が器官の中で相対的な場所の区別を受けているという事実はそもそもいかなる意味を有するかを問うことにする。答は現象の観察以外からは期待しえない。解剖学はこれまでのところ唯一の、しかし明かに重要な陳述を行っている。つまり、傷害が急性に発生したときに、最も著明に運動の空間時間的、強度的な形式性が障碍されるのは、小脳の傷害の場合だということである。小脳性の筋緊張低下《ヒポトニー》、失調《アタクシー》、運動測定障碍《ディスメトリー》、偏向《デヴィアツィオン》などは、いかなる場合にもいかなる種類の運動脱落をも惹き起さず、ただそれ自体としては維持されている作業の変形《デフォルマツィオン》をもたらすのみである。ところで小脳の組織学的構造は、およそ神経系の中で知られている限りでの最も甚しい細胞や線維の単調さ、つまりその個々の皮質部分と他の各部分との最も徹底した同質性を示す。この単調さは大脳皮質の構造の無限の多様さとは対照的であり、一方、中心神経核はこの両極端の中間に位置するものの、やはりどちらかといえば単調な構造を有している。質の多様さと量的なものの単調さのこういった対比はわれわれの考えによく合う。

しかし、神経路の働き方と意義とについてこれまで正しいものとされてきたいろいろな主張は、もっとずっと断定的なものである。これらの主張においては、筋肉系《ムスクラトウーア》が中枢器官の一々の部位との間に伝導的結合を有し、それぞれ対応する中枢部位からの作用を受けられるようになっているに違いないということが、自明の理とみられている。これと同じことが逆の方向において感覚器官についても言える。ところが、心理学的な事実からしか知られえないいろいろな連関もやはり神経の結合によって保証されているというようなことは、決してこれと同様の自明さをもって言いうることではない。われわれが或る一つの対象（人間、動物、住居など）を眼でも耳でも鼻でも触覚でも同一対象として認知する場合、心《ゼーレ》や自我《イッヒ》に対して特定の場所を指定することはできないのであるから、何故にそれらの感覚神経がどこか一つの場所で合流しなくてはならぬのかが判らない。またこれと同じことが、表象された対象に向けられる運動性の動作についても言えるだろう。だから、心理的な連想や論理的な統一の基礎に物質的な接触がなくてはならぬという考えは、すでに極めて思弁的なものといえる。他方、ことにマイネルト Meynert* とフレクシッヒ Flechsig** の研究に負うところの多い中枢内部《イントラツェントラール》の豊富な結合路の確認が、いろいろな部分の統一的協働を可能にする重要な基礎だと見なされたのは、容易に理解しうることである。これを名付けるのに一般にはやや見棄てられていた連合心理学***をもう一度持出して、連合路《アソツィアツィオンスバーネン》という名称が選ばれたという事情には、われわれはなんら拘束される必要がない。というのは、いくつかの部分が一体どのようにして相互に影響しあうのかという問題は構造上の事実だけでは答えられないものだからである。その鍵を握っているのは機能に他ならない。

このことは長い間にわたって最も重要な解剖学的学説であった神経単位《ノイロン》学説についてもあてはまる。この神経単位学説と生理学における伝導原理《ライトウングスプリンツィプ》とは、われわれが古典的神経学と総称しようとするものの二本の大黒柱をなしている。神経単位《ノイロン》をめぐってのさまざまの論争や考え方の変化はともかくとして、神経の要素的構造を想定する思考習慣は一貫して保持されてきた。全体を要素的部分から構築しようとするのは、科学的精神の欲求というよりはむしろ殆ど強制的な要求に対応するものだからである。しかし、この古典的図式に対する批判的検討を避けることは許されない。

さてこの古典的図式は、一定の部位にはこの局所性に応じた個別性《インディヴィドゥアリテート》が帰属しているという空間的表象に基いている。そしてこの部位は特別な物質的結合、つまり主として解剖学的知見としての伝導路を通じてこの特性を受取るとされる。この伝導路は必然的に孤立的なもの、或は機能的に孤立化せしめうるものと考えられざるをえない。さもないと一切の興奮が至る所に伝わってしまって、個別的な作業が不可能となるだろうからである。逆に言うと古典的学説の伝導概念が適用しうるのは、或る部位に属する伝導的結合を通じて与えられている意義以外の、何らかの意義がその部位に内在していない場合に限られる。例えばもし或る部位が自らの状態の質それ自体に基いて他の部位への伝導を介することなく働きうるものであり、そのような仕方で作業に参加するのだとするならば、古典的図式はたちまち効力を失い、首尾一貫性を奪われることとなろう。だから古典的な考え方においては伝導原理《ライトゥングスプリンツィプ》と局在原理《ロカリザツィオンスプリンツィプ》とは同一事態の両面に過ぎないと言える。ということは、実質内の各部位は他の特定の部位との有効な伝導結合によってのみ固有の意義を保有しうるのだ、という意味である。

この概念規定の重要さは、それを実際に応用してみればすぐ判る。手始めに、通常送出的《エフェレント》あるいは受入的《アフェレント》な機能とか、運動性あるいは体感覚性機能とかの概念で示される中枢と末梢の部位間の関係を考えてみよう。この往復両方向は、二つの離れた部位の間の伝導的結合を通じての単純な対応に基いて考えられている。そこでこのような部位の対《つい》がいくつもできていると考えると、これと同数の神経単位《ノイロン》あるいはそれの連鎖があればこのような機能の多様性の要求が満される。しかしその場合には、伝導路そのもの以外にそれの数的な問題が関与してくる。伝導路の数は最低限、個々に区別される送出的あるいは受入的な個別機能の数だけでなくてはならないはずである。ところが事実を確かめてみると、この想定には合致していないのである。

つまり神経系の機能を伝導の観点から中枢と末梢の間の往復とみなすならば、そこでは次の二つの図式のみが問題になる。それは多様性あるいは多量性を有する二つの非常に大きい構造群の間を結合しているのは、それに較べると極めて少数の伝導路だという図式である。このくびれ Einschnürung は、それを通って伝達される機能分化と全く同様に、すべての理論が念頭に置かねばならぬことだろう。神経線維《ネルフエンファーザー》の代りに神経原線維《ノイロフィブリレ》を要素とみなしても、事情はなんら変るものではない。そこでそれぞれに他とは異った機能の一々にそれぞれ別の伝導路を割当ててやろうとして、仕末に負えない困難が生じることになった。一例を挙げると、感覚質《エンプフィンドウングスクヴアリテート》と場所指標《オルツツアイヘン》とによって区別できる四百万個以上の（頭部を除いた）皮膚感覚点に対して、それに割当てられている、頸髄最上端を通過する感覚路は、いかに多く見積っても五十万本程度しかない。だからこのくびれは、ちょうど一本の電線を通ってさまざまな電信記号が送られるように、一本の伝導路が多種多様な興奮を伝えうると考えなければ解決がつかない。ところが伝導原理は元のままの形ではこのような拡大に耐えうるものではない。しかもこのような量的な問題は、例えば感覚の部《ロカー》位標徴《ルツアイヘン》が同じ伝導路の異った興奮様式によって機能的に伝えられるというような補助仮説を立てざるを得なくする。かといって、決してこの考え方が唯一の可能な考え方ではなく、別のいろいろな補助仮説が工夫されたりもしたわけである[30]。

そこでこの神経単位《ノイロン》学説に、伝導原理とは余り折合いのよくない神経網《ネルフエンネッツェ》の理論*がどんどん加味されるようになっただけではなく、さらに個別機能《アインツェルフンクツィオン》の概念も変化を蒙るようになった。感覚の多様性、質、部位指標などを出発点とし、すべての特殊性《シュペツィフィテート》に一々特殊な機能を割当て、またすべての機能に一々特殊な基体《ズブストラート》を割当てていた考察法は、決定的な点を見逃していた。つまりこのような差別は決して同時的に起るものではなく、われわれが同時的に gleichzeitig 区別しうるのは——皮膚の感覚点の例では——せいぜい三、四個か五個の感覚印象に過ぎないことが見逃されていた[31]。四百万もの感覚点を差別して感じるにはそれらを時間的継起をもって順次刺激して行かねばならず、それには何週間も要することになろう。しかし神経生理学に向けられる要請は、その学説が三—五個の部位を同時に知覚する能力を十分に説明できるというだけのことではない。それはまた、われわれが多数の刺戟を同時にではなくとも継時的になら弁別しうる理由を説明せねばならない。同時刺戟検査における不能の事実も、継時刺戟検査における可能の事実も、共に重要なのである。この考察は、運動性やその他の場合にもそっくりあてはめることができる。というのは、運動においても個々の筋肉をそれぞれ一つずつの作業に同時的に使用することには制限があるのに対して、継時的な使用法には殆ど制限がないように思えるからである。人間は日常生活において多様な作業に熟達している。仕事に、遊戯に、スポーツに、芸術に。しかし異ったいくつかの物事を同時に行うこと、例えば一方の手で字を書きながらもう一方の手でピアノを弾くことはできない。ここから大体見当がつくように、同時的および継時的使用の条件は空間的考察のみに終始していて時間的関連を導入しないならば、まるで研究することができない。われわれの考察はここで有機的運動の成立の問題に連戻されることになる。序論で自己運動について述べたことを想い出してみよう。すると、教科書にのっている神経の構造模図が例外なく示しているような、時間的に不変のものと考えられた伝導図式は、それの時間的な硬直のために、いろいろな機序の成行きについての的確な表象を基礎づける役には立たないことがはっきりする。自己運動の印象だけをとってみても、それはすでにこのような図式にのっとって生じるようなものではない。

3　時間的障碍としての機能変動

以上、伝導原理の説明的応用にとっての極めて重大な難点をいくつか例挙してきたが、これに対してこの原理の擁護者から、このような形の紹介ではこの原理の有する可能性のすべてを尽しているとは到底言えないという反論が出されることは目に見えている。彼らに言わせれば伝導とは単なる遠隔接触《フェルンベリユールング》の実現を意味するだけにはとどまらず、むしろ第一に興奮の輸送《トランスポルト》を意味している。ここで私事にわたることを許されるなら、私自身も正直のところ長年の間、神経病理学の主要な難点のいくつかは、生理学的検索をより徹底した、より精密なものにすることによって解決できると信じ込んでいた。というのはつまり、神経路内の興奮の流れを研究することによって、という意味である。確かにそれによって重要な知見が得られるけれども、私は今ではむしろ次のように確信している。つまり、それではいくつかの基本的な問題を脇へ押しやって棚上げしたに過ぎず、機能分析の真の成果は、むしろ機能分析のネガティヴな意味を確認したことにある。しかし或る種の基本的な問題が単なる見かけ上の解決でもってごまかされてきた訳は、時間的な観点が好んで用いられた結果大きな成果が得られたからであった。この事情が、本書において時間的観点の叙述をここまで延期してきた恐らくはむしろ偶然的な、或は史的《ヒストーリッシュ》な理由である。だからもうそろそろ、種々の機能の時間的様相についての概観を行ってもよい頃だろう。事実、われわれは以前、神経興奮の時間的変様を機能変動の核心だと思いこんでいた。私は今ではこの見解を離れている。

興奮過程《エアレーグングスフォアガング》についての神経生理学総論がそれの時間経過の意義の周囲をいわばぐるぐると廻っている有様は、大家たちによってすでにたびたび述べられてきた。デュ・ボア＝レモン du Bois-Reymond* 以来、種々の刺戟の生理学的効果はその時間的変化に完全に依存していることが認められてきた。刺戟の効果が刺戟の絶対的な強さよりも刺戟の時間的勾配《ツァイトリッヘ・ゲフェレ》によって決まるということも、繰返し確かめられてきた。また活動電流**、収縮曲線、反射分析などから直接に示される限りでは、興奮過程それ自体も強度に関してよりもむしろ時間形態に関して区別されるということが、繰返し明かにされてきた(32)。ところがかかる特殊性の区別は、一個の神経要素《ネルヴェーゼス・エレメント》が他の神経要素に対して、神経系器官の一部分が他の部分に対して、そして窮極のところ神経組織全体が他の組織に対して作用を及ぼす際の種別的な効果指数《ヴィルクングスヴェルト》をも、恐らくはその主なる部分について規定するものであろう。これを立証する根拠も立派に存在している。そこで病的事象においても、各種の経過のほかならぬこのような時間的構造を探求するのが見込の多い方法だということになる。もちろんこのようにしてなされた病的事象の研究成果は、興奮生理学の比類なく発達した体系に匹敵しうるものではない。しかし、この興奮生理学自身の大部分は分離された器官標本や手術された動物について、ということは疑いもなく病理学的条件といろいろな点で酷似した条件下で発展してきたのだということを忘れてはならない。

疲労や病気に際して一定の課題に普段より長い時間を要する場合が多いということは、周知のことではあるが、決して自明のことではない。例えば後脳脳炎《メテンツエファリーティス》に際しては、歩行や言語の病的促進や反応時間の短縮なども知られている。アルコール等の中毒、躁病や進行麻痺などの精神病などに見られるいわゆる抑制喪失《エントヘムング》は、やはり一見作業の亢進を伴うように見え、機能障碍と機能の遅滞とを余りにも密接に結びつけることに対する警告を与えてくれる。例えば何らかの動作の緩徐化から生理学的な意味での神経興奮機序の緩慢さを推論するようなことは、いかなる場合にも許されないことである。

とはいえ、筋肉の運動神経を切断した数日後に見られるいわゆる「遅延攣縮《トレーゲ・ツックング》」の例のように、この種の神経興奮の緩慢さが前景に出ている場合もある。この極めて著明な緩徐化は周知の通り神経原性《ノイロゲン》に発生した麻痺においてのみ、それも末梢神経単位《ノイロン》の障碍に際してのみ見られるもので、錐体路性、錐体外路性の麻痺の場合には認められない。筋肉の萎縮や変性は、それ自体としてはこの「変性反応」*と呼ばれる状態とは無関係なのである。組織内での興奮《エアレーグングス》の流れ《アブラウフ》の変化と電気刺激による被興奮性《エアレークバールカイト》の変化とが両方とも時間的遅延の形で、つまり並行して変化することが判るという点で、この遅延攣縮の例はわれわれにとって非常に重要である。最も有効な刺戟の有するこのような時間形態を測定する最良の方法は、現在のところクロナキシー**測定である。神経組織（感覚細胞を含む）を刺戟してその「効用時間《ヌッツツアイト》」の延長が認められた場合、われわれは筋肉の収縮性実質《コントラクティーレ・ズブスタンツ》の動静からの類推によって神経興奮機序それ自体の緩慢さを仮定しがちである。つまり被刺戟性の形式と実際の興奮の流れとの並行論を考えて、興奮の流れが伸びている場合にはゆっくりした刺戟の方が有効だと予想しているわけである。

もちろんこのような仮定は、電気刺戟以外の刺戟法や被刺戟性以外の現象についても、例えば機能的な刺戟の効果についても同じような結果が出る場合には、はっきりと基盤を与えられることになる。病気の場合に音叉で触れた時に生じる振動《ヴイブラツイオン》の感覚のみが早期に独立的に消失することがある、という事実は以前から観察されていた。そこで他の多くの場合と同様、この感覚においても特別な神経路と特別な感官能力《ジネスフェアメーゲン》が推定され、それのみかこの「振動感覚《パルエステジー》」の受容器が骨膜にあるというような間違った考えがなされた。その後、フォン・フライ v. Frey の実験によって、この種の感覚を伝えるのは恐らくはすべて、或は大部分、圧覚《ドゥルックジン》だろうということが判ってきた。特にシュタイン T. Stein はこの点に関してもやはり精密な仕方で、継時的衝撃を別々に知覚する圧覚能力が特別な障碍を蒙っていることを明かにした(33)。体感覚器官が損傷されると、二つの刺戟を別個に知覚するのに必要な間隔がだんだん長くなる。間隔が短かすぎると二つの感覚印象が「融合《フェアシュメルツェン》」して、一つの感覚印象しか知覚されなくなる。

同様に前から知られている観察としては、いわゆる累加現象《ズンマツイオン》がある。この語の意味は、刺激を何回も反復して初めて一つの運動性(或は体感覚性)の反応が生じるということである。しかしまた、脊髄癆患者の「痛覚伝導の遅延」、痛覚過敏、くすぐり効果などもこの概念に包括された。幾つかの興奮が貯えられて最後にまとめて放出される現象がとりわけ中枢神経系特有のものであって、末梢神経においては比較的未発達のものだということは、特にシェリントン Sherrington とその一門によって確かめられた。そこで、一定時間にわたって反復されたエネルギー衝撃の作用が最後に一つの強い効果を伴って感覚或は運動として現出する erscheint、ということを極端な言い方で要約すると、「中枢の実質は時間を強度に変えることができる」die zentrale Substanz kann Zeit in Intensität verwandeln と言ってよい。この傾向も病的状態にあっては著しく亢進するところから、われわれはここでこの時間的異常の本質とその結果とを探究してみるということになる。

病的な事態における機能変動は、今や「時間障碍」という特徴的性格を帯びることになる。その場合に中心的な考えは、病的障碍に際してかくも独得な形で変化したり完全に停止したりする生物学的な機序とは、要するに一つの特徴的な秩序構造 Ordnungsgefüge なのだ、ということだった。そこにはしばしば、互に入り組み合いつつも規則的な多くの部分的機序の実に複雑なつながり《アブフォルゲ》があり、このつながりのどこか重要な個所が普通通りに流れなくなったりすると、当然ながら大きな狂いが生じることになる。これはちょうど時計仕掛と全く同様であって、それ自体では全く取るに足らぬ故障が全体の進行を妨げることになる。例えば興奮の流れが特定の個所で著しく緩徐化するという故障が生じると、それだけで一つの器官全体が――器官自体の主要な部分に解剖学的或は生理学的な障碍を来していなくとも――大々的な秩序の変動や狂いを生じうるのである。つまり、時間の流れが当該の限局的な個所で変化する、例えば緩徐化するという点で、異常が認められるだけではない。むしろそれは単に病因論的に関心の的となるに過ぎず、真に生物学的な本質的な事態はそれに関連したもの全体の首尾一貫した構造変化《ウムビルドゥング》という広範囲に及ぶ結果として見られるのである。そしてこの構造変化がいかなる外観を呈するかによって、次にはこの個々の場合には恐らくまだ全く未知のものである関連がそれぞれ特徴的な仕方で照明されることになる。われわれはこの解明法の実例として、失調と失認の二つを選ぼうと思う。この両者は比較的詳しく研究されているからである。この実例は、この種の解明法が運動性作業にも感覚性作業にも等しく応用しうるものであることを示してくれる。つまりここでも、客観的与件と主観的与件とが問題点になる。この理由だけからでも、実例の呈示に先立って時間概念自体の適用についての若干の前置きが必要となってくる。

時間概念について

時間概念の適用に当っては差当って二つの事を区別しておかねばならぬ。まず、われわれがさまざまな出来事を時間の中で秩序づけて時間形式において知覚しうるために必要な或る種の直観性《アンシャウリヒカイト》、それと、数えたり比較したり、計測したり再現したり等々のような量的操作特有のあらゆる論理的利点をもたらしてくれる時間量《ツァイトグローセ》の計測可能性がそれである。さてこの時間の直観性と計測可能性とは相互に関連し合ってはいるが、全く不可分のものではない。直観的なもののすべてが計測可能ではないし、計測されたもの（数学的に捉えられたもの）のすべてが直観的でもない。この二つの時間規定が余り厳密に対応していないことは、計測《メッセン》するということ自体が最も明瞭に示している。計測は通常、そして恐らくは根源的に、空間的に直観されたものを使用することによってのみ行われる。

いまここで時間の中にある諸事象の秩序について語ろうとする場合、それら諸事象の一部は外部的で物理学的、一部は有機的で生理学的、一部は内部的で心理学的なものだということになるから、われわれは当然一つの混み入った複合体に直面することとなる。しかもそれはすぐに混乱に陥りがちな複合体である。従来、時間直観《ツァイトアンシャウウング》と時間計測《ツァイトメッスング》はまるで明確に区別されることなく、或はほぼ同一視されるか、さもなくば――これは遙かに困難な課題でもあるのだが――直観的秩序と数学的秩序との関係が十分に明確になっていなかったかのどちらかだった。この第二の点は理論物理学においてすら極めて徐々にしか解明されえなかったことであり、そして直観性の問題は現代の理論物理学にあってもなお決着を見ていない。感覚生理学においては、この学問における従来の問題設定の流儀に従って、対象の直観的知覚と客観的に計測可能な形式とは通常一致しているものとする考えが支配的であった。つまりそこでは、知覚と対象との間に一つの関係があることが時間的観点からも仮定されていた。しかもその関係というのは、単に知覚が対象に従うだけでなく、知覚と対象の両者がそれぞれ時間的に秩序づけられていて、この両方の秩序が極めて広範囲にわたって互に一致しているという関係であった。それが一致しない場合には、器官機能が誤っていたか、不完全であるかのどちらかだとされた。このような考えが必然的に病理学に対していかに大きな関心を示すかということは、容易に理解しうる。われわれは外的事象を、それがその中で生じているところの時間秩序において主として知覚する。しかしその正確さは器官自体によって制限されているし、さらには錯覚ということもある。さてこのような仕方で時間の問題を提出することが成功するかどうかは、時間概念の単一性が可能か否かにかかっている。つまりそれは、直観的時間と数学的時間とが同列に置かれうるだけではなく、結局は同一のものでもあるような場合にのみ成り立つことである。そしてその場合には、数学的時間の方が優位を占める。それの方が正当で純粋な時間概念だということになる。この説はこの意味ではカントに従っているけれども、その他の点ではカントに不忠実なものともなる。なぜなら、諸感官は時間的な観点においては客観的対象を多かれ少なかれ正しく複写しているという考えが忍び込んできている限り、それは非カント的だからである。カントはただ、時間はいっさいの可能な経験《エアファールング》の条件であり、まさにそれ故に時間の形式は物自体について何の言表も行わないのだということを説いているに過ぎない。カントの説のこのような経験主義的あるいは模写説《アプビルトテオレーティッシュ》的な変造は、ヨハネス・ミュラー Johannes Müller 以来感覚生理学を一貫して流れている。むしろ、知覚は一切の可能な経験《エアファールング》の条件を含んでいる以上、それを感覚器官の産物《ファブリカーテ》とみなすべきではない、という方がカント的だということになるだろう。

知覚において直観される時間と計測において定められる時間とを結びつけるということは、それがそもそも可能であるとしても、特別な用意と思考作業とによってなされねばならない。というのはこの両種の時間は決して元来から一致しているものではないのだから。このことは日常の実用的行為からも学問的方法からも同様に学ぶことができる。例えばいま何時「である」ist かを知るために私は時計を見る。つまり私は計測器に尋ねることによって直観的に得られた印象の値を確かめる。その場合、私は時刻を打つ音や針の位置を確かめるために聴覚や視覚を利用する。このことによってのみ計測器の利用が可能となるのである。しかしそれはさておき、ここに区別された二種類の時間の間には極めて大きな相違がある。何かある形成過程《フォルムング》の直観的秩序は本来ただ記述されうるのみであり、数学的時間は本来ただ定義され、思惟されうるのみである。この二元論とても、恐らく完全にすべてを言い尽したとは言えない。そこでもっと多数の時間概念を区別したい気持が生じるかもしれないし、それのみか概念的完全さへの関心にかられて、できるだけ多くの種類の時間を区別しようと努力することもありうるだろう。そして遂には体験された種々の時間をそれぞれ体験として研究することも可能だろうし、そのような心理学的或は現象学的な方向を有する研究においては、一般に原理的に無限の多様性が期待されることになろう。われわれの課題にとって特に重要と思われるのは、さらに次のようなことである。知覚において私が一切を時間の中で体験するという確認と、知覚において私が時間を体験するという確認とは、同じではない。私が間隔や拍子や速度に注意を向ける時には、時間それ自体が知覚の対象となりうる。しかし時間自身が対象でない場合にも、一切が時間の中にあるように或は時間の中を経過しているように知覚されると言うことは依然として可能である。これがフォン・クリース J. v. Kries の見解である。しかしこの命題の妥当性は証明することができないし、アウァスペルク公 Prinz Auersperg も強調しているように、体験された時間とは決して等質《ホモゲネス》の連続体《コンティヌウム》ではなく、つねに過ぎ去ったものを将《まさ》に来《きた》らんとするものに結びつけているところの現在 stets Vergangenes an Zukünftiges bindende Gegenwart なのであるから、この命題の意味も不確かであやふやなものとなってしまう。だから、時間における知覚と時間の知覚とを区別しようとすればどうしても、時間的観点から見た体験の構造をもっと明確に時間概念の構造から区別しておかなくてはならない。われわれは次のような根本的な構造の違いにぶつかる。すなわち一方は時間の橋わたしをする現在ということであり、他方は同質の連続体ということである。体験の側ではいろいろな対象が時間を貫いて存立している bestehen durch die Zeit hindurch し、概念の側では諸対象は時間の中で動いている verhalten sich in der Zeit。

ところがここで、時間の問題においては統一的で確実な出発点となりうるような概念が見出せないという困難が持上る。それは、時間概念が知覚や認識のさまざまな対象に応じてそこではじめて成立つものだ、という事情に基いている。だからわれわれもこの対象の側から手をつけなければならない。対象が知覚されている物である場合には、それは時間を貫いて存立しているものとして、過去から将来へと向って現在しているもの ein aus der Vergegenheit in die Zukunft hinein Gegenwärtiges として経験される。これに対して客観的認識の対象を考える場合には、それは等質の連続体としての時間の中で動いていることである。知覚されている物は、それ以前にもそうでありそれ以後もそうであるところの同じ物である。それがたとえ変化したとしても、同じ物であることには変りない。認識の対象は、同一《イデンティッシュ》であるか同一でないか、恒常的《コンスタント》であるか非恒常的《インコンスタント》であるか、相等しい《グライヒ》か相違《フェアシーデン》しているかのいずれかである。これらの重要な諸規定、そして今のところは時間概念についてではなく対象の側から見出された諸規定は、後に種々多様な結果をもたらすこととなろう。

もう一つ実例を考えておこう。体験された時間と客観的時間とは一つの共通点をもっている。それは対象への関係ということである。そこでこの対象が時間と共に変化したならどういうことになるだろう。その同一性は何によって知られるのだろう。また、それが同一の対象であるのに、しかも変化したものでもありうるのはどうしてだろう。生長して行く有機体は時間を貫いてその現象形式を徐々に変形したりその成分を徐々に入れ替えたりしながら発達し、しかも依然として同一の有機体である。時間的に隣接した二つの状態は、相等しく相似した現象形式を有している。つまりその自同性《ゼルビヒカイト》は生成的《ゲネーティッシュ》な問題であり、史的《ヒストーリッシュ》な性質のものであって、物質的な諸部分の同一性《イデンティテート》や形式上の現象様式の同一性に基くものではない。その現象形式の相似性《エーンリヒカイト》はそれの共属性《ツザメンゲホエーリヒカイト》を規定するものではない。なぜならこの自同性は、現象 Erscheinung と現象するもの das, was erscheint とが同じではないという点に基いていることなのだから。現象するものとは、ただそのように現象しているだけにすぎず、そのようにあるのではない Das, was erscheint, erscheint nur so, es ist nicht so。この物、例えばこの有機体が同一のものでありうるのは、それが同一の時間の中にあるからではなく、時間を貫いて異った仕方で現象するからである。つまり物はそれの現象にとって超越的である Das Ding ist also seiner Erscheinung transzendent。

物理学の法則に従った動静を示す物質系は、それの諸部分の同一性と形式的な時空間的状態が一義的に或は同一的に規定されるならば客観的に認識されうる。この場合には、これらの規定の総和は現象とも一致する。つまりその規定は客観的に当を得ていて、正しい。だからこの場合には、相似とは部分的相等のことである。現象するものとそれの現象との区別は、ここではなんら必要でない。何らかの区別が残っているということは完全な客観性がまだ到達されていないということにほかならず、それは単に認識の不完全さもしくは誤謬に過ぎない。この種の客観的対象は時間にとって内在的《イマネント》である(34)。

もちろんこれでもって時間についての考察が完結したわけではない。しかし以上の考察は、われわれと異った見解に対してわれわれの立場を示すためには十分である。従来の考えの中で最も重大な結果をもたらした誤謬は、体験された時間と物理学的時間との混同、或は右の区別を用いて言えば、超越的時間性と内在的時間性との混同であった。この混同からはしかも次の第二の混同が生じた。つまりかくかくの仕方で時間的に体験されたものは既にそれだけの理由でかくかくの仕方で時間の中にあるのだということ、一体に主観における秩序と客観における秩序とは同一であって、さもなければそれは秩序の障碍なのだということが、自明の理として前提されてしまったのである。しかし以下に述べるように、真理はこれとは殆ど正反対のことを示している(35)。

触覚における時間的な機能変動

臨床の場では触覚器官の時間的知覚《ツァイトリッヘ・ペルツェプツィオン》が多様な仕方で異常を示すのが見られる。感覚印象の時間的分割が過剰になったり貧困化したりする。前者はいわゆる異感覚《パレステジーエン》や痛覚過敏《ヒューパーパティーエン》に際して見られるものである。ひとりでに、或はちょっと触れたり撫でたりしただけで、ぶるぶるしたりひりひりしたり、或は電気に触ったような非連続的な性質の感覚が生じる。その真の原因についてわれわれは何も知らないが、このことは、次々に伝導されて行く興奮がすべて非連続的な性質のものだという神経生理学的分析の結果を連想させる。活動電流も同じことを示す。だからむしろ、非連続的な興奮が流れているのに連続的な感覚を持つ能力が病的に喪失しているというようなことを考えねばならないのかも知れぬ。継時的な個々の刺戟の非連続性を知覚する能力の喪失は、刺戟の側からもっとよく研究されている。われわれは既に、振動感覚《バルエステジー》と融合《フエアシュメルツング》の問題に触れておいた。しかしより詳細な研究の示すところによれば、事態をあまり単純化しすぎてはならないようである。五〇ないし一〇〇振動以上の音叉によって生じる振動感覚は、〇・一秒から数秒の間隔を置いて継起する刺戟の時間的弁別とは、明かに別の諸条件に支配されている。「ふるえている」Vibrieren という感じは個々の継時的衝撃の知覚に含まれているのとは別の感覚質なのだ、と言ってもいいだろう。残念なことに完結されずに終った実験が示したところによると、振動感覚の成立は刺戟を受ける皮膚面積が小さすぎない一定の広さを有することにも関連している。つまりここには時間と強度の因子の他に、拡がりの因子も関与していることになる。

最初の刺戟に続いて加えた第二の刺戟に〔被験者が〕気づかない場合、われわれはこれを異常に強い順応 abnorm starke Adaptation と名付けた。圧刺戟を持続している間に感覚が次第に弱くなり、やがて全く消失してしまう現象が従来からこう呼ばれている。ところがわれわれは、この点に関してもこれと逆の現象に出会う。何回も押してやるという形で継起的な圧刺戟を加えた場合、遂には一様に持続した圧迫を感じ、この圧迫は刺戟をやめた後も或期間持続すると言う患者がいる。「まだ残っています」というような言い方がされる。この現象は順応の異常な減退 abnorme Herabzetzung der Adaptation として理解される。機能変動《フンクツイオンスヴアンデル》において、その基礎にある機能の増強と減弱、延引と短縮が共に認められることは重要である。さらにこの対照的な両種の異常が独得の仕方で重り合い、混り合っている場合もあるということは重要なことである。

さらにこれらの実例は、各種の機能の時間的な様相がその空間的および強度的な諸条件と相互に影響し合っていて、それだけを純粋に取出して考察することが不可能だということをも既に示している。滑らかに撫でてもちくりと刺したように感じられることもあるし、一直線上に継時的に触れられた一連の刺戟が滑らかに撫でたように感じられることもある。この種の感覚の散乱や連続を或る特別な機能によって生じたと見るべきかいなかは、はっきり決めがたい。この問題についても、先に圧覚について行ったのと同様の考察がなされるべきである。一般的に言って、中枢性ことに〔脊髄〕後索の障碍では、その病像が空間的距離に関しても時間的間隔に関しても融合を示す傾向がある。つまりここでもやはり、分化度の喪失《エントディフェレンツィールング》が機能変動の主要動機《ライトモティーフ》である。空間閾値、すなわち二点が別々に知覚される最小距離が延長し、刺戟部位の決定が悪くなったり全くあやふやになったりする。重症の場合には別々の圧刺戟は全く感じられなくなり、せいぜい擦過刺戟《シュトリッヘ》だけが、それも一回もしくは数回の途切れとぎれの接触として感じられるだけになる。これが回復に向う場合、擦過刺戟、その方向、単純な図形などの知覚がずっと後になって順次に生じてくる。[36]

この種の検査に際してつねに示されることであるが、空間的、時間的、図型的な見地から見た検査成績は刺戟の継起やその動きの速度によって変るものであって、一定の効果を生じさせる最適速度というものが存在する。また同一部位を反復して刺戟することによって作業は低下する。このことからみて、各種機能のいっそう明細な分析が困難であることや、空間的および時間的な事態の厳密な区別が不可能であることは、二つとも驚くに当らない。これらの問題は、いずれ機能変動における空間問題が扱われ、そこでもやはり感覚生理学的な相対性が明示されてから、改めてまとめて述べなくてはならないだろう。

触覚と同様、視覚においても感覚印象の時間的分割は、機能的な時間の条件の問題を吟味するには絶好の実例である。触知覚と視知覚とのいくらかの相違は、触覚器官が触知を行う際には時間経過の中で触れる行為を進めて行かねば知覚に達しないのに対して、眼は対象を同時的な多様性においても見うるという点にある。[37] そこにはもちろん移行もあるけれども、それでもわれわれが物を「一瞬」の中に見てしまうのに対して、触知は一つ一つ順番に行われる

（活字と点字の差を考えればよい）という事実は動かしがたい。逆に言うと、順次に点滅する一連の光を一つの図型にまとめて見ることが困難であるのに対し、触覚面の方は運動を行わない同時知覚としては極く単純な圧図型すらも認知することができない。視覚機能においてもその病的解体に際してはクロナキシーの延長が認められる[38]。従ってそこに興奮の流れの遅滞が生じているだろうことは十分に考えられる。それで最初の刺戟によってまだ興奮していて差別の不可能な器官に第二の刺戟が与えられることになる。この実地にも大切な所見は、たいてい次の形で見出される。網膜の或る部位を繰返して刺戟した場合、知覚能力は急速に減退して局所的に機能的盲目が生じる。この盲目は刺戟されていない隣接領域に拡大することもある。視野計《ペリメトリー》を通常の用法通りに用いて測定すると、いわゆる螺旋状視野狭窄の所見が得られる。視野の中での同時的総括と概観とが客体の認知にとって重要であることから、このような視野狭窄は極めて厄介な障碍となる。しかもそれにはたいていその他の諸障碍も合併していて、私の感じとしては、この場合にも純然たる時間的な機能変動と他の種類の機能障碍とを区別するのが不可能なことが多かったのではないかと思う。

一般的に言って、作業の障碍を余りにも一方的に単なる時間的な機能変動のみに帰せしめて、興奮の流れの遅滞のせいにしてしまうのは間違いだろうし、それではわれわれが実際に知っている以上のことを主張することになるだろう。決定的な問題は作業のゲシュタルト形成 Gestaltung やゲシュタルト喪失 Entstaltung から生じて来る。そしてやがて判るだろうように、この問題を単に興奮の時間的変化のみに還元しようとするのは退歩ではあるまいか。通常は恒常的に保たれている要素的機能を前提して置いて、そこからより複雑な効果が合成されるに違いないと考えるのは根拠のない、役に立たない考え方であるということが、さしあたっては単にネガティヴな洞察として判って来た。もう一つの問題は、ここからどのような結論を引出すかということであった。この点で機能変動の学説はゲシュタルト心理学とは別の道を歩むことになる。つまりわれわれの考えでは、ゲシュタルト形成 Gestaltung やゲシュタルト変更 Umstaltung が興奮の速度や不応期 Refraktärphase や閾値の変更などによって説明されるようなことは絶対にない。機能の非恒常性とは、そもそも各種の異ったゲシュタルト形成が登場しうるという事情を説明しうるだけのことである。その限りにおいて、機能変動の説は要素主義的な諸理論とは異った一つの考察法に対して道を拓くだけのもので、それ以上のなにものでもない。

この前提に立てば、あれほど多彩な視覚障碍の解釈にも十分慎重に立向えるだろう。視野の局所的な易疲労性《エアミュートバールカイト》の所見は、注意力減弱《アウフメルクザームカイツシュヴェヘ》、精神減弱《ガイステスシュヴェヘ》、ヒステリーなどの心理学的或は生物学概論的な概念を持出すことを戒めるものである。それは患者の訴えを別の仕方で理解し、それにより正しい仕方で対処する方法を教えてくれる。光覚のクロナキシーが上昇していれば、瞬間露出器《タキストスコープ》による最短時間《ミニマールツァイテン》の上昇が生理学的に理解できる。視野狭窄が閾値の不安定さから来ている場合には、概観能力《ユーバーシャウバールカイト》の減退が生理学的に理解できる。暗い光への順応力（被興奮性の上昇）が緩徐化していれば、弱い照明の下での患者の難儀が生理学的に理解できる。しかし、まさにこの種の、感覚野の中に不均一な形で出現する諸々の変化から、分化度の比較的高い像には著しい歪みが生じうるだろうことが予想される。だがそれだからこそ、失認症*の臨床像はさまざまな道を通って成立しうるのであり、作業脱落の事実が神経生理学的には差当り多義的なものであることが考慮されなくてはならないのである。

興奮の時間的な流れが運動性障碍に際しても感覚性障碍の場合に対応するような役割を演じているかどうかの問題は、まだ完全には解明されていない。アルテンブルガー Altenburger によってなされた展望[39]の示すところでは、種の病的状態における活動電流の個々の動揺は、全体としては余り変化しない。またクロナキシーと活動電流の時間の長さとの間にも一義的な関係はない。しかし多数の要素が一部は同時的《ジュンクローン》、一部は非同時的《ウングライヒツァイテイヒ》に興奮するため、これは分析困難である。さらに、興奮の流れや不応期《レフラクテアファーゼ》のごく僅かの変化でも著しい影響を及ぼすこともある。全体として見れば、この場合にも緩徐化への傾向のあることが、繰返し確認されている。この点については、後に失調症について述べる際に立戻ることにしよう。運動の狂いとその速度の変化が神経過程《ネルフェンプロッエッセ》の時間変化から直接に導き出せるということは容易に考えられる。そして、空間と強度に関する結果が時間的条件に直接に左右されていることは、この場合には特に明かである。

4　感覚質と専門感官の病理学について

融合《フエアシュメルツング》と増強《フエアシュテルクング》との両概念は、神経の構造の――或はもし神経単位《ノイロン》というものがあるのならば、その――延長的な意義を考えようとする場合に、どうしても作り上げられねばならなかったものである。このような構造のイメージないし図式を基礎にして考えを進める以上、これを感覚の多様性全体にまで拡げて解釈しようという要求が生じて来たのは自然なことだった。皮膚感官の能力は単に場所と強度の標識に関するのみでなく、既に言及したように感覚の「質」の標識にも関するものだからである。そこで例えば冷感、温感、痛感、触感等の各々にそれぞれ別個の伝導路を想定することは、十分に考えられることだった。ところが人々はさらに、場所の弁別とか空間感覚や時間感覚に関する諸規定とかに対しても或る特別の伝導路を主張しはじめたのである。ブラウン＝セカール Brown-Séquard の有名な研究に端を発して、感覚質には殊に前側索が、圧知覚と空間知覚には殊に後索が関係していると見なしうるようになった。類似の仕方で表面感覚と深部感覚の区別が考えられ、前者はどちらかというと質の感覚に、後者はむしろ場所、体位、運動、強度（力覚《クラフトジン》）についての量的な分析に役立つものとされた。ブラウン＝セカールによる発見と種別的な感官点の発見に基いて、諸機能の要素分析がどこまで進められるかということが、必然的に新たな関心の的となった。例えばヨハネス・ミュラー Joh. Müller はまだ皮膚感覚器官を全くの単一体――ちょうど眼のような――とみなしていたのに対して、ここでは皮膚をいくつかの器官の寄せ集めと考えようとする傾向が芽生えていた。このフォン・フライ M. v. Frey によって代表される見解がもし正しいとすれば、それは病的解体の現象から強力な支持を得ることができるはずであった。実際、皮膚の四つの主要感覚質については、それらの独立性を示しているかに見える多くの現象があった。末梢や脊髄の損傷に際しての感覚脱落帯域の辺縁には各種の感覚質の解離が見出されるし、同じことはまた例えば脊髄空洞症*で感覚の解体が生じている部位にも認められる。個々の感覚点の証示が可能であるような方法を用いて検査してみると、圧点、温点、冷点、痛点が別個に脱落したり、これらの主要感覚質がその比率を全く異にして脱落したりしているのが認められる。ところが一方では、このような感覚質の独立理論とうまく合致しない事実も数多く観察される。ここでは例えば（ことに脊髄空洞症の場合に）極めて一般的ないわゆる逆説的温度感覚を挙げておこう。温かさが冷たさとして、冷たさが温かさとして感じられるのである。またいわゆる痛覚過敏もしばしば認められる現象である。これは普通に触れたり圧迫したり冷刺戟を与えたりしただけで極度の苦痛あるいは痛覚的な感覚を生じるものである。この現象は、痛覚器官が圧覚から独立しているかどうかという、例の意見の相違――ゴールトシャイダー Goldscheider は全面的にこれを否定し、フォン・フライはこれを肯定した――を想起させる。患者について各種の皮膚感覚質を数多く検査してみると、刺戟に引続いてしばしばそれと不一致な感覚が生じたり、刺戟を反復すると感覚の生じ方が著しく変動したり、健康者には全く知られていない新奇な性質の感覚が生じたりするという強い印象を受ける。[40]

四大感覚質の要素的独立性にとっては不都合なこのような観察が、中枢性の、殊に脊髄や大脳の損傷に際して極めて頻繁に見出されることは認めてよい。しかしこのことは末梢の損傷に際しても稀ではない。簡明で手軽な理論を欲しがって器官の末梢部についてしか観察を行わず、矛盾した事実が出て来るとこれを無造作に放置したり補助仮説を用いてこれをいわば霧散させてしまったりするのは、そもそもけしからぬことである。また、末梢の「装置《アパラート》」は単純で中枢のそれは「複雑《コンプリツイーアト》」だと言うようなことも全く不都合である。というのは、中枢の有効な活動性を通じてのみ、われわれは末梢についての情報を得ることができるのであるから。

だが一方、感覚印象の質的ならざる nichtqualitativ 諸規定の領域に現れる各種の現象も、やはりいわば二枚舌を用いる。これらの現象を「量的」quantitativ として一括することは無論できない。それはこの「量的」という概念が一つの共通尺度への、つまり計測可能性への還元を示唆するからである。これに反してここに見られるのは、一部は運動《ベヴェーグンゲン》や動作《ハントルンゲン》と、一部は独得の知性による認識と密接に関係したまことに各種多様な感官作業である。つまり重量感覚、圧感覚、力感覚、体位感覚、運動感覚、位置感覚などがそれであって、これらはありとあらゆる運動に、殊に手仕事や前進運動に意味深い仕方で随伴しているように思われる。さらにまた、空間的定位、弁別、大きさの見積り、重量の見積りなどのような諸判断や、形態、図型、物体、性状その他の認識なども考えられる。だがわれわれは差当っては一つの物質的構造としての器官が有する生理学的活動様式が問題となるような範囲においてのみ、これらの作業に立入ることにしておこう。

この問題に関してむしろ進歩を妨げる結果になったのは、臨床的観察に従事した人や医師たちが生理学の確実さに深い信頼を置いて、それに基いていろいろな所見の理論的論議にはいり込んだということだった。かかる所見が或る特定の病的過程の診断や部位決定に対して技法的、実用的な意義を有することは疑いえないとしても、これを自然科学的ならびに生物学的に評価するに当っては、ただちに極めて重大かつ困難な問題に逢着せざるをえなかった。確実な基礎を有する自明さでもってはいり込んだはずの領域において、今度はこの基礎そのものの全面的な再検討ということがますます切実なこととして表面化するに至ったのである。

事実、この問題に関しても感覚生理学から借りて来た要素主義的思考法、つまり各々の専門感覚や専門知覚 spezifische Sinnesempfindungen oder Wahrnehmungen はそれぞれ特定の器官に割当てられるべきであり、いわばそれぞれの属している器官から供給されるという考え方は、確かに或る程度までは応用できたし、病的解体について立証することもできた。例えば、小脳疾患の患者が重量を恒常的《コンスタント》に過小或は過大評価するといった力覚だけの独立的な障碍が見出されたり、触れられた皮膚上の二点が正常の弁別閾の数倍にも及ぶ距離を持っていても、それを弁別することが局所的に不可能になっているのが見出されたりした。ところが、このような「力覚」、「運動覚」、「体位覚」、或は一般的な「空間覚」などを仮定する理論の実証は、このようにして見出されたものと信じられていた要素的機能障碍から更にその他の諸障碍を説明しようとする試みがなされるや否や、すぐさま反証に出喰わすことになった。つまり歩行、ピアノ演奏、読んだり数えたりすることなどの不能は、これらすべての感覚器官の要素的障碍からは導き出せない場合があまりにも多かったのである。考えうる限りの大きな欠陥が、このような要素主義的説明に付着していた。失調症、失行症、失認症などにおいて、「要素機能」はちゃんと保たれているのにいわゆる高次のより複雑な機能がうまく行かなくなることが観察されたし、また逆に「要素機能」の脱落が著明でも生活状況の多様性を器用にこなすのには支障のない場合もあることが観察された。それは例えば末梢神経の損傷や脊髄空洞症の場合で、著明な機能脱落とそれでも全く良好な手先の器用さとが両立しうる。問題点をまとめると次のようになる。一方には各種の感覚質の機能的独立性、さらには質的ならざる諸規定（各専門感官）の機能的独立性を立証する一群の観察がある。しかし他方には、この種の専門別の特殊性と矛盾し、〔各種感官間の〕流動的移行、変様可能性、不可分の交錯などを示唆しているような一連の観察もある。第一群の観察は主として末梢の損傷に際して見られ、第二群のそれは主として脊髄や大脳の障碍に際して見られる。そこで、要素主義的理論は器官全体の中でも末梢部にのみあてはまり、中枢部についいては妥当しない、中枢に対しては別種の見方が必要だ、というような言い方がされた。このような二分法によれば、いろいろな事実についての少くとも暫定的な秩序は獲得できるかもしれない。

周知のごとく、いろいろの矛盾に対するこの種の暫定的な解決策は、およそ研究や思索が最も進んでいる領域、つまり生理学的視覚論《オプティク》、ことに色彩視の理論*においてすら試みられた。ここでもやはり右に述べた二分論が考えられた。

ことにフォン・クリース J. v. Kries は、ヘルムホルツ Helmholtz の流れを汲む学派とヘーリング Hering の流れを汲む学派との折衷を彼の帯域理論《ツォーネンテオリー》のうちに求めた(41)。この理論によるとヤング＝ヘルムホルツ Young-Helmholtz の理論における三つの成分《コンポネンテン》——赤、緑、紫——は器官末梢部（網膜）の単純な機能であり、ヘーリングの理論における三対の反対色《ゲーゲンファルベン》——赤・緑、黄・青、白・黒——は器官中枢部の、つまり直接に感覚《エンプフィンドゥンゲン》の基礎をなす部分の機能であると見なされる。こうして器官内の事象が、一方では刺戟に、他方では心に対置される。この複雑さはまた、この方法独自の二面性にも対応している。すなわちそこでは一方において事象が物理学的刺戟によって喚起されると考えられ、他方では同じ事象が心的な結果をもたらすと考えられている。ところがその後の発展によってこの仮定は片端から破砕され、遂にはそれが成立しえないことが証明された。ここでは、このまことに興味深い歴史発展の個々の段階には立入らない。この発展の途上では、応急的な、しかし厳密に考えれば実は許されないような種々の同一視が——例えば対象と刺戟、末梢的と生理学的、中枢的と心的、感覚と要素、現象と被視物などの同一視が、あきもせず持出されていた。その際ことに影響するところの大きかったのは次の事情である。感覚生理学はそれ本来の方向から言うと器官事象の解明を——より正確には物質的基体の中における各種の機序の解明を——めざすべきものであるのに、それらを直接に調べるということは全く不可能なことであって、その代りに感覚体験からの間接的な推論を通じての研究が行われる。視物質《ゼーエズブスタンツェン》、線維、層、機能などがいろいろと要請されはしたものの、確実に手に取って確認できたのはその極く一部に過ぎなかった。互に対立し合っていた大家たちがはじめて相手を正当に認めえたのは、これらの元来生理学的なものとされていた諸表象が実は発見法的《ホイリスティッシュ》な原理だったのだということを彼らが互に承認し合った後であった。

色彩視覚論《ファルベンオプティック》と体感覚論《ゼンジビリテーツレーレ》における事態の類似は、ここでは単にこれを指摘するだけに止めなくてはならない。それを信用のおける仕方で叙述しうるのは色彩論の専門家だけであろう。一方では色彩感覚の病理学も、各種の障碍は大ざっぱに見れば色彩成分《コンポネンテン》と呼ばれる単純な機能の脱落のごとき外観を呈することを示している。例えば赤緑色盲とか黄青色盲とか全色盲とかが存在する。ところがその後、かかる単純な機能の専門種別《シュペツィフィテート》には合致しない種々の例があることが判ってきた。赤色盲者《プロタノーペ》、緑色盲者《ドイテラノーペ》、異常三色視者《アノルマーレ・トリクロマーテ》*などがその例である。先天性色盲と後天性色盲とでは様子がまた違っている。帯域理論《ツオーネンテオリー》やこれに近縁の仮定に基いて言うならば、先天性色盲は末梢性（網膜性）の、後天性色盲は中枢性の機能障碍と見なされることになる（コェルナー Koellner）(42)**。

こうして、互に他を論駁し合っている諸学説もいっこうに意見の一致に至らず、また生理学的知見もいっこうに簡単明瞭なものとはなっていなかった。感覚器官の生理学は依然として未解決のままであるのに、見るという作業の諸条件が判って来たのは儲けものだったとも言える。刺戟の側から確定しうる感覚印象の諸条件や刺戟と感覚との対応についての知識がますます完全で正確なものになって行くにつれて、この対応関係を生理学的機能の表示とみなして神経性事象それ自体への洞察に役立ちうるものと考える考え方は、ますます根拠のないものとなって来たからである。観察結果のかかる利用の仕方に際して積み重って来た種々の難問こそ、見るということはそもそも神経活動の所産なのではなく、環界《ウムヴェルト》の物や事象が主体《ズブイエクト》によって現前化される一つの秩序として解せられるべきものだという結論を導き、またこの秩序は器官側の或る種の条件に従っていると考えられるという結論を導いたものなのである。器官側の出来事を主体の感覚印象に及ぼされる結果から導き出して完全に規定しつくすということは間違っている。むしろ主体の感覚印象の秩序や無秩序が器官の側の諸条件によって左右される、という理解の仕方のみが可能なのである。それは結局同じことで、器官側の出来事についての知識を前提にしているではないか、などと言ってはいけない。なぜなら、ここに言っているのは一つの主体を通じての秩序 eine Ordnung durch ein Subjekt ということなのだから。つまり、器官の側から制約されているとは同時に自己自身を制約するものの被制約性でもある die organische Bedingtheit ist zugleich Bedingtheit eines Selbstbedingenden、ということなのである。

5　失調症

臨床的に患者の運動障碍を記載する場合、普通それは先ず視覚的印象のみに基いて行われる。だから、教育を受けていない、従ってとらわれのない素人の眼が十分に役に立つのみか、専門家の先入見にとらわれた眼よりすぐれてすらいるかのように思われるかもしれない。しかし事態がもっとよく判って来ると、それは間違っていることがはっきりしてくる。神経病学者が教職についてみて気づくことは、初心者は病像を全然知覚しなかったり間違って知覚したりするものだし、或はその病像を曲りなりにも記述しうるような言葉さえまるで思いつかないものだ、ということである。このことからわれわれは、人間が多くの事物を見るということは一種の習得の結果なのであって、或る物を見ることを学ばなかったなら、その物は実際また見えてもこないのだ、ということが判る。このことはどの程度まで日常生活の中へはいり込んでいるだろうか。ごく単純でありふれた事物についても同じことが言えるのだろうか。こういった習得という条件について、画家や彫刻家は生理学者よりも多くのことを知っている。だがそれならば、医者の眼から見ると、芸術家によって病的形態が真に自然のままに表現されることはまず決してないということ、しかも芸術家が明かにそれの忠実な観察に努めたに違いない場合にすらやはりそうだということについては、どう考えるべきなのだろう。ラファエル*のキリスト変容図の中で癲癇患者が間違った風に描写されているのは、どういうことなのか。俳優が苦痛の表現を殆どいつも自然なあり方とは違ったふうに演じることに気づいたとき、われわれは俳優の物の見方をどう考えればよいのだろうか。だから、或る人の運動が物理学的あるいは病理学的な意味で客観的に生じている有様を知ろうとする場合に、そのための特別な検査を行う必要があるということはもはや疑う余地がない。なぜならば単に見るというだけでは、芸術家、仕立屋、体操教師、医者などのそれぞれにとって身体とか運動とかは別々のものとして見えるからである。そこで、われわれが身体と運動に対してどのような見方を準備するにせよ、運動と呼ばれるものは、この準備の仕方や準備をととのえた人それぞれによって大変に違って見えてくるものだということが判る。

だから、臨床において異常な運動を研究するという場合にそこでなされるのは一体何なのかを知るために、このような吟味的な考察が実際に必要だったのである。これまでのところ臨床家は、確認にはつねに設問が含まれていることに殆ど気づかなかった。臨床家が眼だけに頼るならば、運動視のありとあらゆる特殊条件に左右されてしまって、物理学的客観性が見失われてしまうことになる。

人間の眼は、どうやら運動を見るためよりも静止した図型を見るために調整されているらしい。この制約の一例をあげると、われわれは失調症 Ataxie における正常規範《ノルム》からの逸脱がいつも同じ運動形式をとって行われるのか、それともこの規則違反《レーゲルヴィドリヒカイト》がそのつど新たな不規則《レーゲルロージヒカイト》さであるのかを、殆ど見分けることができない。第一の場合にはむしろ異調症 Allotaxie という名称がふさわしいかもしれない。そして、そのつど新たな無秩序《ウンオルドヌング》さだけを失調症《アタクシー》と呼ぶべきかもしれないのである。秩序の変更 Umordnung は秩序の喪失 Unordnung ではないのだから。この問題はまだほとんど研究されていない。この研究には写真による記録が必要である。抽出調査の示したところによると、健康者が静止している時に示す眼にはほとんど見えない頭部の動揺は、全く規則性のない曲線を描く。さらに多発性硬化症患者の行う目的運動《ツイールベヴェーグンゲン》もこれと同一の現象、つまり運動がそのつど新たに逸脱するという現象を示すことも判っている。注目すべきことには、真の運動系すなわち錐体路と錐体外路系のみが冒されていると考えてよいような場合には、このような像はかえって見られない。こういった不規則な現象を示すのは、むしろいわゆる感覚《ゼンゾーリッシュ》性失調症、*小脳性失調性、および前頭葉性失調症なのである。非運動性領域が失調性に関与しており、したがって運動一般にも関与していることは、すでに以前から証明されていることで、その解釈も一定の方向に沿って行われている。

不規則的すなわち病的、規則的すなわち健全というように頭から考えてしまうのは、自然の理というよりはむしろ或る一時期の合理主義的思考法に対応している。あらゆる反証を無視して有機体を機械と見なした結果、予想とは正反対に健康者の運動の方が遙かに著明な変化を示し、失調症患者の運動はむしろ単調だということが見逃されていた。痙性錐体路症状群の運動は異調症《アロタクシー》であり、或は——この種の変化喪失状態《ヴァリアツイオンスロージヒカイト》をどう名付けるかは自由であるが——正調症 Orthotaxie であり貧調症 Oligotaxie だとも言える。この点において、感覚性失調症にみられる非図式的な変化の豊かさは片麻痺患者やパーキンソン症状群患者の示す常同症《ステレオテイピー》よりも健康人の有様に近い。失調症患者に欠けているのは運動の規則的秩序ではなく、環界《ウムヴェルト》への、或は課題への適合である。これは幾何学的な意味での客観的運動形式とはまるで違ったものなのだ。

百年以上にわたって探求を続けて来た理論の見出した最初の形式は、われわれが感覚神経と運動神経の二種類の神経をもっているという事実に基いたものだった。ベル Bell、マジャンディー Magendie[*]、フルーランス Flourens らは、この発見の影響下で感覚と運動との協働を問題にした最初の人たちでもあった。この初期段階において受入《アフェレンテ》神経《ネルフェン》の損傷だけで運動性は十分に甚しい障碍を蒙りうることが立証されたのに続いて、次の段階ではこの〔感覚神経から運動神経への〕影響を分析することが課題となった。受入器官《アフェレンテ・オルガーネ》からの意識的影響が問題となるのか、それともそれは無意識的なものなのか、脊髄、小脳、大脳のどの系統が重要な役割を果すのか、そこで冒されていなくてはならないのは表層的な皮膚受容器《ハウトレツエプトーレン》なのかそれとも関節や筋肉の奥深くにある受容器官《エンプハングスオルガーネ》なのか、反射機能の故障によってこの障碍が説明でき、従ってそれが正常時には調節を司っているといえるのか、それともそれとは別の反応を持出す必要があるのだろうか。

そこで次には、失調症のいろいろな典型的特殊型を区別する必要が生じた。脊髄癆[**]、多発性硬化症[***]、フリートライヒ病、種々の多発性神経炎と脊髄灰白質炎、小脳疾患、前頭葉腫瘍、視床疾患、諸種の中毒症、酩酊、高熱、数週間もの臥褥後の歩行、前庭器官や眼の障碍、ヒステリー——これらはごく僅かの例外を除いてすべて、失調症の原因となるのは本来の運動系統自体ではないという原則を立証している。しかしもちろんこのことは、失調症がなんらの類型をも示さないということではない。経験を積んだ眼が見れば、右に挙げた種々の疾患は一見してかなりの確実さで区別できる。脊髄癆、多発性硬化症、ヒステリーの三つなら、未熟な人にとってもすでに典型的に別々のものとして見てとられる。それは解剖学上の大きな相違に対応しているのである。しかしこれらの事実の幸運な発見者たちが後に残したもの、それは失調症と機能障碍との関連を完全に解明するという困難な課題であった。そして彼らに続く世代は、この点に関して期待に応えるだけの成果を挙げえなかった。受入的《アフェレント》な機能がこの障碍をひきおこすのだという基本的な考えをめぐって、入れ替り立ち替り理論が提出されているものの、われわれはそれにも拘らずこの原則の妥当する範囲についても、受入系《アフェレンツ》におけるいかなる契機が運動系《モトーリック》に影響を与えるのかについても、いまだにあやふやなのである。不首尾の原因はどうやら、正常な運動の保証者として余りにも専門的に特殊な、或は余りにも単純な機能を想定しようとして、そのために矛盾に陥ってしまった点にあるらしい。例えば腱反射に協調《コオルディナツィオン》を司る役割を与えて、その単純な脱落をそのまま脊髄癆性失調症の原因と見なしたりしたのがいけなかったのである。脊髄癆の患者を診察してみると、失調症のある場合に反射も失われているといった例も確かに多いけれども、失調症を伴わない反射消失《アレフレクシー》の例も同じように多く見られるし、反射を有しながらも失調症を示す患者もある。同じことは、体感覚障碍と失調症との対応についても言える。以前には、多発性硬化症やフリートライヒ失調症においては重大な体感覚障碍は全く存在しないと信じられていた。一方また、脊髄空洞症や末梢神経傷害の場合に生じるような感覚装置の重篤な脱落が失調症を伴わないのはなぜかということも、当然のこととして疑問にされた。その後一般に、運動系《モトーリック》にとって重要な受《アフ》入系《エレンツ》はいわゆる深部感覚なのだという見解が確立してきた。しかしこれに対しては、このような教科書的な見解は実際の観察によってあまり良く裏付けられていないことを強調しておきたい。すでにベルによる最初の有名な実験、すなわち、ロバの唇の皮膚の脱感覚《デゼンジビリジールング》が摂食不能をもたらすという実験は、明かに表層感覚の関与を示している。また深部感覚自体の定義やその実在に対する分析的証明は、全体として欠陥や矛盾だらけである。フォン・フライ以来、深部感覚と称されているものの多くは皮膚感覚の作業であることが知られるようになった。(43) 例えば体位や運動の知覚を可能ならしめるために最も重要で確実なのは皮膚感覚なのである。

その後われわれは、一定刺戟が感覚をひき起すか否かを調べるだけに終っていた従来の体感覚検査法がいかに一面的なものだったか、それが判って来たことは感覚の理解にとって一つの進歩であると考えた。(44) このような検査法では、検査者が手を加えることによってはじめて表面化してくることの多い被興奮性《エアレークバールカイト》や興奮《エアレーグング》の可変性は、大部分見落されてしまうに違いないからである。機能変動の分析から、各種の感覚器官は実は空間時間的に関連し合った、極めて影響を受けやすい、いわば流動的な機能組織であることが示された。だから機能変動というのは、正常な感覚野が罹患した時に変動的な閾値や弁別能力を持つ感覚野に移行するという事実と、この流動的な変動可能性それ自体との両者を指している。そこで脊髄癆、索状性脊髄炎、フリートライヒ病、巣状硬化症《ヘルトスクレローゼ》などが、機能変動を示す疾患として取出された。大脳疾患の中では視床や後中心野に病巣のある場合に、同様の所見が示された。従って機能変動が最も重篤でかつ最も純粋な形で生じるのは、疑いもなく脊髄後索路およびその連絡路の疾患である。(45)

これらの所見は、失調症の問題にとって二通りの意義を有していた。それらは先ず、従来方法的欠陥のために、存在しているにもかかわらず見逃されていた受入系の障碍の範囲を教えてくれた。要素機能の脱落だけが生じうる唯一のことなのではなく、要素機能は形式の上でも強い変化を蒙りうるものだということが、そこから明かになった。だがいっそう重要なのはその逆の表現、つまり要素的な被興奮性とか正常閾値とかが存在するからといって、それは同時に重篤な機能変動の生じていることを妨げるものではない、ということである。第二に、この種の機能変化の性質、即ち流動的な不安定さと非恒常性という性質は、単なる脱落によりもこの種の失調症の運動障碍に遙かにふさわしいという点が、注目をひくのに十分なことだった。というのは失調症もやはり一見不規則で非恒常的な性質を有するからである。失調症にも現象の強度変化や検査法からの影響が認められる。間違いなく、感覚性失調症についてのこの新しい学説においても感覚運動性《ゼンゾモビリテート》の基本的思考が成り立つことは確かであり、それのみかこの思考は矛盾の解明を通じて確立されたといえよう。要素機能の脱落の有無に着目するのをやめて、機能の流れがどうなっているかに着目するならば、受入系の脱落が異調症《アロタクシー》をひき起すのみで失調症《アタクシー》を生ぜしめえない事情も理解できる。失調症にとって必要なのは受入系の働きの消失ではなく、そのポジティヴな変化なのだから。「ここで一つの比喩を持出させて貰うと、第一群（体感覚脱落）は僅かな人員になってしまった部隊が、それでもなお見事な軍紀を維持して、いかなる作戦をも遂行しうるのにたとえられよう。これに対して第二群（機能変動）は、員数は揃っているのに規律を全く失ってしまった軍勢にひとしい。そこには歩調の大きい兵も歩調の小さい兵もいる。歩いている者も立ち止っている者もある。そんな部隊は、部隊がないよりもいっそう仕末が悪い[46]。」ここでこのような比喩を用いたことの裏には、この理論が体感覚性機能変動の所見を適用しようと企てているその特別な応用、すなわち感覚系において確認された原理の運動系への応用が、すでに含まれている。われわれが失調症を受入系の機序から説明するのは、実際、結果からさかのぼった推論なのであって事実の観察によるものではない。一定の種類の体感覚性障碍を見出してこれを同時に存在する運動性障碍とつき合わせてみるというこの方法は、協調機能《コオルディナツイオン》を感覚運動的《ゼンゾモトーリッシュ》に説明する場合にいつでも行われるものである。ただし私の考えでは、機能変動による失調症の説明は少くともこれまでの感覚運動性理論の中では最良のものと思われる。この説明は、例えば皮膚の図型的知覚、距離、方向、数、記号などの知覚障碍を考えてみるともっと判り易いものとなる。このことについては後に簡単に述べることにしよう。図型の総体的変形は、失調症患者の運動姿勢の変形と極めて相通じる点を有している。

しかしわれわれは、この説明の限界と欠点をも無視してはならぬ。ここでは協調機能を成立させている感覚印象は大部分決して意識には上らないという明白な事実に、どのような意味を与えるべきかに関して、エルプ Erb* とライデン Leyden の間に持上った論争が参考になる。明瞭な運動感覚《キネステーティッシェ・エンプフィンドゥンゲン》をこの種の作業の主役とみなしたとしても、それはこの比類なく精密な調節作業にとってはたかだか粗雑な略式の標識だと言いうるにすぎない。それによって感覚運動理論の明晰さは実のところ完全に失われてしまうのである。このような結果を導いたのは今まで顧慮しなかった感覚印象という意識を振りかえって取上げたために他ならない。かといってまた、もし意識的感覚性を捨てて無意識的な反射の概念で間に合わせたとすると、今度は別の難問が持上ってくる。つまり、意識を抜きにした以上、協調作業の生物学的効用もまた理解できなくなるという難点である。またこの領域における後天的獲得や学習の機序に対しては、反射概念からはそもそもなんらの理解ももたらされない。そこで「無意識的表象」とか生気論的な仮説とかの逃げ道をいさぎよしとしないとするならば、感覚運動性の理論はこれまでのところなんらの完結した成果も挙げてはいない、という結論にぶつかってしまう。機能変動およびその時間障碍としての解釈も、この点については変るところがない。われわれは、見かけだけの解決は持ちたくない。運動の問題を解くに当って、感覚神経と運動神経が別々にあるという神経生理学の発明が持ち出した二分論を適用して、この問題を二つに分けることでもって解決がついたものと考えるのも、この種の見かけ上の解決だといえよう。運動系の機能だけで運動の形成という作業がなしえないのならば、そこに欠けているものを感覚系の機能が果して所有しているのか、という問いが必要となってくる。

6　失認症の諸障碍

かつてわれわれが、生命機序《レーベンスフオアゲンゲ》の学問的分析は本来、何が生じないのか was nicht zustande komme を説明しうるにすぎないと主張したとき、これに対して多くの反論がまき起った。生命あるものの障碍や損傷の説明としての病理学は、しかしながらこの意味においてこそもっともよくその目的を達しうると言うことができる。失調症について右に行った展望も、やはり同じ結果を示している。われわれは、何故に整調 Eutaxie がうまく行かないのかということなら或る程度は理解している。しかしだからといってこの整調《オイタクシー》が健康時や正常時にどのような形で、そしていかなる原因で成立しているのかを理解していることにはならない。ただし、このような言い方が十分に意を尽したものでないことは認めなくてはなるまい。この種の諦め《レジグナツイオン》はもともと、機能《フンクツイオーネン》のみならず作業 Leistungen までも生理学的に説明しようとする試みについて述べられたものであって、これに対して本書の意図は、作業を扱うに当って、機能についての生理学的理論が解明しえなかった点が、別の一つの研究法によってうまく解決できないかどうかということを検討してみることにある。

その場合、生理学的方法を用いることによって単なる生命の記念碑よりも以上の成果を挙げうると思っている人の憤慨は、余り筋の通らないことだということになる。というのは、生理学を導くのと物理学或いは化学を導くのとは同一の方法であり同一の認識条件でなくてはならないというのが、その人たちの前提《プレミッセ》にほかならないからである。われわれが失調症の叙述に当って先ず最初に一つの認識源、即ち患者を眼でもって感覚的に観察するという認識源を批判し、次でこれを放棄してしまったのも、全くこの要請の趣旨に沿ったやり方であった。生理学者にとっては、単なる眼だけというのではあまりにも「信用できない《ウンツーフエアレシッヒ》」、余りに「主観的《スブイエクテイーフ》」だからである。われわれはこれをより精密《エクザクト》な方法に置き換え、生命あるものについての本来の、眼で見ることのできる現象 Erscheinung から離れて、もはや生命《レーベン》それ自体の本性《ヴエーゼンハイト》を含んでいるとは限らない、眼に見えない機序 Vorgang を問題にする。われわれがこれまで主張していたのは、実はこのことであった。

失認症を論じる場合にもこれと同一の状況が、ただもっと明白な形で再現してくる。失認症では、患者が彼の見たり触れたりしているものが何であるのかを認知しないということが確かめられる。しかしその場合、患者がその代りに見たり触れたりしているものが何であるかということをも確かめうるだろうか。失認症の研究がこの点を全く問題にしなかったわけでもないようである。しかしそこからは、正常な感官作業と病的なそれとを比較してその相違を生理学的な機能学説を用いて叙述したり説明したりしうるほどの満足すべき成果は取出されていない。むしろ逆に、失認症の研究は、失認症者は正常な機能を有しているのに自分の触れたものが何であるかを認知できないのだ、とするヴェルニッケ Wernicke の主張を出発点としており、のみならずこれが失認症の定義ですらあった。その場合、この種の症例の解明を困難なものとした一番の原因が、失認症患者がいったい何を知覚しているのかがよくわからない、という点にあったことは間違いない。人間は他人の体験について何一つ知りえないのだなどと言えば、これはもちろん大変な誇張だろう。しかしここでわれわれを近付き難くしているもの、のみならず事態を確実さから遠ざけているものが、ここでもやはり主体性《ズブィエクティヴィテート》であることは疑うべくもない。それでこの場合にも、研究の一番の支えとなっているもの、研究がなによりも先ずそれに頼ろうとしているものが、或る作業の不成立というネガティヴな言表であるという事情は動かしえないのである。このことは、なんと言おうとやはり生じているには違いない一つの作業に対して失認症という名前をつけることのうちに既に示されている。しかし研究の対象となるのは作業自身ではなくて、それの欠陥なのである。

ヴェルニッケによるこの最初の、しかも今日に至るまでまだ無用のものとはなっていない失認症の定義は、いずれにしても不十分なものである。患者の感官機能《ジンネスフンクツイオン》が正常であり、しかも患者が精神的に健康であるにも拘らず彼が認知を欠いているというのなら、諸感官《ジンネ》のために或る特別な認知能力を仮定するか、それとも特別な未知の性質の脳機能を仮定するかのどちらかしか考えられないことになる。つまりこの特別な認知の仕方を研究するか、この特別な機能を探究するかの二つの道が開けていることになる。第一の道を進んだのはこの問題に対してゲシュタルト心理学を応用した人たち、特にゲルプとゴールトシュタイン Gelb und Goldstein であった(47)。われわれ自身は第二の道を進んで器官の機能の概念を確定する一方、これを拡張して機能変動という事実に注意を向けた。失認症における機能変動については従来余りにも研究が乏しかったため、失認症患者は果してそれだけによって彼らの認知不能が説明できるような機能変動を有するのだろうか、という単純な問いが立てられた。もしそうだとすれば、機能そのものは正常だというヴェルニッケの前提は端的に間違っていたことになる。シュトリュンペル Strümpell* は既にこの可能性を考えていた。これまで報告された検査結果を概観してみると(48)、次のようなことが言える。失認症の一部は機能変動によって生じるけれども、少くとも従来の検査法では何らの著明な機能変動をも証明できない失認症もある。つまり生理学説の成果は部分的な成果だったわけである。部分的成果よりも原則的なものの方がより重要である。そこで、改良した検査法を導入することによって更に新しい機能障碍、更に新しい機能の層が発見されるだろう、という期待を持ってもよい。

しかし失認症の問題の他の一面も、だからといって決して等閑に付されていたわけではない。患者の診察に当ってわれわれが知ろうとするのは、知覚されたものの「認知《エアケネン》」である。要素機能の検査に際して認知《グノスティッシュ》的機能を問題にする必要はないと考えたのは、旧来の諸研究がおかした恐らく唯一の重大な誤謬であった。この場合にも患者は判断を下し、陳述を行わねばならないのである。ここで、このような判断や陳述はつねに認知《グノスティッシュ》的な行為であることが理解される。しかし、「はい」、「ここです」、「今です」、「温かい」、「尖っている」などの陳述で言い表される対象は、そのつど異ったものであり、またそれは、触覚認知《ステレオグノジー》や認知の作業検査に際して患者が「さいころ」とか「鉛筆」とかの陳述でもって言い表す対象とも異ったものである。つまりここには生理学的説明と心理学的説明との間の二者択一《アルターナティーフェ》などはそもそも存在しない。なぜならばこのような検査法が要求しうる一切の行為は、認知行為でなくてはならないと同時に生理学的機能によって可能となるものでもなくてはならないのであるから。この問題の次の段階における発展は、さまざまな種類の対象をさまざまな機能形式や機能層との関連において比較することに尽きるであろう。

この方向に沿った試みを、われわれは既に行って来た。われわれの行った圧感覚、力覚、感覚質、専門感覚などの分析は、機能の分析であると同時に或る種の主として「ノエシス的」noëtisch な性質をもった認知作業の分析でもある。この「ノエシス的」という表現は、「より強い」と「より弱い」、「より明るい」と「より暗い」等々のごとき感覚判断《ジンネスウアタイレ》、つまり甚だ形式的で論理的な内実をもった、たいていは単純な知的機能《インテレクトウアルフンクツイオーネン》を指している。しかしここで「要素的」なのは決して感覚機能ではなく、判断機能である。最も単純な思考形式はまた最も単純な感覚装置しか必要とせず、要素的思考はまた要素的機能しか必要としないなどという前提はもちろん間違っているし、実際の事実から明かとなるのはほとんどその反対である。しかし訂正を要するのは単に要素主義の陥っているこの種の誤謬だけには止らない。知覚における「ここ」、「いま」、「強い」などの判断が器官機能の空間的、時間的、強度的な諸規定に対応しているということも、以前は幼稚な仕方で前提されていたが、成立の根拠を有しないことである。この洞察にとって、機能変動と失認症を有する患者についての所見は特に示唆に富むものであった。

つまりこのような症例を調べてみると、その知覚像はしばしば、必ずしも失認症《アグノジー》の形をとらずにむしろ錯認症 Dysgnosie の形で、すなわち形像変更《ウムビルドウング》の形で変化を示す。秩序づけを職とする悟性が、知覚像における変化をしらぬ間に自己の範疇に従って秩序づけ、空間、時間、強度、量、質などの概念に従って表示するのである。このような形で取出される病的な感官作業の症状は大変な数にのぼる、それを一々数え上げても到底そのすべてを尽せるものではないので、ここではただ若干の例*を挙げるにとどめておく。

空間的作業錯誤——感覚印象が別の場所に定位される（誤示、体位感覚障碍、視野の錯位）、別々の感覚印象の融合現象ならびに（稀には）それと逆の現象（空間閾値の増大、トールボットの融合の増強）、運動の方向認知の錯誤（皮膚上での方向錯誤、系統的変形視）、図形の変化（皮膚に描かれた十字が輪に感じられる、視覚像の歪み）、大きさの変化（小視症、巨視症、後退視《ポロプシー》、触覚における同様の現象、象皮病様の知覚）、立体認知障碍《デイスステレオグノジーエン》（触覚的および視覚的な形体変化、凸と凹の錯認、三角と四角の錯認、変形視）。

時間的作業錯誤――感覚の残続、恒常刺戟に対する振動性異感覚《パレステジー》、継時刺戟や振動に対する連続的感覚、累加現象（例えば「遅滞痛覚」）、多視症と形態崩壊、複聴《デイプラクジー》。

強度的作業錯誤――対比現象の亢進と減弱重量の過大および過小評価、緊張異感覚《シュパヌングスパレステジーエン》、病的重感《シュヴェーレゲフユール》、あらゆる感覚領域での感覚過敏。

質的作業錯誤――矛盾した温度感覚、機能的痛覚脱失、後天性色覚障碍、共感覚、残像の質変動、残像欠損。

合理主義的な生物学の精神から見れば、これらの錯誤のそれぞれにおいて、判断の誤りには機能の異常が対応していると考えるのが自然な考え方に違いあるまい。その場合、弁別、定位、空間覚、時間覚、図型覚、運動覚、ゲシュタルト知覚などはそれぞれ一個の機能であると同時に一個の判断行為だということになる。もしもこれらの個別的な機能ないし判断から複合的《コンプレクセ》知覚を組立てる場合、例えばいろいろな物（猫、木）やいろいろな出来事（人形が壊れる、葉が落ちる、格闘）のような「より複雑な」対象の知覚を組立てる場合にも、そこから理路整然たる筋道が得られて、それによって正常および病的の作業が理解されえたならば、この仮定は利点を有するということになったに違いない。しかしそれが失敗に終っていることは、今日でははっきりと断言することができる。

難点はまずこの理論が最も要素的と称している諸感覚について認められる。このことはすでに圧感覚と力感覚の例について詳しく示しておいた。さらに、空間感覚的および時間感覚的な専門作業《シュペツイアルライストウンゲン》においては不都合はいっそう増大する。すでに詳しく述べておいたように、皮膚の健康状態と病的状態とにおける空間弁別は、感覚の局所標徴《ロカールツアイヘン》の理論から予想されるのとは逆の様相を示す。つまり器官作業の諸条件が複雑化するにつれて空間閾値はいっそう精密になる。この事実をわれわれは反数学的 antimathematisch と名付けた。われわれがこのことから得た結論は、作業の精度《プレツィジオン》はそれに関与する神経系組織の分量《マッセ》に比例して増加すること、つまり各種機能の協働の複雑さが作業の合理的な単純さの前提条件であることであった。

　次に第二の点として、空間－時間－強度の秩序間の相対性《レラティヴィスムス》とでも呼ぶべきものが挙げられる。その恰好の実例は興奮の累加《ズマツィオン》である。累加現象のために、一つ一つを取ってみると閾値に達しない刺戟でも、それを反復する間に遂に閾値を越えるようになる。知覚像にとってこのことは、時間的区分を有する一つの対象が、つまり実際は一つの系列《ゼリー》であるものが強度という姿に変化したという意味をもつ。今一つの例は物に触れている皮膚の上の圧勾配《ドゥルックゲフェレ》である。いま小さい四面体を触知する場合を考えてみると、それの角や稜線によって生じる狭く限られた深い、従って強い感覚印象と、四つの面が生ぜしめる広い表面的な、従って弱い感覚印象とが交互に現れる。しかしここで知覚がとらえるのは力の相違ではなくて形の相違であり、それによって、立体幾何学的認知の対象たる空間像の感覚印象が得られることになる。圧の強度の印象が空間形態の印象に変ったわけである。第三の例は櫛《くし》の歯の上を指でなでた時に生じる非連続な圧感覚の系列である。皮膚の同一部位における時間的継起に対応して知覚に現れるのは櫛の歯の並列という空間的継起であり、いずれにせよそれは櫛の歯が全体として一緒に動いているという印象を伴っている。この行為もやはり時間的系列を、動いてはいるが固定した空間的形像の印象に変えている。そこで結論的に、これらの例では知覚は時間的、空間的、強度的なデータ相互間の転換 Transformation を絶えず行っていて、この三つの範疇のいずれもが他の二つに転換されるのだ、そしてこの転換が生じるということが客観的対象を知覚せしめる絶対的な条件なのだ、と言うことができる。そこでこのことから、次のように帰結してもよいだろう。このような転換は感官作業の一つの本質的な部分、というよりもむしろその最も重要な部分をなしていて、その障碍が失認症性の諸障碍の原因となる。そこでこの転換の研究が当面の課題となる。しかしこれまでのところからだけでも、われわれが各種感官作業間の相対性原理 Relativitätsprinzip を認めなくてはならないことは明かだろう。この原理によれば刺戟の空間的、時間的、強度的な諸規定は、単にそれ自体として知覚の中に再現されるだけでなく、何よりもまず相互間の関係 Relation *aufeinander* において、言いかえると相互間の転換 Transformation *ineinander* において再現されるのである。

このことからわれわれは、病理学的経験がこの種の転換の障碍を証明するのは、この変換《ウムヴアンドルンゲン》を司っている器官部位が障碍される場合であることを、当然のこととみなすことになる。この予想は実際に立証されている。右に挙げた諸症状のほとんどを含む多くの症状はこの種の転換を用いて表現することができる。ここからほんの一歩を進めれば、同様の相対性原理が感覚の各種の質や様態《モダリテーテン》の相互間にも妥当するか否かの問題に行き当る。この点に関しても既にいくつかの実例が挙げられてはいるが、体系的な研究はまだなされていない。或る一つの刺戟の強度や拡がりや持続と感覚の質との間には種々の関係が確かめられている（例えば視覚刺戟のいわゆる最小視野光度《ミニマルフエルトヘリヒカイト》と最小持続《ミニマルダウアー》）。最近の生理学における痛覚の問題も同じことを示している。しかし一般的に言うと、感覚質についてのほとんどすべての生理学説は興奮機序の量的差異によって質を説明するものだ、ということを確認しておかねばならぬ。これもやはり一種の転換ということになろう。主要感覚相互間の著しい間様態性 intermodal の影響の、或は今用いている用語によればそれらの間の転換の実証は、まだほんの端緒を見出したにすぎない。確かにこのことは従来過小に評価されてきた。眼と触覚、耳と眼、前庭器官と筋感覚などが互に強く影響し合い、同一の任務を分担し合っている器官対《オルガンパール》であることは、従来からずっと知られていた。だが従来論じられて来たのは個々の共同作能 Synergie や相互間の影響のみであって、われわれにとって回避しえない問題と思われる普遍的な共感覚 Synästhesie に関する包括的基礎理論はまだ出されていない。この点に関しても従来は、近代の生物学の揺籃期を育んだいくつかの偉大な概念から余りにも離れすぎていたのである。共通感覚 sensorium commune* の思想は徹底的な史的研究に値するだけではなく、復興にも値する。この思想の意味するものは、さまざまな形で再発見されてきた。共感覚《ジユネステジー》という言葉ではじめ考えられていたのは、例えば或る色を見るとき或る音が聞えるとかその逆とかだった。入眠状態、幻覚、夢などにおける幻想の活動は、各種感覚領域相互間のみならず思考領域から感覚領域への関係においても、転位《トランスポジツィオーネン》と象徴化《ジュンボリジールンゲン》を豊富に含んでいる。メスカリン酩酊においては極めて興味深い実例が見出されている。健康者も、生理学で普通教わって来たよりももっと多くの共感覚を有し、これを利用していることは疑う余地がない。ボール箱の上に数字を書く音から、耳でその数を当てることもできるのだ。また、視覚的に捉えられる指揮者の運動は、オーケストラが音楽的に彼の指揮に従うのに当って、量り知れない重要性を有している。

われわれは一連の新しい実験によって、例えば眼のような一つの器官の感覚閾値が前庭器官の無意識の興奮によって直接に影響されることを知った（クリスツィアン Christian）(49)。しかしこのような間様態性《インターモダール》影響の所見を分析してみていつもきまって出てくる結果は、この種の事実を秩序づけて統一的に叙述するためには要素機能（ないし反射）を合成してもだめであって、作業原理の導入以外に方法はないのだということであった。

失認症の心理学的解釈は、単に解剖学的局在論的な成果をもたらしただけで、神経生理学的な成果を全くもたらさなかったために、十分なものではなかった。またそれの生理学的説明は、要素機能によっても機能変動によっても作業の合成がうまく行かなかったために、これまた十分なものではなかった。しかしそれにもかかわらず、これらの努力はその後の研究の進むべき道を示唆したという点において量り知れぬ貢献を果したのである。形式性《フォルマリスムス》における相対性原理、この形式性のデータの普遍的な転換可能性、普遍的な共感覚の有する未知の規則、これらは豊かに拡がっている新しい研究活動のテーマや素材である。それのみならず、さらに要素生理学の根本的な限界、作業原理を応用することの必然性、言換えれば主体《スブイエクト》の導入なども、そこから明確に浮び上ってくることになる。

失調症と失認症という障碍の広大な領域をざっと概観しただけで、運動と知覚の病理学が古典的生理学のままの形では満足に遂行されえなかった事情が明かになり、またこの領域での学問的研究のプログラムはその概念的諸前提の根底まで掘下げるような再検討を必要とするのだという心構えが要求された。このような事態に立ち至ったのは決して生理学自体の罪ではなく、その古典的思考形式の責任である。満ち溢れんばかりの生命現象に好きなようにしゃべらせておく方が、或はもっと愉しく、もっと容易なことかもしれない。しかしそこには、われわれの手で充してやらねばならぬ切実な「形態学的要求」があるだけではなく、われわれが従わねばならぬ理論的要求も存在する。そして神経系の諸機序およびその諸障碍に関する理論においては、従来支配的だった古典的学問形式の再検討が、もはや回避しえない課題となっている。これが以上の各章から生じた帰結であると共に、以下の各章にとっての道標である。

（1） ヒステリー性症状と器質性症状には同じ点と違った点とがあり、それらは臨床診断において一役を演じているが、通常それは、両者が同じであったり似ていたりするために、器質性状態と非器質性状態を見分ける必要があるにも拘らず、両者の区別が困難となり、覆いかくされてしまうためなのである。しかしもしそうなら、学問的に一層重要なのは、両者の症状の相違が、両者をとりちがえることすらあり得る程に僅かだという点であろう。何故なら、理論神経学は鑑別診断ができればそれですむというものではあり得ぬからである。理論神経学が求めねばならぬのは、器質的事象と機能的事象を共に同じ一つの理論的基盤から導き出し、理解し得るものになし得るような神経系の学説なのである。

（2） Th. Lewis, *Experiments relating to cutaneous hyperalgesia and its spread through somatic nerves*〔皮膚の痛覚過敏とその体神経による伝播に関する実験〕, Clin. Sci., 2; 373, 1936.

（3） 例えば O. Foerster, *Spezielle Physiologie und spezielle funktionelle Pathologie der quergestreiften Muskeln*〔横紋筋の生理学及び機能的病理学各論〕, Handbuch der Neurologie (*Hrsg. von O. Bumke u. O. Foerster.*), *Berlin* 1937, Bd. 3, S. 1 参照。

（4） 事実シェリントン Sherrington の「最後の共通道程」なる概念が正しいと言えるのは、研究対象が作業ではなくて機能である限りにおいてのみのことである。更にまた、実際に機能が起始点や終末点を持つのは、必然的に実験的観察が何らかの対象を見出すような所においてでなければならず、それは——少くとも今日では未だ——大抵の場合、末梢である。（皮質を電気刺戟する場合には、皮質である。）しかしながら生物学的作業については、それが何処ではじまるとか、終るとか言うのは、恣意的なことである。この場合には、最後の共通道程もなければ、最初の共通道程もない。ここでは伝導原理《ライトウングスプリンツィプ》を「神経系」という解剖学的図式に適用したために、この原理が生物学的実在なのだという先入見が固定してしまったことも容易に理解される。しかしこの原理は分析の一方法に過ぎず、それ以上の何ものでもない。

（5） J. M. Charcot, Leçon du Mardi à la Salpêtrière〔ラ・サルペトリエールにおける火曜講義〕. Paris 1892.

（6）　H. Head, Studies in Neurology〔神経学研究〕. London 1920.

（7）　J. Boeke, *Nervenregeneration*〔神経の再生〕, Handbuch der Neurologie (*Hrsg. von O. Bumke u. O. Foerster*), *Berlin* 1935, Bd. 1, S. 995.

（8）　ドゥジェリーヌ*、ファブリーツィウス**、ペトレン*** Dejerine, Fabritius, Petrén らが、この学説を更に発展させた（*H.* Fabritius, *Zur Frage nach der sensiblen Leitung im menschlichen Rückenmark*〔人間の脊髄中の体感覚路の問題〕, Mschr. Psychiatr., 31; *103, 279, 376, 463. u. 546,* 1912)。

（9）　機能変動を要約した論文は：*J.* Stein und *V.* v. Weizsäcker, *Zur Pathologie der Sensibilität*〔体感覚の病理について〕, Ergeb. Physiol., 27; *685*, 1928. *V.* v. Weizsäcker, *Was lehrt die neuere Pathologie der Sinnesorgane für die Physiologie der Sinnesleistungen?*〔近年の感覚器官の病理学は感官作業の生理学に対して何を教えるか〕, Z. Sinnesphysiol., 64; 74, 1934. 同著者、*Untersuchung der Sensibilität*〔体感覚の検査〕, Handbuch der Neurologie (*Hrsg. von O. Bumke u. O. Foerster*), *Berlin 1937*, Bd. 3, S. 701. 同著者、Ber. physik.-med. Ges. Würzburg, N. F. 62; 204, 1939.

（10）　V. v. Weizsäcker, Wege psychophysischer Forschung〔身心論（物心論）的研究の諸方法〕. Festrede. Sitzgs.-Ber. d. Heidelberg. Akad. Wiss., Math.-naturwiss. Kl. 4. Abh. 1934 参照。

（10 a）　ディドロ Diderot**** (Der Traum d'Alemberts〔ダランベールの夢〕, Frommanns Philosophische Taschenbücherei, Stuttgart 1923 に独訳）はこの二者択一を発展させ、彼の有機体哲学の体系におさめた。ディドロの比肩するもののない対話（恐らく一七六九年）には、科学的生命論の最も重要な議論の一つが見られる。

（11）　*M.* v. Frey und *R.* Pauli, *Die Stärke und Deutlichkeit einer Druckempfindung unter der Wirkung eines begleitenden Reizes*〔随伴刺戟の作用下における圧感覚の強度と明瞭度〕, Z. Biol., 59; *497*, 19*13*, K. Hansen, *Neue Versuche über die Bedeutung der Fläche für die Wirkung von Druckreizen*〔圧刺戟の効果に対する面の意味に関する新しい実験〕, Z. Biol., 62; *536*, 1913. *H.* Bohnenkamp und *K.* Heuler, *Zur Pathologie des Schmerzes*〔痛みの病理について〕, Dtsch. Z. Nervenhk., 126; 176, 1932.

（12）　*H.* Stein, *Die Labilität der Drucksinnschwelle bei Sensibilitätsstörungen*〔感覚障碍時の圧覚閾値の不安定性〕, Dtsch. Z. Nervenhk., 80; 57, 1923.

（13）　例えば *H.* Winterstein, *Grundbegriffe der allgemeinen Nervenphysiologie*〔一般神経生理学の基本概念〕, Handbuch der Neurologie (*Hrsg. von O. Bumke u. O. Foerster*), *Berlin 1937*, Bd. 2, S. 72.

（14）　*V.* v. Weizsäcker, *Untersuchung des Drucksinns mit Flächenreizen bei Nervenkranken* (*Phänomen der Verstärkung*)〔神経病患者における面刺戟を用いた圧覚検査（増強現象）〕, Dtsch. Z. Nervenhk., 80; 159, 1923.

(15) *H.* Stein und *V.* v. Weizsäcker, Der Abbau der sensiblen Funktionen. *Eine sinnesphysiologische Analyse der Hypästhesie*〔体感覚機能の解体。感覚低下の感覚生理学的分析〕, Dtsch. Z. Nervenhk., 99; 1, 1927. *V.* v. Weizsäcker, Was lehrt die neuere Pathologie der Sinnesorgane für die Physiologie der Sinnesleistungen ?〔近年の感覚器官の病理学は感官作業の生理学に対して何を教えるか〕, Z. Sinnesphysiol., 64; *79, 1934.* 同著者, Leitung, Form und Menge in der Lehre von den nervösen, Funktionen〔神経機能論における伝導, 形式, 量〕, Nervenarzt, 4; *433 u. 526*, 1931.

(16) J. v. Hattingberg, Sitz.-Ber. d. Heidelberg. Akad. Wiss., Math.-naturwiss, Kl. 1939.

(17) *K.* Beringer und *H.* Ruffin, *Sensibilitätsstudien zur Frage des Funktionswandels bei Schizophrenen, Alkoholikern und Gesunden*〔精神分裂病者, アルコール中毒患者, 健康人における機能変動問題に関する体感覚の研究〕, Z. Neurol., 140; 604, 1932. *L. G.* Tschlenoff, *Sensibilitätsstudien an Nervenkranken. I. Über taktile Scheinbewegungs-wahrnehmungen. II. Über die Schwellenlabilität der Hautsinne. III. Über taktile Iterationen*〔神経病患者における体感覚の研究。一, 仮象運動の触覚知覚。二, 皮膚感覚の閾値不安定性。三, 触覚性反復症。〕, Dtsch. Z. Nervenhk., 121; *180,* 1931 u. 122; *89 u. 279,* 1931. *O.* Foerster, *H.* Altenburger u. *F. W.* Kroll, *Über die Beziehungen des vegetativen Nervensystems zur Sensibilität.*〔植物神経系と体感覚との関係について〕, Z. Neurol., 121; *139,* 1929. *H.* Altenburger, *Elektrodiagnostik* (*einschließlich Chronaxie und Aktionsströmen*)〔電気的診断法（クロナクシーと活動電流を含む）〕, Handbuch der Neurologie, (*Hrsg. von O. Bumke und O. Foerster*), *Berlin, 1937, Bd. 3, S. 747.*

(18) *A.* Panzel, *Untersuchungen über das Vergleichen von Gewichten bei Gesunden und Kranken*〔健康人と患者における重量比較の研究〕, Dtsch. Z. Nervenhk., 87; *161,* 1925.

(19) M. v. Frey, *Studien über den Kraftsinn.*〔力覚の研究〕, Z. Biol., 63; *129, 1914. Die Vergleichung von Gewichten mit Hilfe des Kraftsinnes.*〔力覚による重量比較〕, Z. Biol., 65; *203, 1915.*

(20) *G. E.* Müller und *F.* Schumann, *Über die psychologischen Grundlagen der Vergleichung gehobener Gewichte*〔挙上重量比較の心理学的基盤について〕, Pflügers Arch. Physiol., 45; *37, 1889. P.* Walter, *Über den Einfluß des Spannungsablaufes im Muskel auf die Gewichtswahrnehmung*〔重量知覚に及ぼす筋緊張過程の影響について〕, Z. Psychol., 104; 97, 1927.

(21) ヘルムホルツ Helmholtz が人間の眼の光学カメラについてもらした無遠慮な言葉が有名になってしまって以来（ヘルムホルツは実は, そのようなカメラを売りつけようとした眼鏡屋を追い払おうとしたのである）, 生理学にはこのような考え方にひそむ誤謬を指摘しようと努めた跡は殆ど認められない。われわれは自分の分野で, それを試みている訳である。感覚器官はある種の測定器械に比べると「不完全」であるが, その理由は感覚器官が一種類の量だけを測定するのみならず, 改造しなくても数多くの異った課題を解決するからなのである。

(22) A. Derwort, *Über die Formen unserer Bewegungen gegen verschiedenartige Widerstände usw.*〔種々の抵抗に逆うわれわれの運動

形態について〕, Z. Sinnesphysiol., 70; 135, 1943.

（23） 例えば A. Panzel の上掲書、F. Lotmar, *Ein Beitrag zur Pathologie des Kleinhirns*〔小脳病理学への寄与〕, *Msch. Psychiat.*, *24; 217, 1908* 参照。

（24） Kohnstamm, R. Matthäi, *Nachbewegung beim Menschen* (*Untersuchungen über das sog. Kohnstammsche Phänomen*)〔人間の残存運動（いわゆる *Kohnstamm* 現象について）〕, Pflügers Arch. *Physiol.*, 202; 88 u. 204; 587, *1924* に引用あり。

（25） V. v. Weizsäcker, Zur Analyse pathologischer Bewegungen〔病的運動の分析〕, Dtsch. Z. Nervenhk. *95; 108, 1926.* Verh. Ges. Nervenärzte, 1926 : 270. 検者が筋強剛のある腕を動かそうとする時、通常以下の力を用いるだけでも十分なことがあるという事実は、明らかにパーキンソン病では外部からの働きかけに対する適応性が増していることに基くものである。これに類比の所見が他にない訳ではない。これも私が見出したことだが、パーキンソン病では反応時間が短縮する。この所見もまた、あまりにも等閑視されている。

（25 a） このような分析は、また同時に従来極めて解釈の困難であった、いわゆるヴェーバー Weber の法則に、いくばくかの光を投げかけるものである。ヴェーバー以来、力覚は二つの重量の客観的差異を的確に知覚することができないことが知られている。重量を1から2に、一単位だけ増すと、知覚もそれをとらえる。これに反し重量を20から21に増す場合には、何の相違も知覚されない。むしろ1から2、5から10、20から40への増量は、どれも似たものに思える、つまり倍加として感じられる。器官の関心は差に向けられているのではなく、商にあるのだとも言えよう。辛うじて気づき得る程度の差、つまり閾値の感覚を同一であると見做した場合——これには反論の余地が全くない訳ではない——、力覚は客観的重量差が等しいと知覚する代りに、客観的重量商が等しいと知覚するという錯誤に陥ることが明らかになった。この結果からフェヒナー Fechner は、感覚は刺戟に対してその対数《ロガリズム》のごとき関係にあるという命題を導出した。しかしながらわれわれの考察した所に照らして言えば、辛うじて気づき得る程度の差の知覚にとっては、商、つまり重量の比は重量の差と等価であると言わねばならない。従って知覚にとっては、1と2の比は5と10、10と20の比と同質となるに対し、1と2、5と6、10と11の差は同質でないことになる。ところでここで明らかになることだが、比率の同質性によって概念面での一歩前進が準備されるのであり、物理学、化学はこの力を借りることによって、物質の或る種の客観的性質を特徴づけるのに成功し得たのであった。例えば、二箇の物体が同じ比重を有するのは、両者の重量がその体積に同じ率で比例する場合であり、化学において二つの物質が同一の性状を有するのは、両者が常に同じ割合で他の物質と結合して新しい物質を形成する場合である。このようにして比重の概念が発見され、また後に原子量の決定を可能にした定比例及び倍数比例の法則 Gesetz der Konstanten und multiplen Proportionen がボイル Boyle* によって見出されたのであった。従って、力覚がヴェーバーの法則に従うことは、物体の種別的性質の知覚を可能にする構成的錯誤と呼んで差支えなかろう。そのような錯誤はまた或る意味で、そのような種別的性質を客観的に把握する物理学的並びに化学的概念の形成を準備するものであろう。というのは、すべての自然科学者の口から聞くことだが、正しい概念や法則の発見には、例えばなかでもマッハ E. Mach** が力説した通り、一種の感覚的予感、あるいは本能的直観が先立つものだからである。

(26) D. Katz, Der Aufbau der Tastwelt〔触覚世界の構造〕. Leipzig 1925.

(27) Graham Brown, *Die Großhirnhemisphären*〔大脳半球〕, Handbuch der normalen u. pathologischen Physiologie (*Hrsg. von A. Bethe u. a.*), Berlin 1927, Bd. 10, S. 418.

(28) アグドゥア Agduhr* やシェリントン Sherrington らの研究によれば、単一筋のみならず単一筋繊維に属する運動神経ノイロンすら、いくつかの〔脊髄〕分節に配分されているという。われわれの見解は「最後の共通道程」の範囲にも、複雑なもつれ合いがあることを考慮するのであるから、右の所見はわれわれの見解に合致するものと言える。脳こそは分化の諸条件を含むものであるが、脊髄はそうではないように思われる。手術により脊髄だけを残した動物 spinales Tier は、分化を喪った集合的《コレクティフ》運動を行う。ホフマン P. Hoffmann が認めている通り、「固有反射」ですら、もはやそれだけで孤立した神経路だけに閉じこめられている訳ではなく、錐体路損傷、つまりは一種の「除脳 Dezerebrierung」** が加われば放散《イラディーレン》するものである。

(29) 質料と形相の区別は、主としてアリストテレス Aristoteles (例えば Psychologie〔心について〕, 412a, 414a) に遡るものであり、彼が科学的思想に及ぼした影響は今日なお認められる。しかしながら、アリストテレスが質料とは可能的なものであり、形相とは実在的なものであると説くに対し、近代の自然概念では両者の関係がほぼ逆転しており、ここに概念並びに名称の交叉が生じたのである。どのように考えても将来の脳理論に課された決定的問題と思えるのは、脳理論が本来のアリストテレス的立場に立ち戻り得るのか、また立ち戻らんと欲するのか、という問いである。アリストテレス的立場からは、解剖学的表象に対する生理学的表象の優位が、つまり「解剖学なき生理学」が生れることになろう。V. v. Weizsäcker, *Ataxie und Funktionswandel (mit Bemerkungen zur Frage der Eigenreflexe)*〔運動失調と機能変動(附、固有反射の問題への覚書)〕, Dtsch. Z. Nervenhk., 120; 117, 1931. 同著者 *Leitung, Form und Menge in der Lehre von den nervösen Funktionen*〔神経機能論における伝導、形式、量〕, Nervenarzt, *4 ; 433 u. 526*, 1931 を参照。

(30) 一例をあげれば フライ M. v. Frey は、蛙の舌にある触角体 Tastkörper には重複した神経線維が備わっている事実から着想を得て、例えば5本の単一線維から変分計算 Variationsrechnung によって算出し得るだけの数の可能な組合せこそ、5本の神経路を経て伝導される感覚印象が単に5種類ではなく、10もしくは20種類にものぼると考えてよい理由を与えるものだと説明した。これに対しては、一つの古い格言を引用しておいてもよかろう——真理の徴は単純なり Simplex signum veri***。神経器官の機能理論を、もっぱら神経網やジンツィティウムの原理****だけを礎にしてうち立てようとする試みは、ヴァルダイヤー Waldeyer***** のノイロン説同様、未だ最終的形態に到達してはいない。神経網を基礎とするのであれば、どこである細胞がおわり、次の細胞がはじまるかを述べることはできないのであるから、細胞単位の個別性を放棄せざるを得ぬことになろう。この説では種別的《シュペツィフィッシュ》なものは、興奮の部位にではなくて興奮像に結びついていなければならず、従ってその根底には純粋な形式原理がなければならぬことになる。そして神経網の一領野は、多数の興奮像を含み得る訳である。古典生理学に対してこのような修正が要求されるのは、なかんずく器官内部で進行することについてではなく、器官の作業として（知覚もしくは行為として）外に向って現出《エアシャイネン》するものについて問われる場合である。このことを問題にしてみれば、同じ器官部分（例えば眼、手）をもって数えきれぬ程多くの様々な作業がなされる訳が理解できるのだが、まさしくこのことによって逆に、器官内の興奮形式には固有の意味があると推論せざるを得なくなる。可塑性、機能変動、損傷後の他の部分による新機能の分担といった諸理論はすべて、最も厳密な形の伝導原理と局在原理を放棄するよう迫るものである。——既にこのような個別性から連続性への移行を予告していたのは、神経線維間に成立つのは「隣接性《コンティグイテート》」か「連続性《コンティヌイテート》」かという有名な論争であった。その後、もともと決着のつけようのないこのような論争が、弁証法的性質のものであることがわかり、今日ではわれわれはこの論争が、エーテルの原子説対連続説、粒子説対波動説*といった物理学上の論争と同じ所に根ざすものであることを知っている。このような対立のうちに回帰するのは、エレア学派**の議論以来幾度となく頭をもたげて来た問題、そしてカント Kant の二律背反《アンティノミー》***をもってしても等しく落着することのなかった問題なのである。何故なら論理学内部の対立矛盾は、必然的に経験科学においても、観察事実を理論的に説明する際にはディレンマとならずにはすまぬからである。

(31)　コルク塊に数本の留針を刺したもので同時に指頭を圧迫してみると、このことは容易に確かめられる。留針の間の距離が同時閾値を著しく上まわる場合でも、四、五本以上の針を別々に知覚することは不可能である。

(32)　末梢神経の伝導速度が、病的事態においても変化しない点が重要である。これに反し、興奮が中枢器官（シナップス）を通過する際の潜在時間《ラチンツ・ツァイト》は、種々の疾患で時に著しい変化を蒙ることがある。

(33)　H. Stein, *Über die Wahrnehmung geführter Bewegungen und das Zustandekommen einer Scheinbewegungswahrnehmung in einem Fall von Pseudoarthrose*〔偽関節症の1例における受動的運動の知覚と仮象運動知覚の出現について〕, Z. Biol., 84; 33, 1926.

(34)　V. v. Weizsäcker, Einleitung zur Physiologie der Sinne〔感覚生理学序論〕, Handbuch der normalen und pathologischen Physiologie (*Hrsg. von A. Bethe u. a.*), *Berlin 1926*, Bd. *11*, I, S. 1（特に例えば S. 53 参照）。同書で、殊に五頁で私がとった立場は、「物質的事象が総体としてそのまま感覚印象、つまり現在となる場合にのみ、感性が存在する。……感性的体験とは、その本質上現実《レアリテート》体験《エアレープニス》であり、その限りにおいて常に超越性《トランスツェンデンツ》の内実を有する」ということであった。これによって私は、感性の内在性《イマネンツ》の上にうち立てられたクリース Joh. v. Kries の感官論に対立する私の立場の輪郭を明かにしておいた。——A. Prinz Auersperg (*u. H. Buhrmeister*, *Experimenteller Beitrag zur Frage des Bewegtsehens*〔運動視に関する実験的寄与〕Z. Sinnesphysiol. 66; 274, 1936) は現在化《フェアゲーゲンヴェルティグン》の原理を発展させて、超越性の方向で完成した。（私の著書 „Das Antilogische“〔反論理的なもの〕, in: Psychologische Forschung, Bd. III, S. 295, 1923〔v. Kries-Festschrift〕をも参照。）

(35)　詳しくは V. v. Weizsäcker, Gestalt und Zeit〔形態と時間〕, Halle 1942. を参照。

(36)　A. Buch, *Zur Pathologie der Gestaltswahrnehmungen an der Haut*〔皮膚の形態知覚の病理について〕, Dtsch. Z. Nervenhk., *95*;

169, 1926, Verh. Ges. d. Nervenärzte, 1926; 331.

（37） Prinz Auersperg (*A.* Prinz Auersperg u. *H.* Buhrmeister, *Experimenteller Beitrag zur Frage des Bewegtsehens*〔運動視に関する実験的寄与〕, Z. Sinnesphysiol., 66; 274, 1936) は、両者の間にこのような相違があることに反論している。しかし彼が異論を唱えたのは、並行論的解釈に対してであって、本文で私が行った性格づけに反するものではない。「このように同一の現象対象《フェノメナール・ゲーゲンシュタント》が絶えず現前《ゲーゲンヴァルト》することは環境世界の体験の特殊性なのであって、並行論の立場から理解すべきことではなく、何をさておいてもまずその諸規定を明かにしなければならない」と述べた彼の言葉は正しいとせねばならぬ。

（38） J. Stein, *Pathologie der Wahrnehmung*〔知覚の病理〕, Handbuch der Geistes Krankheiten (*Hrsg. von O. Bumke u. O. Foerster*), *Berlin*, 1928, Bd. 1, I, S. 351 (S. 383). *J.* Stein u. *H.* Bürger-Prinz, *Funktionswandel im Bereich des optischen Systems. Eine sinnesphysiologische Analyse optischgnostischer Störungen*〔視覚領域における機能変動。視覚失認の感覚生理学的分析〕, Dtsch. Z. Nervenhk., 124; 201, 1932. *H.* Ruffin, *Chronaximetrische Untersuchungen des sensiblen und optischen Apparates (an Gesunden, Ermüdeten, Alkoholikern und Schizophrenen)*〔(健康人、疲労時、アルコール中毒患者、精神分裂病患者における) 体感覚器官及び視覚器官のクロナクシー測定検査〕, Z. Neurol., 140; 641, 1932.

（39） *H.* Altenburger, *Elektrodiagnostik (einschließlich Chronaxie und Aktionsströmen)*〔電気的診断法 (クロナクシーと活動電流を含む)〕, Handbuch der Neurologie (*Hrsg. von O. Bumke und O. Foerster,*), *Berlin 1937*, Bd. *3*, *S. 747*. 又 *H. Quincke u. J. Stein, Chronaxie*〔クロナクシー〕, Ergeb. Physiol., 34; 907, 1932 をも参照。

（40） *J.* Stein und *V.* v. Weizsäcker, *Zur Pathologie der Sensibilität*〔体感覚の病理について〕, Ergeb. Physiol., *27*; *685*, 1928.

（41） J. v. Kries, *Zonentheorie*〔帯域理論〕Nagels Handbuch der Physiologie, *Braunschweig* 1905, Bd. 3, S. 269.

（42） Kollner, Die Störungen des Farbensinnes〔色覚の障害〕. Berlin 1912.

（43） *M.* v. Frey, *Über Bewegungswahrnehmungen und Bewegungen in resezierten und anästhetischen Gelenken*〔切除肢及び麻酔肢における運動知覚と運動について〕, Z. Biol., 68; *339*, 1918. 同著者 *Weitere Beobachtungen über die Wahrnehmung* von *Bewegungen nach Gelenkresektion*〔関節切除後の運動知覚に関する知見補遺〕, Z. Biol., 69; *322*, *1919*. 同著者 Abh. Sächs. Akad. Wiss., Math.-phys. Kl. 1896: 23. G. Cohen, *Zur Frage der tiefen Druckempfindung*〔深部圧覚の問題について〕, Dtsch. Z. Nervenhk., 93; 245, 1926.

（44） *V.* v. Weizsäcker, Ataxie und Funktionswandel〔運動失調と機能変動〕, Dtsch. Z. Nervenhk., 120; 117, 1931.

（45） これについてアルテンブルガー Altenburger やクロル Kroll、部分的にはハッティングベルク v. Hattingberg らが条件をつけたのに対しては、次のように述べておかねばならない、つまり脊髄後索疾患で見られる機能変動に比べると、末梢神経、脊髄後角、側索などの病変時に出現する機能変動は，それぞれ上の順に程度の弱い現象であるから，本文で述べた機能変動の局在部位を放棄せねばならぬ理由は全くない。

（46） *V.* v. Weizsäcker, Verh. 37. Kongreß dtsch. Ges. inn. Med. Wiesbaden, 1925: 33.

（47） *A.* Gelb und K. Goldstein, Psychologische Analyse hirnpathologischer Fälle〔脳病理学的症例の心理学的分析〕. Verlag Barth. Leipzig 1926.

（48） G. Cohen, *Stereognostische Störungen*〔触覚認知障害〕, Dtsch. Z. Nervenhk., 93; 228, 1926 及び J. v. Hattingberg 前掲書。J. Lange, *Agnosien und Apraxien*〔失認と失行〕, Handbuch der Neurologie (*Hrsg. von O. Bumke und O. Foerster*), *Berlin* 1936, Bd. 6, S. 807 の批判を参照。

（49） **P. Christian,** *Über unbewußte Vestibulariswirkung*〔意識されない前庭神経効果について〕, **Z. Neurol., 165;** ***214,*** **1939.**

III　知覚の諸条件

或る患者が、見てはいるのに何を見ているのかを認知していない、聞いてはいるのに何を聞いているのかを理解していない、触れてはいるのに何に触れているのかが判らない――この奇妙な障碍についてはもちろん種々の側面からの考察がなされてきた。この章では、器質的障碍、殊に物質的障碍の部位と性質とを知りたいという要求から臨床神経学に向って提出される診断上の諸問題には、さし当りいっさい関り合わないことにする。物体認知というような認識論的色彩を帯びた問題は、単に解剖学的生理学の方法だけで捉えるべきではないという、すでに歴史的となっている理由もこれと同時に存在する。知覚器官の感覚生理学はすでに古典的なものとなった学問分野であって、たとえそれのいくつかの前提が放棄されねばならなくなったとしても（私にはそう思われるのだが）、だからといって軽々しく無視できるものではない。この二つの理由から、失認症を機能分析から説明しようとする試みが正当化されてくる。もちろん、失認の概念を臨床の慣習だけに限らないで用いることも許されてよいはずである。例えば皮膚上の二点に触れてそれが別々に感じられないような場合にも、これはやはり認知《グノジー》の障碍、知覚の障碍なのである。その人は結局のところ客観的な事態を感知したり認知したりしていないのだから。しかし臨床的にはこのような場合は失認と呼ばないのが普通である。

そこで問題は、このような機能と、知覚ないしその病的特殊形式との間に、そもそもいかなる関係があるのかということである。そこで考察しなくてはならぬことは、機能的所見が失認症に対して有する説明的価値だけには止まらない。ある客体《オブイエクト》の知覚――すなわち既にその言葉がはっきり示しているように、主体《ズブイエクト》におけるその能動的《アクテイーフ》な意識化 Bewußtwerdung を、機能によって産生《プロドウツイーレン》されたもの Sache として扱うことがそもそも許されうるのか、もし許されるとすればそれはいかなる意味でなのか、も問わなくてはならない。人間が一つのもの《ザッヘ》を見る、このこと自体もやはり一つのもの《ザッヘ》なのだろうか。明かに違う。ある与えられた実験操作と観察から出発する場合、そこにはたいてい十分に明白なだけの経験的事実が含まれていて、認識論的審判を通じてその正当性を是認してやる必要はない。つまり通常はそれらの操作や観察自体の構造から、そこで何が有用であり、有意義に利用できるか、また何がそうでないかを言うことができる。そういった実践的な正当化の仕方もあるのだ。だからわれわれはさしあたり、このような感覚の学が一般にこうすれば「可能」かああすれば「可能」かというようなことを――認識論の審判に照して――検討したりはしない。われわれは、いったい何が検査され観察されたのかを単純に確かめておくにとどめる。そこには無論いくつかの類別があって、それらの間の相違は非常に大きいため、それらを同一視したり混同したりすると有害な結果をもたらすことになる。そこで、どのような関連が知覚にとって重要なものとして観察されてきたかを書き出してみると、少くとも五つのそういった類別が目につく。

一　第一群は感覚器官の構造のような各種の事柄、それもその器官の使用に当って重要となるような解剖学的ならびに物理学的諸特性を包括している。つまり眼においては屈折性媒質とその屈折率、網膜細胞の種類、視紅の光化学、視束交叉における神経路の交りなどがこの群に属する実例となるだろう。

二　第二群に含まれるのは、一部は生理学の他の分野から借りられ、一部は感覚生理学の特殊な事実から導き出された生理学的あるいは半ば生理学的 halbphysiologisch な諸概念、すなわち興奮、閾値、放散、融合、増強、対比効果、残像、感応、横機能《クヴェアフンクツイオン》* などである。これらの概念の基礎には、通常規則的に観察される境界の明確な一連の相互関係が認められ、それがこれらの概念の存在理由となっている。ただこれらの概念のうち若干のものにおいては、そこに考えられている物質的機序《フオアガング》が厳密《エクサクト》に推論されたものでも直接に観察されたものでもないという弱点がある。

三　われわれは人間、動物、家、椅子などを知覚するけれども、空間「というもの」„den“ Raum、時間「というもの」„die“ Zeit を知覚しはしない。にもかかわらず従来の感覚生理学では、知覚の対象を物理学ないしは厳密《エクサクト》な無機《アンオルガーニッシュ》的自然科学の諸概念で記述しうるものとみなすのが通例であった。知覚が物質的な器官機序の産物として扱われるからには、その対象は物質的刺戟として扱われ、この刺戟はまたエネルギーの形式として扱われることになる。かかる刺戟と対象の同一視は必然《アウトマーティッシュ》的に、空間的・時間的・エネルギー的に定義される各種の力、つまり物理学的に定義される客体概念だけしか問題にしないという帰結を伴う。このような形に制限された環界《ウムヴエルト》は、器官がそれをもとにしてなんらかの仕方で知覚物を作り出すところの原料となる。

四　従って刺戟に対する反応においては、そこで何物かが付加えられなくてはならず、その最終的結果はやはり観察され、確認されなくてはならぬことになる。これが第四群、つまり心的内容《プシヒッシエ・インハルテ》である。それは主観《ズブイエクティーフ》的に体験されたり意識されたりするもの、例えば各種の感覚《エンプフインドウンゲン》や知覚《ヴアールネームンゲン》である。主体《ズブイエクト》に対して対象は、それが外的自然においてそれ自体あるがままの形で直接に与えられるのではない。対象は「現出《エアシャイネン》」し、現象《フエノメン》となり、「被視物《ゼーエディング》」、「被聴物《ホエーアディング》」などとなる。これらの一連の観察を記述して秩序づける際に必要とされるのは心理学的な概念である。

五　知覚概念を事物化して自然事象にしてしまおうとしても、窮極的には、われわれが知覚において或物《エトヴアス》を知覚 wahrnehmen しているという事実、それと共に「真に」wahr とか「あそこにある」dort vorhanden とか「ないのに見えている」erscheinend, obwohl nicht vorhanden とかいう形の認知行為が行われるという事実を、完全に払拭し去ることはできない。単に存在《ザイン》だけではなく、仮象《シャイン》や現実《ヴイルクリヒカイト》や、或はまた虚偽の非現実《ウンヴイルクリヒカイト》までも包括する妥当《ゲルテン》とか非妥当《ニヒトゲルテン》とかの性質を顧慮するということは、単なる心理学的手段をもってしては十分に尽せない。知覚の対《ゲーゲンシュ》象性《テントリヒカイト》を表現するのは、主体《ズブイエクト》と客体《オブイエクト》、質と量、虚偽《トイシユング》と真実《ヴアールハイト》などのごとき認識論的範疇である。

このどうなることかと不安になる程の多様な観点の中で、それでもなお方法的明白さを確保することができたのは、次の手段によってであった。つまり、知覚そのものを検査しないで、知覚の限界を検査するという手段によってなのである。知覚内容を確認してこの内容それ自体を刺戟それ自体と対比したり、時にはその一方から他方が生じる事情を理解したりすることを原則的にやめてしまって、その代りに何かが「ちょうどここから先は知覚できなくなる」„eben nicht mehr" 条件や「ちょうどここから先は知覚できる」„eben schon" 条件が確定されるようになった。より正確にはむしろ次のように言うべきだろう。つまりこの限界条件《グレンツベディングング》を感覚生理学の真の核心とみなし、それ以上のことは一切知ろうとすべきではない、と考えられるようになった。そもそも感覚生理学は、知覚に関してはそれ以上のことをなしえなかったのである。そのように考えれば、感覚生理学の方法とは閾値法《シュヴェレンメトーデ》、すなわち作業の限界規《グレンツベシュティ》定《ムング》であり、感覚病理学とはそれに全く対応して正常な作業のこれまた限界規定だということになる。[1] 病理学もまた、それが錯覚や失認を出発点とする場合には、或る一つの作業の限界 Grenzen を研究する可能性を提供してくれる。ところがそこではこの作業はただ前提され、容認されねばならぬものにすぎず、それ自体が解明されることは決してない。ところがいまわれわれが知覚作業それ自体の研究に歩を進めるに当っては、われわれはこのような制限や目標設定にとどまっているわけには行かない。なぜならば器官機序自体についての問いは依然としてそのままになっているのに、感覚生理学を通じてのその規定はもう間に合わない、むしろ誤ったものとなってしまっているのだから。

手初めに従来の莫大な観察の山の中を一通り歩き廻ってみると、いろいろな現象の逆説性《パラドクシー》という特異な印象が得られる。至る所意外な現象ばかりである。研究者が抱く意外さという事態は一考を要することに違いない。かつてフォン・クリース v. Kries は私に、「いつも予想とは違うのだ」と言ったことがある。このことが一九世紀の合理主義の中での学問的研究の発展に影響を及ぼしたことは明かである。つまり、この逆説性を説明しようとする試みが行われた。例えば複視《ディプロピー》が出現して、それがいつも眼軸の開散《ディヴェルゲンツ》に際して観察できたとすると、それでこの逆説的な現象は「説明《エアクレーレン》」されたことになるのだった。ところが「同一でない網膜部位」に結ばれた像がいつも複視を生じるとは限らないこと、またこの同一《イデンティッシュ》の網膜部位《ネッツハウトシュテレ》という概念が機能的なものであって解剖学的なものでないこと等々、それやこれやの事実から更に一つの特別な補助理論、つまり「場所指数の転調」Umstimmung der Ortswerte の理論が必要となってきた。こうなるとこの理論は、斜視《シーレン》によって複視が説明されるという仮定に較べてずっと複雑なものとなってくる。というのは、これが一つの説明だとすると、今度は正常な見るという作業の全体が――そこではもちろん絶えず転調が行われているのだから――説明できなくなってしまう。

そこでこのことから、出発点に誤りがあったのだという結論を引き出さざるをえなくなる。この誤りとは、ヘルムホルツが既に看破していたように、知覚の写像説《アブビルドゥングステオリー》であった。しかし、写像説が役に立たぬと言うだけでは一つの消極的《ネガツィオン》主張にすぎない。これに代るより良い説が出て来ぬ限り、この説は決して姿を消さない。

1　解剖学的構造の諸条件

解剖学は身体の学問として、空間的性質の諸条件についての解明を与えるべきものという確かな定めを有している。器官が知覚に役立つためには、器官はその構造上の法則に従ってこの役目を果さねばならない。例えば眼の運動《モトーリック》や屈折《ディオプトリック》、中耳の機構《メヒヤニック》、触覚における手の構造などは、感官作業の可能範囲《ライヒヴァイテ》を規定する大変に判り易い条件である。しかしここでは構造《シュトルクトゥア》の概念を機械的《メヒヤーニッシュ》な構造ということに限定する必要はない。屈折媒質の透光度や視紅の分布、中耳や内耳の共鳴性、皮膚の被変形性などの諸特性も広義の解剖学に属するものであって、光、音、圧などの各種エネルギーによるそれぞれの種別的被興奮性を可能にする一般的な物理学的条件を含んでいる。それによって感覚の性質的多様性が可能となり、それが感性的世界像の独得かつ固有な構築を生み出している。

このような平明な状態にも拘らず、これらの構造がどの程度まで、そしていかなる役割でもって知覚の役に立っているのかは、これだけではまだ明かになっていない。重要な例を順を追って見て行こう。最初の身近な例は受容《レツェプティーフェ》野《ス・フェルト》の面状の拡がりである。それは眼や皮膚では一定の形と大きさを有する曲面になっていて、その中に受容器《レツェプトーレン》が並列している。網膜や皮膚が或る種の層の厚みを有していてこの並列に上下の配列が加わっているとはいっても、結局のところ支配的な原理が面的延長であることに変りはない。そこでこのような感覚野では、空間的形態をもつ刺戟が同時的或は継時的に作用して、これと対応した空間的形態をもつ興奮を感覚細胞に生ぜしめることが可能である。眼では光学カメラの映像の原理に従って、皮膚では版画印刷や鉛筆製図の原理に従ってこれが行われる。つまり外的対象はいわゆる幾何学的投影の仕方で相似の原理に従って感覚野に像を結ぶ。だが一体、知覚が写像《アプビルドゥング》だというようなことが言えるのだろうか。われわれは後にはこの問いに全面的な否定をもって答えなくてはならなくなるだろう。しかしここでは別のことを、つまり感覚面上での対象の写像がそもそもいかなる意味を知覚に対して有するのかという問いを解決しておくことが急務である。

この問いを検討するには、感覚野についてのあらゆる変化や侵襲《アイングリッフェ》を参考にすることができる。感覚野を全体的《イン・トト》に移動させると、極めて一定した法則が示される。この移動が運動装置《モトーリッシェ・アインリヒトゥング》（眼筋、頭の運動など）の神経支配によって行われる時には静止時と同一の対象が見えるのに反して、それが外部からの眼球の圧迫とか何らかの形で病的に変化した神経支配とかによる場合には、対象は誤った位置に、或は誤った見かけ上の運動を示しているように見える。だからここで変化しているのは実は対象を見るという作業ではなく、対象を見る作業の現実性格《ヴィルクリヒカイツカラクター》なのである。前述の逆説性《パラドクシー》や意外《ユーバーラッシュング》さの性質も明かにこのことと関連している。ここから写像《アプビルドゥング》の意味についての結論を引き出すならば、これまでのところでは次のことだけが推論しうる。

写像の意味はこの現実性格《ヴィルクリヒカイツカラクター》（以前に「本気に受取る」ernst nehmen と呼ばれていたもの）に関るものであっ

て、幾何学的な意味での相似関係や相等関係に関るものではない。また、次のような反省的な言い方もできよう。われわれは、「われわれが誤った見方をしたのであって、それ自体が客観的に誤っている対象を見たのではない」と言うか、それとも「われわれは知らずに誤った見方をしていたのだ。つまり見ること自体は障碍されていないで、それも知性的（非感性的）に判断する仕方が誤った方向に陥ったのだ」と言うかのいずれかである。知覚それ自体は誤りをおかしえないというこの性質は、感性の素朴さ或は無垢 Naivität oder Unschuld der Sinnlichkeit と名づけてもよい。知覚が自分の誤りに気づいているか、或は知覚は誤っていないで知性が誤っているかのいずれかなのである。[1a]

皮膚の触覚面では事情は別であっても結論は同一である。ここでは指が対象に触れながら自由な神経支配によって動いても、実験者の手で動かされても、大した相違はない。いずれの場合にも一つの物が同じものとして感じられる。器質的麻痺、例えば神経損傷や神経炎の際にもこの知覚は障碍や変化をうけない。ところがこれに反して、アリストテレスの実験においては興味深い錯覚が現れる。隣り合った二本の指を交叉させるという普段は全くしないことをしてみると、普通なら触れ合うことのない二つの感覚面が向い会って、そこに一つの対象の重複像が感じられる。このアリストテレスの錯覚から判ることは、対象の単一性の知覚が習慣によって規制されていること（フォン・スクラムリク v. Skramlik)*、或はより正確に言えば、対象の単一性の破壊が感覚野の空間的配置に関する習慣の中絶によって生じることである。つまりこの場合には、知覚にとっての感覚野の意味はその配置《コンフィグラツイオン》自体にではなく、空間内でのその配置の慣れに基いている。この慣れ Gewohnheit という概念でもって、生成したもの、従って変動的で恐らくはまた消え去りやすいものが考察の対象となってくる。事実、このアリストテレスの錯覚は容易に消すことができる。つまり自分自身のもう一方の手の指を刺戟として用いると、この錯覚は消失してしまう。また鉛筆のような熟知した物体を用いて、手の甲の方から交叉した二本の指の間の溝の方へと急速に動かしたり戻したりしてやると、この錯覚は消えてしまう。これは知性の思い違いが訂正されるということだけではなく、知覚自身が知性と合致するように変化したのである。感覚面上の写像の意義が、慣れとか新しい事情の下での慣れの断絶とかの意義に屈して消え去るのである。

今度は感覚野の移動の代りにその損傷を考えてみよう。受容器《レツエプトーレン》のある層やそこから直接出ている神経伝導路の解剖学的損傷は、臨床的には日常的に見られることである。感覚野の一部が破壊された場合、それが最初の間は全然気づかれないということは注目すべきことである。この感覚欠如が気づかれるには、特別な事情が必要である。多くの例では視野計による視野検査や手の体感覚検査によって始めて感覚欠損の存在が発見されるし、すべての例においてこの欠損の正確な範囲や形状はこの種の検査によらねば決定できない。この事実からだけでも、感覚野の大きさや形状は知覚に現れる対象の大きさや形状の印象にとって何らの強制的意義を有しない、という結論がえられる。感覚野に欠損があっても、対象の形状はちゃんと知覚できる。欠損の形状を直接に知覚することは絶対に不可能である。

最も多く遭遇する例の一つは〔同名〕半盲症である。患者はきまって、視野計測によってはじめてそれを知る。中には、例えば右の方を見るのが障碍されているというような事に気づく患者もいる。しかしそれも普通は右眼の障碍と考えられ、両眼の視野の右半分の障碍とは結びつけられない。患者が視野の垂直な辺縁を見ることは決してないし、フックス Fuchs が詳細に示したように、(2) 彼らの視野は再編成《ウムオルガニジーレン》されて新しい機能的な黄斑《マクラ》*を獲得する。単純な人の中には片目が盲になったことすら気付かぬ人もかなりいる。このように欠損を知覚しないことが最高度に達した例として、いわゆる疾病失認症《アノゾグノジーエン》**もこれに含めることができる。これは全盲に気づかなかったり身体半側の完全な麻痺が気づかれなかったりするものであるが、ただしこの障碍は一般に大脳損傷においてしか出現しない。しかしこの場合の感覚野の遮断《アプシャルトウング》も、解剖学的には前述の諸症状と類比することができる。

感覚面《ジネスフレッヘン》の欠損が知覚の間隙という感覚印象を生じないという言い廻しは、感覚面についてのネガティヴな規定にすぎぬ。ポジティヴな言い廻しでは、知覚されたものの空間形態《ラウムゲシュタルトウング》は決してその各部分の完全な総和ではなく、明かに比較的少数の重要《コンスティトウティーフ》な信号《ジグナール》に依存していると言うべきだろう。われわれが円形を見る時、それが一本の連続線でなく、七個とか十個とかの比較的僅かな点で表されていても、これが円に見えるのである。つまり、知覚には対象（刺戟）以下のものが含まれているだけではなく、それ以上のものも含まれている。このことから、外から来る刺戟の一部を取去り、別のものを付加するという有機器官の能力は、その結果一種の転換《トランスフォルマツイオン》を生ぜしめ、この転換は不完全ながらもやはり写像的性格を有するのだ、という考えが作り上げられることになった。しかし知覚体験をもっと鋭く考察すれば、この考えには知覚についての不十分な、誤りとさえいえるような見方が付着していることが判る。

ここで単に何か或るものの知覚ではなく、或る特定のもの etwas *Bestimmtes* の知覚を問題にする場合、この特定のものとは知覚に即して、或は知覚の内部で分離されて取出されたものであることはたちどころに明かである。例えば私は（庭の中の）家を見、次に（庭の中の家の）窓を見、次に（庭の中の家の窓の）ガラスを見る。知覚が「物自体」Ding an sich を示すのではなく、同時的に与えられているものに関して、或はそのものの中に、或る個別的なものを特別に取出して確定したりはっきりと際立たせたりするという、持続的に反復される行為そのものであること——これは知覚という知覚のすべての本質をなしている。ここで取出されるものは、部分であったり性状であったり機能であったり、その他どんなものであってもよい。しかしアウァスペルク公 Prinz Auersperg が正しく述べているように、それはいかなる場合にも主語・述語性格 Subjekt-Prädikat-Charakter をもっている[3]。だから、知覚内容《ヴァールネームングスインハルト》というような言い方を無雑作にするのは適当ではない。知覚作業《ヴァールネーメン》の述語的性格はいかなる場合にも規定 Bestimmung と規定されるもの das, was bestimmt wird とを区別することを要求している。つまり空間的形態が検査される時には、刺戟や感官知覚の一平面上での分布を考察するだけでは十分でない。なぜならば知覚の本質をなす作業は、この面上において外部刺戟の一部を省いたり付加したりすることに尽きるものではなく、或る一つの関係を述語的に樹立することと不可分のことだからである。その関係というのは、感覚野の一つの部分と他の部分との関係ではなく、或る特別な述語的規定とそれによって規定されているものとの関係（例えばこの果物——の色、この庭——の中の家、これらの点——の数、この運動——の速度など）である。これらの例から明かなように、知覚の（われわれの主張によれば同様にまた感覚の）述語的構造ということがつねに同一の共通項として存している限りにおいて、空間的諸規定はその他の時間的、質的、数的などの諸規定と異った特殊な位置を占めるものではない。

伝統的な哲学はいうまでもなく感性と悟性とを区別し、心理学と論理学とを区別することによってこれとは別の見解を、つまり感覚は判断という論理機能に材料を提供するものに過ぎぬという見解を主張して来た。知覚はそれによって素材と判断とに分割されることになり、有機的な知覚論は根本的に不可能となってしまった。ヘルムホルツのような学者ですら、知覚における（生理学的機序としての！）「判断類似の機序」という表現を用いてこの事態に一役買っていたのである。とはいえ論理学と生理学のこのような根拠のない混同も、少くとも知覚の述語的性格を見失わないという点では大きな功績を果している。もちろんここでも、主語・述語性格の再導入という、差当りは論理的《ローギッシュ》ないし言語論理的《シュプラーハローギッシュ》（文法論的）に表現された標識でもって満足していてはならない。ヘルムホルツとは違ってわれわれは、この主語・述語性格を生理学的観念に拠ることなく、全く独自のあり方《ヴェーゼンハイト》において探究しなくてはならない。知覚を諸機能の生理学に投影しようとすることは許されない。というのは、それによって知覚の意識性という性格 Bewußtheitscharakter が失われてしまうからである。知覚は、意識の中にあるものとしてむしろつねに体験《エアレープニス》なのである。知覚に対して問われうることはつねに、何が体験されたかであって、何が真実か、何が正しいとされるか、何がどこに実在するか、或は生じているかではない。アウァスペルクによれば体験された知覚にとって決定的なのは現在構成 Vergegenwärtigung ということである。この点においても彼は問題の核心を言い当てている。つまりここでは核心は知覚の内部構造（その述語的性格）ではなく、対象一般に向っての外部的指示性《オイセレ・ヒンヴァイズング》である。知覚対象はこの現在性 Gegenwärtigkeit ということによって認識《エアケントニス》（思考《デンケン》）の対象から区別される。この現在性はあらゆる感性的なものの属性である。しかしこのことは時間的な現在 eine zeitliche Gegenwart を意味するよりも（これは副次的問題《ウンターフラーゲ》である）むしろ身体に結びついて出現していること Anwesenheit、すなわち今ここで私が触れているという現在 eine Gegenwart der Berührung hier und jetzt bei mir を意味している。しかし自我《イッヒ》と対象とのこの接触は知覚における特別な性質の対極的緊張《ポラーレ・シュパヌング》をも伴っている。知覚における自我《イッヒ》と環界《ウムヴェルト》とのこの矛盾的統一は、生じるが早いか壊れ去り、さらに再び生じ、といったことを繰返し続けている。ということはつまり、知覚はただ流転《フルス》の中にのみあり、ただ生起《ゲシェーエン》としてのみ生起して、空間と時間の中にある物理的客体の有するごとき確固たる根拠を知らない。知覚は物理的世界の一義的な存在とは違って不安定《インスタビール》かつ非定常的《アスタツィオネーア》であり、これが、知覚と感覚野（或はその他の物理的な器官規定性）との間の並行的な叙述や関係づけがなぜ簡単には可能とならないかの第二の理由となる。知覚においては、「これは自分なのか相手なのか」„bin's ich, bist du's?" という疑問がつねに後に残る。後に見るように、物理的客体の世界で空間時間形式が果しているのと同じ基礎的な役割を知覚の世界の構築において果しているものは、感覚的確信の中に潜むこの両義性が有している或る種の組織力にほかならない。

　しかしもしそうだとすれば、解剖学的構造と知覚構造との間にやはり厳然として存在している諸関係は、一体どう考え、解釈されるべきなのだろうか。既に知られている事実を集めて来て、これを今しがた明かにした物理界と知覚界の違いに照して関係づける以外にやり方はなさそうである。その場合、有機体を単純に物理的自然界の図式に従って表現しようとしても、有機体の認識は決してうまく行かない。有機体の叙述に当っては独得の概念や秩序が不可欠のものとなってくることを、われわれは覚悟しておかなくてはならぬ。

　感覚野の中に与えられた解剖学的秩序が問題となるような実例をこうしたやり方で見渡してみると、そこから必然的に次の結論が出て来る。このような解剖学的秩序が空間的秩序として意味をもつのはただ、知覚の中に与えられる直観的《アンシャウリッヒ》形態がそのまま解剖学的形像としての器官についての知覚の中にも与えられている若干の少数例に限られる。簡単に言うとこうなる。われわれは或る器官を使用するだけでなくこれを解剖学的に知覚することもできるのだが、知覚が写像《アプビルドウング》であるならば、さらにこの器官の中の興奮像と知覚の中の客体像との直観的相似性が確かめられねばならず、私の見ている（或は触れている）三角形と相似の三角形が、網膜（或は手の受容器）の上の興奮像として考えられなくてはならない。しかしこの相似性は器官の特性自体に由来するものではなく、光学的、或は力学的な伝達が物理学的法則に従って生じているということ、および同一の知覚器官でもって始めと終り、原因と結果の両方が考えられたということに由来している。つまりこの直観的相似性は物理的《フィージッシュ》に当然のことであって、器官の作業ではない。

しかし器官自体に或る異常な事態が発生したり至適感覚刺戟《アデクヴァーテ・ジンネスライツング》から外れた刺戟が加わったりすると――このような場合としてはなかんずく病的障碍が挙げられる――、その影響は、写像の忠実さがおかされるのではなく知覚の述語的性格と現実性格《レアリテーツカラクター》がおかされるという形で出現する。

したがってこの場合、器官の空間的構築がその直観的形態 anschauliche Gestaltung において調べられる限り、そのような空間的構築は知覚にとって何らの意味も有しない。幾何学的に投影された写像《アプビルドウング》、殊に眼におけるそれは、知覚理論に対して暗示的ではあるが不当な多大の影響を及ぼした。この影響をわれわれの思考習慣からもう一度排除するのは容易なことではない。のみならず、この写像理論にあてはまらない多くの事実が知られるようになると、今度はこの例外を説明するための特別な機能がこの理論の中へ持込まれることになった。そこで理論的感覚生理学の大部分が写像説の機能概念の中で動き廻ることになってしまった。これらの機能概念はすべて、明白にであれひそかにであれ、結局のところは写像説に合うように作られたものであったり、或は、直観的に見渡せるような表象を作ることは断念するとしても、少くとも刺戟と器官事象と知覚との並行論的な対応関係をめざしたものであったりした。つまりわれわれは、ここで既に解剖学的条件の問題を離れて生理学的機能の方に眼を向けてよいことになる。なぜならば右に述べたことが既に根本的な決着を含んでいて、この点はわれわれが末梢感覚野から例えば一次、二次の感覚路へ、更に皮質下や皮質の感覚投影領野へ眼を移しても何ら変りはないからである。中枢の病的障碍が知覚に対してもたらす結果は、確かに末梢障碍の場合とはいささか異っている。しかし空間的規定それ自体の問題は、中枢においても末梢と根本的には厳密に同じことなのである。――また、面的配列の代りに、諸器官の間に伝導路が縦断的に作り出している結合、つまり末梢と中枢との間の諸結合を考えてみても、同じ結果が出て来る。視束交叉における視覚路の部分的交叉は、特定の性質を帯びた作業障碍である同名半盲症を純解剖学的に説明する実例としては、恐らく最も有名だろう。ところが他ならぬこの実例が、この部分的交叉そのものは確かに両眼の網膜上の同一個所に生じる感覚印象の「合一《フエアアイニグング》」を可能にするものではあるけれども、それによって片方ずつの眼の知覚の単一性が失われはしない、ということを示している。しかし、もし視野の単一性《ゲジヒツフエルトアインハイト》が皮質においては分離してしまうという説明上の困難がなかったなら、両眼の興奮が皮質に集合することによって成立する両眼視の単一性はもっと理解しやすくなるだろうか。私の考えでは、その場合には一方もまた他方も、線維解剖学的な局在によっては説明できないように思う。

2　生理学的（類生理学的《クヴアジフユジオローギッシュ》）諸機能

神経機能を直接に観察するということは、生理学が自らに課して来た最も困難な課題の一つである。感覚神経と脳とにおける活動電流の記録は、ごく最近になってとりわけベルガー Berger[*]、エィドリアン Adrian[**]、エアランガー Erlanger[***]、ガッサー Gasser らによって手懸けられるようになった。既に数十年も前からなされてきた筋肉活動電流の研究（ピーパー Piper[****]、ホフマン P. Hoffmann）は、中枢性協調の理解に関しては被興奮性理論にとっての重要な手懸りを与えたものの、真の協調理論《コオルデナツイオンステオリー》を提供することができなかったことから見て、このような最近の研究が希望にみちたものであることはいっそう高く評価してよい。これまでのところ、間接的方法、ことに感官知覚から神経機能への遡行的推論は、いつも有望な方法であることに変りなかった。そしてまた従来の感覚生理学と感覚病理学の全体は、ほぼこのような形で作り上げられてきた。つまり特定の刺戟の結果生じた感官体験を観察し、その説明を推論された erschlossen 或る種の機能から引出そうとする方法がとられている。そこで用いられるのは、一般興奮生理学からの種々の程度の妥当性を有する類推や、或は或る種の力学的、物理化学的、化学的な観念や模型であるが、それが厳密には立証されていない補助仮説や図解的説明法の導入であるということは十分に意識されている。したがってこれに対しては「類生理学的」quasi-physiologisch という形容がふさわしい。これは決して軽蔑的な批判を含んだものではなく、現在までに到達された研究の情況を明確にしておくという意味合いのものである。

これらの類生理学的機能を概観してみると、そこで行われている生理学的類比の用法は極めて異っているので、それによってこれを三つの群に分けることができる。第一群は融合《フェアシュメルツング》、増強《フェアシュテルクング》、放散《イラディアチオン》、感応《インドゥクチオン》、対比《コントラスト》などの概念を含む。ここで考えられているのは神経実質の興奮過程、実質内での興奮の一定の分布、興奮様式の対比などであって、これらの観念は一般神経生理学的諸概念、つまり興奮《エアレーグング》、抑制《ヘムング》、累加《ズマチオン》、放荷《エントラードゥング》、拮抗《アンタゴニスムス》などとの類比を含んでいる。次の第二群で着目されているのは、右のような諸概念の有する機械論的理念が多くの感覚作業の解釈にとって十分ではないということ、殊にこれらの感覚作業を外部刺戟に単純に依存するものとする説明が不十分だということである。感覚器官の自動性《アイゲンテーティヒカイト》や自主性《アイゲンメヒティヒカイト》の方が完全な優勢を示すことも少くないし、のみならず興奮機序、神経実質、伝導などの単純な観念自体もなんとなく不十分なものだという感じがする。そこでこの器官の自己《アイゲン》作業《ライストゥング》の方がより高次の、構成的、綜合的な作業とみなされ、これがとりわけ中枢的器官部分に属するものとされることになる。つまり器官の自己作業はここでも依然として神経生理学的基礎をもつものとみなされてはいるものの、一応は末梢の過程とは対比せしめられている。そこでこの第二群に属する概念としては、中枢性因子《ツェントラーラー・ファクトーア》（ホフマン

F. B. Hoffmann)、*形成帯域《フォーマティーフェ・ツォーネ》(ミュラー G. E. Müller)、横機能《クヴェアフンクチオン》(ヴェルトハイマー Wertheimer)、**感覚的《ゼンゾーリッシェ・》運動《ベヴェーグング》***(ベヌッシ Benussi)、****パラギー Palágyi)、*****シュタイン Stein) などがある。ここでは諸機能の全体が少くとも二つの層《シヒテン》あるいは段階《シュトゥーフェン》に分けられている。つまり単純視《プリミティーフェス・ゼーエン》と確定視《デフィニティーフェス・ゼーエン》、******一次加工《プリメーレ・フェアアルバイトウング》と二次加工《ゼクンデーレ・フェアアルバイトウング》、帯域論《ツォーネンテオリー》*******(フォン・クリース J. v. Kries) などの表現が用いられる。(4) 多くの研究者が、これらの諸機序が実は決して機械論的な性質のものではないことを表現しようとして、例えばヘルムホルツ Helmholtz の「判断《ウアタイルス》類似機序《エーンリッヘ・フォアゲンゲ》」、ケーラー Köhler のゲシュタルト過程《プロツェス》、ポペルロイター Poppelreuter********の統覚的機能《アペルツェプティーフェ・フンクチオン》などの表現が生れた。さらに生理学的解釈と称しうるぎりぎりの限界のところ、或は既にこの限界を越えたところに位置しているのが、生理学的に完結した説明を意識的に放棄したいくつかの知覚論である。それは例えば、部分的には複合心理学《コンプレクスプシヒョロギー》(クリューガー Krüger)、*********ゲシュタルト心理学(ケーラー Köhler、ゲルプ Gelb)、或はゲシュタルトクライス理論およびいわゆる合致並行論《コインツイデンツイアルパラレリスムス》**********(アウアスペルク公 Prinz Auersperg) などである。――さて類生理学的概念形成の第三群としては、例えばミュラー Joh. Müller のいわゆる特殊感覚エネルギーの概念がある。この説は、器官に与えられる刺戟の性質は副次的、というよりむしろ任意的なものだという考えをはっきりと意識的に出発点としており、むしろ各種機能の専門的特殊性《シュペツィフィテート》を示すものとして、聞くとか嗅ぐとかいうことが考えられている。ただしそれらの機能の生理学的性質については殆ど、というよりも全然知られていない。つまりこの第三群の有している傾向は、器官機能の方を知覚にとって決定的なものとみなし、刺戟の性状はどちらかというと偶然的なものとみなすということである。しかしこの群はまさにこの理由によって、知覚内容と物質的事象との間になんらかの類比や類似を求めようとする欲求にもあまり拘束されていない。

最初に第一群を考察してみよう。この群においては機能はまだしも最も直観的〔具体的〕に考えられていて、われわれは差当り前章の解剖学的諸条件からさほど離れていないことになる。例えば解剖学的諸要素間の空間的近接と伝導的結合が知覚に対して有している意味については、前章においても論じておいた。しかしこの第一群では、この意味を或る一つの特別な機能を通じて呈示しなければならない。二つの興奮部位が知覚においてもやはり二つの感覚印象であるのかどうか——この問いは一見したところ最も単純な問いのようである。しかし一体どのような機能がこの二つの興奮部位を二つと感じさせ、どのような機能がこれを一つの感覚印象と感じさせるのだろうか。この問題を追いながらその諸条件を検討してみるとき、それが極めて多様な性質のものであることには疑問の余地がない。「融合」を促進するような条件もあるし、「弁別」を促進するような条件もある。眼や皮膚では、空間的接近、強度の減退、病的解体などは融合を促進するように働き、離隔、強度の増加、運動、時間的継起は逆に知覚における分離を促進する。しかしこれはすべて、ごくおおざっぱに妥当することにすぎない。これらの条件にはまた、最適値《オプティムム》というものがある。例えば、刺戟が弁別されるのに最も適した濃度といったものがある。刺戟がごく強い場合にはいわゆる放散《イラディアチオン》が生じて、融合が促進されてしまう。だから、二つの隣接した刺戟や神経興奮が知覚において融合するか分離するかという問題がすでに、最初考えられたよりも複雑な問題だということになる。二つの興奮を融合させるためには或る特別な上位機能が必要なのであろうか、それとも融合ということの方がいわば一次的状態なのであって、これを区別するための或る上位の弁別機能が必要なのだろうか。またもしも融合機能と弁別機能の両者が存在するのだとすると、この相反する方向の作用を持った両機能を調停するための、第三の調節的機能といったものに一切がかかっているのだろうか。

この点に関して感覚生理学はこれまで何らの解答も与えることができなかったのみならず、少からぬ矛盾にぶつかってきた。(5) この辺の消息を詳細に述べることはここでは省略しなくてはならないが、(6) 多くの観察を通じて遂に免れ得ぬものとなったところの、問題設定の徹底的な変革がいかなるものだったかということだけは、最低限明かにしておこう。まず、二つの刺戟がちょうどそこで分離して知覚されるという条件を集めてみる。つまり空間閾値の概念を使用してみる。しかしそれでも、「視力《ゼーシェルフェ》」や「触覚閾値《タストシュヴェレ》」が示す千差万別の精度《プレツイジオン》を理解しうるような幾何学的‐論理的な規則のようなものはなんら見出すことができない。むしろ、刺戟客体を空間的、時間的に様々に異った秩序、動かし方、方向、形で呈示する場合に、われわれがそこで感じとる主観的印象ですら既に多数の種類を異にする現れ方に分れている。主体的な体験を「一つか二つか」という数的差別の中に閉込めてしまうなどということはおよそ不可能であり、本質的に量的な区別をこのような不自然な形で持込むのは、真の知覚内容からみても不当なことである。従ってまた、これらの空間閾値の実験を全部ひとまとめにして一つの作業概念あるいは機能概念で説明しようとする試みも、同様に不当なことである。患者を検査してみると、例えば空間閾値が極めて上昇している症例はもちろん確かに見出される。しかし、或る一つの刺戟の部位を知覚する能力と二つの刺戟を弁別する能力とは決して並行して失われるものではない。また形態認知の能力と部位認知や弁別の能力とも並行していない。それのみか、このような「並行関係《パラレリスムス》」は一体どうすれば正確に調べられるのかを述べるだけでも一苦労である。或る一つの機能がそもそも規定されうるためには、それは明かに他の機能と比較されうるようなものでなくてはならない。しかし同時刺戟実験の場合の「空間閾値」と継時刺戟実験の場合の「空間閾値」とは、そもそも比較されうるものなのだろうか。「一本の指の先の二点」という知覚と「二本の指の先」のそれぞれ一点という知覚とを比較することはそもそも可能なのか。明かに不可能である。だがこれが不可能である以上、生理学的単位としての、すなわち機能としての融合の概念も成立しないことになる。

従って、この種の研究の核心として次のような考えが次第に姿を現してくる。この種の作業を互に比較する場合、そこで比較されるべきものは幾何学的‐量的な大きさとか大きさの比率ではない。弁別や見積りの精度と物理学測定法における数値とは比較不可能である。知覚の正確さや認知能力の限界は論理学的‐数学的な理論構成の産物ではない。それは数学的‐論理学的にも空間幾何学的にも表示しえない、それとは全く別種の条件に依存している。数学的な分析や綜合をわれわれがここで研究しようとしている生物学的作業に転用することは決してアプリオリな正当性を有することではない。それが誤っていることは経験の証するところである。しかしそうだとすれば、これらの作業やその限界、その病的変化などを規定する特別な種類の条件とは、一体どのようなものなのか。

そこでもうすこしこの——見かけ上では——ごく単純な弁別と融合の例を考えてみよう。この問題に関しては、視覚の領域において特に豊富な、判り易い観察事実が見出される。まず最初に眼につく事実は、末梢の感覚野（網膜）における空間的隣接は融合を生ぜしめるいくつかの条件の中の一つに過ぎないということである。つまり人間の両眼視においては、一方は左眼の網膜に、もう一方は右眼の網膜に生じた二つの感覚印象の融合も、末梢における二つの網膜要素間の近接関係と同等の結果をもたらすからである。両眼で見た点状の黒斑は単眼で見た同様の斑点と本質的には何ら異るものではない。つまりこの場合には、末梢では別々になっていて一度も同一の感覚面に属したことのない二つの要素の感覚印象が、融合していることになる。一方また（視神経交叉の結果）左右の網膜の「等値《イデンティッシュ》」の部位から出ている神経線維が中枢で隣接あるいは接触していて、これが両眼視の場合の融合の原因をなすという仮説も、周知の通り成立しない。解剖学的な接触という仮説は、生理学的に変動可能な機能の仮説によって置換えられなくてはならない。なぜなら、二つ集って立体視効果を「生み出し」ているのは両眼の網膜上の非等値《ニヒトイデンティッシュ》的な、左右にずれた個所なのだし、また立体視効果といっても、局在論的観点からは全く別種のものではあれ、やはり一種の融合なのだからである。さらにまた、この種の融合をも場所指数《オルツヴェアテ》の同一ということで説明しようとして、各網膜要素ごとに二つの場所指数を考え、なんとかそれだけで間に合わせようとしたが、結局はやがて二つだけではなくもっと多数の等値的な点の局在を融像《フジオン》から説明し、他方この融像《フジオン》を等値点の局在から説明せねばならぬという苦境に陥ることになってしまった。

ここで、融像に際して見られる図型がどんな意味を有するかを示すいくつかの実験にも触れておこう。立体鏡の中へ一部は似た形の、一部は同一の二枚の線描画を入れてこれを両眼で見ると、この二枚の画の中の同一の線、或は少くとも立体視に際して奥行を感じさせるような位置にある線は、一般に可能な限り多く融合しようとする。つまりここでは「形象の融合の最大値原理」Maximumprinzip der Verschmelzung von Gebilden をめざすような規則が働いている。ここで形象《ゲビルデ》という用語は例えば点、線、斑点などを表するものと考えて、円形、顔、花などのような形態《ゲシユタルト》とは区別する。右の規則の中に形態原理《ゲシユタルトプリンツイプ》が立証されているのではないかという推測は、はっきり間違っている。なぜなら、「良いゲシュタルト」が犠牲になることによって、その位置や方向の上で偶然一致した線分のみが融像を結び、その結果、その形態の残りの部分はでたらめに重り合って見えるような例が見出されたからである。つまり融像《フジオンス》傾向《テンデンツ》は「形象《ゲビルデ》」に向けられたものであって、形態傾向《ゲシユタルトテンデンツ》によって排除されえないものだと言うことができる。形象《ゲビルデ》は確かに場所の集合「より以上」のものではあるけれども、良い形態《ゲシユタルト》「より以下」のものでもある。しかしこういった融像の生じ方において決定的な役割を果しているのは、決してなんらかの綜合《ジユンテーテイツシユ》的あるいは全体《ガンツハイトリツヒ》的な質《クヴアリテート》そのものではない。決定的なのは、立体鏡においては二つの眼のそれぞれに一つずつの刺戟の分前が、それも立体鏡をかけていないとすれば物理学的に一つの同じ客観的対象から出たものとみなすことができるかのような一つの分前が送達されたという事実である。このような刺戟の分前が融合し、それによって融像運動を決定することになる。ここに働いているのは現実原理 Realitätsprinzip であって形態原理《ゲシユタルトプリンツイプ》ではないことがよく判る。知覚に際しての運動性行為(融像運動《フジオンスベヴエーグング》)と知覚における融合《フエアシユメルツング》(融像《フジオン》)とは、客観的に正しい objektiv richtig と称すべき知覚への方向に沿って生じ、客観的に誤っていると称すべき知覚を無視する。立体鏡を用いた実験から生じる錯覚(つまりわれわれが立体鏡の中に、片方ずつの眼に与えられた像そのままの姿ではなく、その融和《コンプロミス》を見るという錯覚)は、まさに知覚のこのような正しさへの傾向 Richtigkeitstendenz を立証している。なぜならば、二つの像《ビルト》が重り合う多数の可能性の中から、通常の条件下では少くともその一部は同じ一つの対象から提供されるであろうような一つの重り合いが、知覚によって選び出されるからである。

視力の分析と両眼融像の分析を通じて、有機体の器官は工学的《テヒニッシュ》あるいは数学的に構成された装置とはおよそ異ったものだということが判る。刺戟の定位、弁別、融合などは、複雑な形象《ゲビルデ》や完成された形態《ゲシュタルト》を構築する基礎となるような要素的操作ではない。もしこれを要素的操作と考えるならば、こういった最も要素的で基本的な作業が通常最も不正確で不安定なものであり、逆に複雑で最も分化した作業がしばしば最も安定した精密なものである理由が理解しえないことになる。このような事情から、器官作業を端的に反数学的 antimathematisch な作業と呼んで、数学的な理論構成の操作から予想されるのとは反対の結果が観察されるという事態を言い現すこともできる。器官の作業は〔数学的理論構成とは〕違ったものである。器官作業の諸条件のもとでは、客観的に適正な事態の知覚に近似的に到達することが可能となる。器官は像をそのままの形で要素から構成するのではなく、客観的事態に適合した像《ツートレッフエンデス・ビルト》あるいは客観的事態の現出《エアシャイネン》を可能ならしめる。しかしそれは、「感官知覚は見かけ上だけの真実である」（「単なる」主観的真実である）ということなのではなく、感官知覚は現実そのままの現出 wahre Erscheinungen von Wirklichkeit だということである。現出するものが現実に他ならない Es sind Wirklichkeiten, die erscheinen。以下、これが何を意味するのかを調べなくてはならない。

解剖学的諸条件を論じた際に既に述べておいたように、感覚野上の写像《アブビルドウング》は知覚における対象の映像《アブビルドウング》とは何の関係もない。生理学的諸条件（機能）を検査してみても、これが知覚像を産出するための構成装置としては理解できないことが判る。感覚器官によって可能になるのは、むしろ客観的に現実的な事態の把握である。もちろんそれには一定の限界がある。しかしその範囲内では二つの対象は二つのものとして知覚され、その範囲内では一つの対象はたとえ二つの網膜上に写像されても一つに見える。器官とはこのようなことを可能ならしめるものであって、絶えずこの方向に沿って働き続けている。

このような事態は言うまでもなく全くの個別的事例であって、これでもって外界の事物を捉え尽すことはできない。球体（例えば月）は、明るい円板として見られるより以上の属性を有している。この点で知覚は思考と何ら異るものではない。私が月を球体だと規定するとき、私はこの術語を用いることによって、無限の多様性をもった一つの現実を一個の幾何学的概念でもって置換えているのであり、従って眼に見える円板も頭で考える球体も、両方とも完全な対象にとっては略符のごときもの、記号的な約束事のごときものである。しかしこの種の簡約的な省略が同時に、そもそも月についての的確な何事かを知覚に（或は思考に）取入れうるための手段であることも明かである。

対象に即して考えれば知覚の本質が綜合《ジュンテーゼ》であるよりは記号的な簡約化《ジンボーリッシェ・アインシュレンクング》であるということが判った以上、複視《ディプロピー》のごとき現象に対しても従来とは別の解釈が与えられなくてはならぬ。すなわち、複視に際しては同一物が二つに見えるのだなどと言うことは全く意味をなさない。そうではなくて、複視においては二つの物が見えているのであって、何かの故障のためにこの二つの物が外界においては一つになっているのだ、という判断が下されるような理由もそこには存在しうるわけである。その場合にはただ、この外界における一つの物が眼には見えないだけなのである。同様に、立体鏡を見る場合には、そこで見えている一つの物が外界においては二つの物なのだということは、眼には見えない。世界や事物が二重に存在してはいないということ、これは決して思考にとってアプリオリに必然的なことではない。二つの同一な世界が存在するということは、論理的には十分に可能なことなのである。むしろ、眼に見えている一つの物がただ一つの物なのだということ、このことの方が知覚につきもの《インヘレント》なのである。同じものが「二重に見える」doppelt erscheint のは、反省的思考の所作であって知覚の所作ではない。

知覚において現実の記号的簡約化が行われるということは、知覚の中に「一部をもって全体を代表させる」pars pro toto ことが成立しているという意味をもつ。つまりあらゆる知覚の総和をもってしても、それは依然として一部をもって全体を代表したものに過ぎない。その限りにおいて、私の知覚する世界は私の環界でしかなく、私の知覚の総体《インスゲザムト》でしかない。だから、それは現実の世界ではなくて現実の人為界 Kunstwelt だと言って差支えない。ただしそれは、知覚が現実の対象の一部を取って他の部分を捨てるという一種の引算を行うということではない。そうではなくて、知覚という述語行為《プレディカティーフアー・アクト》において知覚は自らの前に何ものかを現出《エアシャイネン》せしめるのである。述語されるものが現実にあるものの部分なのではなく、現実にあるものについての何事かが述語されるのである。知覚を述語《プレディカティーフ》的だと言うことは、知覚を現実的なるものの現出《エアシャイヌング》だと言うことに等しい。ここでは述語《プレディカティーフ》的性格ということと現象《フェノメナール》的性格ということとは大体同じことであり、さらに知覚界を人為界と表現するのもこれと近似的な意味をもつ。「述語的」prädikativ の表現では一切の知覚の簡約《アインシュレンクング》性が強調され、「現出する」 erscheinen の表現ではその超越《トランスツエンデンツ》性が、「人為界」Kunstwelt の表現ではその記号《ジュンボーリック》性が強調される。しかしこれら三つの規定のいずれにおいても、そこに現実《ヴィルクリヒカイト》性という意味がこめられている限りでのみ、言葉の正しい意味が保たれる。述語的言表は客体的事実《オブイエクティーフエ・ザッヘ》それ自体について妥当する。現出するもの、それは現実それ自体である。人為《クンスト》の示すもの、それは真実《ヴァールハイト》それ自体なのである。(7)

　この最後に述べた概念をもうすこし検討してみよう。この概念は生理学には殆ど採用されなかったが、生物学はこれをせい一杯活用した。フォン・ユクスキュール v. Uexkuell は森に住むダニを例にとって、この虫の生存の条件であると同時に生命に対する危険でもあるところの一つの標識界 Merkwelt が、感覚器官の営む簡約化の作業によって作り出されることを明かにした。この昆虫を動かす唯一の原因は森に住む動物の皮膚から放散される酪酸の臭気であり、これによってダニは自らの栄養器官が適合しうる唯一のものであるこの栄養源に向って動く。次にこの栄養源においては、動物の皮膚の温みがダニに皮膚に穴をあけてそこへはいり込む運動を起させる唯一の動因となる。つまりこの場合にも、簡約《アインシュレンクング》化ということが生物学的にみて建設《コンストルクティーフ》的に働いている。しかしわれわれはこの反面、この簡約化のためにダニが欺瞞されることもあるのを知っている。ダニにこれと類似の運動を起させるには、酪酸と温みを人工的に揃えてやればよい。そこに温血動物がいない場合には、このダニの動作は無駄に終るわけであり、ダニの生存は破壊されることになる。酪酸というものは動物の皮膚以外の場所にも出現しうるのであるから、この記号は述語としては多義的であり、まさしくそのために、生存にとって建設的にも破壊的にも働きうることになる。

生物が自らの適応している環境の中に生物学的に組込まれているこのような仕方は、人間にとっても全く同様にあてはまる。ここでわれわれの住んでいる街の中での方位の決定《オリエンティールング》について考えてみる。これは決して市街地図についての完全無欠な知識などに基いているのではない（市街地図自体、模型的な性質の代用記号ないし略図である）。われわれの方位決定は一軒一軒の家屋、一つ一つの曲り角や交叉点、距離や方角などの感覚印象からなる一つの人為界に基いてなされ、しかもこれは幾何学的秩序の図式を通じてでなく、通い慣れた目的地に向って、通い慣れた時刻に歩く、通い慣れた道順を通じて出来上った人為界なのである。だからこのような「人為市街」の知覚の総和が空想の産物とか勝手な捏造品とみなされることもないし、これを刺戟への対応などと呼ぶこともない。もちろん、この人為界の産出を助けているのが私であることは確かである。しかしそれ故にこそ、それが私の住んでいるその街であることに変りはないのであって、非現実な街でもどこか他の街でもないのである。

感覚生理学のいう「刺戟《ライツェ》」がそれ自体としては正当性をもってはいるが、知覚対象の中では極度に限定された一種別にすぎないということは、ここでもう一度詳しく述べるまでもないだろう。知覚を「量」や「質」の認識的《ノエティッシュ》な知覚のみに限定してしまったことが不当なことだったのである。つまり知覚の対象はその概念上、なんらかの程度において――その程度はまだ知られていないが――拡張されなくてはならない。或る期間われわれは、刺戟《ライツェ》を通じての興奮《エアレーグング》ということだけでなく、「刺戟形態《ライツゲシュタルテン》」を通じての「興奮像《エアレーグングスビルダー》」ということを精神身体的《プシヒョフイジッシュ》に意味深い器官過程とみなせば、この要求を満たしうるものと考えていた。(8) つまり、同一の神経性構造が種々の異った興奮像を順次受入れる、つまりそこには（各種の構造《シュトルクトゥーレン》に備った機能《フンクチオーネン》だけではなく）各種の機能構造《フンクツイオンスシュトルクトゥーレン》といったものが存在し、そしてこれらの機能構造に対応して感覚《エンプフィンドゥング》あるいは知覚《ヴァールネームング》の、精神的にそのつど特殊な内容が生じる、と考えられはしないかと思っていた。しかし、私はここでこの仮定を捨てなくてはならない。この仮定は知らず知らずの間にケーラー Köhler の自然哲学的な形態《ゲシュタルト》解釈に近づいている。そしてこの解釈は問題をずらすだけで、それをはっきり捉えていない。そこには、並行論的な解決が与えられたかのような見せかけが生じている。

知覚の行う記号的簡約化のさまざまな主要な種類を調べるという仕事は、むしろ新しい観察を更に続行することによってのみ達成されうる。われわれの言おうとすることを示唆するために、いくつかの実例を挙げておこう。以下の例は思いつくままに選んだものであり、しかも生理学的諸条件が当の作業の特徴となっているらしいものに限って例示することにする。病的症状については既に概観しておいた。だが病的症状の多くは粗大な器質的損傷に結びついておらず、健康な状態の変種とか疲労状態とかが極端になっているものとみなすことができる。しかし、この章で得られた諸観点によって、今度はこれを錯誤作業《フェールライストゥング》と見るのとは違った見方が可能となってくる。

一

知覚の錯誤作業とても、やはり代理的再現作業《レプレゼンタティーフェ・ライストゥング》であることには変りないはずである。それが明かに生理学的条件の変化の結果として錯誤的になっている場合には、この錯誤作業はこの種の機能変化にとっての代理的な自己知覚 repräsentative Selbstwahrnehmung だと考えられる。例えば小視症《ミクロプシー》の場合、つまり視覚像の大きさの一様な縮小が生じている場合には、この所見は眼の調節異常に帰せられるし、系統的空間感覚障碍が生じて、その結果周囲が傾いたり歪んだりして見える場合には、これは前庭器官の興奮と協調する部位において外眼筋の神経支配に異常があるためと考えられてきた。また視覚的な回転めまいや、眼筋麻痺あるいは眼窩内での眼球偏倚による視野の偏位についても同じことが言える。正常知覚が外部の対象を表す代理記号であるとすれば、知覚の錯誤は身体的機序（機能）を表す代理記号であり、従って自己知覚だと言うことができる。

二　われわれが誤植を見落す場合、つまり落ちている字を補って読んだり余分の字を無視して読んだりする場合、これは一つのポジティヴな作業であって、ポェツル Pötzl* が明かにしたように、病的状況ではこの作業が障碍されるため、患者には健康者よりもずっと確かに対象の誤りが見えるということになる。ストロボスコープの現象は、このような一群の例のうち最もよく研究されている例と言ってよい。この現象における代理的再現《レプレゼンタンツ》が厳密な生理学的限界条件に拘束されているということは、今日では完全に実証されている。ストロボスコープの運動の時間的限界の狭さがこのことを示している。しかしこの代理作用によって代理されるものが感覚生理学の定義するような「刺戟効果《ライツヴィルクンゲン》」の意味での「客体《オブイエクト》」ではなくて、そこで捉えられる erfaßt wird 対象という意味での「客体」であることも、同様に確かなことである。われわれは映画の中では筋を、読書に際しては思想や物語を、博物館の中では石や植物や鳥を捉えるのであり、いろいろな補足や無視を行うことによってこれらの対象を代理的《レプレゼンティーレン》に再現している。そしてこれらの対象は、そこに定められている生理学的限界の範囲内で、この捉えるという行為に従う。

三　汽車の窓から見た風景などの遠近法的移動の知覚においては、そこで見られている動きを本気にしない Nicht-ernst-Nehmen という作業が確認された。同じことが、遠近法的な歪みとか照明の影響とか、その他多くの現象についても言える。被視物の恒常性 Konstanz des Sehdings と名付けられて来たすべてのことについて、同じ考えがあてはまる。定められた生理学的限界の範囲内では、知覚は自らがそこでいま代理的に再現している対象に従って、自らを規定している。この構成的な機能変動《コンスティトウティーフェ・フンクチオンスヴァンデル》によって、われわれと諸対象との一夫一婦的な対応 Monogamie が条件つきで可能になっている。

四　いくつかの感覚器官の組合せ Kombinationen の研究、殊にそれらの間の共感覚的《ジュンエステーティッシュ》ないしは間様態的《インターモダール》な協働作用の研究は、残念ながらあまりなされていない。従来の心理学的立場からは差当り、或る一つの器官の使用が他の器官の作業から注意をそらすという予想が立てられたために、逆に或る器官が他の器官からの規則的な支援 Unterstützung を受けていることは見逃されていた。最近になって漸く、聴覚の方向閾値が視覚により（マルクス Marx)、視覚における運動閾値が前庭器官により（クリスツィアン P. Christian）著しく低下するという所見が確かめられた。これらの事例の分析からも、知覚の代理的再現《レプレゼンタンツ》は刺戟の値とは無関係であり、また経験や空間論理《ラウムローギック》にも従わず、むしろ客観的現実の中でその折々にちょうどそこで捉えられている事物、状況、事象などに対する自我の定位《オリエンティールング》を通じてのみ、成立しているものであることが示された。

五　与えられている或る一つの瞬間においてこのような対象を捉える可能性は、或る事情のもとでは沢山あるし、別の或る事情のもとではごく僅かしかない。言いかえると、大きな多様性をもつ対象や僅かの多様性しかもたぬ対象がある。実験においてはもっぱら後者が求められる。暗所の光点というのはその恰好の例である。暗室の中で一個或いは二個の光点を動かしてやることによって、形や図型を見る行為 Form- oder Figursehenを成因的《ゲネーティッシュ》に研究することができる。この実験でP・クリスツィアンは、いわゆる感応性運動《インドゥツィーアテ・ベヴェーグンゲン》も刺戟生理学的にではなく対象に即して解釈せねばならぬことを明かにした。つまり動いている二つの光点を一定の条件下で見る場合、眼はあたかも天文学者のような態度をとり、この運動がまるで引力の法則に適って生じているかのように見えてくる。この場合、知覚の記《ジュ》号的な代理的再現《ンボーリッシェ・レプレゼンタンツ》は物理学的法則に関係する。ここではこの事実の意義をすっかり述べることはできない。ここではただ、この場合の知覚対象は物理学的－数学的法則だということが、この事実から明かになればそれでよい。さらにまた、知覚対象が美の領域に属しているといった場合もある。(8a)

六　最後に、知覚により代理的に再現《レプレゼンティーレン》されるべき外的対象が別の方法（他人の知覚や推論など）によって実証されうるような可能性を、知覚が全然含んでいないか、或は殆ど含んでいないような場合がある。それは例えば夢、幻覚、錯覚、直観像現象《アイデーティッシェ・フェノメーネ》などである。神経生理学的に想起《エアインネルング》や空想《ファンタジー》の領域に近づくことは不可能であるから、そこではこのような現象がどのようにして生じうるのかという点しか問うことができない。この問題に関連して、私が自己増強 Selbstverstärkung と呼んでいる機序を持出すことができる。例えばこんな現象がある。極めて明るい光点の強い視覚的残像を作り出しておいて、次に暗室内で自分の身体を軸にして回転する。するとこの残像は、これと同方向に漸次速度を増しながら回転し始める。これを追いかけようと努力すると残像の運動も被検者自身の運動もますます速くなって、遂に被検者はぐるぐる廻りながらぶっ倒れてしまう。自己回転が同一方向への像の仮象運動を産出し、これがまた自己回転を促進する、という悪循環である。その場合、この過程全体の錯覚的性格《イルジオネーレ・カラクター》は極めて強く、病的な脱我状態《エクスターシス》と殆ど境を接している。かような一見したところ対象を欠いた知覚は、一の項目で述べた自己知覚とも対応している。そのようなことが起るのは、知覚と運動との関係に喰違《インコングルエンツ》いが生じている場合であろうということは明かに予想できるが、その分析はゲシュタルトクライス理論に基いてのみ可能となる。——自己知覚や自己増強は、ひょっとすると幻覚や夢への通路を開くものであるかも知れない。

七　或る感覚がいつ自分の身体において知覚され、いつ環界において知覚されるのかの決定も、原則的には刺戟と興奮の関係からは導き出せない。殊に皮膚感覚や筋肉感覚、それに前庭器官において、外部への位置づけと内部への位置づけとの両方が共に生じている場合は、知覚の代理的再現作業にとっての絶好の例となる。そのどちらの一方が生じるかを決定するのは生理学的な諸契機《モメンテ》ではない。むしろそこで捉えられる対象が、生理学的条件の範囲内でいかなる位置づけが行われるかを規定している。

生体の実質内で生じている事態は、従って常に二重の規定を受けていることになる。外部からの影響は、それが内的な状態に対して特徴的な仕方で作用を及ぼしうるのでないならば、存在しないにひとしい。しかしこれは決して、末梢感覚面に生じる最初の写像、或は最末端の興奮に限ったことではない。外部的影響の特殊な作用は、この最初の写像のすぐ次の段階で止ってしまうものでもなく、また決して空間的な拡がりに限って言えるものでもない。末梢以降のあらゆる機序はすべて客体の特性《アイゲンハイテン》とか属性《アイゲンシャフテン》とかとの出会いの継続であり、興奮の波が末梢部位から遠ざかり、神経器官を介して有機体のその他の部分へと拡がって行くにつれて、ますます豊かになりますます多様性を増す環界と内界との出会いが考えられるのである。

3　空間、時間および量

言うまでもなく誤解だ。
Selbstverständlich ein Mißverständnis
(『悪ふざけ』におけるグリュントゲンス)*

以上において、知覚についての次の二つの規定がだんだん明確になってきた。この二つの規定は、同時にわれわれの考え方の従来の感覚生理学との或る種の相違点を明示している。すなわち、

一　知覚は工場製品的《ファブリックアルティヒ》な像としてではなく、それ自体生成《ヴェルデン》の途上にある活動性《テーティヒカイト》として捉えられねばならぬこと、および

二　知覚は主観的な終末産物ではなく、現に生じつつある自我と環界との出会いであること、

の二点である。ここでこの出会いの担い手であり、またその舞台となっているのは有機体の内界である。だからこの内界を研究しようとするならば、そこでは二重の規定性が問題となってくる。即ち一方では環界からの、他方では有機的基体《オルガーニッシエス・ズブストラート》の特異性《アイゲンアールト》からの二重の規定性を取扱う必要が生じてくる。

従って、この出会いをいま少し詳しく調べるに当っては、知覚から得られる供述が差当って環界と有機体内界の両者について何らかの情報を提供してくれる唯一の源である。しかし学問的分析を進めて行く途中で、われわれはその

他に抽象的思考や推論にも頼ることになる。同時に、都合の良い状況を作り出したり計測を行ったりする実験が設定される。感覚的検証と並んで論理的必然性が重要性を帯びるようになる。そして、この二つの認識源を互にどう調停すればよいのかという重大問題が、昔も今も変ることなく持上ってくる。カントの哲学が既にこの問題の最終的解決を与えているというのは間違いであって、この問題はまだ展開の途上に置かれている。

つまり感性論《ジンネスレーレ》においては、一切の可能な経験の直観形式《アンシャウウングスフォルム》としての空間と時間に関する観念的《イデアール》な先験主義《アプリオリスムス》が、われわれの知覚と呼んでいる経験形式にはあてはまらないことが明かとなった。その結果また、数学的法則が空間や時間の中に与えられているものに対して保証している客観性の形式も、知覚については全く適用できないことになる。眼に見えている正方形が正方形をした客体に所属している必要は全くないのだし、正方形の客体が正方形として知覚されねばならぬ必要も毛頭ない。知覚と対象との対応は先験論的な規則によって律せられてはいない。

そもそも知覚が空間的、時間的な形式や秩序を有しているのかどうかということすら、疑ってみることができる。草の匂い、汽笛の音のごときものははっきり定位できないし、絵に描いた形態の感覚印象は時間的に配列できないものだったりする。

更に、体験の秩序は体験された対象の秩序ではないということも考えておく必要がある。一枚の絵の空間的状態をわれわれは時間的継起において体験するのだが、外界においてはそれは同時的に存在する。これは何物かを時間の中で知覚する行為と知覚の時間的秩序との間に存する、後になってからはじめて明かにされる相違である。

主観的知覚があらゆる心的なものと同様に空間の中にではなくただ時間の中においてのみ生じるという伝統的な考え方は、実は根拠のないものである。知覚が単に時間的であって空間的でないとか、空間的であるよりもより多く時間的であるとか考える的確な根拠はどこにもない。

知覚の空間性の問題は、われわれが自分の身体に対する知覚能力に眼を向ける時、極めて微妙なものになる。例えばわれわれは触知覚に際して、そこで感じとっているのが外部の対象なのか自分自身の身体の一部なのかを決めかねることがある。しかし、感性の疑惑 sinnlicher Zweifel とも言うべきこのような例は、われわれが知覚における空間規定一般の意味について抱かねばならぬ全く普遍的な疑惑の、ほんの一例にすぎない。知覚の生じている場所はどこなのか。こちら側なのか、あちら側なのか。私がいるこの場所で私が見ていることになるのか。それとも私が見ているあそこに私がいることになるのか。Sehe ich da, wo ich bin, oder bin ich dort, wo ich sehe? これは両方とも当っている。だが体験それ自身の中には不決断《ウンエントシーデンハイト》が存していて、それに続く二次的な意識作用《ベヴストザインスアクテ》によってはじめてそれがどちらか一方へと決断されることになる。つまりこの不決断は、実は二つのいずれも正当な決断が行われた時にはじめて分裂することになる。

この例はわれわれを、知覚が全く展開的に形成されるものであることについての重要な洞察へと連戻してくれる。つまり知覚は固定した諸関係の認識ではなく、絶えず繰展げられる生成なのである。知覚された対象の空間的時間的な規定を眺めてみても、知覚それ自体は決して固定的な諸関係を示すものではないことが判る。厳密に自然科学的な立場に立っていた旧来の感覚生理学にとっては、この事実は方法的難点によるものと考えられ、その後、研究者たちが彼らの実験の中で、そして実験に逆って、彼ら自身の体験を記録しようとする努力を重ねるようになるまでの間は、これが本質的な事態を示しているということが気づかれなかった。さて、体験の継起《エアレープニスフォルゲ》を調べてみてまず判ることは、知覚像の真の持続《ダウアー》、空間や時間の中での恒常性《コンスタンツ》はそこには全く見られないということである。知覚するということは窮極的にはいつも、別のものに移行する zu anderem übergehen ということでもある。第二に、そしてこれはもっと記述しにくいことであるが、空間的秩序や時間的継起の他に現実分節 Realitätsgliederung ということがあって、その結果われわれは常に諸対象を知覚《ヴァールネーメン》する一方で放棄《プライスゲーベン》している。知覚される対象と放棄される対象との区別を言い表そうとする試みは、歴史の流れの中で多種多様な仕方でなされてきた。しかし従来は、この区別は実のところ知覚する生体か感覚装置かのどちらかのせいにされるばかりで、これを客観的対象の側の事情と結びつけることは決してなかった。例えば一方では意識のさまざまな清明度とか、注意の方向や視点とか、背景〔地〕《ヒンターグルント》機能とかの表現が用いられ、他方では周辺視野、無意識的反射、感応、対比《コントラスト》などが論じられた。しかしかかる二者択一（主体かさもなくば感覚装置か）でもって特定の現象を説明する代りに、統一的かつ一義的な知覚論を樹立しようとする努力は、これまでのところ真の意味ではなされて来なかったのである。このような努力への歩みは、心的活動性と生理学的機能を合成しようとするようなそもそも無理な努力をやめて、この両者を一つの綜合概念《ゲザムトベグリフ》のもとに包括することによってのみ可能となる。われわれはこれまでの暫定的な研究において、この綜合概念を自己運動《ゼルプストベヴェーグング》と名付けておいた。

（a）体験された秩序は客観的秩序ではない。天文学や物理学の歴史が主として教えてくれるところによると、空間的および時間的な秩序の知覚は当てにならぬものであり、多くの場合単なる感覚的仮象に過ぎない。つまり月の満欠けも太陽の運行も、惑星の不規則な軌道もその他の星の恒常的配列も、すべて客観的事実とは一致していない。緑や赤、温かさや冷たさなども物理学上の客観的事物ではない。にもかかわらずこの感覚的仮象の修正は、一つの新しい、しかもやはり同じ感覚を通じて与えられる観察、つまり知覚によって以外立証されえない。しかしその場合には、この修正を余儀なくさせるのは体験的関連ではなくて数学的-論理的関連である。

このような学問的経験と並べてみると、個々の知覚そのものへの信頼《フェアトラウエン》は殆ど根拠のないもののように思われる。しかもわれわれは相も変らず、この信頼の中に生きている。四角は結局のところ四角として、円は円として知覚されるものとわれわれは考えており、幾何学的-視覚的な錯覚の極端な場合には、「正常」な知覚とは全然別個の説明が必要であるように思っている。しかし、殆どの知覚が少くとも空間的時間的には客観的に正しい知覚を提供しうるのであって、機能の障碍や錯誤の場合にのみ誤った知覚が提供されるのだという学説ないし暗黙の前提は、天体や物理的な力の感覚的仮象と同様に根拠のないものでしかありえなかった。目測という作業は、いかなる測定よりも不正確《ウンゲナウアー》であり、従ってより正しくない《ウンリヒティガー》のである。空間内の秩序も時間内の秩序も、知覚によって真に正しく捉えることはできない。対比《コントラスト》、融合《フェアシュメルツング》、放散《イラディツイオン》、消退《アウスロエッシュング》、被視物《ゼーエティンゲ》の恒常性《コンスタンツ》、運動視《ベヴェーグングスゼーエン》などの諸事実は例外なく客観的事象をいつわる事例である。しかもこれは副次的に知覚に随伴しているのではなくて、他ならぬ知覚の構成要素の観を呈し、規則《レーゲル》となっている。むしろ、体験内容と客体との近似的一致の方が例外をなしているのである。

更に付加えれば、既に述べた時間的展開における生成の流れ、知覚に際しての時間的転位 Umstellung や先取 Prolepsis の事実、速度《テンポ》の過誤、〔時間の〕加速《ラッフング》や緩徐化《デーヌング》、時間のみかけ上の停止などもある。

しかしこれらのまだしも変形《トランスフォルミールング》として記述しうるような、知覚における客観的秩序の変化《アブエンデルンゲン》よりも、もっと重要なのは次のことである。例えば前額面《フロンタールエーベネ》から或る角度偏った四角形を見る場合、それは遠近法的な歪みのために菱形に見えながらも、それと同時にやはり依然として（偏った）四角形とも見える。どちらの見え方が正当 gilt なのだろうか。つまるところ、知覚とはそもそも一義的ではなくて多義的なものであり、現実《レアリテート》ではなくて可能性《メークリヒカイト》だということになりはしないか。しかしここに潜む問題は、知覚の現実度 Realitätswert を決定しようとする場合には、どうしても解決しておかなくてはならない。

（b）知覚における秩序は客観的対象の秩序によって制約される。右の段落で述べた所によると、知覚は客観的対象の秩序とは別の秩序を示し、のみならず多義的である。しかしかかる事情にも拘らず、大まかな範囲内では知覚には客観的対象の規則的変化がつきまとって begleitet いる。この命題を否定するのは、環界《ウムヴェルト》というものの実在《エクシステンツ》を否定する極端な哲学者だけである。これに対して自然科学的な知覚論では、知覚内容の中で刺戟《ライツ》に制約される《ベディングト》ことなく有機的《オルガーニッシュ》あるいは心理学的《プシヒョローギッシュ》に制約された部分の割合《アンタイル》と知覚内容の種類についてのみ、意見が分れている。

このような知覚の自律性を立証するものとされている実例としては、次のような事例を挙げることができる。

一　客観的変化を伴うことなく、遠近法的に描かれた図形が逆に見えるような場合がある。例えば階段がせり出している壁に見えたり、固形物が中空の容器に見えたりするのがその例である。しかしこの種のいわゆる反転《インヴァージオン》は、主体側の制約をうけた要因《ズブイエクトベディングテ・ファクトーレン》が刺戟側の制約をうけた事態《ライツベディングテス・ゲシェーエン》に付加わることを立証するものではなく、むしろ刺戟の多義性を示すものである。ところである多義性がこれを規定する項目の増加《プルス》によって一義性へと決着がつけられるのは、ただそれが新しい規定に基いてなされる場合に限られると言えよう。(9) ところが知覚における多義性の決着は、それとは違った仕方でつけられる。いかなる知覚も、体験と対象との同一《イデンティテート》という意味には解しえない。一切の知覚は対象の現出様式の一つを取る。知覚とはすべて述語的《プレディカティーフ》なものである。そして、すべての対象はいくつもの現出様式を持ちうるし、すべての現出様式はいくつもの対象に属しうる。だから反転《インヴァージオン》の決着は諸規定の間の間隙を埋めることによってもたらされるものではなく、常に同一対象の別の何らかの現出様式に眼を向けることによって成立する。異ったいくつかの現出様式をとりうるということ、これもやはり対象の属性である。とはいえ、反転やこれに類した事例においては、新しい客観的刺戟の付加によって特定の決着が促進され、特定の方向に沿って強制される事態も認められる。しかしその場合には、対象はもはや前と同一のものではなくなっている。

つまり、「同一刺戟《ライツグライヒハイト》」にも拘らず種々の知覚が生じるのは、何らかの特殊な中枢性もしくは心的な機能のためではない。対象とその現出様式の違いという、最も普遍的で一切の知覚に内在している区別が、「同一刺戟」に際して種種の見え方を可能ならしめているのである。従ってこういった場合の特殊性は、同一原因が種々の効果を生じる点にではなく、われわれがあらゆる場合を通じて——たとえ刺戟が同一であっても——現出《エアシャイヌング》の背後に現出するもの《ダス・エアシャイネンデ》を有している点にある。前述の「多義性」Mehrdeutigkeit もこの点に基いているのであって、種々の主観的評価の仕方の多数性 Mehrheit に基くものではない。

二　知覚の中に刺戟に対応しない部分があることについての今日でもなお模範的と思われる証明は、経験論《エンピリスムス》の名のもとに一括されるものであって、これは最初ヘルムホルツによりヨハネス・ミュラーに対する反論として提出された。

多数の、殆ど無数といってよい実例によって、例えば次のような主張がなされた。或る一定の感覚要素《ジンネスエレメント》に対して与えなくてはならない――と思われた――局所標徴《ロカールツァイヘン》（ロッツェ）、つまり場所の印象《オルツァインドゥルック》は変化を蒙りうるものであって、この変化を規定するのは単なる生理学的興奮法則ではなくて外的対象の側の諸規定である。しかもそれらの規定とは、知覚の生じている瞬間にはそこから何の刺戟も生じないで、それについての情報は以前の経験からしか得られないようなものである。その場合これらの情報は、保存されている表象を通過して知覚の瞬間にいわば助大刀に駈けつけ、知覚に対する刺戟効果の不足している所を補充するものとされる。このような心理－主知説《プシヒョ・インテレクトゥアリスムス》は、当然のこととして純生理学的な知覚論を否定する。しかしこの説もやはり立証されていない多くの仮説を含んでいて、結局の所あまり上等の経験科学的学説の名には値しない。ヘーリングや初期ゲシュタルト心理学（ヴェルトハイマー）は、その反動として、ゲシュタルトを有する対象の知覚を生理学的に解釈するという行き方に戻ろうとした。しかし私には、彼らの功績はむしろ彼らが空間（および時間）の概念を、数学的展開を必要としない――というより数学的展開の不可能な――一つの概念でもって置換えた点にあるように思われる。事実、古典的感覚生理学が空間や時間の中にある事物の知覚を、空間や時間に関する数学的図式にあてはめて扱っていたのは誤りであった。知覚においては、前後左右上下の関係が前後左右上下という知覚と一致するのは実際には例外的なことなのである。これらの秩序を特別に知覚するということはむしろ特別の、新しい行為《アクテ》の内容なのであり、この行為は例えば実験などの場合には主たる課題となりうるけれども、普通の知覚では決して行われない[10]。例えば白い面上に隣接した二つの黒点が眼に入った場合、われわれは次のいくつかの可能な、しかしつねに別々にのみ生じる知覚体験をもつ。

(α) 二つの点が見える。つまり二つ《ツヴァイハイト》という規定を有する事象が見える。

(β) 二点が水平に並んで見える。つまり水平面上で私の前にそういう配列を示す事象が見える。

(γ) 一つの点ともう一つの点が見える。つまり或る事象ともう一つの事象が見える。（この際、こちらからあちらへ、あちらからこちらへと「注意が移る」)。

(δ)　この二点が板の上あるいはノートの上にある。

(ε)　この二点はこんな大きさである、或は互にこれほど離れている、など。

これらの知覚の一つ一つがその前に挙げられているものとは違っていて、それぞれが客観的環界の異った部分への着目である。それは同一の網膜像についての種々に異った加工ではなく、多様に規定され《ベシュテイムト》、規定されうる《ベシュテイムバール》一つの環界についてのいくつかの規定《ベシュテイムンゲン》なのである。つまりそれは同一感覚についての種々に異った思考操作ではなく、差当りは有限数の、種々に異った知覚そのものなのである。(10a)

(c)　知覚はいくつかの可能な客観的秩序を示す。体験された秩序が客観的秩序とは別でありながら、客観的秩序によって規制されているということから、客観的環界の中で案内に通じたり勝手が判ったりすることは一体どうして可能なのか、という謎めいた問いが生じて来る。なぜなら、われわれは逆変換 Rücktransformation というようなことを行うための公式を持合わせていないのであるから。数学的に抽象してみても新しい知覚がえられるわけではないし(コペルニクス*以後も地球の運動が知覚可能となったわけではない)、知覚の中には測定器具のごときものはない。もしそのような測定器具があったとしても、それはむしろ自己自身を測定するために使用されるような器具でしかないだろう。われわれのなしうることはそれとはいささか異ったことである。つまり、客観的対象の測定され算出された秩序や比率を一つの直観的な表象の中に呈示し、これを知覚と較べてみることならできる。しかしこの操作は、知覚の成立については何一つわれわれに教えてくれない。またそれは表象能力の限界を越えたものではなく、いわばその内部に閉込められたものである。他ならぬこの操作においてわれわれは、知覚とは客観的対象の「正しい《リヒテイヒ》」、「近《エー》似の《ンリヒ》」、「誤った《ファルシュ》」といったさまざまな呈示《ダルシュテルング》が差当り無統制に混合したものだということを見出す。

従って、知覚を通じてかくも不完全にしか表出されえない環界の中で、われわれは一体どうやって見当をつけることができるのかという疑問に対しては、これまで考察して来た諸関連の中にはまだ何の手懸りも見当らない。しかしそこには、われわれを更に先へと導いてくれるはずの手懸りが一つだけ含まれている。それは、或る対象についての個々の知覚と測定や数学的理論によって持出される表象との間に、少くとも何らかの一致が可能であるという事情である。さらに私の考えでは、あらゆる知覚は数学的法則から見ると少くとも可能ではあるようにできている。逆に言うと、われわれは客観的に不可能な知覚を持てないのである。

ということはつまり、知覚と対象を距てているものは正しいか誤っているかの差ではなく、可能と現実の差だということになる。この点に関して、本章では空間と時間のことだけを考えておこう——この制限は差当り事柄自体の中に根拠を有するものではなく、いくつかの学問的動機に基くものである。計測的な、従って量的な方法は対象を一定範囲内で支配することができ、それ故まずもっていろいろな知覚に適用される。その場合、空間と時間とは主として量的に呈示される。「客観的に可能」という概念の意味がさしあたって数学的に解されるのはそのためである。ところがここで個々の事例についてもっと詳しく検討を加えてみると、この客観的可能の概念はたちまち、最初のうちはまだ全然見通しのきかないような多様性へと展開してくる。それと共にわれわれの言うこの「知覚の可能命題」Möglichkeitssatz der Wahrnehmung は、経験を通じての吟味とより精密な規定との領域に持込まれる。[11] この命題は経験命題なのであって、カントの言うアプリオリな数学的命題とは全く別のものである。われわれが数学的（或は例えば物理学的）に可能な諸事物をどの程度まで知覚しうるのか、ということを決定するのは観察や実験なのである。

（d）知覚における量の反理。鉄道のレール沿いに視線を動かす時、眼に入って来るのはレールが収斂して最後には融合してしまうということである。しかしレールの幅はどこを取ってみても同一に見える。数学上の平行の法則が視覚においては解消している。レールの幅の客観的な縮小《アプナーメ》が見えているなどと言う人はいないだろうし、かといって収斂《コンヴェルゲンツ》が見えていることを否定する人もいないだろう。この種の事態をわれわれは知覚における反理 Antilogik と名付け、それによって、知覚の可能法則がこの点で一つの矛盾に突当ることを認めておく。しかしこれはもちろん見かけ上の矛盾に過ぎないことが判ってくる。

知覚されている事物が逐一、「そう見えている」erscheinen と共に「そうである」sind ということ、そしてその見え方はそれがそのつど個々の対象として受取られる限りにおいて矛盾しているように見えるということは正しい。しかしこの矛盾は多くの事例において解消しうるものである。遠近法的な歪みはすべてその例である。つまりこの場合、投影面が図型面と平行していない時には正方形が菱形に、円が楕円に投影されるのは何故かという理由が、画法幾何学において明かにされる。しかしまた、知覚自体の中で既に（つまり二次的な論理作業をまつことなく）この矛盾が解消されている場合もある。例えばわれわれが鉄道のレールが収斂しているのを見るだけではなく、これを知覚しているわれわれ自身との関連においてレールの一部は近く、一部はだんだん遠ざかっていると見る場合、つまり一つの固定した場所からの距離をもあわせて見る場合、われわれは右の矛盾を幾何学的必然性をもった事態として解消してしまっている。しかしこの場合にも、視角《ゼーヴィンケル》が距離と共に減少するということが、レールの幅に付加されるのでもなければ、器官の営む何らかの加工によって「計算に入れられる」のでもない——そんなことはわれわれのあずかり知らないことである。そうではなくて、奥行き《ティーフェ》の知覚それ自体が平行線《パラレリテート》という全体的印象《ゲザムトアインドルック》を含んでいるのである。ここでやはり同様に眼で見られている収斂との間に生じる矛盾は、眼から隠されたりするのではなく、一つの全体的印象の中で解消《アウフヘーベン》されるだけである。このような事態を表現するために、論理的矛盾 das logisch Kontradiktorische という止揚不可能《ウンアウフヘーブバール》な矛盾と区別して反理的[12] antilogisch という用語を選ぶことにする。

ところがこれによって、知覚の可能法則は今一度立証されたことになる。平行であると同時に収斂もしているレールなどというものは不可能であり、これに対して、私の前方を遠ざかって行く二本の平行なレールが遠近法的に収斂して見えるという知覚は、私にとって現出している一つの可能な対象の知覚である。

これに次のことを付加えることもできる。レールの幅の被視角が距離と共に減少することが必然的 muß である以上、この収斂という現出様式は単に可能《メークリヒ》であるだけではなく必然《ノートヴェンディヒ》的でもある。ただ、そこには被視角が大きさの印象にとって決定的《マースゲーベント》なものだということが前提されている。しかしこの前提がそもそも正しいかどうか、いかなる場合に正しいか、は予言できない。この前提が正しくない例も結構沢山知られている。何故われわれが物体だけではなくそれの平面上への遠近法的投影をも知覚するのかという問題には、今のところまだ手がつけられていない。だからわれわれも、被視角を用いたこの証明法を用いないのである。

ここで見出された知覚の反理という原理からは、可能性の概念のより精密な規定がもたらされる。可能性の概念とは、われわれが場合によっては同一事例について多数の可能性を有していて、それらの中で決定を下しうる、或は下さねばならぬ、ということを意味するものであろうか。それとも、矛盾した個々の知覚のアンチテーゼが包括的な綜合《ジュンテーゼ》の中に含まれているということを意味するのであろうか。

知覚と客観的対象とを比較して見出される矛盾と、さらに知覚は客観的対象の制約下にあるという（右の矛盾に矛盾するところの）事態とは、われわれは客体をそれがそれ自身において作られているがままに知覚するわけではないけれども、或る一つの客体がそもそもどのように見えうるかという、可能な現出様式にしたがって知覚するということで、一応は片付くことになる。その次の問題、つまり客体がどのようにして現実的《ヴィルクリヒ》にあるのかという問題は、（客体と知覚の間の軋轢《シュパヌング》にもかかわらず）全く解決不可能というわけではない。知覚それ自体が自分自身の中に含まれている矛盾を統一することによって、その解決の糸口を与えている。それによって、知覚の反理はむしろ知覚が客体の現実性に近づくための前提となる。被視角と客観的な距離とが両方とも（大きさや形状などの）現出様式を規制する条件であるならば、この両者が知覚の中に働いて、同一の大きさが遠くでは近くよりも「見かけ上《シャインバール》」小さいということになるのは、全く論理的なことである。しかしこの「見かけ上」という言葉は、感覚錯誤《ジンネストイシュング》が生じていることを示すものではなく、一般に物は知覚の中ではいつもただそう見える《エアシャイネン》だけだということを、つまり誤《ファルシュ》った仕方ではなく相対的《レラティーフ》な、従って不完全な《ウンフォルコメン》仕方で与えられているのだということを示すものである。

このことによってわれわれは、ヘーリングやヘルムホルツの解釈と用語とを拒否することになる。ヘルムホルツの経験論《エンピリスムス》の言う所をやや大ざっぱにまとめると、知覚は元来表象であり、表象は元来判断であるが、この判断は経験からの規制を受けている、ということになる。しかし、われわれが以前の経験から鉄道のレールがどこも同じ間隔であることを知っていて、そのためにそう見えるのだというのは正しくない。経験が利用される道筋の全体がまるで摑みどころのないものであって、ヘルムホルツ自身すら「無意識の推論《ウンベヴステ・シュリュッセ》」などという言葉を用いざるをえなかったことは全く度外視するとしても、後に示すような事例ではこのような経験の基礎がそもそも問題になりえないのである。——次にヘーリングもやはり、知覚内容を全く孤立的に考えてこれを「被視物《ゼーエディング》」と呼ぶことによって、知覚における客観的対象への関係を断念してしまっている。彼は感覚の主観性に関するカント＝ヨハネス・ミュラー的学説（と称するもの）から明かにヘルムホルツよりも強い影響を受けており、従って知覚の基礎に類生理学的機能を求めようとする傾向をより強く示している。それは、世界は私の表象だ、という命題に近い。

このような命題は、ヘルムホルツの見解よりも一層われわれの立場からかけ離れている。器官の能動性《アクティヴィテート》を放棄することなく知覚の現実性《ヴィルクリヒカイツ》の要求《アンシュプルーフ》に応えるということに、ヘルムホルツは疑いもなく成功している。ただ、無意識の判断とか推論とかという彼の仮説は非常に誤解を招きやすい表現で、論理的なものの物質化あるいは生理学的なものの知性化ともいうべき誤ちを惹起することになる。しかしまだうまくつじつまの合っていないこの概念の中には、器官作業の問題を新しく見直そうとする極めて強い主張が潜んでいる。だから、われわれの見解はヘーリングよりもヘルムホルツの方に近い。ちなみに、ヨハネス・ミュラーやヘーリングが特殊な生理学的機能を悟性範疇や直観形式の先験性《アプリオリテート》と同一視したのは、全くの誤解だった。カントが見出したのは可能な経験の先験的な制約《アプリオーリッシェ・ベディングンゲン》なのであって、器官の感官作業の生理学的機構ではない。それに対する彼の表現は、批判は権利問題に関るものであって事実問題に関るものではない、というのであった。

しかしこの矛盾を媒介しているものは、空間形式および時間形式の直観性の側面にではなく、その量的側面にある。解剖学上の生物学的形態《ビオローギッシェ・フォルメン》は、それが知覚される外的事物と同様に空間および時間の中に置かれている限り、量的に捉えたり規定したりすることができる。視野の広さのごとき規定は、解剖学的に固定した知覚条件を示すものに他ならぬ。これらの規定にとっては、それが外的対象と全く同様に知覚を規制するということが言える。そしてその結果、それらの規定についても、われわれが知覚するのはただ客観的に可能なことだということがあてはまる。これと同じことが、眼の屈折率や幾何学的－光学的必然性をもった写像の諸関係《アブビルドゥングスフェアヘルトニッセ》についても言える。そこで視覚が或る種の像的性格《ビルトカラクター》を、つまり投影像《プロイエクツイオンスビルト》の、従って平面像《フラッハビルト》の性格を有する場合、この性格は三次元の物体の知覚をいわば制限《アインシュレンケン》し、それを現実から遠ざけるところの特性なのである。

しかしわれわれは、月を——円盤として——見る場合よりも一層現実性に乏しい仕方で月を考えている。例えば、球体と考えられた月は眼で見られた月よりも一層制限されている。というのは、月の円盤という形態のもつ充実を眼で見る場合と同じ完全さと同時性でもって考えることは不可能だからである。ここから次の結論が生じる。知覚の可能法則とは、知覚に際してわれわれが種々の可能性の中からこれやあれやの可能性を一つ選び出すという意味ではなく、知覚がいくつかの個別規定《アインツェルベシュティムンゲン》の統一像《ビルトハフテ・アインハイト》を作り出す場合に、もしそれぞれの規定が完全な事物自体であってその種々な現出様式ではないと仮定すれば、それらの個別規定は互に矛盾するに違いないということを意味している。ところがこれらの規定は必然的《ノートヴェンディヒ》な現出様式《エアシャイヌングスヴァイゼン》であるに過ぎない——必然的というのは、既知の、或は求められている知覚の条件によって規制されているという点においてである。つまりこの可能法則の言わんとするところは、われわれは諸事物がいろいろな条件の下で現出しなくてはならぬ、その通りの姿で必然的にそれらを知覚するのだ、ということである。従ってこの法則《ザッツ》の核心は、知覚とは現実の器官《ヴィルクリッヘ・オルガーネ》を通じての現実の事物《ヴィルクリッヘ・ディンゲ》の現出《エアシャイヌンゲン》である、という命題《ザッツ》である。(13)

（e）　空間と時間は世界の中にある。知覚における空間的および時間的秩序は対象の客観的秩序によって規制されてはいるが、それと同一ではなくてその可能な現出にすぎない、と言うだけではあまりにも不十分である。われわれが求めているのは、これらの秩序が一体どのようにしてそのつど現出するのかという規則《レーゲルン》、或は少くともその規定根拠《ベシュテイムングスグリュンデ》を知るということである。また、知覚された秩序と客観的秩序とのずれを器官による規制のためと説明するのでは、これまたあまりにも意を尽していない。われわれの求めているのはこのことを全き普遍性において洞察することではなく、この機会に器官の働きそれ自体あるいはその活動法則について何かを知るということである。さて感覚生理学は、この方向に沿った莫大な知識を積重ねて来た。しかしこの学問の有する高い価値にも拘らず、知覚における秩序を生理学的要素機能の合成から説明しようとする試みは見込みのないものと見なさざるをえないことが判って来た。われわれはこの点に関しては、その他の点では対立しているビューラー Bühler、*ヴェルトハイマーおよびケーラー Wertheimer und Köhler、イェンシュ Jaensch、クリューガー Krüger その他の諸研究と意見を等しくしている。しかし空間感覚や時間感覚の感覚生理学的説明を批判するのは、差当っては単にネガティヴな段階にすぎない。

そこで今問われなくてはならないのは、空間的‐時間的な知覚がそれに対応する対象の客観的秩序に一致しているということはそもそも何を意味するか、ということである。この点に関する古典的な考察形式は、われわれが空間の中で（或は時間の中で）何かを知覚しているということを、つねに出発点として来た。つまり知覚された何か《エトヴァス》は空間内に一つの場所《オルト》を占め、そして知覚を媒介する器官《オルガン》や器官部分《オルガンタイル》には場所指数《オルツヴェアト》を付与する能力が備っているものと見る。この付与は定位《ロカリザツイオン》と呼ばれる。次には、感覚面（網膜や皮膚）と知覚において空間秩序（図形、大きさ）が現出する面との間に少くとも大略の幾何学的相似があることは間違いないことが気付かれ、感覚野に加えられた刺戟とその空間秩序とが器官内にそれと対応的な秩序をもった神経興奮をひきおこし、更にこの興奮とやはり相似の図形や大きさの比率を知覚の中に持込むことが確かめられた。そしてこれが知覚における空間的決定《デテルミニールング》の、もちろん唯一のではないにしても、一つの成立様式として主張された。フォン・クリース v. Kries はこの様態を「平行的基礎づけ」Parallelfundierung と呼んでいる。ところが多数の事実が証明したところによると、この基礎づけの仕方は一定範囲内でしか妥当性をもちえず、感覚要素や器官部分の場所指数も不変のものではない。例えばこの場所指数を一定の固定的な仕方で変更するための、器官の能動的運動《アクテイーフェ・ベヴェーグンゲン》(眼や指の運動)がありうる。場所指数は変更可能《ウムシュテイムバール》なものだとしか考えられない。場所指数の学説が、その一角が破られると次から次へと崩れて行くものだということは否定できない。これに反対する学説が、知覚における秩序と器官内の興奮の秩序との間の一切の関係を、その種類のいかんに拘らず残らず否定しているのも、このことから理解できる。そしてロッツェ Lotze は、彼の「局所標徴」Lokalzeichen の説でもって生理学的定位理論《ロカリザツイオンステオリー》の祖となると同時に、他方ではこの理論の徹底的否認の祖ともなった。つまりロッツェは、興奮している感覚器官の場所的 örtlich な関連《フエアヘルトニッセ》そのものの中に知覚像の空間的秩序にとっての何らかの基礎を求めようとする試みを全く誤ったことと見なしながらも、反面ではこの器官が場所を決定された印象を媒介する能力を有するものと主張しようとした。こうして彼が到達したのは、感覚器官の個々の部位から出る感覚にそれぞれ一つの専門的《シュペツイーフィッシュ》な、つまり場所的《オエルトリッヒ》ではなく質的な特異性《クヴァリタティーフェ・アイゲンアールト》を与えるという考えだった。この特異性によってこれらの感覚は、あたかも各々が個性《インディヴィドウアリテート》を備えているかのように、知覚の特定の空間的秩序を構成するのに役立つというのである。この学説においては、それに続くあらゆる学説においてと同様、感覚のために存する空間、つまり与えられた空間の中に感覚を組込むことが問題だという前提が置かれている。そしてここで持上った空間指数《ラウムヴェアテ》の変更可能性《ウムシュテイムバールカイト》という難問を、次の二つの考え方のどちらかをとることで克服しようとする努力がなされた。つまり副次《アクツェツソーリッシュ》的な生理学的要因を導入するか（複合的生理学的定位論《コンプリツィーアテ・フュジオローギッシェ・ロカリザツィオンスレーレ》）、それとも一切の生理学的基礎づけを否定して純粋に心理学的な、或は類論理学的《クヴァジ・ローギッシュ》な経験活動《エアファールングステーティヒカイト》や判断活動《ウアタイルスチーティヒカイト》を定位の、つまり空間的秩序の真の前提と見るか、のどちらか一方が採られた。しかしいずれの場合にも、感覚がその中に「定位される《ロカリジーアト》」一つの空間ないし空間表象が存在するということは、物質《マテーリエ》としての外的対象が空間の中に考えられるということと全く同様に自明のこととされていた。

これに反して、空間性《ダス・ロイムリッヒ》は単に二次的に成立するもので、つまり対象の側に或はその中に見出されたり産出されたりするものだという可能性は、まるで考慮に入れられなかった。近代の自然科学的思考が有する自然哲学的図式とその頂点をなすカントの先験論の強い影響下にあって、感覚が一次的所与であり空間や時間の形式が二次的だなどということは到底考えられなかったのである。空間や時間は、ロック*やデカルト**におけると同様、依然として「一次的《プリメーア》」性質であり、感覚は「二次的《ゼクンデーア》」性質なのであった(14)。

しかし諸事物が空間の中にある sein と共に空間の中に現出する erscheinen のだという考え方の中にこそ混乱の源がある。ここにはいわば二つの空間が、客観的空間と主観的空間、現実空間と知覚空間が考えられている。そしてどうすればこの二つを対比しうるのかについては語られていない――それを新しい知覚によって行い、そこにまたしても客観的と主観的の分裂を生じさせようとでもするのだろうか。唯一の途は並行論的《パラレリスティッシュ》見解か、或は両者が全く別の法則で支配されているとする見解かのどちらかである。また感覚面、例えば網膜と、知覚における映像面との対比も、われわれが「眼」という器官を知覚することはできるものの、それの「背後に廻って《ダー・ヒンター・コメン》」、眼《アウゲ》が「それ自体《アン・ジッヒ》」で、つまり或る一つの知覚器官の協力なしに、どうなって「いる」かを知ることはできないということに基づいている。やはりここでもわれわれの知りうるのは、それを通じて諸事物《ディンゲ》がこれこれしかじかに「外見を呈する《アウスゼーエン》」ところの物《ディング》が、どういう「外見を呈する」かということに過ぎない。

この紛糾《フェアシュリングング》、この悪循環《ツィルクルス・ヴィツィオーズス》からも見てとれるように、主観的なもの《ダス・ズブイエクティーヴェ》と客観的なもの《ダス・オブイエクティーヴェ》とを結局あたかも二つの客体《オブイエクテ》（それらの間の関係は次の段階の考察の対象となりうるような）のように平等に並列するような両者の区別や対置はそもそも不可能なのであり、それは一切の知覚の本質的なあり方、つまりそれが常に何かの体験であるというあり方と矛盾する。われわれは客観的なもの《オブイエクティーヴェス》をただ主観《ズブイエクト》〔主体〕の中においてのみ、また主観的なもの《ズブイエクティーヴェス》をただ客《オブイ》観《エクト》〔客体〕に即してのみ有しうるのである。だからこの両者の関係は、決して互に対立する二つの物や世界のようには考えることができない。存在するのは常に、つまり各々がそれ自体独立性《ベシュタント》と恒常性《シュタビリテート》を有する二つの物や世界のように、客観《オブイエクテ》が主観《ズブイエクト》の中に現《アクトゥエル》に全く特定の仕方で含まれているということだけである。

しかしこの論旨は、空間的時間的な秩序にとっての次のような帰結を含んでいる。この秩序はもはや、あらかじめ与えられた（空虚な）空間やそれと同様な時間への単なる決定《デテルミニールンゲン》あるいは組込み《アイントラーグンゲン》とは考えられない。むしろかかる秩序の一切がそれぞれ一つの当面の状況《アクトゥエレ・ジトゥアツィオン》に――一つの出来事《エアアイクニス》に対応している。この一つの出来事と他のいくつもの出来事とが一つの包括的な空間秩序《ラウムオルドヌング》と時間系列《ツァイトフォルゲ》の中で結合していること、それは差当りそれ自体がやはりそのような一つの新しい出来事以上のなにものでもないし、この関係は更に続いて行く。こうして生じる一本の連鎖が全体として決して空間の中、時間の中に組込まれえないこと、むしろこの事象の進展《ゲシェーエンスフォルトビルドゥング》の中で空間や時間の規定がそのたびごとに成立してはまた消えて行き、形を得ては新しい形成の中へと解体され、或はまた改めて取入れられるということが気付かれる。ここではいろいろな物《ディンゲ》が空間や時間の中にあるのではなく、空間や時間が事象の進《ゲシェーエンス・フォルトビルド》展《ウング》の中で成立していろいろな物の中《イン》あるいは物のもと《アン》で見出される《アンゲトロッフェン》のである。世界やその中の事物は空間や時間の中にあるのではない。空間や時間が世界の中にあり、物のもとにあるのである。Die Welt und ihre Dinge sind nicht in Raum und Zeit, sondern Raum und Zeit sind in der Welt, an den Dingen.[15]

ここに示されたように、知覚界が決して独立に客観的対象界と対置されえず、また決して客観的に対象界から区別されえないのならば、知覚についての独立した心理学というようなものもありうるはずがない。

4　自我と対象の出会い（相即）

知覚行為が自我と環界の間の秩序を生み出すものならば、またこの両者がなかんずく空間的、時間的な秩序において成立しているとするならば、われわれの問うべきことはもはや、環界の空間的秩序はいかにして知覚されうるかということではなくて、むしろ、知覚を通じていかなる秩序が自我と環界の間に生じるかということである。本書の中でこれまで詳細に検討して来た事例を想起してみても、その結論はいつも、知覚は単に物をそれ本来の姿とは異った仕方で現出せしめるだけでなく、この「異った《アンダース》」ということこそ、われわれがさまざまな現出様態における物をそもそも同一物として知覚しうるための必要条件なのだということであった。従ってここで空間的時間的な現出様態が問題となる限り、この現出様態の空間的時間的な秩序が物の知覚の用に供されるのであってその逆ではない、と言うことができる。つまり、知覚は物を空間と時間の中に秩序づけて現出せしめはするものの、その際しばしば贋造《フェルシュンゲン》、変換《トランスフォルマツイオーネン》、投影《プロイエクツイオーネン》その他さまざまの現象を伴うのである。

いささか擬人的に要約するならば、空間や時間は生きもの Lebewesen の用に供されるものであり、種々の感覚器官は生きものを世界の中へと秩序づける役割を果すものであって、生きものを欠いた、つまり主観を欠いた世界の認識を司るものではない。しかしこの主張は決して先験的もしくは認識論的な命題を含むものではなく、追試可能な事実や所見を含むものである。つまり、いかなる仕方で、いかなる個別事例において、知覚の空間的時間的秩序が生《レーベン》の遂行《フォルツューゲ》にとって実際に構成《コンスティトウテイーフ》的であり、生命とは無関係に考えられた世界の客観的認識にとっては構成的でないといえるのかが、検討されなくてはならない。

このような着手《アンザッツ》の仕方から世界像《ヴェルトビルト》のいわゆる直観性《アンシャウリヒカイト》にとってのいかなる帰結《フォルゲルング》が生じるのかについて、ここで予め指摘しておいた方がよいだろう。つまり空間的、時間的様相《フェアヘルトニッセ》が直観的 anschaulich な形で表象される限り、それらの様相はわれわれの考えでは知覚の構成部分《ベシュタントタイレ》であって、生命と無関係に没主観的《ズブイエクトロース》に考えられた環界の構成部分ではない。かかる没主観的な環界は、空間と時間の中で必然的に直観可能《アンシャウバール》ではない——というよりむしろ、われわれはそれについては何も知らない。われわれの立場と最近の理論物理学自身がひき出そうとしている帰結との接点は、まさにこの点に求められるように思われる。——ここから生じて来る間接的な結論の一つは、非直観的《ウンアンシャウリッヒ》な物理的世界像を承認することや、少くとも対象認識ということは、当然の事として、物理的客体として考えられた中枢神経系にまで拡張されねばならぬということである。その結果、脳理論《ゲヒルンレーレ》にとって非直観的機能理論は単に許されるだけではなく、むしろ主導権を与えられるべきだということになる。[16]

第二に、これと密接に関連することであるが、生きもの《レーベヴェーゼン》と環界《ウムヴェルト》との分離《トレヌング》は空間的な意味でも時間的な意味でも不可能である。生命ある《ベレーブト》物質と生命のない《ウンベレーブト》物質の間の境界は——すでに多くの人によって指摘されているように[17]——身体表皮の境界面や細胞膜に固定せしめることができない。そもそもこのような境界を空間的（従って物質的《マテリエル》）に或は時間的（従って個体的《インディヴィドゥエル》）に固定しようとするなら、われわれはそれを絶えず場合場合に応じて新たに、そのつど異った仕方で、つまりその瞬間に考察されている生命活動に応じた仕方でいちいち固定しなくてはならない。例えば水中を泳ぐ場合を考えれば自我と環界の境界は皮膚だし、光の作用と知覚とを研究する際には網膜だし、炭酸ガスの影響を調べる際には神経節の細胞膜だということになる。

最後に、有機体の行為《オルガニスミッシェ・アクテ》を記述することは有機体と環界の間に境界を設けるという前提の下では不可能である。真の課題は、有機体と環界との出会い Begegnung を理解《ベグライフェン》し、この出会いを実際に促進せしめることにある。われわれの研究の結果によると、知覚とは有機的《オルガーニッシュ》にも無機的《アンオルガーニッシュ》にも理解しえないような、自我と環界とのそのつど一回きりの出会いであり、運動とからみ合って或る未知の目標に向ってこの両者の出会いが活動的《テーテイヒ》に展開されて行く一段階《エタッペ》に過ぎないものである。ここから、生物学的行為においては運動がつねに知覚との「からみ合い《フェアシュレンクング》」において探究されねばならぬ、という方法上の要請が出て来る。

知覚行為の有する出会いの性格《ベゲーグヌングスカラクター》を明示するには、空間的、時間的秩序の例は非常にふさわしい。われわれはさきに、知覚を通じて自我と環界の間にいかなる秩序が生じるか、という問いをたてておいた。自我への関係がそのつどそのつど構成されるということは、ずっと以前から気付かれており、そしてこの関係は、視覚領域においては「自己中心的定位《エゴツエントリッシエ・ロカリザツイオン》」と名付けられた。それはわれわれが或る物を「自分の真直ぐ前《グラーデアウス・フオア・ウンス》」に見たり、「自分からこれだけ離れた所《ゾー・ヴァイト・ヴエック・フォン・ミア》」に見たりする、という意味である。——触覚器官についても同様に、感覚印象の一部は自分の身体の状態 Zustände もしくは与えられた刺戟《アフエクツイオーネン》として、また一部は全く身体の外部に生じている出来事《フオアゲンゲ》として経験されることが認められる。前者は感覚の身体化《ゾマテイジールング》あるいは主観化《ズブイエクテイヴイールング》と呼ばれ、後者は感覚の投影《プロイエクツイオン》あるいは客観化《オブイエクテイヴイールング》と呼ばれた。——ところがこれらすべての場合を通じて支配的であったのは、それ自体としてはいつも同一の事態が、つまり外的客体、刺戟、興奮、感覚という一つの因果系列《カウザールライエ》が、存在しているという考え方だったように思われる。この因果系列に特別な生理学的あるいは心理学的機能が加わって、一方では「主観化」を、他方では「客観化」を起させているのだ、というように考えられた。

しかしこの考えに対しては、これらの概念は外部から知覚に押しつけられたもので、右のような因果系列を是認する立場に立つことを前提としてはじめて必要になってくるような概念に過ぎぬ、という反論が可能である。知覚自体の中にはそのようなものは何一つ含まれていない。「私はこの鳥を見ている」とか「私はこの痛みを感じている」とか言う場合、これらの知覚の生々しさ《アクトウアリテート》の中には自我と対象の区分《トレヌング》や両者の併存《ネーベンアイナンダー》、継起《ナーハアイナンダー》などの関係は差当り全く含まれていない。かりに含まれているとしても、両者は知覚自体の中で結びつき、出会いの中で融け合っている。

そこで私はこのことを知覚における相即 Kohärenz と名付けている。ここから今度は自我と対象を区別しようとしてみても、両者の分離線がどこに（或はどの時点に）置かれることになるのかは決して最初から一義的に決っているものではない。このことが最も明かになるのは、自分の身体のいわゆる身体感覚《ケルパーエンプフィンドゥンゲン》を例にとってみる場合である。ここでは例えばこの痛みが「私の」《マイナー》である、つまり自我《イッヒ》の中にあると言うのも、それが単に私の「身体」《ケルパー》の中にある、つまり私の自我の中にはないと言うのも、同じように正しい。自我《イッヒ》とそれ《エス》（＝対象）の間の分離線《トレヌングスリニエ》は、いずれの場合にも前もって形成《プレフォルミーアト》されてはいない。両者の区別はそれ自体一つの新しい生物学的行為であり、この行為自体がやはり一つの知覚であるとするならば、前と全く同じ考察をもう一度最初からやり直さねばならないことになる。

これらすべてのことは次のように要約できる。知覚が自我と対象の間に構成する出会い《ベゲーグヌング》に着目すれば、いかなる知覚もそれ自体一つの原本《オリギナール》であって、何らかの絶対的に固定し、常に自己同一的な空間には組込まれえないものと考えなくてはならない。同じことが時間についても言える。そのように客観的に固定された空間界《ラウムヴェルト》や時間界《ツァイトヴェルト》のもとにすべての知覚を統合することにより、確かに一つの包括的で矛盾のない秩序が――それと共にまた一つの全体体系《トタールジュステーム》が達成されるかもしれない。しかし、このような体系が一歩一歩構成され、そして証明されないうちにそれを前提してしまうということは不可能である。「自己中心的定位」、「客観化的投影」その他の観察はむしろそれとは逆の事態を示している。つまり知覚の原本《ヴァールネームングスオリギナール》は自我と対象のいわば対等の出会い《パリテーティッシェ・ベゲーグヌング》を構成し、この両者の相即《コヘレンツ》から――この両者の二元的な対立《ドゥアーレス・ゲーゲンユーバーシュテーエン》からではなく――生じて来るということを示している。

そこで次に考察せねばならぬことは、何よりも先ず、このような出会いの特別なあり方とその本質を明かにすることであろう。そこではもはやわれわれは、個々の所見の心理学的および生理学的解釈の間に闘わされた旧来の論争には関り合わない。いかなる知覚においても一つの自我が自らの対象と出会っている begegnet ein Ich seinem Gegenstand ことが判れば、それで十分である。しかし、もしこの言い方の代りに「自我というものが対象というものに」das Ich dem Gegenstand と言ったりしたら、それはもう抽象する主観性《アブストラヒーレンデ・ズブイエクテイヴイテート》と客観的世界との相互の独立性を思考可能《デンクメークリヒ》なこととして、のみならずさらには現実的《ヴィルクリヒ》なこととして前提することになるだろう。しかしこのような前提こそ、不当な前提なのである。

解剖学的、生理学的、空間的時間的、認識論的な諸条件についての右のような批判から導き出される総決算《ズンメ》は、およそ次のようである。つまり、知覚をこれらの諸要素から理論的《コンストルクテイーフ》に導出したり説明したりするのは不可能であろう、ということである。このことをはっきり理解するには、何か或る環境の中で知覚されるものの総計《ズンメ》に直接眼を向ければよい。すると例えば部屋の中とか窓の外とかに見当もつかぬほど無数の個物《アインツェルハイテン》が「眼に捕え《イン・アウゲ・ファッセン》」られたり「聞取《ヘラウス》られ《ホエーレン》」たりしていることが判る。その大部分は持続的に存在するものなのに、そのつど捉えられて現実に聞いたり見たりされるのは、いつもそのうちの僅か、或は一つだけにすぎない。それはまるで、個々の知覚が多数の中から一個だけを選び出しているかのようである。全部を同時に見たり聞いたりすることは不可能である。つまり知覚は一種の構成的制約 konstituierende Einschränkung を示す。だが一体、何が全体の中から選び出されて見たり聞いたりされるのだろう。それは本質的なもの《ダス・ヴェーゼントリッヘ》、或は関心を惹くもの《ダス・インテレッシーレンデ》、或は意味のあるもの《ダス・ジンフォレ》と言えるだろう。だがそれは一体何にとって本質的で、誰の関心を惹き、どのような仕方で意味があるのだろう。この問いに答えることは、もはや知覚そのものの領域を外れることになる。われわれがそこでぶつかるものは、年齢、世代、個人、社会などの生活秩序《レーベンスオルドヌンゲン》であり、感情、願望、精神的実体《ガイステイゲ・ヴェーゼンハイテン》などである。つまり、必ずしも眼に見えたり耳に聞えたりしないような事柄である。これらの事柄から知覚を説明《エアクレーレン》したり構築《コンストルイーレン》したりすることはできない。知覚するということは、眼や耳のような器官に分節《ゲグリーデルト》され、これらの器官の構造《バウ》に基いて形造られ《ゲシユタルテツト》、これらの器官の機能によって制約され《ベグレンツト》ているからである。だからわれわれは右に述べたような知覚可能性《ヴァールネームバールカイト》を越えた領域《スフェーレ》が諸感覚の知覚の中で実現される仕方を規定しうるのだし、だからわれわれは自我と環界の出会いがいかにして諸感覚の中で生じるかを確かめうるのである。しかし感性的《ジンリッヒ》に実現《レアリジーレン》される、つまり知覚の中で呈示《ダルシュテレン》されるような超感性的領域 transsensuelle Sphäre が知覚の学問からいわば逆行《リュックロイフィヒ》的に説明されることは決してありえず、むしろこの領域が知覚の中には十分実現されえないで、かえってぶち壊されてしまうのではないか、そうだとすればいかにしてなのか、が確かめられうるにすぎない。換言すれば、対象《ゲーゲンシュテンデ》の知覚とは説明できないものであるけれども、対象の知覚の不完全《ウンフォルコメンハイト》さや病態《パトロギー》を確認することはできるのである。

（1） 閾値法は計測的自然研究の必然の結果、つまり数学的方法の勝利の必然の結果であった。このように、辛うじて気付き得る差異こそ知覚と計測的認識を結びつけるに違いない手段であることをはじめて認識したのはライプニッツ Leibniz* であった。彼はこの手段を微小知覚 petite perception と呼び、新人間悟性論（Nouveaux Essais sur l'entendement humain 1696–1704）の輝くばかりの序論で、その意義を出来得る限りの力をこめて強調した。「われわれを取囲む物体が、われわれに与える果しのない印象は、従って存在者の一つ一つと残りの全宇宙との結びつきは、それら（微小知覚）に基くものである」。閾値法と同様に、微積分法の発見の源もここにある。

（1 a） プルキニエ Purkinje** いわく「錯覚は視覚の真理である」。„Sinnestäuschungen sind Gesichtswahrheiten" この有名ではあるが、危険を伴わぬではない命題は、感覚論における幾多の主観的観念主義の源となった。ヘーリング Hering の「被視物」Sehding もこれに由来する。

（2） W. Fuchs, A. Gelb und K. Goldstein の前掲書に引用あり。

（3） A. Prinz Auersperg u. H. C. Buhrmeister, *Experimenteller Beitrag zur Frage des Bewegtsehens*〔運動視の問題への実験的寄与〕, Z. Sinnesphysiol., 66; 274, 1936.

（4） F. B. Hofmann, Physiologische Optik〔生理学的光学〕Handbuch der Augenheikunde (Hrsg. von Gräfe), 2. Aufl. Bd. 3. M. Palagyi, Wahrnehmungslehre〔知覚論〕. *Leipzig*. 1925. 同著者 Naturphilosophische Vorlesungen〔自然哲学講義〕. 2. Aufl. Leipzig 1929. M. Wertheimer, *Experimentelle Studien über das Sehen von Bewegung*〔運動視に関する実験的研究〕, Z. Psychol., 11; 161, 1912. J. Stein, Pathologie der Wahrnehmung〔知覚の病理〕, Handbuch der Geisteskrankheiten (Hrsg. von O. Bumke u. O. Foerster), Berlin 1928, Bd. 1, 1, S. 351. J. v. Kries, Allgemeine Sinnesphysiologie〔感覚生理学概論〕. Leipzig 1923.

（5） 本書のこの原文は、感覚生理学的分析の結果一般を価値なきものにしてしまおうとしているかに誤解されるおそれが全くない訳ではない。だから誤解を避けるために、特に目ざましい成果をおさめた最近の実例を一つ指摘しておこう。それはヘヒト Hecht* が昆虫の明順応、暗順応と視力の関連を、悉無律を適用して説明したことである。そのような結果は、単に結果自体として生理学者にとって満足できるものであるのみならず、感覚生理学的条件（異った閾値を有する網膜要素の悉無律、明るさに伴う視力の上昇）を、生物学的作業への寄与として理解する、今一つの根拠を与えるものである。つまりこのような条件への依存は、昼間活動性動物にとっては構成的なのである。

（6） J. Stein und V. v. Weizsäcker, Zur Pathologie der Sensibilität〔体感覚の病理について〕, Ergeb. Physiol., 27; 685, 1928. 感官印象を呼び起すべきものとされる機能に対して、幾何学的・量的表象を適用しても、それは一、このような感官印象の「質的」多様性のために、二、こういった様々な作業を厳密に規定する反数学的原理のために、うまく行かない。

（7） ヘーゲル Hegel の知覚に関する次の叙述は極めて健全である Enzyklopädie der philosophischen Wissenschaften,〔エンツィクロペディー〕, §. 38)、「経験主義のうちには、真なるものは現実に存在せねばならず、そして知覚にとって存在せねばならぬという、偉大な原理が含まれている。,,Es liegt in Empirismus dies große Prinzip, daß, was wahr ist, in der Wirklichkeit sein und für die Wahrnehmung da sein muß.''」。

（8） V. v. Weizsäcker, Ataxie und Funktionswandel〔失調症と機能変動〕, Dtsch. Z. Nervenhk., 120; 117, 1931. 及び Leitung, Form und Megne in der Lehre von den nervösen Funktionen〔神経機能論における伝導、形式、量について〕, Nervenarzt, 4; 433 u. 526, 1931. を参照。

（8 a） P. Christian, *Wirklichkeit und Erscheinung in der Wahrnehmung von Bewegung*〔運動知覚における現実と現象〕, Z. Sinnesphysiol., 68;152, 1940. 同著者 *Experimentelle Beiträge zur intermodalen vestibulo-optischen Wechselbeziehung der Sinnesorgane*〔感覚器官の前庭・視覚性・間様態性相互関係への実験的寄与〕, Pflügers Arch. Physiol., 243; 370, 1940. P. Christian und V. v. Weizsäcker, *Über das Sehen figurierter Bewegungen von Lichtpunkten*〔光点の図形運動視について〕, Z. Sinnesphysiol., 70; 30, 1943. V. v. Weizsäckr, Gestalt und Zeit〔形態《ゲシュタルト》と時間〕. Halle 1942 特に第七章から九章などを参照。図形運動視の実験的研究は、「ゲシュタルトクライス」第一版以後進捗し、その結果一つの問題が提起されるに至ったが、これについてはここでは若干の示唆をしておく余裕しかない。そのような図形運動視においては、知覚行為は見た図形を形態《フォルメン》化する自由を有するのだが、知覚行為が数学的もしくは物理学的法則の理念に従うのは、この行為がそのような法則の自由な結果を直観的に提示する限りにおいてである。従ってこれを知覚行為の好法則性 Nomophilie、または向法則性 Nomotropie と言うことができよう。考え得る限りの多様な提示のうちから、知覚行為は物理学的法則に従って可能な事態の提示を選び取るのである（可能命題 Möglichkeitssatz、一八四頁参照）。——更に、このようにして客観的事態を物理学的に可能な合法則性の像のうちに提示するという知覚の自由は、機序《フォアガング》を関係《レラツイオン》として、またこの相対性《レラテイヴイテート》を合法則性として把えんとする物理学の自由に関連していることも明らかになった。ところで知覚とは相対性によって許される様々な提示様式のうちからその一つを選び出すものであり、しかもその手続きは絶対的規定性をもって行われるのであるから、知覚が行うことは、相対主義に従う物理学によって許されることなのである。このような関連については、また別の箇所で立ち戻って論ずるつもりである。そうこうする間に、ヘーベル K. Hebel (Die Relativität in der Wahrnehmung von Bewegung〔運動の知覚における相対性について〕, Z. Sinnesphysiol., 70; 75, 1943) は詳細な実験的研究を費して、これらの命題を検討した。彼は回転感覚の事例を用いて、多種多様な仮象運動が（「正しい」運動をも含めて）、例外なくある一つの物理学的事態を提示するものであり、またそのような提示は、その系に含まれる機序がすべて相対的なものであるという前提のもとでは、すべて同等の正当性を有する、という完全な合法則性が存在することを示した。――更に V. v. Weizsäcker, Wahrheit und Wahrnehmung〔真理と知覚〕, Leizpig (Koehler und Amelang) 1943 Arzt und Kranker〔医師と患者〕II. Koehler-Verlag, Stuttgart 1949 中に再録）を参照。

（9） 10=7+3 なのか、それとも 10=5+5 なのか。10なる概念にはいずれの解答も含まれており、この加算総計《ズンメ》が数多くの仕方で解釈できるという事実を、単なる主観的附加物と呼ぶことはできない。同じことは反転 Inversionen についても言える。――他方では、様々に異る対象が同じもののように見えることもある。これを右の例で言えば、7+3=10 だが、5+5=10 でもあるということになる。

（10） 空間と時間の中での知覚 Wahrnehmen in Raum und Zeit と、空間なるもの、時間なるものの知覚 Wahrnehmen des Raumes und der Zeit を厳密に区別せねばならぬことについては、V. v. Weizsäcker, *Einleitung zur Physiologie der Sinne*〔感覚生理学序論〕, Handbuch der normalen und pathologischen Physiologie (Hrsg. von A. Bethe), Berlin 1926, Bd. 11, S. 1. で詳論した。

（10 a） それにも拘らず、このような知覚体験は、まだ直観的と言える学問中では最も抽象的な学問、つまり初等幾何学と密接な関係がある。α、β、ε の各事例は、ヒルベルト D. Hilbert* (Grundlagen der Geometrie〔幾何学基礎論〕, 7. Auflage Leipzig 1930) の幾何学における結合 Verknüpfung、順序 Anordnung、合同 Kongruenz の公理を直ぐ想起させる。右にあげた各知覚は、これらの公理の前段階的形式、もしくは前概念的感官的言表として理解することができる。

（11） 知覚の可能命題が述べているのは、われわれが知覚するものは決して数学的に不可能なことではないということにすぎず――その他になお何か違ったものをもわれわれは知覚するということではない。カントは、空間と時間が一さいの可能な経験の制約であることを説いた。われわれはカントの言説に拘束されることなく、カントが客観的経験の先験的《アプリオリ》構造についてのみ説いたことを、むしろ逆に感官知覚について主張するのである。

知覚を「正しい」か「誤っている」かの二者択一からではなく、可能的なるものから現実的なるものへの発展として理解せねばならぬことに同意した時、われわれは近代の古典的思想からアリストテレス的思想への歩みを、今一歩決定的に踏み出したことになる。アリストテレスにとっては現実的なるものが（客観性のうちにその本質を有するのではなく）デュナミス potentia とエネルゲイア actus から生ずるものであったごとく、われわれの叙述では現実的なものは、知覚における存在の現出のうちに成立する。従ってここで進展しつつある研究は、同じくアリストテレス的な自己運動《ゼルプストベヴェーグング》（自己原因 causa sui）なる反因果律的概念を最初に受け容れた上で、それからの帰結をひき出しているに過ぎぬのである。

（12） V. v. Weizsäcker, Das Antilogische〔反論理的なもの〕, Psychol. Forsch. 3; 295, 1923 (Festschrift für Joh. v. Kries).

（13） 知覚の可能命題が経験命題であるということになれば、残された仕事はこの命題の妥当性には限界があるか否かを考究することである。従ってわれわれが問うべきことは、「数学的に不可能なことを含む知覚は存在するのか」ということである。そのような知覚の例としては、しばしば回転眩暈中に受ける印象、つまり対象はす速く眼前を通り過ぎて動いて行くように見えながらそれにも拘らず絶えず真正面に留っているという印象を挙げることができよう。そのほか、夢の中で自分が「あちら」にいる姿が自分自身に見えたり、自分が他の人物となって「あちら」にいることすらあるという例もある。

（14） ヴィンデルバント Windelband* によれば、さまざまの現象に対するこのような二元論的立場の祖はデモクリトス Demokrit** であるという（Geschichte der Philosophie〔哲学史〕. 1. Aufl. 1892.）。

（15） M. Heidegger, Sein und Zeit〔存在と時間〕. Halle 1927. S. 111、「空間が主体のうちにあるのでも、世界が空間のうちにあるのでもない。空間がむしろ世界の「内に」あり、現存在にとって構成的である世界内存在が、空間を開示したという限りにおいてそうである」。„Der Raum ist weder in Subjekt, noch ist die Welt im Raum. Der Raum ist vielmehr ‚in' der Welt; sofern das für das Dasein konstitutive In-der-Welt-Sein Raum erschlossen hat".

（16） 「解剖学なき生理学」はいつの時代にも存在したし、またそれは生理学なき解剖学以上に差障りになるとは限らなかった。

（17） 生理学者の例としてはフォン・ブンゲ v. Bunge***、物理学者の例はボーア Bohr****、哲学者の例はシェーラー M. Scheler*****。

IV　運動の諸条件

解剖学的および生理学的機構《アインリヒトゥンゲン》は器官《オルガーネ》の作業《ライストゥンゲン》を説明《エアクレーレン》することができない。しかしそれらの機構は器官の作業を可能にする《エアメークリッヘン》。しかし同時に、それらの機構はこの作業を不可能にする力《マハト》も持っている。このことこそ、われわれが身体の巻き添えになっていることの秘密に他ならない。われわれは身体によって durch den Körper 生きているのではないにもかかわらず、身体なし ohne ihn では生きられない。このことによって、本書の叙述《ダルレーグンゲン》は繰返し繰返し次のような規則的《ゲゼッツメーシヒ》な形をとることになる。つまり、生命の表出《レーベンスオイセルング》を物質的実体《マテリエレ・ズブスタンツ》から説明《エアクレーレン》しようとしても必ず不成功に終らざるをえないけれども、このことを自覚していさえすれば、物質的機序《マテリエラー・フオアガング》は、それの実現《エアフュルング》なくしては他ならぬこの〈生命の〉現出《エアシャイヌング》そのものが不可能となるところの、一つのポジティヴな条件であることが判って来る。物質的なもの《ダス・マテリエレ》のポジティヴな評価は、しかしながら単にこれだけの生命表出には止らない。流動性《フリュシヒカイト》と可変性《ヴァンデルバールカイト》は、法則的な綜合《ゲゼッツメーシゲ・ジュンテーゼン》や理論構築《コンストルクツイオーネン》の設立《アウフシュテルング》を拒否する。これが生物学的身体科学の一つの限界である。ところがこの可変性が成立しているからこそ、生きた有機体《レーベンデ・オーガニスムス》も成立しうるのであり、このことは生物学のポジティヴな知見であり、収穫である。ここでは単に一つの損失に一つの収穫が対応し、断念に別種の進歩が対応しているというだけではない。損失がそれ自体同時に収穫なのである。予測不能な可変性の確認が同時に生命可能性《レーベンスフェーイヒカイト》の確認をも含んでおり、法則性の制限がそれ自身、生命力《ヴイタリテート》を可能ならしめることを意味している。われわれは生命あるものの法則性の制限に頼って生きている。Wir leben kraft einer Einschränkung der Gesetzmäßigkeit des Lebenden.

生命機序《レーベンスフオアゲング》がその物質的条件に結びついている仕方は、決して無計画的恣意《プランローゼ・ヴィルキューア》の性格を有するものではない。しかし一方、生命機序における物質的法則の制限も、主観《ズブイエクト》あるいは超物質的力《ユーバーマテリエレ・マハト》の独裁的《ディクタトーリッシャー》、専制的《テュラニッシャー》干渉《アイングリフ》としてはおよそ理解できない。心を備えているということ Beseelung は、物質的事象《マテリエレス・ゲシエーエン》の法則を破るような権威《アウトリテート》を意味しない。だから、事態の心理学的な錯綜を原理《プリンツイプ》として墨守しておいた上で、「物質的機序やその法則を確認することはできるが、それが心的な、或はその他の超物質的な干渉によって破られうるものであることは、常に心得ておく必要がある」などという言い方をするだけでは、決して十分ではない。われわれの課題はむしろ、物質的な条件を、生命を可能ならしめるためにそれ自体としては可能な事態に対して加えられる制限 eine lebensermöglichende Einschränkung des an sich Möglichen として、個々の事例に即し、またいかなる範囲や深さにおいても確認することである。だから、知覚にとって本書が明かにしてきたことを原理的あるいは概括的に運動に転用することは全く不可能である。われわれは運動についてもやはり、その解剖学的、生理学的、形式的、心理学的な諸条件を一つ一つ叙述して行くことから取掛らねばならない。ところで知覚においては第五の条件として認識内実あるいは真理の内実が検討されたが、この点に関して運動との比較ができないことはもとより明かである。けだし知覚の本領はわれわれに何かを示す zeigt にあり、運動の本領はわれわれを何かへ導く führt にあるのだから。示すのと導くのとは、なおその他にも対立点を有している。示されたもの《ダス・ゲツァイクテ》は選択《ヴァール》を許すのに対し、導かれたもの《ダス・ゲフューアテ》は既に選ばれた《ゲヴェールト》ものである。示すということは導かず、導くということは示さない。

これが正しければ、知覚の条件が認識の制限 Einschränkungen des Erkennens と考えられるのに対して、運動の条件は欲求 Wollen の制限だということを期待してよいだろう。

1　運動の解剖学的諸条件

「系統解剖学《ジュステマーティッシェ・アナトミー》」の概念が、可視的な有機体の見事な造形的秩序《ビルトネリッシェ・オルドヌング》を表現していることは言うまでもない。この造形的秩序《プラスティッシェ・オルドヌング》は、遡って自らの由来《ヘアクンフト》を示すと同時に、前もって自らの作用《アウスヴィルクング》の及ぶところをも示している。そしてこの両方向において、そこに生じる事象《ゲシェーエン》にも体系的な形態化《ジュステマーティッシェ・ゲシュタルトゥング》の性格をわかち与えている。しかし体系《ジュステーム》の本質の中には、いかなる遊びの余地《シュピールラウム》をも許さぬという意味は含まれていない。むしろ造形《プラスティック》ということは、常に可《プラステ》塑性《イツィテート》を前提としている。本書の冒頭に述べた障碍《シュテールング》の分析から、体系的原理《ジュステマーティシェス・プリンツィプ》には非体系的原理《ウンジュステマーティシェス・プリンツィプ》が不可避的に付随せざるをえないことが判った。神経興奮の伝導 Leitung が解剖学的体系によって図取り《フォアツァイヒネン》されているとすれば、作業 Leistung とは同一の結果《エアフォルク》が種々の異った行程《ヴェーゲ》において到達されることを実証する事実である。ここではじめて、体系的研究が生物学的研究へと展開することになる。

神経系の興奮伝導について言えることは、そのまま骨や関節や筋肉などにもあてはまる。運動の解剖学的条件をなすこれらの系統の動き方は、例外なく制限された自由 begrenzte Freiheit の様相を示す。一般的な立体幾何学的な意味においても、種々の段階における自由の制限を見ることができる。滑車関節、鞍関節、球関節などは可動域 Exkursion の次元的な諸段階《ディメンジオナーレ・シュトゥーフェン》の支配下に置かれており、骨、軟骨、靱帯、腱、筋肉は、これまた硬直《シュタレ》から最高度の伸《デー》展可能性《ンバールカイト》に至る種々の弾力性 Elastizität の段階を示している。指骨から上腕骨や大腿骨に至る骨の長さは運動の到達範囲《ライヒヴァイテ》を規定し、さまざまに異った筋収縮の力は、この到達範囲とあいまって、可能な仕事の量《アルバイツライストゥング》（仕事《アルバイト》は力《クラフト》と距離《ヴェーク》の積である）のエネルギーの大きさを規制している。

自由度のこのような段階づけは、確かに運動の可塑性の一つの条件であろう。しかしこれだけではまだ、同一の目標が種々の行程で到達されるという作業原理の特異性を明かにするものではない。つまりこの原理は内部の力と外部の力との協働作用《ツザメンヴイルクング》から展開されたものだからである。系統的解剖学は内部的諸条件を体系的なものとみなしている。しかし外部的諸条件もやはり一つの体系だというようなことが果して言えるのだろうか。そして、外部事情が非体系的なものだとして、それが果して作業原理にとって十分な条件になりうるだろうか。これらはまだ未解決の問題である。われわれは本書の冒頭に述べたことをここでもう一度繰返すことはしない。それによれば系統的解剖学の考え方は、諸構造を静止《ルーエント》あるいは活動《アクツイオン》において叙述するものではあるが、それを環界への反応《レアクツイオン》においては叙述しないという点で限界を有する。環界のこのような捨象《アブストラクツイオン》は、この学問から環界の叙述という義務を免じるものではあるけれども、生命ある事象《レーベンデス・ゲシエーエン》それ自体にも「死者が生者を教える」vivos *mortui* docent という表現を付与することを妨げるものでもある。

従って解剖学的な条件を問題にするに当って完璧を期そうとするならば、このような環界の捨象をもう一度止揚しなくてはならない。つまり、その場合には環界も考えに入れられねばならず、それがどういった性状のものであるかが規定されなくてはならない。その場合、環界は知覚理論におけると同様、運動理論においても無視しえないものだということが判る。感覚論において外的刺戟を定義することをわれわれが回避しえなかったのと同様に、運動論においては外的抵抗力《オイセレ・ゲーゲンクラフト》を定義することを回避しえない。しかしこの二つの学問の対称性《ジュンメトリー》を完全に把握するためには、更にもう一つのことを付加えておく必要がある。感覚《エンプフインドウンゲン》ということを知らずに完全な感覚生理学《ジンネスフュジオロギー》が行いえないのと同様に、運動の意図 Vorsatz を知ることなしに完全な運動生理学《ベヴエーグングスフュジオロギー》を行うことは不可能である。この主張は大いに異論を呼び起すだろう。だからわれわれはこれを証明しておく必要がある。

証明を進めるに当って、先ず歴史的な叙述でこれを開始しても差支えないだろう。十九世紀の生理学の特徴をなしたのは、大まかに言えば、有機体の主観的側面《ズブイエクテイーヴエ・ザイテ》あるいは心的現出様式《プシヒッシエ・エアシャイヌングスヴァイゼ》を学問から排除しようとする努力であった。(1) 生理学は真正の客観的自然科学とならねばならないとされていた。にも拘らず、そこで隆盛を極めたのはプルキニエ Purkinje からフォン・クリース J. v. Kries に至る感覚生理学で、しかもこの学問はそもそも精神物理学的《プシヒョフュージッシェ・》方法《メトーデ》なしには不可能なものなのである。ここで考えてみなくてはならないのは、これに対応するような、精神物理学的方法によって研究する運動生理学がなぜ生れなかったかということである。その答は恐らく、研究者たちの心の中に働いていた深部の衝動《アントリーブ》に求められなくてはならないだろう。この衝動は感覚生理学者においては知覚の秘密へと向けられていた。感覚生理学者が問うのは、自分はいかにして世界を認識するか、われわれが世界を見たり聞いたりしてこれを感受するという行為を、感官はいかにして成就せしめるか、ということである。ところがこの同じ学者が、われわれはいかにして世界に働きかけるのか、われわれはいかにして正しく行動しうるかについては、決して同じだけの情熱を傾けて問おうとせず、この問題は殆ど触れられることすらなかったのである。しかし、十六世紀以来の近代科学が総じて感覚主義《ゼンズアリスムス》と見なさるべきだという事情をわきまえていさえすれば、これは何も矛盾したことではない。近代の科学は、世界を支配するよりも認識しよう、世界に何かを与えるよりも世界から何かを受取ろうとする基本的態度を持っていた。この基本的態度が描いている世界とは、人間やその自我からは独立したものと考えられるような世界であった。(2) だとすれば、有機的身体の運動は主体を欠いた物体界《ズプイエクトローゼ・ケルパーヴェルト》の運動に属するということになり、これを生命《ウンベレ》のない物質《ープテ・マテーリエ》の運動と根本的に違うものとみなす根拠がなくなってしまう。有機的であると無機的であるとを問わず、ともかくも主体《ズプイエクト》としても考えられるような物力《ケルパークラフト》に出会おうとすれば、われわれはライプニッツにまで立戻らなければならない。しかしこのモナドという形而上学的理念は、物理学のいう物質の概念とは一致せしめうべくもないものと思われた。このことが、主観〔主体〕の問題が再び表面化してくるであろうような、極めて近い将来の物理学についてもあてはまるかどうかについては、勿論何も判らない。ただ一般的に言って、道徳科学《モラーリッシェ・ヴィッセンシャフテン》が精神の中心から抑圧され、それに代って客観的自然科学が台頭してくるにつれて、行為《ハンデルン》の問題はなおざりにされ、同時に運動理論も単なる力学《メヒャニック》にまで制限されてしまう、ということはできるだろう。このような理解の上に立てば右に述べた生理学的運動理論の一面性は歴史的に意味のあることではあっても、事柄それ自体としては残念なことだ、ということになる。

この空白が気づかれた結果、解剖学的条件を感覚論においてと同様の仕方で運動についても述べようとするならば、それはどうしても自己‐運動 Selbst-Bewegung の条件として規定されることになる。他方それによって、「作用反作用の原理」principium actionis et reactionis とでも名付けうるような問題の解決法に対しては、最初から明確な一線が画されることになる。動物の運動の成立を、有機体の発揮するいろいろな力と、有機体が環境の中で遭遇するいろいろな力との力学的合成《メヒャーニッシェ・レズルタンテ》として記述するだけのことなら、それは何も新しいことではないし、原理的な難問をひき起こすものでもないだろう。しかし力学的計算のこの種の応用問題は、かつて解けたためしがない。なぜなら、どのような力を有機体が発揮するかは、常にその有機体を「障碍」したり「刺戟」したり「興奮」させたりすることによってのみ知りうるものであったし、有機体の「自発性《シュポンタネイテート》」とは同時にいつもそれの「被刺戟性《イリタビリテート》」でもあったからである。有機体の作用《アクツィオ》の条件が刺戟《ライツング》であるからには、一切の作用《アクツィオ》は同時に反作用《レアクツィオ》でもあるということになる。

周知の通り、外的刺戟と反作用との関連は、神経が関与している場合に限って見られるものではない。フィックとフォン・クリース Fick und v. Kries はヴェーバー Weber の説に反対して、分離した筋肉において既にその収縮が負荷抵抗によって変りうるものであり、収縮《コントラクツィオン》の初期や収縮中には、一般に外部からの抗力《ゲーゲンクラフト》の増大と共に収縮が強まることを立証した。しかし運動系における神経性の機序は、筋肉活動と外的抵抗とのこのような機能的結合を遙かに凌駕するものである。従来、運動系の神経支配は、全運動系を一つの反射装置《レフレクスマシネリー》として叙述しようとする構想《プラン》が可能となったほどにまで、外的影響の玩弄物《シュピールバル》とみなされていた。もちろん歴史を徹底的に調べてみれば、(3) このような構想《プログラム》を純粋な形で貫徹しようとする試みがなされたのは、一八四〇年前後のごく短い期間だけに限られることが判る。

それ以前やそれ以後には、ありとあらゆる補助的理論構築《ヒルフスコンシュトルクツィオーネン》が持出され、興奮の中枢での単純な反射《レフレクシオン》の機序が補足されたり、この考えが衣替えされたりした。こうして極めて単純で解剖学的事実によって余すところなく記述しうるような反射の概念に多数の中枢性の機序が添加された。それらの機序はすべて、興奮が無条件に神経伝導路と結びついているのではなく、興奮が増強されたり、抑制されたり、転化《アブレンケン》されたり、逆転《ウムケーアバール》されたり、狭められ《アインエンゲン》たり、放《イラデ》散《イーレン》されたりするものと考えられるものであることを判り易くするという意味をもつものであった。このようなことは解剖学的直観《アナトーミッシェ・アンシャウウング》においては記述しえないことであり、それと共にわれわれは既に生理学的条件の領域に足を踏入れていることになる。

2　運動の生理学的諸条件

このようにして、ここには対立する二つの立場がある。これが互に矛盾するものかどうかについては、われわれはまだ知らない。運動を機械装置《メヒャニスムス》として記述する立場は、運動を自己運動《ゼルプストベヴェーグング》として捉える立場と必ずしも相容れぬものではないが、それでもこの学問の歴史を一貫して両者の闘争が続けられてきたのである。このことはこの課題の困難さを証しするものであろう。神経路《ネルフェンバーン》という解剖学的像《アナトーミッシェス・ビルト》と、次々に伝達される興奮という生理学的像とを一致させようるのみならず、被刺戟性《ライツバールカイト》という有機体と環界との関係をも満足な形で表現しうるような一つの解答が、反射理論であったことは確かであろう。その場合、この関係は簡単には触発《アウスローエーズング》と呼ぶことができる。潜在的《ラテント》なエネルギー量が外的な衝撃《アンシュトース》によって放出《エントラーデン》されて、解剖学的‐生理学的な規則に従った形で消費《フェアブラウヘン》されるというわけである。このような説は、もしも調整的適応《レグリーレンデ・アンパッスング》という事実が存在しないものならば、満足すべき問題解決と言えたに違いない。ところが、繰返して言うことになるけれども、この調整的適応という事実は、異った衝撃が同一の効果を、同一の衝撃が異った効果を生じうること、そして他ならぬこのような変動《ヴァリアツィオーネン》なしには〔生命の〕維持や増殖は全く不可能となるであろうこと、を証明するものなのである。(4) かかる変動の原因を、何らかのまだ研究されていない副次的な事情《ネーベンウムシュテンデ》に求めることはできるかもしれぬ。しかし、それが単なる要請《ポストゥラート》に過ぎないことは別としても、その場合には生物学的秩序は偶然《ツーファル》によって説明されることになってしまい、これは決して満足すべき説明とは言えない。

しかし、このような対立の生み出した精神的緊張が、多くの発見の原動力となったということはできる。神経生理学は末梢神経について行われた観察の結果だけでは満足せず、ここに欠けているものを中枢の諸機序に求めようとした。そこで運動の調整的適応《レグラティーフェ・アンパッスング》が中枢神経機能によって説明されうるものと考えられたことは、極めて当然のこと——ただし誤ったこと——であった。こうして成立った協調理論 Koordinationslehre は、末梢神経の例に準じた仕方での興奮《エアレーグング》や被興奮性《エアレークバールカイト》を出発点としており、この点で完全な保守的性格を示している。しかし、被興奮性が常に一定したものではなくて外部的あるいは内部的な理由から動揺することは、すでに末梢神経についても知られていたことである。被興奮性の低下《ゼンクング》によって興奮伝播《エアレーグングスアウスブライトゥング》の中絶が生じ、これが当面の作用にとって好都合なことである場合には、この被興奮性低下はポジティヴに意味づけられ、こうして抑制 Hemmung の概念が成立した。(5) つまり或る一定の刺戟に対する興奮の増強だけでなくその減少も認められる場合には——例えば収縮している筋肉の拮抗筋《アンタゴニスト》における「相反性神経支配《レツィプローケ・インネルヴァツィオン》」のごとく——、この新しい「抑制《ヘムング》」の機能が一定の生物学的形態の形成を説明するものであることが判る。——更に、同一の反射弓《レフレクスボーゲン》が時には伸筋を興奮させて屈筋を抑制し、時には逆に伸筋を抑制して屈筋を興奮させるという場合、この転調《ウムシュテイムング》あるいは切換《シャルトゥング》は、一つの「二重中枢《ドッペルツェントルム》」を想定し、これが全体としてやはり興奮したり抑制されたりするものと考えることによって説明することができた。つまり第一の相反系《レツィプロケス・ジュステーム》の上に第二の相反系が重ねられる《ズーパーポニーアト》ことになる。こうして、例えば歩行に必要な四肢の交互屈伸を営む能力が筋肉群に与えられた。(6) このような考え方で、シェリントン Sherrington は反射の生理学を歩行運動の理解に役立てたのである。ところで更に一歩を進めて、変化する歩行状況への、例えば平坦でない地面への歩行の適応を説明しようとすると、これには二つの可能性しかない。第一の可能性というのは、ここでいろいろに変化する「刺戟《ライツェ》」、すなわち受入《アフェレ》系《ソッ》の変化に伴って、中枢における転換《ウムフォルムング》も適応に役立つような仕方でこれと共に変化する、という考え方である。第二の可能性とは、例えば意識要因のごとき或る超物質的要因《ユーバーマテリエラー・ファクトア》が調整《レグリーレンド》的に影響しているという考え方である。もしこの二つの可能性のうちのどちらかが、協調生理《コオルディナツィオンスフユジオロギー》学の範囲を逸脱することなく、しかも事態の説明に役立ちうる見込みを有するとすれば、それは恐らく第一の仮定のみであろう。しかし、論理的に考えてみれば、実はこの逃げ道も行詰りとなっていることがすぐ判る。適応《アンパッスング》ということはいつも、環界が変化しても、つまり刺戟が変化しても、やはり正常な反射によっても生じる運動効果が出現する、という以外の何ものをも意味しえないのであるから。だとすれば、特殊状況《ゾンダージトウアツイオーネン》が出現するごとにそれと同数の特殊反射《ゾンダーレフレクセ》が用意されているものと仮定せざるをえなくなる。かかる仮説が役立たぬものであることは別としても、第一ここでは「適応」が全然「適応」になっていないということになるだろう。つまりここでは、適応の代りに、有機体とその環境の一切の可能な状況との間に全面的対応《トタールエントシュプレヒュング》が既にあらかじめ確立《プレシュタビリーアト》しているという仮定が必要となろう。しかしこのような適応概念のそもそもの基礎になっているのは、事物の本性から ex natura rerum は証明できない恣意的《ヴィルキュアリヒ》な出発点である。神経系統の中に先ず最初は例えば平面上の歩行のための簡単な装置《アインリヒトウング》があり、階段や山道などのような特殊な場合にはこの装置が付加的《ツーゼッツリヒ》な機能によって変形されて適応が可能になる、というようなことは観察からは決して証明することができない。そんな単純な、しかも調整によって変化もしうるような、素晴しい機能が存在することを実証するものは何一つない。われわれは、いかなる任意の作業をも他の一切の作業と同等の権利をもつものとみなし、その作業が成功しさえするならば、それはもともと「適応した」作業、つまり課題に適した《アウフガーベゲレヒト》作業であったものとみなすのが正しいと思う。一切の作業はそれぞれに原本《オリギナール》なのであり、器官機能と環界との関係もやはりそのつどつねに原本として認められるべきである。この見方に立てばこの両者の関係は全く別の特徴を帯びてくることがやがて判るだろう。

このように協調生理学《コオルディナツイオンスフュジオロギー》が主として歩行《ガング》、直立《シュタント》、姿勢《ハルトゥング》などを研究したのは、機械論《メヒャニスムス》特有の精神的傾向に合致したことだった。つまりそれらは、不動の環界《シュタレ・ウムヴェルト》を前提とする運動性作業《モトーリッシェ・ライストゥンゲン》なのである。しかしわれわれの運動の他の半分は、動的なもの《ベヴェークリッヘス》を動かす《ベヴェーゲン》という点にある。水泳、乗馬、乗車、捕獲、闘争、摂食など、つまり生命ある或は生命なき動的対象とのあらゆる出会いが、なぜこれよりも遙かに一般的で根本的に重要な出発点であってはいけないのであろう。これらの場合には、運動の問題が前の場合とは全く異った仕方で現れてくる。有機体の運動は、単に環界から生じる一定の力に出会うだけではなく、それ自体この環界の力の成立に関与している。私の馬は私の手綱通りに動き、私の車は私のハンドル通りに動く。或はもっと端的な例をとれば、私のハンマーは私が与える力でもって物を叩き、叩いた時にこの力に応じただけの力で私の手にぶつかる。またボールは、私がそれに与えた速度で私の手に戻ってくる。しかし作用と反作用が等しいという力学法則では、有機体と環界とのこの種の結合《フェアクラメルング》を叙述することができない。なぜならここで問題になるのは力が等しいことではなく、形式の同一性 Identität von Formen なのであるから。つまり騎手と馬、運転手と車、ハンマーと手などが一定の空間的、時間的、強度的な接触関係にとどまっている限り、それらはまた同一の運動形式《イデンティッシェ・ベヴェーグングスフォルム》を実現していることにもなる。このことが判れば、次に問わねばならぬことは、環界と有機体の間のこのような形式の同一性はいかなる条件の下で可能あるいは不可能となるのか、ということである。

解剖学的条件も生理学的条件も、共にこの形式の同一性にとっての条件でもあることは疑う余地がない。しかしそれらはもはや作業の要素《エレメンテ》とはみなされえないし、作業の「適応」の契機《モメンテ》ともみなされえない——これはすでに失調症の研究に際して学んだように、解剖学的あるいは生理学的条件では全く解決しえない課題なのである。神経系の機能を古典的運動生理学が殆ど顧みなかった問題、つまりわれわれが以下に述べようとする形式《フォルム》の問題に適用してみるとき、そこで神経系機能がわれわれのために営む作業はより少なくなるのではなくて、遙かにより多くなるであろうと思われる。

3　形式の発生

知覚の場合、その形式的条件の叙述に必要だったのは、それによって知覚の対象がどのように規定されるかを示すことであった。これは認識の問題《エアケントニスプロブレーム》から切離せない問題であった。今ここで運動の形式を考察するに当って示されなくてはならないのは、それがどう実現 verwirklichen されるかということである。そしてこれは、実現という問題《フェアヴィルクリッヒュングスプロブレーム》から切離せない問題である。知覚の場合には何かが体験されて erlebt いるはずであり、運動の場合には何かがなされて getan いるはずである。[7]

この課題を特徴づけている若干の特異性を、われわれはすでに立入って学んでおいた。その一つは、有機体の運動は自己運動《ゼルプストベヴェーグング》として理解されるべきこと、つまり意図《フォアザッツ》を持たぬものとして理解してはならぬことである。もう一つは、この自己運動は単に環界の力にぶつかるだけでなく、環界の力の成立とその方向それ自体に関与しているということである。この二つの特徴は、これまたそれ自体の中で関連しあっている。重要なこととしてはさらに、自ら行う有機体運動がここで他ならぬ運動系の行為《モトーリッシェ・ハントルング》の役に立っているのか、それとも感覚系の知覚《ゼンゾーリッシェ・ヴァールネームング》の役に立っているのかの区別は、今の場合意味がないということを理解すべきである。われわれは見たり触れたりしながら運動を行い、歩いたり握ったりしながら物を知覚する。生物学的行為として、この両者はひとしく感覚－運動性複合体 senso-motorischer Komplex である。ここで重要なことは、形式の成立 Entstehung der Form である。或る運動系の行為《モトーリッシャー・アクト》の運動効果を客観的に確認するにはどうすればよいか、という方法上の問題にかかずらわることはないだろう。記録したり写真や映画に撮ったりすることもできるし、或は単に眺めるだけでもよい。測定したり、理論的運動法則を求めてこれを幾何学的、力学的、エネルギー論的に考察したり規定してもよいし、或は単に人間的な見地から判断すること、例えば一つの運動の身振り、表情、優雅さなどを捉えることもできる。しかしここで大切なのは運動を考察する立場ではなく、運動がいかにして成立するかである。いずれにせよ右に列挙した運動という言葉の多義性は、幾何学的な意味での運動、すなわち位置の変化《オルツフェアエンデルング》とか、物理学的な意味での運動、すなわち質量《マッセ》との関係におけるエネルギーとかは決して有機体運動の目標《ツヴェック》ではないことについての理解を促すものである。有機体は運動《ベヴェー》それ自体《グンゲン・アルス・ゾルヘ》というようなものを持っていたり実現《ベヴィルケン》したりするのではない。有機体の運動は何かを意味《ベドイテン》したり実現《ベヴィルケン》したりするのであって、この何《エトヴァス》かそれ自体は別に運動だけに限られてはいない。

とはいえ、運動とはそれを通じてのみこの何《エトヴァス》かが形式を得るところの原理《プリンツィプ》である。従って問題の中心は、内容の形式化《フォルムング》においてであれ形式の実現《エアフュルング》においてであれ、一般的に言って内容《インハルト》と形式《フォルム》がいかなる関係を結ぶかという点にあることが推測される。哲学は——主としてアリストテレスによって、および彼以後——この課題のために言葉や概念を用立てるという不可欠の任務を果すことができる。これらの言葉や概念なしには、われわれは実際片言すら口にしえない。しかしそれによっても、自然はまだ認識されたり支配されたりしてはいない。われわれの問いは、有機体《オルガーニッ》の形式づけられた運動《シェ・ゲフォルムテ・ベヴェーグング》の発生《ゲネーゼ》へと向けられる。

われわれは動物において、その運動の形式が骨格系や筋肉系の解剖学的構造のみからは導き出せないこと、というよりはその主要部分は決してそこから導き出せないことを知っている。動物の運動形式はむしろいわば第二の決定《インス》機関《タンツ》から、つまり筋肉の神経支配を通じて出てくる。神経系の内部では更にいくつかの決定機関の分節を考えなくてはならない。つまり末梢、脊髄、大脳などの組織である。この分節はまた支配上の分節としても考えられている。それらの協働《ツザメンヴィルケン》を説明するのに引合いに出されるのが、教会や国家、或はそれに類した性質の体制との比較であることは、まことに特徴的なことといわねばならぬ。階層《ヒエラルヒー》、自律《アウトノミー》、共感《ジュンパティー》などの語は、疑いもなく、解剖学と生理学が限界にぶつかった所で出現する。われわれの（殊に中枢や皮質の仕組に関する）知識がまことに不完全であるにも拘らず、当面の形式の問題については一つの明白かつ重要な洞察を引出すことができる。例えば或る人に示指で黒板の上に大きな円を描かせてみる。すると、この容易に固定しうる形式面の結果は、やはり一定した仕方で肩、腕、手などの筋肉運動（短縮、伸長、収縮力）の総体《ゲザムトハイト》をそれの条件として、それと対応《ツーオルドネン》している。この総体をわれわれは対応的収縮像 zugeordnetes Kontraktionsbild と名付けることができる。この収縮像はまた、これに帰属する運動神経において脊髄から出て筋肉へと向う神経興奮機序の、同様に一定した総体を前提としている。われわれはこの神経支配《インネルヴァツイオン》の全部《インスゲザムト》を、この運動の神経支配像 Innervationsbild と名付けよう。だがこの神経支配像もやはり、一定の時間的、場所的な分布を示す中枢性興奮の総体を前提としている。この総体についてわれわれはごく不完全な知識しか持っていないが、その若干の要点を推測することはできる。この総体をわれわれは中枢興奮像 zentrales Erregungsbild と名付けたい。〔黒板上の〕円の像、収縮像、神経支配像、中枢興奮像――この四つの像は、たとえそれらが完全にそして直観可能な形で並列され比較されうるものと仮定しても、確実に何らの幾何学的相似性をも示さないだろう。それぞれがすべて別個の図形《フィグァ》をとることになるだろう。それにも拘らず、それらの間には常に一定の形式的対応関係が成立している。このように形式づけられた諸機序を中枢神経に始って指の円形運動に終る一つの原因連鎖《ウアザッヘンケッテ》と考えるならば、像の相似《ビルトハフテ・エーンリヒカイト》というような法則《ゲゼッツ》は成立しないまでも、合法則的《ゲゼッツメーシヒ》な形式転換 Transformation ということなら言えそうである。つまり有機体の運動は一連の合法則的な形式転換《ウムフォルムンゲン》を経て成立し、従ってその形式法則《フォルムゲゼッツ》の本質は形式《フォルム》のではなくて形式変換《フォルムヴァンデル》の定常性《コンスタンツ》にある。

ところがこのような確認《フェストシュテルング》の中には、決して普遍妥当性を要求しえないもう一つの前提が含まれている。それはつまり、研究者の頭にとって特別容易に理解しうる――円形《クライス》という――運動の最終的形式が出発点とされた、という前提である。この便利さは、われわれが既に学んで来た種々の困難を（少くとも見かけ上は）排除してくれる。しかしもしこの最終的形式が中枢に始って末梢に終る因果的連鎖の産物であるにはとどまらず、更にそれ以外のいろいろな力によっても規定されているとしたら、どういった事態が現れるだろう。そこで、同様に円形の運動であっても、そこにこの困難さがまともに含まれているような実例を探してみよう。するとこの要求は、例えばダンスをする一組の男女の運動において完全に満されているのを見出すことができる。ダンスをしているこの二人のどちらの一方も、そこに結果している共同の運動の一方的に主導的な発端者とみなしえないことは言うまでもない。最終的な運動形式はいずれにしてもダンス場に描かれる円形であるだろう。しかし二人の踊手はそれぞれ相手の動きに合せて動いてもいるのである。ここではわれわれの神経学的な見方は役に立たない。というのは、ここでも右に述べた形式転換《トランスフォルマツイオーン》は生じているのだが、それはもはや説明に十分役立つような因果連鎖として直観可能な形で記述することのできないものだからである。「二人はそれぞれ相手の動きに合せて動いてもいる」という場合、ここには差当ってまだ全く不分明な事情 Verhältnis が含まれている。それの検討が次になされなくてはならない。

　踊っている二人の運動の経過は、二人の接触が常に保たれ、従って二人の接触点の運動図型が空間内で同一《イデンティッシュ》の経路を辿るような仕方で行われねばならぬ、これは始めから確かなことである。しかしこれはいずれにしても二人の運動の結果《レズルタート》である。ここでわれわれは先ず、この事態を判り易くするための実例を見出すように努力せねばならない。いま男の踊手から相手の女性を取去って、その代りに同じように動きはするが生命のない物体をあてがってみる。もちろんこのような実験はわれわれの分析の準備段階にすぎず、このような単純化は後に再び撤回せねばならぬものである。――ところで、われわれがこうして到達する実験は、生理学や病理学で既によく研究されている回転実験である。この問題の近年の進歩は極めて特徴的である。そこでは、人を例えば旋回《ロタツイオン》している回転椅子に乗せてその人の示す運動を観察するとか、その人の周囲を取巻く回転室を回転させて、そこでその人の示す運動を研究するとかいうことが行われた。ところが古典生理学では自己運動を出発点とすることは決してなく、有機体を一個の機械装置とみなそうとする欲求があったため、これらの運動はあらかじめ形成されている präformiert 反射（眼球震盪《ニュスタグムス》、四肢偏向、筋緊張変化）が外的刺戟によって誘発《アウスローニーゼン》されることによるのだとする解釈しかありえなかった。右の二つの設定について言えば、第一の場合には前庭反射が、第二の場合には視覚運動反射《オプトキネーティッシェ・レフレクセ》が確認されたことになる。迷路《ラビュリント》や眼の興奮が眼球震盪《ニュスタグムス》や腕、頭、胴などの偏向の出現に欠くべからざるものとして関与していることは間違いない。しかしこの考えを当面の問題の基礎に置くならば、踊手や騎手の運動、更に総じて動く環界あるいは固定した環界内での一切の運動は、少くとも理論的にはいろいろな反射の合成《コンポジツィオン》として把握されねばならぬことになる。ただ、この説明が生理学的説明であるためには、これらの反射が定常的要素《コンスタンテ・エレメンテ》として常に繰返し見出されうることが実証されねばならぬということになろう。

ところが事実はまさにこれとは相違している。むしろ、或る特定の設定の下で規則的に確認される反射が、これと同じ反射刺戟を含む他の設定の下では、抑制や増強や機能変動などのために異った運動像をとってしまう。とすれば、この同じ反射がこれらの異った運動像の中にも潜在的《ラテント》に、或はその成分《ベシュタントタイル》として含まれているというのは、単なる仮説にすぎないことになる。次に第二の論点としては、身体の右方回転の時の前庭神経反射と回転室の左方回転の時の視覚運動反射とが同一《イデンティッシュ》だという結果がある。(8) のみならず、身体と回転室の両方が同一速度で同一方向に回転する時には、強力な迷路刺戟が生じているのに反射は出現しない。このこととか、更にその他のいくつかの事実を考えてみると、これらのいわゆる反射においては特定の個々の受容装置への特定の個別刺戟が問題になるのではなくて、身体と視覚的環境の間の相対的なずれ relative Verschiebung が問題になるのだ、という結論に達する。刺戟生理学の用語をもってしては、このような結果は到底言い表すことができない。有機体と環界の間の「相対性《レラティヴィテート》」とは、因果性《カウザリテート》の有する単一的方向性を止揚するような規定なのである。因果性の概念に代ってここに一つの概念が導入され、それに従えば生理学的事象の形式は環界の事象への形式関係 Formbezug としてのみ言い表され、逆に環界の事象は生理学的事象への形式関係としてのみ言い表されうることになる。この形式関係《フォルムベッツーク》を細部にわたって研究してみると、この種の実験において有機体が自己の環界に対して示す態度は、或る場合には安定した関係として、或る場合には関係の転機的断絶《クリティッシェ・ウンタープレヒュング》として現れることがわかる。今は一つの有機体と特定の環境との接触《コンタクト》が運動の中で保存されているのが見られても、次の瞬間にはこの相即《コヘレンツ》が破れ、また次の瞬間にはそれが類似の或は全く別の仕方で改めて立直される、というようなことが起る。だから、形式像《フォルムビルト》を完全に統一的に記述することは差当り不可能である。このことは、形式像はあくまでも発生的《ゲネーティッシュ》に理解する以外ない、というわれわれの分析の結果を裏付けるものに他ならない。

一組になって踊っている二人という事例についてわれわれの回転実験が述べうることは、差当り次のことだけである。この運動像はいわば両面的《ビラテラール》あるいは両極的《ビポラール》に成立している。つまりそれは、有機体とその環境との相対論的《レラティヴィスティッシュ》に秩序づけられた形式関係としてのみ成立っている。というのは、この形式は有機体の側から見ても環界の側から見ても、「内部《インネン》」から見ても「外部《アウセン》」から見ても、同一の形式であり、両者の接触《コンタクト》が樹立されるその瞬間にそもそも始めて成立し、接触が断ち切られて初めて消滅するものである。しかしこの形式の同一性《フォルムイデンティテート》は決して形式論的に自明《フォルマリスティッシェ・ゼルプストフェアシュテントリヒカイト》のことではない。ここで言われているのは、単に容器の中の水は容器と同じ形をしているというだけのことではなく、有機体は一時的にその運動によって特定の環境との相即《コヘレンツ》を保存するように振舞うものだということである。回転実験が教えてくれるのはまさにこのことなので、身体が回転しようと環境が回転しようとそんなこととは無関係に、どちらの場合にもそこで生じる四肢の運動によって、眼と環境との接触が保たれるような仕方で両者の相対的なずれが一時的《テンポレーア》に代償されている、ということに他ならない。これが生物学的作業の正確な内容である。いわゆる反射が（全く異った刺戟に応じて）示すこの同一性《イデンティテート》は、二人の踊手が互に相手に向って行う運動の同一性と同じものである。つまり接触について及ぼされる作用についてみると、一組の踊手の場合も人とその相手である回転室との関係の場合も、そこに原理的相違はない。理解を容易にするために次のように言うこともできる。回転室と被験者との関係において、回転室は自らの自立性《ゼルプシュテンディヒカイト》を有していて、被験者はこれに出会わなくてはならない。被験者との関係においては回転室も自己運動を示す。したがってこのような「生命のない」環境の場合でも、この全体を自己運動を示す二つの物体の出会いとして述べることによって、初めて正しい叙述が得られる。これが、「互に独立している《フォンアイナンダー・ウンアブヘンギッヒ》」という表現の意味を詳しく言い表したものである。われわれが二つの物について、それらが互に独立している sie seien voneinander unabhängig と言う場合、実のところわれわれは既に、一つの物が自己運動をしている ein Ding bewegt sich selbst という考えをもいっしょに考えている。逆にまた私が、一つの物は自己運動をしている ein Ding bewegt *sich* と言う場合、その周囲の環境も自己運動をしている auch seine Umgebung *sich* bewegt ということが考えに入れられている。——つまり二つのうち一つが自己運動をする場合には、この二つは共に自己運動をするのである beide bewegen sich selbst, wenn eines sich selbst bewegt。だからいかなる相対性原理《レラテイヴィテーツプリンツィプ》も、とことん突きつめて考えれば、自己運動《ゼルプストベヴェーグング》の概念という真の帰結《コンゼクヴエンツ》に達する。そこでわれわれが、「二人はそれぞれ相手の動きに合わせて動いてもいる」jedes richtet sich auch nach dem andern と言ったのも、ことさら新しいことを述べたわけではない。なぜならば、一つの物が自己運動をするという表現の中には、他の物もやはり自己運動をするということが既に含まれているからである。

生物学《ビオロギー》は形の学《フォルメンクンデ》である。形を愛さぬ人は、生命ある自然の学問を知り、それを推進することのできぬ人である。精密自然科学と生物学との間の軋轢《シュパヌング》は、形の問題を軽視すればするほどそれだけ軽減するかのように思われていた。しかしこの両者の葛藤《コンフリクト》は、もしそれがそもそも解消しうるものであるならば、ただ形の問題《フォルムプロブレーム》を導入することによってのみ解消しうることであろう。この問題を回避している限り、物質的秩序の因果的必然性と生命の制御しえない恣意《ウンコントロリーアバーレ・ヴィルキューア》とは、永遠に和解することなく対立を続けることであろう。しかしわれわれは、形式の形成《フォルムビルドゥング》の本質がこの対立を包括してくれるものと期待している。なぜならば、形式もまたその法則を有し、しかも一切の形式はそれぞれ独得のあり方を有しているからである。それの概念的構造を発見すること、それはなお今後に残された課題である。そこに通じる道は、どこまで行っても、形式の生成《ヴェルデン》を、つまりゲシュタルト形成 Gestaltung という言葉でもって最もよく表現されるような形式生成を、研究するという道である。これによってわれわれの課題が発生論的《ゲネーティッシュ》なものであることが、これまでよりも一層明瞭に取出されることになる。

以上述べて来たことの中には、運動形式《ベヴェーグングスフォルム》の発生《ゲネーゼ》に関する重大な一つの対立が含まれている。まず、有機体を孤立した個体《インディヴィドゥウム》とみる立場を出発点とすれば、その運動の形式は神経や筋肉の興奮像が蒙る一連の形式転換《トランスフォルマツイオーネン》の必然的な最終結果だということになる。これに対して、これらの諸力が環境《ウムゲーブング》ないし環界《ウムヴェルト》の諸力に遭遇するのだという事実を出発点におくと、この最終結果は実は有機体の力と環界の力との合成力《レズルタンテ》だということになる。この考え方の方が正しいことには、疑問の余地がない。運動像《ベヴェーグングスビルト》は、物理的《フュージッシュ》にはこのように互に遭遇する zusammentreffen 有機体と環界との力の合成力であり、形式像《フォルムビルト》として見る場合には四肢その他の運動形式とその周囲の環境（地面、水、空気、物体）の運動形式との同一的合致 identisches *Zusammenfallen* である。従って従来の考え方では、形式としての形式の発生というようなことは実は全く言えないことになる。つまり、他のどの形式でもなくまさにこの形式が成立したという事態がちっとも説明されず、従ってそれは偶然《ツーファル》だということにされてしまう。他方、器官と環界がその接触点において示す運動の同一性《イデンティテート》は、当り前のこととされてしまう。

とはいえ、この運動形式が成立したという事実に変りはない。ただ、われわれがこの成立を満足な仕方で写生《ナーハツァイヒネン》することができなかっただけなのである。個体《インディヴィドゥウム》としての有機体を出発点とした場合には、最初から与えられているはずの環界は度外視され、後から改めて導入されねばならなかった。また環界すなわち反射刺戟《レフレクスライツェ》の方を出発点とした場合には、今度は中枢の活動を後から改めて導入しなくてはならなかった。第一の場合には、環界はそれが生物《レーベヴェーゼン》体《ゼン》の運動に対して及ぼす反作用《レアクツィオン》を通じてのみ問題となるかのごとき虚構《フィクツィオン》が生じ、第二の場合には、有機体は環界刺戟に反射的に反応するだけの玩具であるかのごとき虚構が生じる。この誤った二者択一《アルターナティーヴェ》とそれの不首尾《ミスエアフォルク》がひとたび気づかれたからには、この誤謬の源が有機体《オルガニスムス》（O）と環界《ウムヴェルト》（U）とをその起源に関して区別していた点にあるだろうという推測は、容易になされうることである。この両者は実は最初からそこにあるのであって、OがUに働きかけると同時にUがOに働きかけているのである。先ず一方の働きかけがあって次に他方の働きかけが生じるという規定はどこにもない。この交互作用《ヴェクセルヴィルクング》の同時性は、それをそもそも働き《ヴィルクング》ではないと見なしたり無時間《ツァイトロース》的なものと見なしたりする理由にはならない。ただ、この同時的相互作用を叙述する表現法を、われわれが目下の所持合わせていないことは確かである。しかしわれわれがこれを一方的に考えられた因果性《カウザリテート》から区別するとき、われわれはそれに向っての第一歩を踏み出したことになる。(10) ここで差当って、OがUに働くと同時にUがOに働くことを表す直観可能《アンシャウリヒ》な図式《シェマティ》的表示《スムス》を見出そうとすると、それは一つの円形をとることになる。

その場合、この両者の作用的共存《ヴィルクングスツザメンザイン》の中にはどちらが先《プリウス》でどちらが後《ポステリウス》かというような順序づけはないのであるから――なぜならば、もしそのような順序があれば、それは同時性《グライヒツァイティヒカイト》の前提に矛盾することになろう――その限りにおいてこの形式発生は閉じられた円《クライス》として表せるはずである。そこでわれわれは、有機体の運動形式の発生をゲシュタルトクライスと呼ぶことにする。

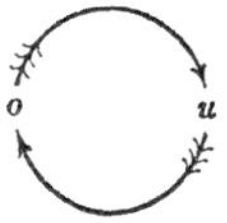

このような図式的表示は、円形があらゆる時代を通じて、遠くは古い神話にまで遡って、つねに生命の象徴としての役割を果して来たことから見ても認められてよい。しかしこの役割は絶えず新たな保証によって、また今や学問的な保証によっても維持されるべきものだろう。この保証とは、例えば運動形式のゲシュタルト形成において時間系列 Zeitfolge が結果にとっての不可能な条件 unmögliche Bedingung であることが判明した場合に示されるごときものであろう。いずれにせよその場合には、ゲシュタルトクライス

という概念の、つまりその定義に従えば因果性《カウザリテート》ではなく合致性《コインツイデンツ》を表しているこの概念の一つの本質的な契機《モメント》が立証されていることになろう。そのような証明は当然のこととして、或る実際に観察された機序についての特定の因果論的叙述の矛盾が証示される、という形をとる以外ないだろう。普通そのような場合には、一般に行われている生理学的な説明法に相反する矛盾のために或る現象《フェノメン》が逆説的《パラドクス》なものとして目立ってくるものである。なぜならば、因果律《カウザールプリンツィプ》それ自体に相反する矛盾は決して証示しえぬものであり、証示されるのはつねにその特定の応用に反する矛盾のみであるから。例えば一つの機序Aの因果的な結果として説明されるべきはずの一つの機序Bが、時間的にAに先立って既に観察されていたというような場合には、そこに矛盾があることになろう。

ここで結論を先取して、われわれの生きた運動《レベンディゲ・ベヴェーグング》の大部分はこの種の逆説《パラドクシー》を事実示しているのだと言ったなら、人は恐らく驚くことだろう。賑かな通りを横切る途中で自動車がやって来た時、私は自分の歩行速度を眼に入って来る当面の感官刺戟に従って（つまり反射的に）決定するのではなく、これこれの速度で接近する自動車についての予想 Erwartung に従って決定するのである。（この事実を「心理学的」に説明しようとすることは、既に自然科学的因果律に基いた説明の基盤を離れることを意味する。）

私が一定の速度を選ぶことを必然的に妨げる「刺戟」があるとすれば、それは予想される衝突ということになるであろうが、それは既に与えられているものではない。歩みを遅くするという仕方で私を規定するところの意図 Vorsatz は、既になされた歩行部分に置かれているのではなくて、次に来るべき歩行部分に関係してくる。私の歩行を緩める原因を「予想《エアヴァルトゥング》」と呼ぼうと「意図《フォアザッツ》」と呼ぼうと、同じことである。この二つの言葉は意味上からは心理学的に理解できるが、因果的説明においてはそれらの中で単に象徴的に代理されているに過ぎない物質的等価物によって置換されなくてはならない。私の運動の因果的説明において、私にはまだ、この因果的叙述を感官刺戟から始めるか中枢神経の（例えば皮質の）機序から始めるかのどちらを欲するかを選択する仕事が残されている。しかしこのことは、両方の場合とも私の運動を方向づける法則的な「原因《ウアザッヘ》」はまだ全然生じておらず、将来のことであり――従って何ら原因ではありえないという事実に対しては、何らの相違ももたらさない。

もちろん、ちょうど今のような例がこれまで説明されなかっただけなのだ、という逃口上を持出すこともできるだろう。しかしもしそうだとすると、ごく普通に起る生物学的運動のどれひとつとして、これまでに説明のついているものはないのである。われわれはむしろ、ここでその特徴の明かとなったこの事態をいったんそのまま承認して、そこから運動性のゲシュタルト形成の構造に更に深くはいり込んで行こうと思う。つまり、予想とか意図とかを実験から人為的に排除したり否認しようとすることなく、むしろそれを実験の中に取込もうと思う。われわれは普通は因果律によって規定されている自然が、それによってそのつど忽ちのうちに法則性を失ってしまう、などとは思わない。われわれはまた、意図的《フォアゼッツリヒ》な運動を運動として、つまり時間の中での位置の変化として分析することを断念するのでもない。ただその場合、今後は常にその形式発生の結果に特別な注意が向けられることは言うまでもない。運動のゲシュタルト形成はもちろん常に空間的時間的規定性を結果するものなのだからである。既に述べたように、生きた運《レベンディゲ・ベヴェー》動《グング》の目的《ツヴェック》――或は今用いている表現によればその意図《フォアザッツ》――は、たいていの場合幾何学的あるいは物理学的運動そのままのものではない。しかし、このような目的や意図が問題にならぬというわけでないことも言うまでもない。これまでに示されたところによると、まさにこのような特殊例がわれわれの洞察の発展にとって特別に有用なのである。

4　空間、時間、形式

以下に立入った考察を試みるに先立って、「形式《フォルム》」という言葉でもって言われていることが何であるのかについて、これまで何ら特別の規定がなされていなかったということを確認しておかなくてはならない。つまりわれわれはこの言葉でもって、一つの平面的或いは多次元的な図形《フィグア》、一つの機能概念《フンクツィオンスベグリフ》、一定の時間経過《ツァイトフェアラウフ》、一定のエネルギー変換《ウムヴァンドルング》、一つの形態学的構造《モルフォローギッシェ・シュトルクトウア》、一つの機能の流れ《フンクツィオンスアブラウフ》等々のいろいろなものを自由に考えることができる。いずれにせよ有機体の運動を研究するに際してわれわれが留意せねばならないことは、例えば一つの運動が示す特定の形式のゲシュタルト形成において、空間と時間に関していかなる法則性が発見されるかという問題である。ありふれた意図的運動を予備的に検討してみただけで、すでに空間的および時間的経過の間には独得の仕方で両者を結びつける関係が成立しているだろうという予想が得られた。われわれが例えば字を書く場合、その速度をほんの少しでも速くしたり遅くしたりするだけで筆跡はまるで違ったものになるということは、誰しも容易に確かめうることである。少しゆっくり書いた字は小学生の字に似たものになるし、だんだん速く書いてみると次第に判読し難い乱筆になってしまう。ところが字体の大きさを変えることによっては、このような結果はいささかも生じない。

そこでアウァスペルク公は、運動のリズムが主導的な意味を有するという見解に基いて体系的な実験を始め、運動の速度を意図的に変えた場合にはつねにその空間的図形も変化を蒙るという現象が広範囲に認められることを明かにした。例えば空中に指で連続的な直線を引くということは、その速度が一定に保たれた場合にのみ可能である。その速度を何回も速めたり緩めたりしてやると、必ずそこに波状の線ができる。アウァスペルクの知見に基いて、次にはデアヴォルト Derwort(11) が、このように自由に行われる運動の図形、大きさ、速度に関してその中の一つを意図的に変えてみた。その結果得られたいくつかの統一的な規則《アインハイトリッヘ・レーゲルン》は、有機体特有のゲシュタルト形成法則 spezifisch organische Gestaltungsgesetze と呼んでしまっても差支えないものである。

この法則の一つは、例えば「定常的図形時間の規則」Regel der konstanten Figurzeit である。空中に円形を自由に描く場合、それに要する時間はかなりの範囲において円の大きさと無関係である。つまり線速度は円の大きさに比例して増大する。さらに、この運動規則は意図的に破れないものであることが判った。また、或る一つの図形（楕円、螺旋など）の内部で曲率《クリュムング》の違う部分では、それぞれの曲率ごとに固有の速度が対応しており、その逆の関係も成立つ。一般に図形の発生に際して、有機体は運動図形がそれに対応する時間の長さと結びついているという規則に支配されている、と言ってよい。だから、速度と図形のどちらの一方も他の一方と無関係に変更できない。モーターを広い範囲内で任意の速さで回転させ、その伝導比を広い範囲内で回転数と無関係に切換えることはできる。しかし生物の運動というわれわれの実例においては、運動の速さと空間的図形との間のこのような独立性は成立しない。「かかる図形的運動の生成《ヴェルデン》を物理学的運動の成立様式と比較してみると、後者においてはその全持続時間が速度と図形の大きさから算出されるのに対して、前者では速度が図形の大きさと全持続時間とから明かに事前に導き出されうるという点を、まず第一に対比させせなくてはならないだろう。つまり有機体運動における諸関連は、物理学の概念や法則性によっては捉えられないのである。その運動の個々の断片において、結果《エフエクト》が運動成分から必然的に規定されているのではなく、当面の事象《アクトウエレス・ゲシエーエン》が先取された結果《エフエクト》の側から規制されている。即ち、円型を描くのに要する時間がつねに比較的固定されており、種々の大きさの円を描くには種々の線速度が必要とされるという場合、全持続時間が円の一定の大きさに対応するような速度が、この運動の最初の瞬間から既に実現されなくてはならない。個々の部分行為はすべて、最後に成立するはずの図形によって規制されるだけではなく、この図形の成立に要する時間の長さからも規制されている。つまり、この行為全体に妥当する規則が、この神経支配作業《インネルヴアトーリッシエ・ライストウング》の当面の各瞬間のすべてにも同様に妥当しなくてはならない。」（デアヴォルト）

これに一言つけ加えるならば、この諸関連が物理学の概念や法則性によって捉えられないという言葉は、それが物理学的に不可能だという意味に解されてはならない。この「捉えられない関連《ウンツーゲングリッヒヤー・ツザメンハング》」とは図形時間の定常性のことであって、この概念は種々に異った運動行為がそれらの図形的相似性 figurale Ähnlichkeit によってまとめられるという意味を有する。しかし、自然における相似性《エーンリッヒカイト》の説明（ということに結局はなるのだが）が物理学の課題であるかどうか、ありうるかどうかは問題である。生物学はこの点に関して、有機体にあっては相似した図形は当然同じ時間をかけて実現されるという法則があることを確かめている。そしてこの相似性は運動の力学的構造自体からではなく、運動全体《ゲザムトベヴェーグング》のうちの各部分行為《タイルアクト》における「結果の先取《フォアヴェックナーメ・デス・エフェクテス》」から導き出されるという帰結が必然的に生じてくる。というのは、この運動全体は惑星の運動が引力と遠心力から構成されていたりするのとは別のものであり、惑星の運動においては円形が一対の定常的な力の結果 Folge であるのに対して、有機体の運動による円形は一定の時間《ツアイトリッ》的継起《ヘ・アプフォルゲ》の中での一定の力の組合せ《クレフテコンポジツィオン》が生じるための前提 Voraussetzung だからである。物理学の場合に法則性《ゲゼッツメーシヒカイト》は力の作用《クラフトヴィルクング》にあるのに対して、有機体の運動の場合には法則性は形式にある。円が描かれる場合に限って速度と大きさの関係は円の完成に要する時間が一定《コンスタント》となるように定まる、というのは経験的《エンピーリッシュ》に確かめられたこと以外の何ものでもない。ところが逆に、速度《ゲシュヴィンディヒカイト》と行程《ヴェークレンゲ》の関係が一定に保たれたからといって、必ず円が出来上るというようなことは確かめられない。つまり機械論的《メヒャーニッシュ》には、距離と速度と図形との間に何らの可能な関係も存在しない。

このことから既に予想されるように、素朴《ナイーフ》な考えから出て来がちなもう一つの説明もやはりうまく行かない。それはつまり意図への遡求《リュックグリフ・アウフ・デン・フォアザッツ》というやり方のことである。物的な考え方を固執するために並行論《パラレリスムス》を持出して、いかなる心的意図《プシヒッシャー・フォアザッツ》の根底にも或る複雑な中枢神経装置のそれぞれ特定の機能を想定し、それが定常的な図形時間の規則を保持するような仕方で筋肉の神経支配の流れを規定している、と考えることもできるかもしれぬ。ところがわれわれはこのような装置《アパラトウア》を決して直接に観察できないのだから、今もしわれわれがその代りにこの意図についての体験内容を持出したとすると、この種の説明にとって好都合な結果とは似ても似つかぬ結果が出て来ることになる。つまり、われわれは一定の大きさを持った一定の図形に意図的に一定の速度をあてがってやることもできないし、またその際に生じる描き損いに気づいてそれを避けることもできないということが判明している。互に法則的に関係しあっている三つの要素のいずれも、意図的には規定できないのである。例えば一定の大きさの円をより短い時間で完成しようと意図すれば、円はしらずしらずのうちに客観的に大きくなる。円を楕円に変形しようと意図すれば、速度がしらずしらずのうちに変化する。速度だけを変えようと意図すれば、大きさと図形の一方もしくは両方がしらずしらずのうちに変化する。

しかし、ただ単にわれわれがこの種の意図を実現しえないというだけではない。逆に、われわれが実現していることも、もしそれをわれわれが意図したならば実現不可能となってしまうとも言える。例えばわれわれが一定の円を描き、次にその二倍の大きさの円を二倍の速さで描き上げようと意図したならば、その速度は三倍か四倍になってしまう。またわれわれが楕円を描く場合、その極の近くで速度を緩めようと意図したならば、楕円は過度に細長く変形してしまう。これに反して、定常的図形時間《コンスタンテ・フイグアツアイト》の規則や一般に図形と速度と大きさとの間の固定した対応関係は、われわれの企図《アブジヒト》や意識《ベメルケン》なしに独りでに充足される。より小さい図形が大きい図形よりも緩徐な速度で描かれることについてわれわれは何ら関知していないし、また図形が速度の変化に伴って変形することについても全く気付かない。要約すると、運動の遂行は企図に一致するような仕組にはなっていないし、のみならずそれはもし企図された場合には遂行不可能となるであろうような仕組になっている。

そこでこの事情を、本来もっと判り易い心理学の言葉で表現すると、そこに主観的所与《ズブイエクテイーヴエ・ゲゲーベンハイト》と客観的所与との関係が成立し、更に意図的運動に際してはわれわれは錯覚 Täuschung という事態《タートベシユタント》に直面するということが言える。むしろこの研究は、規則的で訂正不可能な錯覚、明かに法則性を帯びた錯覚の実証を導くことになる。われわれはさきに、古典生理学において踏襲されて来た或る種の見解が差当って完全に貫き通すことができないだけではなく、むしろ必然的に誤謬であることを証明しようとするに当って、逆説的な矛盾の出現が大きな意味を有するであろうということを論じておいた。そのような法則性を帯びた逆説が今ここに示されたからには、次にはそれの有する証拠力を調べてみなくてはならない。

この逆説《パラドクシー》の逆説たるゆえんは、運動の主観的意図と客観的遂行とがその形式に関して本質的に相容れない点にある。(12) つまり意図《フォアザッツ》の中には予想《エアヴァルトゥング》も含まれていて、その限りにおいてわれわれは錯覚を、つまり表象と対象との認識《エアケン》上の不一致《トニスメーシゲ・ウンシュテイミヒカイト》を免れえない。こういったことをすべてこの世から一掃してしまうために、もろもろの科学の中にゆきわたっている習慣にならって、この逆説は「単に主観的な」問題《アンゲレーゲンハイト》にすぎぬとして心的な側面に入れてしまったり、心理学的に説明すべき判断錯誤とみなしたりする試みも可能であろう。自然それ自身が問違ったり欺かれたり矛盾に陥ったりするようなことは、古典的な思考とは相容れないのである。われわれは少くとも知覚錯誤の問題をもう少し進んだ所まで追求しようと思うのだが、その前に次のことはぜひとも念頭に置いておかねばならない。定常的図形時間というような事態は、それがひとたび有機体運動の規則として経験的に見出された以上、知覚錯誤の追求によって左右されたり説明されたりすることはない。ここでことさらに知覚分析への寄り道をする目的はそれとは別の点にある。つまりそれによって、ゲシュタルトクライスの問題が運動と知覚の両者を包括する問題であることが判るだろうという見込からなのである。

つまり形式発生《フォルムゲネーゼ》において見出された諸法則が物理的あるいは生理学的な因果律からの演繹に逆うということは、単に運動の分析に際してだけではない。知覚もやはり、刺戟の物理的秩序や感覚器官の生理学的機序からは導き出せない規則を示す。そこで、運動と図形との知覚を出発点にとれば、叙述の均衡上好都合である。この点に関してもアウアスペルク公とシュプロックホフ Sprockhoff (13) が次のことを明かにしている。いろいろの運動を見る場合、同一の眼が同一の動いている光源について同時に二つの異った形像印象《ビルトアインドリュッケ》を提供し、その一方は予想《エアヴァルトゥング》に相応するような性質をもち、他方は意外《ユーバーラッシュング》さに相応するような性質をもつ。その実験は、急速に通過する光点が融合して生じる持続《シュタビ》的《ール》な線が呈示されるように設定された。いま眼を新しい視線方向へと動かしてやると、この融合線がそれを構成している個々の点に分解するか、それともそれが全体として保存されて、新しい視線の視野の中へ移動して来るか、そのどちらかがいわば選ばれるはずであった。ところが実験の結果からは、眼はこの両方を同時に行うことが示されたのである。すなわちそこに見られたのは、その線が個々の光点から合成されたものだという、意外にも überraschend-erweise 現実《アクトゥエル》になった事態と、元の場所に再生された融合線という、次に予想できる事態との両方であった。従ってこの場合、われわれは元のままの対象を元の位置に一定時間見ているわけであるが、この一定時間の間はそれに対応すべき刺戟は欠如しており、また現に存在している刺戟は全く別の形像を産出している。しかもこの「時間を橋渡しする現在」zeitüberbrückende Gegenwart が残像《ナーハビルト》でないことは証明できることであって、むしろそれはただ「予想《エアヴァルトゥング》」を通じてのみ可能となるような、器官の現実作業《アクトゥエレ・ライストゥング》である。

この先廻《フォアヴェックナーメ》り（「先取《プロレプシス》」）を時間の記録によって実証することは全く不可能である。時間を橋渡しする現在の時点が新しい視線方向への眼の移動よりも前にあることを、何らかの刻印装置によって証明するわけにはゆかない。この種の実験の眼目は、ストロボスコープや映画の原理から十二分に知られている事柄をいちいち実証することにはない。大切なことはここでもまた、同一刺戟という原因から予想の図形《エアヴァルトゥングスフィグア》と意外な図形《ユーバーラッシュングスフィグア》とがこの実験においていわば同時に存在したという点にある。形式の問題として見るなら、この例はさきにわれわれがさまざまな神経支配路を通って同一運動効果が達成されるのを見た運動系の例——例えば前庭反射や視覚運動反射の例——と同じことである。主導的なもの、法則的規定性を有するものは結果《エアフォルク》であり、言い換えると内部の力と外部の力との接点における同一的運動図形《イデンティッシェ・ベヴェーグングスフィグア》である。

そこでこの予想《エアヴァルトゥング》と意外さ《ユーバーラッシュング》の二つの概念に含まれる生物学的核心を取出すという仕事が必要となってくる。意外さというのもネガティヴな種類の予想であり、一つの逆説《パラドクシー》に他ならない。或る状況が変化しないという予想が充されるか充されないか、なのである。この種の概念は時間の中での諸機序についての判断を含んでいるだけでなく、時間そのものについての判断をも含み、従って何らかの量的時間的秩序としてでなく、秩序そのものの出現についての質的決定《クヴアリタテイーフエ・エントシャイドゥング》として述べられるべきものである。ところで或る秩序がそれに応じた形式で実現されるか否かは、それ自体決して時間的継起《ツアイトリッヘ・アブフォルゲ》の帰結としてではなく、時間に対して zur Zeit の一つの関り《フェアヘルトニス》の帰結として叙述されるべきものである。われわれはここで再び、空間および時間という言葉のもつ二重の意味を区別しておくことの重要性に気付く。いろいろな事象が時間的な規定において相前後して起《ゲシェーエン》ることは自然法則の秩序に一致することであるが、だからといってこれらの事象がその通りの時間的規定において現出《エアシャイネン》するということは、同じ意味で必然的なことではない。客観的および主観的時間秩序は、同一の時間の中での二つの事象《フォアゲンゲ》の秩序ではない。われわれが主観的に体験するのは世界の一つの——なかんずく時間的に秩序づけられた——現出である。現出《エアシャイヌング》と現出《エアシャイネン》するところのものとを同一視したり並置《パラレリジールンゲ》したりすることは、この関係の核心をうやむやにしてしまうことである。だから「何かを知覚する《ダス・ヴァールネーメン・フォン・エトヴァス》」とは、何かが先ず生じ、そのすぐ後にそれが知覚されるといった仕方で、時間的継起《ツアイトフォルゲ》として叙述しうるような関係ではない。このような前後の区別はつねに器官内の興奮の流れのごときものに関してのみなされうるもので、客観的なものとの関係における主観性に関してはあてはまらない。従って私の考えでは、体験された時間と客観的数学的時間との相違は「時間」という共通の上位概念をもってしては決して論じられない。われわれが同一の客観的事象について、来るべきものを予想するかそれについて意外の感を抱くかに応じて異った形像を持つということを実験的分析は示しているが、これについては、体験された時間秩序と客観的時間秩序の間に或る種の並行関係《パラレリスムス》がなくてはならず、ただそれによってのみわれわれは物理的環界にある程度適合して生きて行けるのだ、という解釈がなされるのが普通だろう。しかし一体われわれは、この疑もなく部分的なものに過ぎない並行関係（アウァスペルクの「合致並行関係《コインツイデンツイアル・パラレリスムス》」）をどうすれば確認できるのか。客観的事態の時間軸《ツアイトアクセ》をいわば側面から眺めて、時間の絶間ない流れにまどわされることなくその目盛を確認するとか、この時間の流れを必要に応じていわば凝固させて同時性を求めるかということは、ありえないことである。時計や記録装置などによってそのようなことが一見なされているかに見える場合にも、それは法則的事態の実験的反復可能性という事実がそう見えるにすぎない。フォン・クリースも強調しているように、時間計測とは例外なく空間と時間との関連を一定と考えた上での空間計測であるにすぎない。しかしこの前提によっては、時間とは過去と未来の間にある現在であるという時間の本質的構造は触れられていない。われわれが本質的と認めているこのような生起的通過 ereignishafter Durchgang の構造の中でのみ、〔予想と意外との〕相違がそもそも表現されるべきである。予想されたものとしての現在は、過去から未来へと走り抜ける時間連続《ツアイトコンティヌイテート》である。意外さとしての現在は、過去と未来の間に刻印された時間の点《プンクトゥアリテート・デア・ツアイト》である。両者とも、出来事《エアアイクニス》としての事象《ゲシェーエン》の時間性に対する主観的関係《ズブイエクティーフェス・フェアヘルトニス》であって、客観的経過《フェアラウフ》の時間規定に対する関係ではない。

かかる時間秩序は、殊にベルグソン以来、*歴史的《ヒストーリッシュ》、生物学的、体験的時間などと呼ばれて数学的時間と対比されている。そしてこの二元論はわれわれの課題にとっての貴重な手掛りを提供してくれるものと見ることができる。それはつまり次のような課題である。有機体運動の研究に際して、それが成立しうるための解剖学的および生理学的諸条件の究明がまず要求された。そしてその分析の結果、生命的に本質的なもの das Lebendig-Wesentliche すなわち形《フォ》式《ルム》が問われるやいなや有機体運動をその環界から分離することの不可能《ウンドゥルヒフューアバールカイト》さが示された。そこで次には、この形式は有機体と環界のどちらか一方から規定されるよりもむしろこの両者の関係あるいはむしろ両者の出会いの形式であることが示されてくる。そこでこの運動形式の成立を調べてみると、この成立の時間的秩序は便利な助けになるよりはむしろ全く新しい問題となってくることが判る。形式はその本性上、時間的な作用連関《ヴィルクングスツザメンハング》としては捉えられぬものであることが明かとなる。試みにこの時間的作用連関を意図《フォアザッツ》と結果《エアフォルク》の形で捉えてみると、そこで研究者の眼に入って来るのはより判り易い説明ではなく、両者の不一致という新しい逆説なのである。また、一切の未来が秘密のうちに隠されているために、生じて来る事象が予想と一致せず、意外なことになる場合も多い。こういった経験が積重ねられた結果、われわれの生物学的研究の基礎となるべき時間概念についても、やはり一つの（数学的時間概念の中には見出されないような）構造が明かにされねばならないこと、そしてそこから改めて有機体運動の問題が見直されねばならないことが判明して来た。有機体運動を形式とみなし、形式を生成《ヴェルデン》とみなすことによって、既に一つの特殊例——意図的に図形を画くという例——において、物理学的理論構成の中では叙述できない特殊な時間規則《ツァイトレーゲル》が示された。われわれはこの実例から出発して、生物学的な固有法則を有する種々の秩序を、つまりいろいろの形式を一般的に提示することへと進まなくてはならない。

いま差当って明かなことは、「定常的図形時間《コンスタンテ・フイグアツアイト》」の規則が特別なものであるのは、それが一種の自然定数《ナトウーアコンスタンテ》を含むことによるのではないということである。本質的なことはむしろ、持続時間《ツアイトダウアー》と図形の間に一つの函数的関係《フンクツイオナーレ・ビンドウンダ》が見出される点にある。なぜならばそこには、われわれが感覚器官の予想に一致した働き方の場合に認めうるのと全く同様の先取的《プロレプティッシュ》な事態が存するのであるから。さらに、先取 Prolepsis が意識的な意図《フオアザッツ》のようなものではありえないことが証明された以上、われわれは運動の経過をそれに近縁の意識機能に依拠することなしに一つの先取的な経過として確立しなくてはならない。このことがどのようにして起るかは、時間への関係《フエアヘルトニス》を通じて基礎的に規定されることになろう。即ち、現《アクトウエル》に生じていることは、既に生じたところの、従ってもはや変更しえないところの過去から来るものとして、また、まだ生じていないところの、従って予想されるか意外であるかのどちらかであるところの、従ってまだ決定されていないところの未来へと進んで行くものとして、叙述されなくてはならない。この「…から…へ」von zu は従って規定されてもいるし未規定でもあるという構造を有する。しかしこの場合の部分的な未規《ウンベシュティム》定《トハイト》は決定要因《デテルミニーレンデ・ファクトーレン》（原因《ウアザッヘン》）が部分的にしか知られていないことに基くのではなく、そのつどの現在から構成され、任意の長さを持ちうる等質的連続体《ホモゲネス・コンティヌウム》ではないところの、生物学的時間の特性に基いている。この未規定《ウンベシュティムトハイト》は、生物学的運動を考察する者が、彼の研究や叙述や理論において、この事象が最後まで経過したからといってこれを完全なものとみなす自由を有していないこと、むしろそのつど過去と未来の間にある当面の現在を基点にしなくてはならぬという制約を受けていることを意味すると言ってよい。また、生命事象《レーベンスフォアガング》は原因と結果の継起《ズクツェッシオン》ではなくて、決断 Entscheidung なのだと言うこともできる。

われわれはこれまでに、生物学的な形式の問題から二つの特異性をひき出した。その一つは、形式とは空間的見地から見れば本来有機体と環界との出会いの場であるということ、もう一つは、形式とは時間的見地から見ればその時時の現在の発生として捉えられるということだった。そこでわれわれには、生物学的な形式の中心がいかなるものであるのか判ったわけであり、それによって生物学的運動論のプログラムは最終的に書改められることになる。学問的研究の基礎的な諸概念における慣習の改変が余儀なくなるということが、このことから明かである。しかしそれに伴って著しい困難が生じるであろうことは疑いないとしても、他方そこにかなりの単純化が望みうるということも、多くの点から期待してよい。運動の分析から生じる最も普遍的な要請が、知覚の分析の結論において到達した要請のごく近くにまで既に立戻っていることは明かだろう。意図的運動の研究においても対象知覚の研究においても、相互に対置されるこの二領域の出会いに中心が置かれるということが、明かに共通の、そして両研究分野を包括するであろうところの主題である。これによって両分野の融合が準備されるということも可能であろう。

有機的な諸部分の運動の発生が環界との出会いにより、また時間構造の問題により、極めて強力に支配されているとはいえ、この「時間の中で」経過し、或は完成される運動を、その完結後にもう一度いわば無時間的な展望において、つまり空間的《ロイムリッヒ》－同時的《ジムルターネ》図形《フィグア》として検討する試みが忘れられているならば、そのような運動理論は不完全だと言うことになろう。このことは、運動はそれが行われている間不変の空間の中で経過すること、つまりその中で有機体運動が生じるところの、時間や運動に依存しない一つの空間が実在することを前提している。この仮定《フォルデルング》は数学的公《ポストゥ》準《ラート》の仮定と同一のものである。この前提が妥当《ゲルヒト》であり生物学にとって無制限に有意義《ジンフォル》であるか否かは、力学的法則の形式と生物学的運動法則の形式を比較してみなければ判らない。この比較は、定常的図形時間の規則を論じた時に既に行われた。つまりこの規則の内容は、有機体の運動図形はその完成に要する時間が等しければ大きさは違っても形は相似となり、完成に要する時間が違って大きさが同じなら形は相似にならない、ということである。この実例から広大な事実領域へと眼を転じることは容易である。いま幾何学的図形ではなく生物学的作業を問題にするならば、事実至る所でこれと類似の事態が出現する。高度に進化した動物はその前進運動の速度に幅広い余裕を有するけれども、前進速度を速めれば必然的に歩行の様式を変えなくてはならない。例えば馬の歩行は常歩《シュリット》から速歩《トラーブ》、駈歩《ガロップ》、疾走《カリエーレ》という具合に移行する。これらの歩行様式はそれぞれに全く異った固有の協同運動像を有している。さらに一種類の歩行様式内でも、歩数が変化するだけでなく、これに伴って歩幅も絶えず変化している。だからいかなる場合にも、図形のみ或は速度のみを単独に問題にすることはできない。むしろ運動法則はつねに、空間的なものが時間の函数《フンクツィオン》であるかのような（そしてまたその逆も言える）法則となる。同じ事態はまた次のようにも表現できるだろう。運動とはそのつど空間と時間の一定の関係を形づくるものであって、決して単に時間と無関係な空間的図形を形づくるだけのものではない。――私は、この規則は最も広範囲の妥当性を有するものと考えている。運動をその無時間的図形のイメージで考察している限り、何らかの生物学的作業には決して到達できない。生成の時間《エントシュテーウングスツァイト》の捨象《アブストラクツィオン》は、事実の偽造にもひとしい。生物学的運動はつねに出発点から目標点への一つの道程《ヴェーク》である。運動が速かに行われればそれは空間的にも異ったものとなる。換言すれば、運動がより速かに目標に達するだけではなく、作業という点から見ると目標がより近づけられたということになる。生物が「客観的」な距離については関知しないとするならば、運動の速度が増大したと生物が考えるのも距離が短縮されたと考えるのも、どちらも正しいということになろう。これは決して勝手に考え出された想定ではない。なぜならばすでに以前に述べたように、この種の錯覚は単に出現するというだけではなく、法則的に成立するものですらあるのだから。生きているものにとっては実際に、一定の図形形成《フィグリールング》あるいは一定の結果《エアフォルク》（前進運動《フォルトベヴェーグング》）に向っての運動経過《ベヴェーグングスアブラウフ》における定数《コンスタンテ》は、空間と時間の関り合い Verhältnis のみであり、この二つの尺度《マースシュテーベ》の交換可能性もここに由来する。われわれが距離や時間の長さの見積りに際して多くの誤ちを冒すのも、恐らくはこのことと関連しており、心理学がこの誤謬の原因をこの両種の延長の体験上での実現に帰しているのは正しい。交通機関や望遠鏡が世界をますます小さくする、などという言い方がされるのもこの点に由来したことである。

空間が時間との関係においてのみ生物学的に規定しうるものである以上、ここでも——生物学的時間の場合と同様——数学的空間に対する明確な構造的対比が生じてくる。空間体験《ラウムエアレープニッセ》すなわち現象的空間《フェノメナーレ・ラウム》と数学的（ユークリッド的）空間との対比は、本書でもすでにいくつかの機会に取上げられてきた。そこでこの個所においては生物学的運動自体の分析から、この運動の空間「一般」„der" Raum に対する優先性《プリマート》を確認する必然性が生じてくる。ここでもやはり、空間「一般」の中での場所《オルテン》の（そして時間《ツァイテン》の）諸規定を通じて運動が確認されるのではなく、むしろ逆に運動の方が、それも有機体の運動が空間的時間的なゲシュタルト形成をもたらすのである。ただしこの場合にも、そのような運動を付随的かつ補足的 außerdem noch und nachträglich に、空間的、時間的計測（記録）によって客観的空間の中へ持ち込む《アイントラーゲン》（或は書き入れる《アインシュライベン》）ことは、各人の勝手に任されている。しかしそのような仕事によっては、運動による空間的‐時間的形像《ゲビルデ》の生物学的‐合法則的なゲシュタルト形成を叙述したり、それと共にこの法則自体を言表したりすることは決してできない。このことを理解するならば、ここでわれわれが次のような表現を用いたとしても、これは決して過大な要求とはいえないだろう。有機体の運動が空間と時間の中で動くのではなく、有機体が時間と共に空間を動かすのである。Die Bewegung des Organismus bewegt sich nicht in Raum und Zeit, sondern der Organismus bewegt den Raum mit der Zeit. これによってわれわれは序論において先取しておいた命題、すなわち有機体の運動は自己運動であるという命題の近くにまで戻って来たことになる。

この表現でもって生物学的空間の構造について言表されていることは、差当り次のことである。三次元的、等質的《ホモゲン》、等方向的《イソトロープ》な構造が生物学的空間を含んでいるのではなく、生物学的空間は――生物学的時間と同じく――発生的に見れば本来、ゲシュタルト形成として理解されなくてはならない。このゲシュタルト形成については、個別的にも全般的にも、さらにいろいろと研究を行うことができる。個別的には、これまでのところ意図的に行われた図形運動（円の完成）と歩行による目標に向っての前進運動（歩みの種類）の二例だけを考察してきた。この二つの動作のうち一方は例外的になされるにすぎず、他方は特定の生物学的目的のためにのみ行われるものである。そこで今度は、恐らくは常に、そしていかなる事情のもとでも要求されるような運動作業の実例をもう一つ見つけておこう。そこでわれわれのぶつかるのは、地球という力の場《クラフトフエルト》への適合、つまり身体の平衡《ケルパーグライヒゲヴイヒト》という例である。しかし、ここで考えられる作業が絶対的空間としての空間一般に関るものだとする誤解は先ずもって防いでおかねばならぬ。われわれが適合する空間は他ならぬ地球空間《テレストリッシャー・ラウム》に過ぎず、平衡作業が向けられるのは空間の方向そのものに対してではなく、実は方向づけられた一つの力に対してなのである。とはいってもこの力は、有機体が地球上に住んでいる限り一生涯与えられている恒常的な方向であるという特性を有している。宇宙《コスモス》への空間的関係がこの平衡機能にとって何らかの意味があるという証明は、これまでのところなされていない。平衡とは、臥位、坐位、立位、歩行、跳躍などのいかなる体位においても、与えられている gegeben というよりはむしろ課せられている aufgegeben ものである。つまりそれは神経支配と運動（ないし体位）を通じて時々刻々に作り出されねばならないものである。われわれが作業の命題を論じた時に既に演繹的に示しておいたように、伝導原理や反射法則ではこの結果《エアフオルク》を記述することができない。身体平衡の作業はただその結果からのみ定義しうるものなのである。

周知のごとく、この作業は長い間主として前庭器官の機能から説明されてきた。(14) ただし言うまでもなく、回転性および前進性の加速や傾斜によってこの末梢器官の内部に物理学的法則性に従ってひき起される内リンパおよび平衡石の運動は、それ自身直接に筋緊張を調整する因子とはみなされえなかった。そこから発生した神経興奮が、その後中枢器官において著しく変形を蒙ることが判明したのである。しかしこの形式転換《トランスフォルマツイオーネン》を考慮に入れ、さらにその他の付加的な感官刺戟（眼、筋肉の固有受容器《ムスケルプロプリオツエプトーレン》）を考慮に入れても、やはりそこに生じてくる筋緊張や運動への神経支配はこれらの刺戟の総体の結果だと考えられていた。そしてそこでは、既に述べたように、この神経支配の形式を左右するのは刺戟ではなくて環界と有機体との関係なのだということが見落されていた。われわれがこの問題を述べたのは視覚的な環界の身体に対する相対的移動の例についてであったけれども、このことは他のいかなる空間的関係についても全く同様にあてはまる。例えばわれわれが回転させられるのではなくて、自分で回転してダンスをする場合には、通常の回転反応《ドレーレアクツイオーネン》は殆ど全く生じない。それは要するに、身体平衡が保たれるということであって、別の事情のもとで確認されるいろいろな反射が保たれるということにはならない。繰返して言うならば、法則は作業原理の中にのみ含まれているのであって、諸反射の中には含まれていない。しかしこの例はその他にも新しいことを教えてくれる。平衡保持の場としての空間とダンスの場としての空間とは、生物学的には同じものではない。しかも平衡保持の作業とダンスの作業とは一つに融け合っている。空間概念を作業の側面から捉えようとする試みから、一つの作業が他の作業と融け合うこと、われわれは一連の運動においていくつもの作業を遂行することが知られる。生物学的空間は作業空間であり、われわれは運動を通じてこの空間を、作業が生じるような具合に形成する。しかしその場合、この作業は既に別の作業の姿の下に形づくられたことになり、さらにそれは恐らくはまた第三の、より上位の作業のもとで形づくられることになろう。ここから次の帰結が生じる。生物学的空間の構造をなしているのは、ただそのつど作業にふさわしい《ライストウングスゲレヒト》個々の創造以外のなにものでもなく、一つの作業というような一般的図式ではない。この構造の本質は作業図式《ライストウングスシエーマ》にはなく、作業への適合性《ライストウングスゲレヒテイヒカイト》そのものにある。

この言葉の意味するところは他でもない、一つ一つの生物学的空間規定が空間一般の中での作業のこれこれしかじかのあり方から生じるのではなくて、むしろ一つ一つの運動作業がそれに属するすべての要素の空間規定を自分自身の中から規定するのである。運動作業と空間との関係のこの逆転は、次のようにも表現できる。作業はまずいわば点的なここ Hier を規定し、そこからさらにその周囲の諸事物の空間的なあり方《ロイムリッヘ・ベフィントリッヒカイテン》を規定する。運動を通じて形成される発生ということの中では、その中に何かが存在する数学的空間は最後にくるもので、「ここ《ヒア》」という場所が最初にくる。

生物学的時間と同じく生物学的空間も、そのつどの「ここ」からその後のゲシュタルト形成へと進んで行く、純粋に発生的な構造を有していなくてはならない、と言ってもよいだろう。そしてこの「ここ」にすぐ続いて出てくる規定は、例えばあそこ、左の方、後の方、上の方、近く、遠く、大きい、もっと大きいなどといった、比較的要素的な性質をもつことになるだろうことが推測できる。だが、記述の目的へと向けられたこれらの例は生物学的空間の定義に必要かつ十分な範囲を越えている。ここでは、生物学的空間がそのつどの「ここ」から生じてくる、そのつどの作業空間のゲシュタルト形成であるということだけを、はっきりと確定しておけば十分である。(15)

（1） 十九世紀は、各個別科学がかくも数多くの可能性のスペクトルの色に染まらずにいるには、あまりにも豊饒であった。生理学者達は「生理学」以上に多種多様であり、「生理学」こそ殊に怪物的代物の全書において専制的権力とすらなった非人格的存在であった。

（2） カントの超越論哲学はこれに矛盾するものではない。カントの哲学にあっては、認識主体は人間ではなく、一さいの可能な経験の制約としての認識論的主体であり、経験の内容的源としてのそれではない。——私は、カントにおいても理論的理性が実践的理性に対して優位を占めることを疑わない。*

（3） Ernst Marx, Die Entwicklung der Reflexlehre seit Albrecht von Haller bis in die zweite Hälfte des 19. Jahrhunderts〔アルブレヒト・フォン・ハラーより十九世紀後半に至る反射論の発展〕, Sitz.-Ber. Heidelberg. Akad. Wiss., math.-naturwiss. Kl. 1938, 10. Abh.

（4）例えば V. v. Weizsäcker, Reflexgesetze〔反射法則〕, Handbuch der normalen und pathologischen Physiologie (Hrsg. von A. Bethe), Berlin 1927, Bd. 10, s. 35 の第四章（s. 90, *Gestaltwandel der Reflexe*〔反射の形態変動《ゲシュタルト》〕）参照。

（5）実験生理学では，抑止《ヘムング》の概念は心臓における迷走神経効果，動脈における血圧降下《デプレッソール》効果から生れた。

（6）**Sherrington**, The integrative **action of nervous system**〔神経系の統合作用〕. London 1906.

（7）これらの文章の趣旨は，抽象的概念性のうちに留まる認識論や形而上学をもってしては，知覚と運動を科学的に提示することができないことを述べているに過ぎない。このことは，生物学には自己にとって構成的であるような形而上学的，並びに認識論的内実があることを除外するものではなく，むしろ包括するものである。

（8）V. v. Weizsäcker, Ohr und **Nervensystem**〔耳と神経系〕, Z. Neurol., 165; 132, 1939 (Kongreßreferat).

（9）この認識は元来，ライプニッツのモナド Monade によって準備されたものである。ライプニッツから言えば，カントの運動の概念は，（外的）力学《メヒャーニク》の優位への後退である。

（10）ドリーシュ H. Driesch (Philosophie des **Organischen**〔有機的なものの哲学〕）は，カントの第三の関係範疇*こそ有機的なものの本来の範疇であることを認識した。

（11）A. Derwort, *Untersuchungen über den Zeitablauf figurierter Bewegungen beim Menschen*〔人間における図形運動の時間経過に関する研究〕, Pflügers Arch. Physiol., 240; 661, 1938.

（12）前掲書においてデァヴォルト Derwort は，図形運動の知覚では同じ合法則的錯覚が生ずることを示した。

（13）A. Prinz Auersperg und H. Sprockhoff, *Experimentelle Beiträge zur Frage der Konstanz der Sehdinge und ihrer Fundierung*〔被視物の定常性とその基盤の問題への実験的寄与〕, Pflügers Arch. Physiol. 236; 301, 1935.

〔14〕V. v. Weizsäcker, Ohr und Nervensystem〔耳と神経系〕，右に引用を参照。

（15）詳細は V. v. Weizsäcker, Über Psychophysik〔精神物理学について〕, Nervenarzt, 16; 465, 1943 参照。

V　ゲシュタルトクライス

感覚性《ゼンジビリテート》と運動性《モテイリテート》を生命ある有機体の二つの異った能力として分離せねばならず、そのようにして生命あるもの《レーベンデス・ヴェーゼン》の統一を破壊しようなどということは、科学的生物学の端緒を築いた人達の念頭には全くないことだった。いろいろな現象《エアシャイヌンゲン》の根底にある機序《フォアゲンゲ》を具体的な物質的機能として理解しようとする努力が積重ねられるにつれ、一般的興奮性《アルゲマイネ・イリタビリテート》を限定して運動（収縮性《コントラクティリテート》）かもしくは知覚（感覚性《ゼンジビリテート》）かのどちらかとして定義するという趨勢が出現して来たことは確かである。[1] しかし、このような一面的な見方はつねに一時的なものにすぎなかったのであって、このことは今日まで変りがない。マルクス E. Marx[2] の史的研究が示したように、この二元論は波状運動をなして出没を繰返しているように思われる。

「十七世紀と十八世紀の自然哲学を背景として実験生理学が成立した事情は周知のごとくである。哲学的な生命の概念から、物質的過程 materieller Vorgang を指しているいろいろな観念が分離したのは徐々に起ったことにすぎなかった。そこで、解剖学的‐生理学的な考え方の中に一つの新しい問題が生じてくる。つまり、新たに得られた物質的観念を用いて生命の諸現象を的確に表現しようとする試みがそれである。生命として現象する lebend erscheint ものは物質的過程から生じた stammen ものである、という考え方であった。

生理学はこの試みに十分成功しなかった。神経器官の作業を機械的に説明することが十分うまく行かなかったのである。機械論的な思想が強力に導入されると、間もなくさまざまの補足的な、一貫性を欠いた、混乱した、才走った着想が出現して来た。そしてこのような構想の頂点にまで研究が進められた時、この頂点はそのまま下降線の開始でもあり、この下降線は現代の入口にまで達することになる。純粋な反射理論が頂点に達したのはいつのことであったかを聞かされた人は驚くことだろう。多くの人は十九世紀全体をひとからげにして唯物論的 - 機械論的な時代と見ることに慣れてしまっている。ところがマルクスが示したところでは、そのような純粋な反射生理学を産んだのは一八三〇年から一八四〇年までの僅かな期間に過ぎなかったのである。そしてそれ以後は――ここで教壇生理学ではない真の意味の研究者だけを対象にして考えるならば――反射理論はすでに終末を迎えていた。

この間の事情はこうである。生命現象の基礎に物質的事象を置こうとする要求は、神経実質中を伝達される興奮過程を考えることによってひとまず充された。この興奮の伝播が一定の通路を通る道程は類いなく単純明快な構図を見せてくれる。すなわち興奮は最初求心的に伝り、次にそこから反転して遠心的に再び筋肉に達する。ところがこの余りにも単純な構図は、さまざまな事実の多様性やその諸条件のために間もなく補足を必要とするようになってきた。中枢における過程それ自体がもっと複雑なものと考えざるをえなくなり、これが間もなく主要な論点となってきた。

しかしこのような困難にもかかわらず、純粋反射理論の成果は確固たるものであった。フルーランス Flourens が末梢の興奮可能性《エクスツィタビリテート》を証明し、さらに脊髄反射が独立の要素として導入されたその時点から、有機体の統一としての個体《インディヴィドゥウム》は破壊されてしまった。(自然哲学的な)生命概念からの訣別は決定的なものとなった。しかしそれに対する哀惜が見られなかったわけではない。この統一を救い、これを回復しようとする試みがなされた。これに役立つであろうとみなされたのは主観性《ズブイエクティヴィテート》であり、その結果感覚《エンプフィンドゥング》とか感覚的なもの《ダス・ゼンゾーリッシェ》とかが重要視され、さしあたって独立の地位を与えられることになった。反射生理学を感覚生理学が補う形になったのである。

このように全く奇妙な形で問題が錯綜した結果、求心性と遠心性の対置に代って感覚と運動、主観的と客観的の対置が次第に姿を現すようになる。そしてこの瞬間に機械論は事実上《デ・ファクト》では克服されたのである。ただしこのことは気付かれもせず、認められもしなかった。またこの瞬間に生物《レーベヴェーゼン》は、人間は、再び復活されうるものとなった。つまり言いかえれば、有機体は単に物質的自然の一部としてではなく、物質的自然を自らの環境としてそれに対置されたものとして把握されることになった。主観性の権限回復に引続いて感覚を客観的過程の中に引き入れようとする試みがなされ、そこで生理学的感覚過程《フユジオローギッシャー・エンプフインドウングスフォアガング》というものが考えられたのは、この発展の途上におけるほんの移行的な一段階を意味するに過ぎない。ところがこの生理学的感覚過程という概念は一種の雑種概念である。物質面においては、生命的運動《レベンディゲ・ベヴェーグング》を随意運動《ヴィルキユアベヴェーグング》とみなすということがこれに対応している。この二つの雑種的概念は生命現象の物質化から生じた entstehen ものではあったけれども、生命あるもの《ダス・レベンディゲ》の内部にある対立を、即ち主観であると同時に客観であり、自我に捉われていると同時に環界に捉われているという内的対立を復活するという結果をもたらした führen。これをもう一度まとめてみると次のような図式になる。(3)」

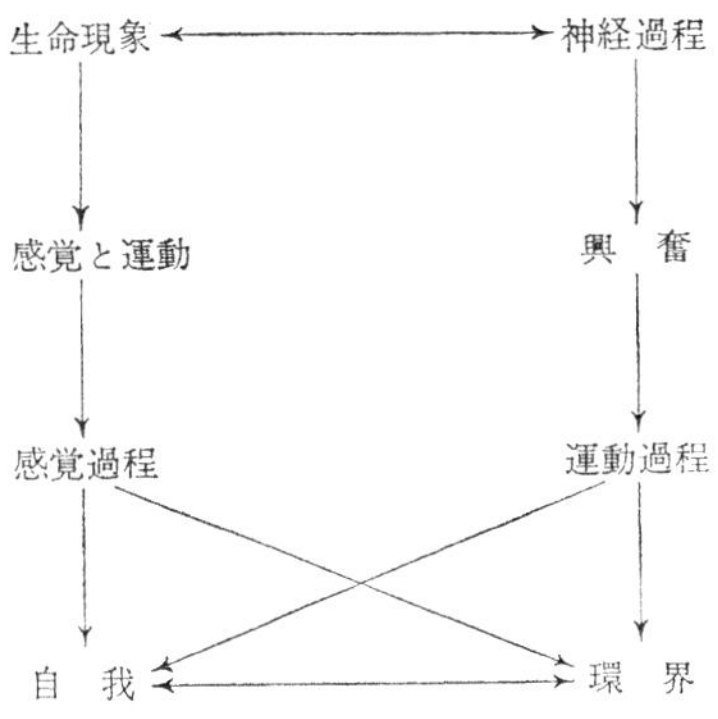

つまりこの（われわれが物理学において慣用的になっている用語法との類比でもって総括的に「古典的《クラシッシュ》」と称しているところの）時期《エポッヘ》が有していた前提は、元来決して唯物論的な、つまり生命とは物質的な、例えば機械的な過程であるというようなものではなかった。研究者たちは、このような野心的な言葉を用いるには、たいていの場合余りにも慎重であり、余りにも謙虚であった。しかし生理学とは、生命あるものとして現象している erscheint ものが何らかの物質的過程に由来している stamme という考え方を暗黙のうちに前提するものである。古典的な形態の生理学は、観察的経験主義 Beobachtungs-Empirismus に説明的理論 Erklärungs-Theorie が加わったものから成立っている。われわれの感官を通じてなされる観察が、直接には観察されない事象に関する理論が現象を説明できるかどうかを決定す

る、という考えがそれである。そしてここには、研究者が自らの研究対象に対して有している関係についての一つの見解が、それも殆ど自明のこととなってしまってはいるものの、実は決して唯一の可能な見解ではないところの一つの見解が含まれている。観察された現象《ベオバハテテ・エアシャイヌング》がその根底にある過程《フォアガング》から生じていないこともありうるし、従ってまた、理論的にこの現象をこの過程から説明できないこともありうるのである。むしろ人間が自然に荷担して、この現象しているものを現象させている das was erscheint erscheinen läßt こともありうる。なぜならば観察とはすべて既に一つの判断であり、理論はすべて一種の観察でもあるのだから。だとすれば現象というものは、(観察されえない)過程から生じるものではなくて既に理論の前段階《フォアシュトゥーフェ》であり、理論とはより良く観察された現象だということになる。学問の課題とは現象を説明することではなくて現実《ヴィルクリヒカイト》を作り出すこと、しかも人間と自然との結束《フェアビンドゥング》において現実を作り出すことだということになる。この〔人間と自然との〕同盟《ビュントニス》は、単に認識にとってのみならず、現実についてもあてはまることになる。

このような見解からは、ほとんど量り知れないほどの範囲と信頼度を有する多様な帰結が生じる可能性があり、従ってここではまず差当って一種の慎重さが必要である。とりわけ、ここで学問の企てと人間がそれ以外に行ういろいろのよく知られた営みとを頭から分離させてしまってはならない。学問はそれらの営みとの間に非常に重要な条件を共有しているだろうからである。しかしまさにそのために、人間がそもそも相手《ゲーゲンユーバー》と出会いうる仕方を問うという、一見して非常に重要になって来た問題点に一歩近づいてみるという目的のために、一見奇抜な実例を持出すことも許されることになろう。そのような実例は、方法的な面と出会いということとの両者を間違いなく含んでいることになるだろう。知覚と運動の交互作用もこれに属することになるだろうが、その場合この両者の有機体的或は物質的な連関についての何らかの先入見もあってはならないのである。

こういった要請にあてはまるものとして、例えば将棋の勝負《シャッハパルティー》を考えてみよう。将棋をする人はもちろん研究者ではないが、「観察者《ベオバハター》」でも「理論家《テオレティカー》」でもある点では同じことである。かといって、それは決して彼が相手の動きを理《テオ》論《リー》（ルールや読み）によって説明するという意味ではない。本質的なことはむしろ、彼が相手の動きを予測《フェアムーテン》し、ついでそれが実際に行われるか否かを待受《アプヴァルテン》けるという点にある。もしも実際に相手の動きを知ってしまっていたら、勝負にはならない。またもしこの予測が全く不可能だとするならば、その場合にもやはり勝負は成立しない。だから勝負の実現は、ルールの遵守および差手の自由と本質的に不可分である。それは予測と観察の結合に基いているのであって、或る一つの法則に従った原因と結果の結合に基いているのではない。私が同時に敵味方の両者であることは不可能である。ただ私が相手の差手の不確定さという条件の下にいる限り、勝負の現実性が成立する。この（部分的《タイルヴァイゼ》）不確定《ウンベシュテイムトハイト》性がこの種の事象《ゲシェーエン》の実現条件となる。これをこの種の現実性の成立に関する方法的非決定論 methodischer Indeterminismus と呼んでもよいだろう。原因と結果しか知らない自然科学者は、実は「野次馬《キービッツ》」に過ぎぬ。彼は勝負を横から見ているだけで、勝負の進行には関係しない。彼はルールを知っているだけで、勝負に手を出そうとしない。

このことがその他のさまざまな出会いの様相、例えば政治や医療行為についてもあてはまることは、容易に知ることができる。医者と患者、それにこの両者が共同して実現するもの、それらはやはり一定のよく知られたルールの支配下にあり、このルールはこの場合には自然の法則でもある。しかしこの場合にもやはり、その「一手一手」が可能性としては知られていてもその決定《エントシャイドゥンゲン》に関しては未知である。いろいろの予定《フォアゼッツェ》は立てられても、決定が下されねば行為《フォルツーク》が予想と合致していたかどうかは判らない。これはわれわれが知覚や運動に関して既に学んで来たことと全く同一である。知覚とは対象的知覚であって、これは知覚の中で一つの客観的可能性が実現されることに他ならない。有機体の運動は意図的運動であって、これまたその運動の実行をまたねばそれが齎す結果は決定しえないということを意味している。知覚についても運動についても、将棋の勝負をしている人と同じことがあてはまる。これが両者にとって普遍的な共通性である。そこでこうして両者をまとめて考えるからには、両者の結合の仕方をもよりいっそう根本的に考察することが不可避の課題となってくる。対象的知覚と意図的運動の両者は、古典的な現実概念とは異った新しい現実概念を具現する二つの例と考えることができる。われわれは既に、反射学説の歴史的回顧において、生理学内部での特異な問題の錯綜を見て来た。そこではいろいろな過程が或は主観的、或は客観的とみなされ、或は心的、或は物理的とみなされ、或は物質的に規定され産出されるものと、或は心的に影響され秩序づけられるものとみなされたりしていた。事物は絶えず変転を繰返しているのに、その名称は必ずしも改まらず、そこに命名法の途方もない難解さと相互理解の困難さが由来していた。本書の各章もそれ自体いわば一つの目標に向っての行程なのであるから、同様の不都合を、というよりも実は窮状を呈している。

しかしこの輻湊した窮状を唯一の分母に通分することに成功したあかつきには、それはちょっとした成果であろう。暗雲が跡形なく吹散らされるとまではゆかなくても、陽光が雲間を破って洩れることにはなるだろう。われわれが自然に属しているだけでなく自然もわれわれに属しているのだということが明確に把握されたその瞬間にこの成果は達成されるのだ、と私は確信している。

このように考えれば、将棋の勝負の例は知覚と運動の生物学について次のようなヒントを与えてくれる。つまり知覚や運動はすべて、人間や動物とその環界とのこのように産出的で刻々に新しい出会いから実現してくるものである。

このことは既にいろいろな言廻しで、観察や考察の成果として述べられてきた。しかしそれが正しいとすれば、それは観察や考察の結果ではなく出発点でなくてはならない。始まりでしかありえないものが、すべてあたかも結果であるかのように出て来ていることの中に、これまでの叙述の方法的欠陥がある(もちろんそれは徐々に克服する以外ないものではあるけれども)。確かにその通りであって、やむを得ぬことながらいつも決ってこのように、古典学説の不備が指摘されることになる。この場合、証拠はつねにネガティヴなものにすぎない。かつての一時代に行われた言い方を用いれば、弁神論《テオディツェー》*がここでは否定的神学《ネガティーフェ・テオロギー》**の方法を用いている。その後、神学から解放された一時代には、当然のことながら創造に対する一種の不安から、この創造ということは余りにも不可解な、しかし一方余りにも思弁的で学問的にまるで立証不可能な、それのみか自然科学の義務遂行上危険ですらあるような一つの理念として、自然科学から締出されてしまった。

この誤謬を除くには、事実はむしろその逆であって、この理念の支配下においてのみ真なるものや現実的なるものが生じうることが示されればよい。現実性とは、それが必然性としてではなく可能性として予め定められている時にのみ現れうるものだということが示されたことによって、その第一歩は既に踏出された。事柄の歴史的発展をみても、物理学でさえも非決定論を導入し始めたことに世間が注目し始めていることは別に驚くに当らない。生物学はこの同志に祝福を送る。古典物理学は、その厳密性のために生物学の非決定論にとっても障害となっていたからである。つまり二つの矛盾した自然概念の並存は不可能であった。今や生物学は、自らの非決定論を方法論的、論理的に貫徹する仕事に着手できるようになった。そしてこれは決定論よりも寛大な法則ではなく、むしろもっと厳しい法則であることが判ってくる。

1　異元的機能《ヘテロゲーネ・フンクツィオン》から相即原理《コヘレンツプリンツィプ》へ

多彩な現象の中から個々の事象だけを取出して、しかもそれを限られた範囲内だけでしか理解したり説明したりできないということは、自然科学のいかなる領野においても格別珍しいことではない。その際、このように孤立的に事象を取出すことが主として思考の中で行われるか、それとも実験的に単純化された条件の設定によって、例えば器具の使用によって行われるかはたいして重要ではない。それによって或る全体的、統一的なものが解体され、法則性が研究者自身の手によって損われるのではないかという感じが克服されない限り、このような自然への干渉に対する懐疑的な態度はますます強くなる。しかし、どこにその限界をおくかということは一概には言い難い。分子や原子の破壊がそのような法則性を損うよりはむしろ、それによってまさに法則性が発見されるのだということは容認されやすいことだろう。ところが蛙の標本を製作するのに当って心臓を切除したり脚を切断したりすることは、この動物全体に対するこれらの器官の作業の解明を台無しにしてしまう、という話になると、これを反駁することは容易ではないだろう。なぜならば心臓や脚はただ動物全体と結びついている場合にのみ、その動物が生きているためにそれらが置かれていなくてはならないまさにそのような状態に置かれているのであるから。こういった見解や疑義を明確に言い表したり立証したりすることが困難であるために、それらはともすればあっさりと片付けられてしまいがちだということになる。

このことから差当り次のことが判る。或る一つの現象の探究ということは、それの一部しか知られ得ないときでも、或はそれが一つのより大きな全体の一部にすぎないときでも可能であるかのような主張は、決して自明性を有していない。むしろこのような主張の中には、この一部分が分離されて全体から取出されてもなお、それは十分に確定された客観的実在性を有するという、全く特定の前提が潜んでいる。

仮りにこの前提を容認するとしても、この「部分」が全体と結びついてまとまって機能していた時の様子はどうだったかということは、やはり知りえないし、従って不確定である。この種の不確定性《ウンベシュテイムトハイト》は、捨象的非決定性 abstraktive Indeterminiertheit と呼ぶことができる。

次にもう一つ別種の不確定性がある。それは、原因や条件が少なすぎるためではなく、それが多すぎて錯綜して出て来るために生じるものであって、生物学者には特に縁の深い「複雑性」Kompliziertheit がそれに当る。例えば歩行が成立する過程についてみると、あらゆる反射、神経核細胞に向って働く構造的、栄養的、内分泌的なあらゆる影響、さらにそれらの背景をなす神経や筋肉の状態が残らず把握されうるのでない限り、この過程は確定性の乏しいunterdeterminiert ものといわねばならない。さらに器官の反応の仕方は、それに先立って生じていた活動のいかんによっても異ったものとなる。ところがこの先行する活動についても同じことがいえる――このように時間を遡って行っても、それが果しない無限の中に迷い込んでしまうことを免れるわけにはゆかない。そこに残された道といえばただ、やはり把握できない、或は正確には把握できないいろいろの影響を何らかの程度に無視すること、つまりここでもやはり或る種の捨象に似たことを行うこと以外にはない。

とはいえ、捨象的不完全決定 abstraktive Unterdetermination もそれの特殊型である複雑化的不完全決定 komplikative Unterdetermination も、研究の進行を阻止するものではなかった。生物学においてこの種の不完全決定《ウンターデテルミナツイオン》を研究の当然の不完全《ウンフォルシュテンディヒカイト》さとは認めようとせず、特別な仮定を設けてこれを補って、とにもかくにも全体性というものを一つの特別なテーマとしようとする傾向が絶えず認められるのは、別のもう一つの動機が存するからに違いない。しかしこのような傾向が性急さや思弁癖から生じたものにすぎないとする非難を免れるためには、これとは正反対の見方をも考慮に入れなくてはならないだろう。つまり、われわれはひょっとすると或る一つの現象についてあまりにも知らなさすぎるという窮状に立っているだけではなく、むしろ余りにも多くのことを知りすぎているのではなかろうか、という見方をも考慮しなくてはならないだろう。

ここでもちろんのこととして、どのような目的、どのような要望からみてこの「余りにも多くの」Zuviel ということが言えるのか、という問題が起きてくる。「真理の印章は単純なり」simplex signum veri という古い格言は、表象の最高統治者たる悟性が打立てたものに違いない。これに反して、生きた感情は無数の立証によって確かめられることを欲するものであるし、また論理的思考の指定する制約の中に、自らの内なる真実性を奪い去る掠奪者の気配を飽くことなく嗅ぎ出すものであるだろう。悟性的認識にとっての保証の印は、同一事象の常に変らぬ反復の可能性によって刻されるのに反して、生の経験の感情的明証性は、それとは正反対に一つの感情がつねにそのつど新たな個別性において展開される、その豊かさに比例して増大する。

ところで、およそ人間精神が生命に立向って驚嘆せざるをえないもの、それは犯し難い合法則性のようなものではない。むしろこの合法則性とは、人間精神が自らの不確かさによる苦難と自らの存在のおぼつかなさから来る脅威からの救いを求める安全地帯なのである。われわれを真に驚嘆せしめるものは、むしろ生命が示すさまざまに異った可能性の見通し難い豊かさにある。現実に生きられていない生命の充溢、それは現実に生きられ体験されているほんの一片の生命よりも、予想もつかぬほど豊かである。もしもわれわれが現実的なもの以外に、可能なるもののすべてに身を委ねたとしたならば、生命は恐らくは自己自身を滅してしまうことになるだろう。だからこの場合には、有限性は人間の悟性が遺憾ながら限定されたものであることの結果としてではなく、生命の自己保存の戒律としてわれわれの眼にうつる。例えばもしわれわれが将来に生じることのすべてを知ってしまっていたならば、われわれが生き続けて行くということは難しかろうし、それと同じことが過去についても言えるだろう。

大きく見て右のように言われたこの事情は、微小な個々の事象に眼が向けられた場合にも解消し去るものではない。すなわち、われわれが有機体に生じているもろもろの事象を観察してこれを有機体の構造や機能から理解しようとする場合、われわれはそこに二つの相反する困難がぶつかり合っていること、のみならずそれらが互に相手を生み出しているものであることを少なからず経験する。われわれが個々の反射、個々の感覚を分析する場合には、作業の統一性は見失われてしまい、この統一性を生命現象として一挙に捉えれば、今度はそれのメカニズムが謎のまま残ることになる。しかし、分析によって分離した諸要素からこの統一ある作業を合成するなどということはできることではない。

もちろん、歴史をふり返って見れば、さきに触れたように生理学がその自然哲学的な母胎から離脱して以来、この問題に対して意識的に取組もうとする態度よりはむしろ、問題の解決をめざす無意識の努力が認められるようである。

自然哲学は、自分たちが生命あるものの本質とみなしたものを言い表そうと努めたのであったが、これに対して物質的諸過程の探究は、この本質をそれらの諸過程の中にはじめてちゃんと発見したという妄想を抱こうとする誘惑に陥らねばならなかった。そこで、生命的現象が実際に物質的過程から生じていた場合には、あまり物事に頓着しない頭脳の持主たちはさっそく、自分たちは生命過程そのものが何であるのかを知っているのだ、と思い込んでしまうのがつねであった。われわれがここで精神物理学《プシヒョフュジーク》や感覚生理学（および生気論《ヴィタリスムス》）を、非決定論《インデテルミニスムス》の無意識的－暫定的な解決案だと言うような言い方をするならば、それはあたかも現代から時代を逆に遡って推論したでっちあげであるかのように思われるかもしれない。なぜならばこれらの学説の主張者たちは、徹頭徹尾、心底から科学的決定論の信奉者だったからである。それでも、次のことだけは少くとも信じてもらってもよいことだと思う。古い自然哲学からわれわれ自身の見解にまで至る途上において、精神物理学や感覚生理学（および生気論）は一つの中間項もしくは通過点をなすものであって、これらの通過点がその出発点から次第に遠ざかって行くその道程が、その方向においてわれわれに対して目標点を次第に明確に示して来たのだ、ということである。だからこの中間項においてわれわれの眼につくものはつねに、何かある秘密を明かにせねばならぬという問題だけなのであって、そこで立てられている問いを明確に言い表すことすら成功したとはいえない。さらにもしわれわれが、生命現象を余すところなく物理学的、化学的に解明しようなどということは生命現象を探究する人たちの絶対的な意図ではなかった、などと言ったりすれば、それに賛成してくれる人はもっと少くなってしまうだろう。皆は全く当然のことながら、そこでは精密な方法が主として使用されているということや、生気論その他の自然哲学的な諸学説がどれひとつうまく行っていないことなどを指摘することだろう。しかし同じように当然のこととして、精密科学の研究者たちがそれにもかかわらず生物や生命にそれ以上の或る固有性を承認しようとしている努力をも指摘しなくてはならないだろう。プフリューガー Pflüger*、デュ・ボア・レモン du Bois-Reymond、ヘーリング Hering などの生理学者と、ヘルムホルツ Helmholtz、ボーア Bohr などの物理学者とは、この点に関して立場を等しくしている。その主要な実例が精神物理学、感覚生理学、進化論的研究の三つである。

生命現象の生理学的或は物理学的‐化学的な解明が失敗に終った以上、これを補足してやる必要が生じてきた。失敗が根本的なものであった場合には、その補強材も根本的に別種のものでなくてはならなかった。しかし補強材が全く別種のものであった場合、学問の統一性と信頼性はたちまち危機に瀕するおそれがあった。この危険を避けて通ることは、とりもなおさず有機体という課題の解決を断念することを意味した。またこの危険を引受けることは、無機自然科学とは違った新しい種類の方法と理論を用いるという結果を、当然のこととして帰結した。このようにして成立した学問の典型的なものが右に挙げた三つである。第一のものは身体性《ケルパーリヒカイト》を心的現象によって補い、第二のものは物質的過程をそれに対応する心的現象の助けをかりて分析し、第三のものは有機体を、物理学や化学や心理学を見本にしてではなく、一つの世界における固有の進化の法則に従って分析する。

a　学問は生命過程を（精神物理的《プシヒョフュージッシュ》‐）異元的《ヘテロゲン》なものとして扱う

危険はそもそもの最初から現れた。エルンスト・ハインリヒ・ヴェーバー Ernst Heinrich Weber が、重量感《シュヴェーレアインド》覚《ウルック》に認知可能な差異を生じさせるためには元の重さにそれといつも同じ割合の分量の重さを加えねばならぬことを確かめたこと、そのことは別段の危険も含んでいないように見える。だが一体、この同一の分割比でもって何が測定されるのだろうか。グスタフ・テオドーア・フェヒナー Gustav Theodor Fechner は、それは感覚量《エンプフィンドゥングスグローセ》だ、と言った。ということはつまり感覚とは測定可能なものなのであって、もしそうならば心的《プシヒッシュ》な量と物理的《フュージッシュ》な量の間には量的関係が存在することにもなる。だとすれば、精神物理的函数《プシヒョフュージッシェ・フンクツィオーン》とか精密な精神物理学《エクサクテ・プシヒョフュジーク》とかいうものの可能性も存することになる。

このような考えがいかに深い影響を及ぼしたかは注目に値する。われわれはフェヒナー Fechner の伝記から、それが彼自身にとっては数学的機械論《マテマーティッシャー・メヒャニスムス》の威力による自然像の陰鬱化に対する絶望からの苦しまぎれの逃道であったということを知っている。精神・物理的科学《プシヒョ・フュージッシェ・ヴィッセンシャフト》をめぐって闘わされたこの論争の背景には、ニュートンに対するゲーテの論駁*や、カントとシェリングの論争**も尾をひいている。対象の異元性 Heterogenie des Gegenstandes ということが生物学から消滅しないでいる限り、この論争の決着は永久につかない。フェヒナーの精神物理学は、刺戟と感覚とを実際に二つの比較可能な、そして何らかの形で同等の権限を与えられて現実界の中に並存している実在《レアリテーテン》として取扱っている。しかしこれをエネルギーの質の転換というようなことと較べてみた場合、事情がいかに違ったものであるかは即座に判ることであって、従ってフェヒナー的なやり方で物理的なものと心的なものとを並置あるいは等置することはやがて行われなくなってくる(4)。事実、感覚の非空間性《ウンロイムリヒカイト》ということに伴って、生命あるものの本性の半分は空間から排除されてしまうという帰結が生じる。ところがあらゆる数学的‐自然科学的な諸函数《フンクツィオーネン》は、従来空《イム・》間内存在《ラウメ・ザイン》ということを前提としていた。いかなるエネルギー法則もいかなる力学的或は化学的法則も、非空間的領域にまで適用されうるものではない。感覚が刺戟の（そして神経の興奮の）函数であるならば、そこに空間概念の、従ってまた物理学的因果概念の危機が生じることになる。

そこで、もう一つの方途、すなわち感覚を刺戟の函数という形で物質化せずに、単に神経性の感官過程《ジンネスプロツェス》を分析するための記号《ジグナール》として利用するというやり方の方が勝っているかに思われたのである。実際、いかなる物理学的自然研究も感官知覚に基いており、感官知覚なしにはいかなる観察もなしえない。私には、感覚生理学の指導者たることを引受けたヘルムホルツがこの種の類比《アナロギー》に甘んじていたとは思えない。私の知る限り、彼は決してこの類比に頼るということをしなかった(5)。しかし結局のところ、感性《ジンリヒカイト》を物理学的対象 physikalische Gegenstände の観察に用いたり、そういった感覚や知覚がそれによってはじめて生じてくるものとされる器官機能の生理学的分析に用いたりすることは循環論法ではないのか、という点に問題がある。私の感覚は神経機能の産物であるか、異元的な自然の諸過程を示す単なる記号であるかのどちらかである。第一の場合には、私の感覚はさしあたり外的対象への推論を許さぬものということになるし、第二の場合には感覚を感官活動《ジンネステーテイヒカイト》の機能的産物として利用することができなくなる。前の場合には物理学が、後の場合には感覚生理学が、幻想に化してしまう。要約すれば、感官からの資料を機能として利用すると同時に、それをこの機能を表現する記号《ジュンボール》としても利用するということは不可能なのである。(6)

そうこうする間に、心的なものとは無関係な学問領域にも、同じような問題が起きてきた。生物学の領域では何よりもまず形式 Formen がわれわれの注意をひき、われわれによって捉えられようとする。生命ある形式《レベンディゲ・フォルム》が問題となる所、つまり形態学《モルフォロギー》、個体発生論《オントゲネーゼ》、系統発生論《フュロゲネーゼ》においては、物理学や化学の方法のきわめて効果的な応用によって進化の諸現象についての固有の理論 eine eigentliche Theorie der Erscheinungen der Entwicklung が達成されるということがなかったならば、全く類似した問題が展開されたことだろう。しかも、それにもかかわらずまさにこの領域において、一つの古典的前提が明かに同一の危機に陥ったのである。というのは、いろいろな形式の多様性を叙述するには、まず一つの形式をあるがままに確認し、次にこれを他の諸形式と比較し、その異同から族、種、科類、進化などを導き出し、こうして要素的な個体から体系的な全体へと歩を進めるという方法を用いればよいのだという予想が、生理学における綜合的要素主義《ジュンテーテイッシャー・エレメンタリスムス》と同様に当をえていないのである。二つの標本《エクセムプラーレ》を最も単純な仕方で比較する場合にすら、そこには既に比較のための尺度《マースシュタープ》とか観点《ゲジヒップンクト》とかが存在するという前提がある。だが一体、ここで比較されているものがこの比較用の観点なしにどのようなあり方をしているのか、これはどうして知りうるのだろうか。このことだけでもすでに個体的個別者《インディヴィドゥエレス・アインツェルネス》の実在性《レアリテート》が問題化されている。もしわれわれが個体的個別者を認識しえないなら、われわれはどうしてそれの存在を知りうるだろうか。

発生的形態学《ゲネーティッシェ・モルフォロギー》においては、このことから次のような状況が結果してくる。われわれは発生《ゲネーゼ》の途上での一つの形式の位置を定めることはできる。しかし、この位置を定めるためには、われわれがそこで何を定めるのかを知っていなくてはならぬ。この「何《ヴァス》」は、つまり〔発生の〕段階《シュトゥーフェ》は確かに存在する。しかしそれはただ、それがそれの前の段階から生じそれの後の段階に向って進むことにおいてのみである。つまりそれ自体としては、すなわち時間系列を離れた横断面としては、それは単に要請《ポストゥラート》として存在するに過ぎぬ。それはただ、前の段階に引続き、次の段階に先立って現れるものとして認知されうるだけである。ここでは形式の確定のために時間が不可欠のものとなってくる。ただしそれは系列的な形式的図式《フォルマーレス・シェーマ》としてではなく、以前から vom Vorher ということと以後に向って auf das Nachher hin ということとの規定《デテルミナツィオン》としてである。それ故、客観的形態学《オブイエクティーフェ・モルフォロギー》の中には——まだそこでは発生論《ゲネーティック》が問題になっていないように思われるところにおいてすら——歴史的時間概念《ヒストーリッシャー・ツアイトベグリフ》に対する数学的-同質的時間概念《マテマーティッシュ・ホモゲーナー・ツアイトベグリフ》という問題が含まれていることになる。

形態学の領域は私にとっては不慣れな研究領域である。神経病学的素材における時間問題については、すでに詳細に取扱っておいた。古典的な研究計画が形態学においてもやはり挫折して、そこから新しい解決への道が開かれてくる、その断層線を跡づけようとする努力においては、われわれは当然のことながら全体性の概念にはぶつからなかった。私は、全体性《ガンツハイト》の導入によって主体《ズブイエクト》の導入が不必要になるとは思わない。そしてこのことこそ、人間にたずさわる生物学者が動物学者や植物学者に示唆を与えうる点だろうと思う。動物学者や植物学者が余りにも安易に自我の肉迫を回避しているとすれば、それと同様に医者の方は自然の全体の圧倒的な力を忘れるという危険に陥りうるのである。

b　ゲシュタルトクライスの力動的形式。等価原理

物理的〔身体的〕なもの Physisches と心的なもの Psychisches とを自然の統一性のままに叙述しようとしても、結

局のところ、火と水は混り合わないものだという結果しか出て来ないとは言っても、この異元性《ヘテロゲニー》は決して成功を妨げた唯一の原因ではなかった。難点は、この綜合の内容だけではなく、その形式にもあったのである。正しい形式を用いたならば矛盾した内容をもっとうまく統一することができ、第二の難点を克服することによって第一の難点をも克服するということができなかったであろうか。この時代の哲学が好んで行った議論は、精神物理的《プシヒョフュージッシェ》〔心身的〕因果《カウザリ》性《テート》や精神物理的〔心身的〕並行論《パラレリスムス》を容認すべきか否かということであった。このことはいずれにしても、(一) 身体《ライプ》が心《ゼーレ》に作用するのか、(二) 心が身体に作用するのか、(三) 両者が互に作用し合うのか、(四) 両者がさらに何らかの並行関係において結合されているのか、についての経験論者《エンピリカー》のあやふやな見解に対応していた。感官感覚においては第一の、随意運動においては第二の、表出運動においては第三の可能性が存しているかに思われた。いわゆるジェイムス・ランゲ*の法則やパヴロフ**の実験についての討論がこの疑問を反映している。ところがそこには、もう一つの可能性があった。因果性《カウザリテート》の直線的作用《グラートリニゲ・ヴィルクング》も並行論《パラレリスムス》の方向共通性《リヒトウングスゲマインシャフト》も共にうまくゆかないならば、両者のどちらもが互に作用しあう円環的な秩序《クライスフェルミゲ・オルドヌング》を考える可能性が残っていた。このような解決策は、疑いもなくさまざまに異った源泉ときっかけとから生れて来たものである。その一部はさしあたっては生物学的学説の外部にあるものだった。つまりそれは、人間共同体《メンシュリッヘ・ゲマインシャフト》という新しく発見された(われわれはそう思っていたのだが) 存在《ヴェーゼン》に属する感情《ゲフュール》の中に見出された。戦友、愛する者たち、高次の意味で職業的に結ばれた人たちなどにとっては、彼らの一体性《アインハイト》が二個の実体の単なる外面的関係だなどということは考えられないことであった。彼らは自分たちが融合《フェアシュメルツング》の状態にあることを自ら自覚していた。これらの状態での二者合一《ツヴァイアインハイト》は、決して数的、数学的、形式論理的に記述しうるものではなかった。そこでは生命は論理的なものではなく弁証法的なものとして見られた。そして、交接、受胎、細胞分裂、成長、そして絶えず新たに繰返される生殖というようなことを先入見なく眺めるならば、この感情はこの上なく明白に確証されえた。形式の力は何物をも凝固せしめることなく、しかもすべてを回帰せしめる。一見確固として形成されたものが消滅し、一見消滅したものが再び蘇生する。生命とはそういうものである。この要点を単に外面的、可視的な要素によって記述したり説明したりするのは不可能なことであろう。死におけるその消滅がいかに明々白々たるものであるにしても、だからこそ外面的なるものの背後に或る内面的なものが潜んでいるに相違ないのであり、しかもこの内面的なものは自らを外面化しうる能力をもったものであるに相違ない。

このような構造は、単にこのようなきわめて大きい対象について明かになっただけではなかった。完全に局部的《パルティクラール》な器官作業を一瞥しただけでも同じような考えが生じてくることは避けがたいことだった。例えば一つの触覚器である手が、物を触知するものであると同時に握るものでもある手が、まるで自分のこれから探り当てようとするものをあらかじめ知ってでもいるかのように、ぴったりと対象に接着しつつ同時にそれをあちこちと動かす様子を見ていると、一体最初に感覚があってそれが運動を導くのか、それとも最初に運動が行われて、そこから一切の生じてくる感覚の「ここ」と「いま」とが定められるのかが、やはり判らなくなってくる。運動はまるで造形美術家のように対象を模写するし、感覚はまるで物事に没入している時の感情のような仕方で対象を受入れるのだから。触覚行為は単に異元的合成行為《ヘテロゲーネス・コンポジトゥム》としてだけではなく、力動的な形式統一《デュナーミッシェ・フォルムアインハイト》としても分析の対象になる。この統一を運動的成分と感覚的成分に分解する場合、この統一の力動的な再構成《レコンストルクツィオン》はどうしても必要となる。

この理由から行われた実験的研究は、一つの結果をもたらした。

きわめて当然の結果として、知覚と運動の一体性が或る特別な理論によって構築されたり説明されたりするのではなく、それは端的に与えられたものとして受入れられることになった。感覚的《ゼンゾーリッシュ》-受入的《アフェレント》な機能系と運動的《モトーリッシュ》-送出的《エフェレント》な機能系という、歴史的にはずっと後に発生した二元論の及ぼしていた頑強な制約のために、当時一般に行われていた実験といえば、まるでこの両者のどちらか一方だけしか調べられないかのような実験ばかりであった。従って（外的）刺戟の感覚生理学はあっても自己運動の感覚生理学はなく、反射の運動生理学はあっても随意的発動性の運動生理学は存在しなかった。もちろん、自然科学的実験の前提となるものが客観的、外的な実験条件の厳密な規定であることはいうまでもない。しかしそこからは決して、実験条件に対応して生れるのは心的結果のみ、或は生理学的結果のみのいずれか一方だ、というような規定は出てこない。両方が同時に出現することもありうるのである。それは例えば或る一つの化学反応が熱効果と電気効果の両方を有するのと同じことである。だから、或る一定の条件下で生じる知覚と運動の両者の対応が記録されうるような実験が設定されなくてはならない。かかる方法の先駆者は、なかんずくプルキニエ Purkinje であった。しかし彼の方法を真似た者は、残念ながら僅かであった。われわれは狭い土台の上に立たなくてはならないのである。

方法はその有効性を自ら実証しなくてはならない。多くの雑多な事実を統一的に理解せしめうるような観察がその方法から得られるか、或は予想された事実の存否にかかわる問いがその方法によって解決されるか、のどちらかでなくてはならない。この両者の結合を自然科学というのである。われわれが構組的手法 komponierendes Verfahren と呼ぶ方法を適用する場合にはこの両者が満され、それによってこの方法の有効性が実証される、というのがわれわれの考えなのである。

このような方法の構組《メトーデイッシエ・コンポジツイオン》から生れた成果の最初の例として、知覚するということと運動するということとそれ自体の結合にみられる統一《ダス・アインハイトリッヘ》性を挙げることができる。これは従来の科学的認識が非常に奇妙な誤謬を冒していた領域である。従来は、事実の教えるところによると知覚は殆どの場合に運動とは無関係だとみなされてきた。或る種の限界条件下では運動の結果として錯覚が生じることはあるだろう。例えば眼球を外部から押してその自然の位置からずらしてやった時に対象の仮象的移動が見られるのがその例である。しかし一般には、眼だけが頭蓋の中で動いても、或は眼と頭と身体とがいっしょに動いても、物は全く同様に、そして「正しく」見えるものと考えられていた。その際に生じる有機体と対象との幾何学的関係がいかに多種多様に変化しようとも、知覚の客体はつねに変らず（しかも正しく）知覚の中に与えられるというのである。つまり結論として、知覚はこのような運動によって影響されないとみなされていた。――ところがこの見解はやがて修正を蒙らずにはいられないものだった。例えばこのような幾何学的――生理学的思考形式において問題になったのは、或る静止客体、例えば一台の車を見る場合、眼の方が動くとその客体が静止した眼の前を横切って動いた時と「同様に」見えるというようなことはどうして可能なのか、或はまた、眼が動いた場合、従って網膜像が網膜上を移動した場合にも、その客体が「同じ個所に」見えるというようなことはどうして可能なのか、という問題であった。このような事例は、感覚的なもの《ダス・ゼンゾーリッシェ》が運動的なもの《ダス・モトーリッシェ》から独立しているという前提に制限を加えることなくしては説明しえないことであった。そこで、網膜上の要素の生理学的場所指数《オルツヴェルト》（局所指標《ロカールツアイヘン》）が運動に「よって《ドゥルヒ》」、或は運動すること《ダス・ベヴェーゲン》によって転調《ウムシュテイメン》されるのだ、というような言い方がされた。そしてその後の研究は、この転調やその法則、その限界などの発見をめざして進められた。こうしておびただしい観察がなされ、おびただしい特殊例が見出された。しかし感覚的なものが運動的なものに依存しているこの関係の多様さや、自然の生命の中でのこの依存性の絶えまない実現のために――少くともこの領域においては――従来とはまるで正反対の帰結が、すなわち感覚性は運動性に完全に依存しているに違いないという帰結がもたらされた。

この完全に対立した二つの見解の矛盾を説明しうるのはどのような観点であろうか。この問題の端緒は、知覚の概念に含まれている認識論的な意味内容が再び意識されてくるにつれて、正しさ Richtigkeit の概念が単なる機能の叙述の中にまで持込まれることになった点にある。知覚の対象性《ゲーゲンシュテントリヒカイト》と知覚の体験内容との関係、両者の対比、またしばしば生じる両者の無意識的同一視などは、従来からつねに事実上《デ・ファクト》は行われていたけれども、それが権利上《デ・ユーレ》のこととして行われたことはなかったのである。

この内的矛盾はそれ自体、すでに新しい発展方向を示している。というのは、生物は単に自然の一部であるだけではなく、自然に向い合っているものでもあるということがそこから判ってくるからである。われわれは世界の一部であるだけではなくて世界の対立者《ゲーゲンザッツ》でもある。それ故にこそ世界はわれわれに対して現象しうるのだし、われわれは世界を正しく、或は誤って知覚しうるのである。新しい方向《アンザッツ》を開くとすれば、それはこの点を考慮に入れたものでなくてはならない。この新しい方向はすべて、生物がヤーコプ・フォン・ユクスキュール以来環境世界《ウムヴェルト》と呼ばれている自分自身の世界に対して有する関係から出発している。このような考えはすでに本書の前二章において述べておいた。生物学的な作業は、最も簡単には自我と環界との関係《レラツイオン》のゲシュタルト形成として示されうる。固定的な反射ではなくて自我対環界の関係の統一的秩序が問題なのだということを立証する事実は、いろいろと挙げることができる。この関係はさらに次のように細かく区別される。自我は環界の諸対象に向って行ったり、それに背を向けたりするし、自我が環界の中で移動したり、自我と環界との間が全体として緊密さを失ったり、危機的様相を呈したり、相即関係が断絶したりするなどである。そしてこれらすべての事態に際して機能変動や錯誤の意味が明かになってきた。それらはいまや、知覚された事物やわれわれ自身の身体や、そこで出来事として生じている事態などの実在性《レアリテート》にとっては不可欠の構成的必然性を有することになる。

この新しい布石《アンザッツ》をまず差当って精神物理学的《プシヒョフュージッシュ》〔心身的〕な布石として展開し、それの独自の法則を探究しようとする努力から、精神物理学的〔心身的〕力動論 psychophysische Dynamik の形でのゲシュタルトクライス理論が生れた。一九三二年に私はこの理論を詳細に述べたが[7]、それは次の観察に基くものであった。身体の平衡に関与する運動系においては、運動知覚の全部もしくは一部が自己運動によって置換 ersetzen されうるし、逆に運動を知覚することによって自己運動が行われないで済むこともありうる。この両者のやりとりの額に応じて、これを妥協《コンプロミス》と呼んでも代償《コンペンザツイオン》と呼んでもよいだろう。つまりそこには知覚と運動の準・量的な等価性《クヴァジ・クヴァンテイタテイーフェ・グライヒヴェルテイヒカイト》が見られ、両者は互に他を代理《フェアトレーテン》し置換《エアゼッツェン》しうるのである。このことを等価の原理 Prinzip der Äquivalenz と呼ぶことができる。

このような考えの生れるきっかけは、生理学だけではなく臨床からも得られた。耐え難い激情を運動性発作として切抜ける可能性や、身体的な過程《アプロイフェ》の抑圧に際して生じる精神症状などは、事実どの神経科医にも周知の現象であるし、これらは神経症の精神分析において完璧に記載されている。つまりこの場合にも、力動性《デュナーミック》とか一種の力の転化《クラフトフェアヴァンドルング》とかの表現が自然に研究者の念頭に浮んで来たわけである。しかしこの種のどちらかといえば記述的に把えうるような、少くともそのままでは計測不可能な事柄《ツザメンヘンゲ》を、身体平衡とか自我の環境空間への適応とかの生理学的作業にまで拡張して、より高次の精密さ《エクサクトハイト》にまで高めようとする努力——ほかならぬこの試みからはやがて、ここには一切の物理学《フュジカーリッシ》的力動論《エ・デュナーミック》とのどうしようもない根本的な相違が存するのだということが明かになった。生物学的作業は物理学的力動論との類比によって分析されうるようなものではなく、むしろ物理学的な表現法が生物学との類比によって読み変えられていたのである。この相違は決定的な重要性をもっている。

だがわれわれは事態の展開の先廻りをしてしまったようだ。実は、事態はごく少しずつしか明かになってはこなかったのである。「精神物理学的力動論《プシヒョフュージッシェ・デュナーミック》」の試みが古い精神物質主義《プシヒョマテリアリスムス》の誤ちに陥らないための警戒が必要であったし、かといって一度はっきり把握した内と外との不可分のからみ合いが再び解体されて、生物学の独自性《アイゲンヴェアト》が失われるようなことは許されないことだった。それはどういうことなのだろうか。

われわれは既に以前に、つまり運動の分析に当って、有機体の運動とその環界とのからみ合い《フェアシュリングング》を取扱い、両者の不可分の相即《コヘレンツ》を明かにしておいた。つまりそこで明かになったのは、そのような運動は形式の連関《フォルムベツーク》としてしか記述されえないものだということであった。しかしそこでは知覚は度外視され、従って精神物理的関連は論じられなかったため、その論旨もまた単なる形式論《フォルマリスムス》を超えるものではなかった。力動的《デュナーミッシュ》・精神物理学的《プシヒョフュージッシュ》な試みにおいては、この点が変ってくる。

医者であり臨床家である者が、自らの診断や治療を心的事実と物理的事実のどちらに依拠して立てるかということにたいして思いわずらうことなく、むしろ両者をその強さに応じて利用し、両者を混用するのと同様に、ゲシュタルトクライス理論に基く実験の方法論においても物心両面のデータの使用は元来許容されているのみならず、積極的に要請されている。この方法は三面的図式を有している。すなわち刺戟が与えられ、運動系の運動と感覚系の知覚とが観察される。そしてこの「三角」法からは、以下のような結果がもたらされた。

われわれは右に、身体平衡の力動においては運動知覚が自己運動によって置換されると述べた。この意味をこれから解明せねばならない。回転椅子による身体の回転に際して出現するいわゆる前庭反射が、身体を回転させる代りに身体を囲むキャビンを回転させてもやはり出現することについては、以前反射概念を批判した時に既に述べておいた。そこに現れる視覚運動性《オプトモトーリッシェ》「反射《レフレクセ》」は、形式上前庭反射と同一のものである。このことから、ここで問題となるのは身体とその周囲との相対的な移動であって特殊な感官刺戟ではない、という帰結がどうしても生じてくる。――ところで三面法による実験に際しては、そこで生じてくる知覚はどうなるだろう。身体とその周囲とを同一方向に同一速度で回転させた場合には、反射は生じないし、そもそも身体とその周囲の両者についての明確な運動体験すら生じない。両者の一方だけを動かした場合には、運動が体験される。しかし、この運動は「真の《リヒティヒ》」運動であることも「偽の《ファルシュ》」運動であることもありうるのだから、それは決して一貫して確定されたものではない。キャビンの客観的回転に際しては、キャビンと同時に（錯覚的に）身体も回転していると知覚されることがある。同様な錯覚的逆転は、身体だけの回転の際にも起る。つまりこのような実験に際しては、全く同一の客観的状況或は布置の枠内で知覚の自由が、すなわちこの状況についての複数の知覚が生じてくる。被験者をどこにもつかまらないで立たせておいた場合、被験者は右のいずれの知覚が生じても倒れない。相反する二つの知覚のどちらに際しても身体の平衡は保たれる。この二つの知覚は、数個の未知数を含む一つの方程式から二つの答が得られる場合のようなものであって、この二つの答は相互に置換可能《エアゼッツバール》である。これがわれわれのいう置換或は等価の原理 Prinzip des Ersatzes oder der Äquivalenz である。身体平衡が保持される道はいくつかある。つまり作業原理《ライストゥングスプリンツィプ》が満されたことになる。

同一状況についての知覚の種々の可能性の中からの選択を決定するものは何であろうか。キャビンの中や回転円蓋の下では、可視的対象への注視《ツーヴェンドゥング》という契機が決定的な要因となることが確認できる。キャビンの縞模様が眼の前を走り過ぎて行くのを被験者が眼で追う場合には、キャビンが動き身体は静止しているように感じられる。これに反し、被験者が指を眼の前に立てて動かさずに保ったままこれを見つめている場合には（客観的には回転している）キャビンが静止しているように、そして自分の身体と指が逆方向に回転させられているように感じられる。この現象は、視覚的反転《オプティッシェ・インヴェルジオン》および視覚的感応《オプティッシェ・インドゥクツィオン》と名付けられてきたものに相当する。これに関連する諸々の事情を改めて根本的に研究しなおすためには、多数の学説――その大多数が何らかの感覚生理学理論や知覚理論と密接に結びついている反面、有機体の生活空間における運動性の要素は含んでいないところの諸学説――との対決が必要である。(8)「注視する」《アンブリッケン》とか「眼で追う」《ナーハブリッケン》とかは実際、単なる「注意の集中」《アウフメルクザームカイツツーヴェンドゥング》だけではなく、同時に運動的行為《モトーリッシェ・アクテ》でもあるのであって、そこには物理的運動《フュージッシェ・ベヴェーグング》が生じている。触覚についても同じことが言える。上述の三角図式《ドライエッキゲス・シェーマ》を用いるなら、この物理的運動を生物学的叙述の中に持込むことが可能となる。それによってはじめて、知覚と運動の間の機能関連が叙述できるようになる。回転実験における反転《インヴェルジオン》の例をとってみると次のような結果となる。キャビンと身体を同方向に同じ速度で回転させてやると何らの運動も見えず、何らの運動もなされない。両者が逆方向に移動する場合には、運動可能な身体部位の一部が、動いていると見られて視線で注視されている対象を追いかける。(9)運動の生じているところでは生物学的行為も生じていて、この行為においてはその運動がなされると共に同時に知覚もされているのだと言ってよい。しかしこの「同時に」《ツーグライヒ》ということこそ――それは並行論的精神物理学《パラレリスティッシェ・プシヒョフュジーク》においては単なる連合《アッツィアツィオン》にすぎないものであるが――ここでは極めて正確に規定されなくてはならぬものなのである。

すでに見て来たように回転実験に際して最初に示された結論は、いかなる「反射」が運動系に生じ、いかなる運動が知覚されるかということに対して決定的な役割を果すのは、私の身体と環境との間の絶対的な――つまり例えば地球や宇宙空間との間の固定的関係においてみられたような――関係ではなく、単に私の身体がまさに今見えている周囲に対して有する関り方だということである。相対的な移動が起らなければ反射も起きないし運動知覚も生じない。第二に得られた結論は、そのような移動が起った場合にも、まだそこには自分の身体と周囲とのどちらを動いていると見るかという自由が――客観的事実のいかんにかかわらず――存しているということである。また、客観性を度外視して、身体と環界との間に運動の総額が分配されるということもある。身体と周囲とはそれぞれ半分ずつの速度で逆方向に動いているようにも見えるのである。第三には、自分の運動と環界の運動とのこの種の相対性は、従って決して不規則性に委ねられているわけではないということである。なぜならば、一方において知覚の中に現出する運動（運動印象《ベヴェーグングスアインドゥルック》）の総額《ベトラーク》は総量恒常の原理 Prinzip einer Summenkonstanz に従って通常は固定しており――つまり自分の身体だけが動いているか、それと同じ速さで周囲だけが動いているか、それとも両者が半分ずつの速さで動いているか等々のいずれかが現出する――、他方では（しかもこのことと密接に結びついて）運動印象の中に現出する総額は、客観的運動の速度に――自分の身体の運動であれ周囲の運動であれ、或は両者の代数的総和の運動であれ――厳密に依存しているのであるから。客観的物理学的な運動の総額《ベトラーク》と運動印象の「量《グロエーセ》」とのこのような対応関係こそ、物理的な量が運動印象として体験される量の原因だという素朴な精神物理学《プシヒョフユジーク》の推進力となったものである。事態がそのように単純なものではないということは、やがて他ならぬ感覚生理学や、さらにはゲシュタルトクライスの研究の結果から判明してきた。そこで明かになったのは、並行関係《パラレリスムス》ではなくて殆ど無際限の相対関係《レラティヴィスムス》が存するのだということである。そしてこの相対論の根本的な規則は、体験される量と物理学的な量とが並行的対応関係においてではなく部分部分の代理可能性という関係において示される場合にのみ、はっきり表現することができる。事実、生物学的行為においては私の運動は私の知覚によって代理 vertreten されうるのだし、その逆でもあるのだ。

私が馬に乗る場合、私の身体（馬をも含めて）が周囲（風景）に対して行う移動は私の身体の能動的運動の結果でも周囲の運動の結果でもなく、もっぱら馬によって生じているものである。それにもかかわらず私がこの移動を正しく知覚することができるのは、私と馬との接触を保持するための私自身の運動によってなのであり、しかもただこの私自身の運動によってのみなのである。同様に私の馬の上での運動系も、私が自分の身体が静止した風景に対して行う運動を（身体自身がこの移動を生ぜしめているのではないにもかかわらず）正しく知覚する限りにおいてのみ、正しく働く。つまりこの場合、馬上における私の身体の運動が、私が歩行する際の自己運動を代理しているのであって、この自己運動がなければ錯覚は免れ得ないだろう。というのは、周囲が動くのでもなく私が身体を移動させるのでもないのに、私が乗っている動物とか乗物とかいう第三者によって移動が行われるような場合、もしも一つの新しい生物学的行為がこの第三の客体を運動と知覚とによって包括するのでない限り、仮象運動が生じたり墜落という事態が生じたりすることは必定であるから。

私が眼球を動かして網膜上の像を移動させても風景は静止しているものと見えるという場合、もし眼球が静止していたならば必然的に環界が動いて見えるはずのところをこの眼球運動が代理していることになる。神経系に支配されたこのような運動を通じて、われわれは歩行、跳躍、乗馬などに際して転倒を防止し、さらには場所移動が自らの感覚器官内において知覚のうちに惹起するはずの体験をも置換している。ところでこの作業は有機体の作業である。だからそれは失敗する場合もあって、そうするとわれわれは、錯覚か転倒か（或はその両者）に陥ってしまう。

この代理の原理は大きな普遍性を有している。それについては特別に述べる必要があるだろう。しかしわれわれはまず第一に、この原理の正確な概念把握に努めよう。ここで代理する《フエアトレーテン》とはどういうことなのか。それはその結果から導き出すのが最も容易であろう。その結果とはこれまで「平衡《グライヒゲヴイヒト》」の名称によって導入されて来たものである。これが力学的な《メヒャーニッタ》均衡《グライヒゲヴイヒト》の概念を指すものではないことは、ここではっきりさせておかねばならない。ここで平衡というのは、むしろ生物がその環界の中で生物学的同一性《ビオローギッシェ・イデンティテート》を保持することを指している。つまり生物学的な平衡の概念は空間内での相互関係を指すものではなく、有機体的統一体《オルガニスミッシェ・アインハイト》の環界への関り方《フェアハルテン》を指すものである。以下の叙述を先取して、この生物学的統一体を自我《イッヒ》と名付けておこう。

われわれはここで自我と環界とのそのような「関係《フェアヘルトニス》」を二元性《ツヴァイハイト》としてではなく、それと同等の根源性から一元性《アインハイト》として前提することを要請する。これは自然科学に拘束された思考にとっては困難な要求だと思われるだろう。われわれが要求するのは、少くとも根源的一元性の前提は根源的二元性の前提と同等に認められるべきだということである。いま身体を安らかにして気持のよい風景を眺めることにすっかり身を委ねてみると、この要求の容認は容易になろう。これを後から判断してみると、その瞬間には「私《イッヒ》」–「ここ《ヒア》」と「それ《エス》」–「あそこ《ドルト》」との区別に相当するものは何もなかったこと、「私」は「あそこ」にあり「あそこ」は「ここ」にあったこと、が判るだろう。この経験の重要性は、学問的分析においても決して軽視されるいわれのないものである。この経験の語るところによると、自我と環界は「二つのもの《ツヴァイ・ディンゲ》」であるかもしれないが、かといってそれが一つに融け合いえないとは必ずしも言いえない。もしそうだとすると、この二つが一つのものから出て来たということも考えられるのではないか。しかし少くともこの一元性の妥当性の最小限を言い表しうるような術語を持たねばならぬということから、それは相即 Kohärenz と呼ばれることになったのである。

c 符合並行論《コインツイデンツイアルパラレリスムス》（アウァスペルク公）

運動性《モトーリツク》を精神物理学的問題《プシヒヨフユージツシエス・プロブレーム》の解決に援用するという手段は、身体と心の二元論《ドウアリスムス》から生物学的存在《ビオローギツシエ・エクシステンツ》の——つまりそこではこのような二元性《ツヴァイハイト》がまだ全然成立していないような根源的な生物学的実存の——一元論《モニスムス》に到達するための、一つの廻り道でしかなかったかのように思われる。そこで、この一元性《アインハイト》から展開してくるものは、実は身体的実体《ライブズブスタンツ》および心的実体《ゼーレンズブスタンツ》という二つの実体の二元性ではなく、自我と自我に出会う環界との対立《ゲーゲンユーバー》であり、つまりは一つの関係 Verhältnis だということになるだろう。それも与えられた二つの物の関係ではなく、この「与えられる」という関係それ自体 das Verhältnis des Gegebenwerdens selbst という意味である。というのは、或る自我にとって存在するのは自分自身の環界だけであるし、この環界が存在するのはそれが或る自我に与えられている限りにおいてであるのだから、しかしそれによって、物理的〔身体的〕なものと心的なものとが互に実体としてどのように関係し合っているのかというもともとからの問いは、全く枝葉末節のことになってしまう。自我と環界との相互対応のあり方 aufeinander Zugeordnetsein を研究して来たわれわれが、一体こうして相互に対応し合っているものは何であるか、ということを窮極的に問うのに当って、右に述べたような問いはわれわれの取扱う諸事実のごく周辺部に関っているにすぎないのである。このような物的《ディングハフト》に表現された問いは、この対応理論《ツーオルドヌングスレーレ》の範囲内では全く答えられない問いである。この対応は、かかる対応が生じなくてもなお存在するところの何ものかがあるに違いない、ということ以上の何事をも主張するものではない。それはいわば、物理的〔身体的〕なものと心的なものとの独立した実体性《ズブスタンツィアリテート》に対する最低限の要求であって、決してそれ以上のものではない。運動が知覚の一条件であり知覚が運動の一条件であることが証明された以上、この条件を分析することはこの最低要求に照してみて、またこの最低要求の限度内においては不可能であるし、不必要でもある。物理的〔身体的〕運動と心的知覚の二契機の間の特殊な因果性や法則的並行性は、研究される必要もなければ研究されうるものでもない。両者の対応があるということだけで充分なのである。

従って、アウァスペルク公[11]が知覚を改めて研究し直した際、精神物理的関連《プシヒョフュージッシェ・レラツィオン》については実験手続き自体の中に見出されること、そこに言い表されていること——つまり刺戟の側での或る種の物理的〔身体的〕な事態が知覚における一定の体験と符合《ツザメンフアレン》すること——以上については知ろうとしなかったことは、当然のことである。この物理的〔身体的〕事態を設定したのはわれわれ自身であるから、われわれはそれを識っている。われわれはその際に一定の知覚を受取ることになるが、それの体験内容についてもわれわれは識っている。それ以上のことはさしあたって判っていない。そしてこの場合に刺戟と知覚の「並行関係《パラレリスムス》」が確認されたとしても、それについてはただそのような並行関係が成立しているということ以上に立入って述べることはできないのである。二つのものがいま、ここで符合する。しかしこの符合そのもの Koinzidenz als solche 以上のことを両者の関連《ツザメンハング》について言うことは差当り不可能である。そこでアウァスペルクはこのような精神物理性《プシヒョフュジーク》の形式を——つまり実験方法の中に疑いもなく内在しているのに、そこに成立している事実以上には出ないところの形式を——「符合並行」Koinzidenzialparallelismus と呼んだ。彼がここで述べているのは、次のこと以上の何ごとでもない。つまり私がこれこれの規定を含んだ物理的〔身体的〕配置を感官に提供するとき、私はこれこれの特定の知覚を受取る、ということである。この符合《コインツィデンツ》以上のことについては何一つ言えない。この符合は相即《コヘレンツ》に根差しており、刺戟から知覚や感覚を製造《ファブリッツィーレン》する変換装置のようなものがあるわけではない。

ここでわれわれは、神経生理学の手段を借りて刺戟と感官体験の間の因果的間隙を埋めようとする道をひとまず離れることになる。感覚生理学は依然それ自体の課題を有するかもしれないが、とにかくこの目的のために用いることはできないのである。物理的〔身体的〕な過程と感官を通じて体験されることがらとの関係は、まさに右に述べた符合《コインツィデンツ》ということに尽きるのであって、それ以上はどうしようもない。しかしこのことによって、物理学や生理学とははっきり違った生物学固有の原理が体験の中へ置き移されることになり、ここからやがて極めて峻烈な帰結が生じることになる。相即《コヘレンツ》の原理を容認することは体験《エアレーブニス》の原理《プリンツィプ》を容認することに通じており、それによって主体《ズブイェクト》が生物学に導入されるという事態が生じてくる。

アウァスペルクと彼の共同研究者たちによる符合並行論は、とりわけ動いている客体の視覚的知覚について展開された。この分析からまず生じたのは、時間概念の注目すべき危機《クリーゼ》であった。われわれはこの危機についてすでに論じ、あらゆる時間情況《ツァイトフェアヘルトニッセ》が現在に集中しているという構造をもった生物学的時間概念の導入に至るまでの筋道をたどっておいた。またその際に、それと同じ意味での空間概念の危機と生物学的空間の導入についても語っておいた。生物学的空間の本質は「ここ《ヒア》」という場所《オルト》への集中ということである。アウァスペルク公の知覚論が運動の例について明かにしたのは、要するに物理学的に規定された運動に対する体験された運動の独自性《アイゲンアルト》と異質性《アンダースアルティヒカイト》、つまり体験の側からの自己主張としての生物学的独自性と異質性である。知覚とは「継時的に呼び起されてくる諸分節を時間的に包括する組合《コンポジツィオン》せ」だという。この才気煥発で徹底的首尾一貫性を求める研究者をもってしてもなお、旧来の感覚生理学的知覚論を完全に脱して製品理論《ファブリカートテオリー》を全く払拭するには至っていない点を見逃すわけにはいかない。彼はまた、あらゆる「並行論」的な公式論の危険を十分承知していたにもかかわらず、この並行論という言葉は彼の用語からまだ消えてはいない。その理由は簡単である。体験と客観的刺戟の符合といっても、それは一定の知覚が一定の客観的刺戟に一歩一歩、少しずつ繰返し繰返し対応して行くという過程を必要としている。今、一枚の円板を回転させて、その速度をだんだん増してやる。すると知覚は、たいていは飛躍的に、次々と新しい現象を示す。つまりそこには一連の符合並行的対応が成立する。この一連の対応は「並行的」ではないけれども、いわば二連の連鎖のようなものである。ここには次のことが表現されている。客観的自然自体が合法則的にできているならば、われわれ生物はこの自然との合法則的対応の中に身を置かねばならぬ、ということである。それにもかかわらず、やがて判るようにこの全体は決して精神物理的並行論に帰着してしまいはしない。アウァスペルク自身が結局到達せざるを得なかったこれよりも遙かに重要な帰結それ自身が、彼自身の知覚論を克服すべき運命をもつものであるように思われる。この帰結は、体験の原理を手離さない限り免れることのできぬものであった。

　体験の原理がわれわれに要求することは、例えば視覚について言うならば、われわれが何を見るかではなく、何を見るかを問わねばならぬということである。従ってこの原理は現象学的方向をもっている。それでわれわれはいわゆる運動視《ベヴェーゲングスゼーエン》において本当に運動を見ているのかというと、実はわれわれは運動そのものを見ているのではなくて動いているもの etwas, was bewegt ist、或はもっとよく言われる言い方を用いれば、動くもの etwas, was sich bewegt を見ているのだと言わねばならぬ。アウァスペルクはこれを知覚の述語的性格《プレディカティーフアー・カラクター》と名づけ、運動視 Bewegungs-sehen という言葉をやめて運動様態視 Bewegtsehen という正しい言い方をしている。これによって彼は疑いもなくヘルムホルツに再び接近したわけである。ヘルムホルツの鋭い頭脳もやはり知覚の論理的性格、認識様の性格を見誤らなかった。しかし彼のように感覚器官の生理学に携わる立場から見出されたのは、彼のいう「判断類似機序《ウアタイルスユーンリツヘ・フオアゲンゲ》」という疑問の多い解決策であった。これに反してアウァスペルクの打出した解決法は、知覚の体験内容は「物が《ダス・ディング・》動いている《イスト・ベヴェークト》」という述語的言表《プレディツィーレンデ・アウスザーゲ》の構造を有する、というものである。これはつまり、知覚の中には或る何ものかが動いている bewegt という形で現出しているにすぎぬ、ということを意味している。ここでは運動とは、それの現出の背後にある或る何ものかに付される述語にすぎない。この考えに従えば、知覚の営む構組的《コンポジツイオネル》な行為は機械の営む組立て作業《モンタージュ》に類比しうるものではない。なぜなら、知覚行為の構造は述語的であって、諸部分を並列的に分節するだけではなく、存在《ザイン》と現出《エアシャイネン》の区別に関る上下の分節をも行うからである。これによって知覚における対象の単純な一義性は打破られることになる。われわれが「或る一つの物」を見たり聞いたり触れたりするということ——これは一つの物がある一つの色、ある一つの音、ある一つの形において現出することであり、その物はこの現出において私にとって存在する。このことの中に単なる認識論的問題だけを見てとっている間は、われわれは「とるに足らぬ人間」に過ぎないのだから現象だけで満足しておかねばならないのだ、というような諦めに終ってしまうことになるだろう。だがもしわれわれが、この現象を現出させているのはわれわれ自身の運動でもあるのだという点に気付くなら、この謙虚さは疑わしいものとなる。その時、われわれはもはやこのような諦めの孤島にひきこもっていることはできなくなる。なぜならばわれわれは、現象の現出が私自身の運動の等価物《エクヴイヴアレント》であることを、もう知っているのであるから。

2　主体の導入と行為の相補的一元性

物理学はその研究において認識 - 自我 Erkenntnis-Ich に対して一つの独立した unabhängig 世界が認識対象として対置されているということを前提としている。これに対して生物学の中で学ばねばならぬことは、われわれ自身が対象と共々に一つの依存性《アプヘンギヒカイト》の中に入りこんでいて、この依存性の根底自体は対象となりえないということである。物理学の前提においては対象は自我に依存しなくても相変らず存在していると考えられるのに対して、生物学の対象とはわれわれがそれと取組む限りにおいてのみ考えうるものであって、それの独立した存在を前提することは不可能である。物理学では認識は対象から触発され、対象に従う。これに反して生物学者は自らの対象の中に入り込み、自らの生命によって対象を経験する。生命あるものを研究するためには生命に関与せねばならぬ。物理学は単に客観的であるにすぎないが、生物学者は主観的でもある。死せる物体はそれぞれが互に無縁《フレムト》であるが、生命あるものは敵同志の間ですら互に仲間《ゲゼリッヒ》である。

無機《アンオルガーニッシュ》と有機《オルガーニッシュ》の区別を規定し、或はこれを克服もしようとするあらゆる努力は、窮極のところ主観性《ズブイエクティヴィテート》という事実の周囲を堂々めぐりすることになる。生物学者の対象は、自らの中に主体が住込《アインヴォーネン》んでいる客体なのである。

われわれはこれまで三つの段落を通って来た。第一の段落は自然哲学への還帰であった。それはもはや以前のように素朴なものではなく、学問の革新の必要性が痛感されるに伴って、反省的なもの以外ではありえなかった。われわれは認識論的定義の中に解明を求めるか、さもなくば生気論的《ヴイタリスティッシュ》あるいは「目的論的《テレオローギッシュ》」な思いつきの中で思弁を弄するかのいずれかを選んだのである。それの結果に対する不満からの救いとして、次には経験的探究への素朴な志向が生じてきた。感官と悟性、実験的ならびに治療的行為の総力を結集して、観察や記述が行われ、現象へとひたむきに立向うことが試みられた。いろいろな哲学的な原理に拘束されることなく、事物や実際的状況が進展して行くがままにこれに身を委ねることによって、機械論と生気論との論争の重要性は色あせたものになってしまった。これが第二の段落であった。――さてこの段落においては、経験に没入するというこの新しい方法が同時にまた批判的かつ思弁的な哲学の新しい方法を、或は少くとも哲学的な構えの新しいあり方をも含んでいることが、次第に気付かれはじめた。ここから生じて来た第三の段落は、自然の主観的側面と客観的側面とを好き勝手に、ほとんど無責任とすら言える仕方で混合するだけではなく、それを秩序として概念的に把握しようとする努力であった。「ゲシュタルトクライス」というのは、この第三段階における努力の一つなのである。

私が思うには、ゲシュタルトクライスの端緒は特定の患者の経験や陳述――いうまでもなくそれは、主観的なものへの危惧を克服して極めて微細な体験印象にも気を配る場合にのみ観察できるものであるが――の中に特に明瞭かつ直截に存している。この点について臨床家は実験的研究者よりも呑気である。臨床家は材料を手当り次第かき集めて診断を作り上げ、患者の主観的陳述と客観的症状とを――もっとも近代的な教育を受けた臨床家はたいてい後者の方を偏重するけれども――何の見境もなくごちゃまぜにしてしまう。臨床家は方法的な精神物理学者《メトーディッシャー・プシヒョフユジカー》とはいえない。彼が診断や予後判定や治療に際して主観的なものと客観的なものを混ぜ合わせる論理的な筋道は、彼自身にもあまりはっきりしていない。また彼が主観的なものと客観的なものとをきわめて批判的に区別するとしても、それはいわば或る現象あるいは陳述を採用したり却下したりするに当って依拠すべき権原《レヒツティーテル》や制限《グレンツェ》を決定するために法典を参照した結果ではない。しかしそうかといって、この混合が全くでたらめだという結論は出てこない。われわれはむしろ、事物の本性自体のうちに主観的なものと客観的なものとの間の一定の秩序が行きわたっているからこそ、両者の混合が臨床家の役に立ちうるのであろう、と予想している。臨床家はただ、万一必要時にはいかに微少な主観的陳述をも利用して、はっきりしない症例の中になんとか診断への道を見出すという努力をしなかったならば、それは自分の怠慢に帰せられるべきことだということだけを心得ている。しかしこのことがすでに、主観性と客観性との深い結合を示唆している。

a　転機《クリーゼ》と非恒常性《ウンシュテティヒカイト》の自己経験

主観的なものを追跡しようという特別に強い衝動は、生理学の客観的方法が役に立たぬような事例に出発点を有している。もし麻痺が神経の断絶によって、体重減少が基礎代射の亢進によって因果的に説明しうるなら、結構なことである。しかしそうかと思っていると、生命過程がこのようにして証明された因果関係の連鎖から逸脱するような状態や出来事が生じてくる。例えばわれわれが総括的に転機 Krise と名付けようと思ういろいろの現象が認められる。そこでは全く嵐のような事象が突発するのに伴って、一定の秩序の流れが多かれ少かれ唐突に中断される。この突発的事象と共に、またそれを通じて、新しい別種の像が成立し、そこで再び出来上る安定した秩序がやはり再び前よりも一層明白で説明のしやすい構造を有し、それが新しい因果分析を可能にする、ということになる。しかしこの新しい状態を単純に以前の状態から導き出すことはできない。そのためにはこの転機を第一および第三の状態の間の中間項として精密に解明することが、時間的首尾一貫性から考えても必要だと思われるが、まさにそのことが不可能なのである。因果的説明の不完全さや欠陥は別の場合にもいくらでもある。しかしここで問題になるのは特別な種類の欠陥である、つまり、患者自身がそれについての感じを最も強く抱くような欠陥である。患者は普通以上に、圧倒感、内的分裂感、不可解な飛躍感を抱く。一例を挙げれば、重篤な虚脱やめまいの発作、分裂病、中毒、抑鬱、恍惚、快感、酩酊などにおける意識の変容がそれである。

しかし私個人に関して言えば、私のゲシュタルトクライス理論は単にこのような熟知の事象だけから導かれて生れたものではない。この理論を軌道に乗せたのはむしろ、自分自身の内部の転機《クリーゼ》において一体いかなる事態が進展しているかについて特にすぐれた知識を提供してくれるらしい患者が時折ある、という事実であった。彼らはこの転機的プロセスを直《じか》に生き、かつこれを知覚する点で並外れた能力を有する高い内部知覚の持主である。彼らは自ら変転しているだけではなく、この変転 Wandlung をそのままの姿で知覚する。一例として或る患者(12)は、転機的変転において一見全く平凡なことを空想したが、この平凡なことは転機の構造についてのこの上なく明確な感覚的直観を含んだものだった。この場合には転機がありふれた直観可能性をもった元の言葉に訳し返されているかのように見える。それは、神経症においてよく出現する「生れ変り」のテーマを有する夢とか半眠的な空想とかである。これらの夢や空想の中では、一定の空間構造が空間直観の上では全く不可能な変形を蒙って経験されている。それは例えば或る患者が、一本の曲線の曲っている個所を「まっすぐに伸してやれば球ができる」に違いない、という空想を抱くような場合である。実際には、幾何学的、或は力学的実験をしてみるとすぐ納得のいくように、これは曲線の他の部分を曲げたり長さを変えたりしない限り不可能なことである。単に曲った個所だけで考えられた問題は解決不能であって、この課題は形式の転換を余儀なくする。なぜなら、一本の直線はただ無限大においてのみ元に戻って球の要件を満しうるからである。この図形は、無限大ないしは想像の次元に拡大してはじめて一つの直観可能な大きさに復帰し、直観可能性へと持ち込まれうるものとなる。それはいわば無限性のうちで逆転し、超越性のうちで裏返しになることによってはじめて、再び現象として現れる。この患者に体験された不可能への強制 Zwang zum Unmöglichen は、それ故に転機的状態の表現である。転機《クリーゼ》とは、非恒常的有限《ダス・ウンシュテーテイゲ・エントリッヘ》が超越《トランスツェンデンツ》を通って有限の恒常性《シュテーテイヒカイト・アイネス・エントリッヘン》に至る通路である。

この点に、転機《クリーゼ》の本質はどこにあるかがはっきりと見てとれる。つまりそれは主体の危機《クリーゼ》ということにある。主体は危機において自らの有限な形態《ゲシュタルト》の止揚を課題として経験する。曲線の非恒常性を止揚せねばならぬという強制の中にはすでに曲線そのものを犠牲にするという必然性が含まれている。この成行きから、この強迫が不安、失神、運動激変、つまり運動暴発もしくは運動麻痺などを伴いうることが理解できる。これらの諸現象は、転機に含まれている自我の脅威《イッヒ・ベドローウング》から考えて自明のことである。われわれは、転機の本質が一つの秩序から他の秩序への移行ということだけにはとどまらず、主体の連続《コンティヌイテート》性と同一《イデンティテート》性の放棄でもあるということを知った。主体とは、「不可能」を成就すべしという強制がひとたび立てられるや、変転が生じない限り断裂《リス》や飛躍《シュプルング》の中で破滅してしまうようなものである。自我はこの飛躍の後に、再び地に戻らないといえよう。(13)

b　主体－客体－関係としてのゲシュタルトクライスの詳細な特徴づけ

われわれは今、一連の新しい概念をいわばこっそりと導入した。恒常《シュテーティヒカイト》性と非恒常《ウンシュテーティヒカイト》性、有限と無限、強制と破滅などの言葉は、生れ変りの空想を記述するための必要に迫られてひとりでに出て来たものである。しかしそれらはすべて、転機《クリーゼ》〔急変〕の記述自体にも適している。つまりめまい、虚脱、発作などを記述しようとすると、それが見出しうる限り最も的確な概念であることがはっきりする。これらの用語はまた、ちょっと見たところでは転機とは思われないような事象を生物学的に分析するのにも適している。

それはわれわれにとって未知の領域ではない。われわれが以前に知覚と運動との諸条件を考察した時、両方の場合とも、あと一歩で主体の導入というところまで迫っていた。知覚の考察から判明したことは、知覚は解剖学的、生理学的、空間時間的に与えられたデータからは説明したり理論的に構成したりできないという結論であった。知覚とは自我と環界の出会いであることが判ったからである。同様に有機体の運動も、それを形式発生《フォルムゲネーゼ》として考察するならば、神経支配の生理学や運動器官の機械力学から考え出されるようなものではなく、やはり有機体と環界の出会いとしてのみ捉えうる。自我や個体的有機体は古典的自然科学に則った分析に逆うものである。古典的自然科学の問い方が「認識が客観を認識する」という形式であったのに対して、新しい問い方は「一つの自我がそれの環界に出会う」という形式をもつ。ここで「自我」と物理的現象との一切の混合を防止するために、われわれは現象との結びつきをまだ残している自我の概念からそれと環界との対置の根底をなす原理を取出して、これを主体《ズブイエクト》と呼ぶ。従ってわれわれはまた、この概念が出会いとか生物学的行為とかを叙述するための道具として、すぐにでも手に入り、使用することができるだろうということを期待している(14)。

主観性《ズブイエクテイヴイテート》ということに伴って〔われわれの考察の中へ〕入り込んで来る非恒常性、無限性、強制、破滅などの新しい諸条件が、転機《クリーゼン》の実例に即して述べられた。これらの観念あるいは概念は、われわれがすでに以前の個所において触れてきたものである。例えば、自然な生命の営む運動の大半は予期や意図から決定されてはいるが、刺戟、反射、自動性などからは非決定であることが示された個所がそれだった。主体の導入に伴って、この因果的不完全《カウザーレ・ウンターデテルミナツ》決定《イオン》は一向に改善されないばかりか、いっそう目立ったものとなる。問題は今や、いわば転機体験の輿に乗って運び込まれた主観性を、その原理的意義を損うことなくこの心的運搬者から分離することができるかどうかという点にある。いったい主体《ズブイエクト》〔主観〕とは心的所与がなくてもはっきりした形で作用しうるものなのだろうか。この問いは、有機体的な事象がその心的成分に関しては調べられないような場合に、極めてしばしば出てくる問題である。例えば動物を観察する場合はいつもそうだし、また他人についても持出されることである。誰しも自分自身の心しか観察できないのだ、ということが言われる。しかしわれわれはむしろ、ボイテンディク*によってなされた動物心理学の弁護の方が説得力のある考え方だと思う。これらの難問にもかかわらず、他ならぬ動物の行動研究から、感情、感官知覚、思考、表象、感覚などのような心的与件に拘束されることなく有機性の特異性を表現しうるような一つの主体的原理を所有せねばならぬという必要性がますますはっきりしてくる。

転機《クリーゼ》〔危機〕の諸現象は、まさにそれ故に重宝である。なぜなら、転機においては体験可能な心的なるものは、それ自身の限界において与えられるのが常だからである。つまり、心的な規定性が解体して混沌あるいは意識喪失にまで至るということが、めまい、脱力、疼痛などが極度に高まった場合の特徴である。しかしそのような状態に陥った生物が自らの内的な現象を喪失したからといって、このことはまだそれの生命、それの個体性、それの質料、それの形相までが喪失したことにはならない。ショーペンハウアー、E・フォン・ハルトマン*、フロイトなどによって意識的すなわち心的とする同一視が捨てられ、無意識的に心的なるものの存在が承認されたことが決定的な解明を意味したのと同じく、われわれもここで心的ということと主体的ということとの同一視を捨てなくてはならない。それはこういう意味である。意識のない有機体にしても、ちょうどその時に特別な心的内容を体験していない有機体にしても、やはり主体として環界とかかわりをもつのであって、このかかわりはまた物理学的にも生理学的にも叙述できない独得のものである。この「ない《ニヒト》」は差当っては否定的規定にすぎず、それだけでは何も言い表してはいない nichtsagend。ところで転機における主体はこの「何も……無い」Nichts にとっての別の一つの表現であるばかりでなく、脅威にさらされたり維持されたりする有機体の統一性 Einheit の総括概念でもある。そこで次のように言えるだろう。主体が転機において消滅の危機に瀕したときにこそ、われわれははじめて真に主体に気づくのである。それが失われてはじめてその存在が信じられるようなものがいくつかある。主体とは確実な所有物ではなく、それを所有するためにはそれを絶えず獲得しつづけなくてはならないものである。主体の統一性と対象の統一性とは対《つい》をなしている。われわれの環界に属しているいろいろな対象や出来事が知覚や動作において統一性を構成しているのがひたすら機能変動によるものであるのと同様に、主体の統一性もまた、非恒常性と転機とを乗越えて不断に繰返される回復においてはじめて構成される。

主観の頼りなさということは、主観性に対してかくも大きな不安が存することについての有力な説明となっている。自らの主体が脅威に曝されていることは、必ずしも常に自認されるとは限らない。しかしその結果としての崩壊は見てとられているのである。主観性を肯定するだけの勇気を振い起すことはできないにしても、主観性に対する感謝の念だけは少くともなくてはならないだろう。というのも、主観なくしてはわれわれは客観をも持ちえないのであって、そう考えるならば客観の多種性が主観性の豊穣さと結びついていることも判り切ったことだからである。転機には必ずつきものの主体の回復ということは、決して主体の頼りなさの証明ではなく、むしろ主体の強靭さと飛躍力の証明である、主体の飛躍《ズブイエクツシュプルング》はつねに対象の飛躍《ゲーゲンシュタンツシュプルング》を伴う。そしてたとえそこで世界の統一性が疑問に付されたとしても、主体はつねに少くとも自己自身の環界だけは結集し、そこにあるもろもろの対象をモナド的統一性をもった小世界へとまとめあげるのである。

道徳面《ジットリッヒ》での生活においてわれわれは、多くの抵抗に満ちた転変極りない世界の中で主体が確証されていることを名付けて、節操《カラクター》と呼んでいる。学問の世界でこれに対応するものは、世間一般の考えに従えば、理論と観察の一致ということである。つまり、感官といったものが提供するところの観察によって、理論が正しいかどうかが決定されるというわけである。このような見方の底には、理論はどちらかといえば主観的な仮定であり思弁であるのに対して、観察は客観的事実を保証するものだという考えが潜んでいる。しかし、多くの研究者のうちに認められるこのような立場が根拠のないものであることは、いうまでもない。例えば、いくつかの事実同志が互に「矛盾する」場合のありうることが示されたとする。すると論理学的な矛盾律がのさばり出て、「客観的事実」が互に矛盾しあうようなことは通らない、という要求が出される。また感官知覚に対する批判としても、観察が錯覚を冒しうる可能性が示される。そこで、理論は論理的に誤謬を冒しえないという点からと、観察を通じての実証という点からとの両方から検証が行われることになって、的確な認識の全体像はいっそうこみ入ったものとなり、観察による理論の検証と、逆に理論の論理学的要請に照してみた観察の検証との両方に立脚点を求めることになる。ここにみられるのは一面的な依存関係ではなく、この検証の真の急所は対応 Entsprechung なのである。従ってこの対応する両者——つまり観察と理論——のうち、一方は主観的だから不確実で他方は客観的だから証明力がある、などと言うことはできない。主観と客観の対置は、これとは違った意味合いのものでなくてはならない。

ここでわれわれは、ゲシュタルトクライス理論がいろいろな観察を通じて検証されうるかどうかの吟味にとりかかることができる。この理論の最初の発展段階、すなわち精神物理学的な時期には、この検証にかかわる問題性はまだ明確に出現していなかった。だがこの理論の出発点となった相即《コヘレンツ》の中には、主体－客体問題の萌芽はやはり含まれていたのであって、次に現れた転機《クリーゼ》の研究においては生物学への主体の導入が明確に打出された。さて、われわれは主体がこれまた統一性の保証者であるという推測をもっているが、これが実際にそうであるかどうかがこれからの検証で示されねばならないわけである。この課題こそ、この理論が地歩を占めるとするならばぜひとも解決しておかねばならないものである。次にこの理論の第二の時期を特徴づけている主要な点は、主体の導入である。ここではもはや以前の時期のように個々の生物学的行為の精神物理的統一性は問題にならず、あらゆる行為がそれらの主体的性格によって統一されるということが問題となる。この主体的性格の証明とは、ここではとりもなおさず基礎理念の検証ということになる。

生命あるものは、実際絶えず何か新しいことを開始しているように見える。私の犬が今起上る、今あくびをする、今身体を掻く、今飼主の所へ行く、今飼主から離れる、といった場面においては、或る時には反射が、或る時には本能が、或る時には一つの客体が犬の行動を規定していることが恐らく見てとれるだろう。われわれはまた、運動と静止、覚醒と睡眠、摂食と消化、出産と生殖と死などのリズムの根底にある基本旋律を聞き出すこともできる。だがしかし、何故に他ならぬ今、他ならぬここでこの行為が生じたかについては、われわれは通常知っていない。この偶発性《コンティンゲンツ》、この「今はこうなのだ」Nun-einmal-so-Sein は結局つねに秘密であり、ここでは偶然と秩序が境を接し、観察者の中で予期と不意とが入り混っている。生きた人間を眺めればこのことは誰の目にも明かだし、忍耐強い人ならば同じことを植物の動きからも見出すだろう。生物学的な法則や秩序については一歩進んだところまで判ったといっても、この一連の出来事の規範《カーノン》はわれわれの手中にはない。

生命曲線《レーベンスクルフェ》の非恒常性は一つの事実であるが、それはまた体験しうるものでもある。転機《クリーゼ》は一つの断裂《リス》であるが、上から眺めればこれは接触点でもある。ということは転機の輪郭は多分一方からは凸面をなし、一方からは凹面をなしているのであろう。その断層面には互に接触している二面の鏡像的相反性《ゲーゲンゼッツリヒカイト》があり、しかもこの相反性の中には相似性《エーンリヒカイト》が潜んでいる。

情念についても道徳についても同じことである。ヘラクレイトス*の叡智は、存在の象徴ではなく生命の象徴を言葉や思考の形式へと捕え込もうとした。憎悪と愛とが抗争し、生命あるところには常にこの両者がある。両者は決して同等の権利、同等の勢力を持つものではないけれど、それが互に境を接する個所では区別のつかぬほどに似ているのである。

主体の存在を脅かすものが非恒常性であるとすれば、その同一性を疑問に付すものはこの相反性である。同じ人間がかくまでも矛盾だらけの感じ方をして、矛盾だらけの行動をするのはどうして可能なのか。同一物質でできているもの同志がこのように殺戮し合わねばならぬのはどう考えればよいのか――われわれはそういう疑問を抱く。ところが自分自身が戦闘に参加してみると、われわれは一体何故このような疑問を持ちうるのかということすら理解できなくなる。凹と凸とは互に相容れない。或る党派に属する者には反対者の自己が見えない。つまり分裂を可能ならしめるものもこれまた主体であり、しかもこの分裂は主体の自己統一性を解体の脅威に曝す。何故ならわれわれは、個々の人格とその人の自己自身との関係についても同じことが言えるのを知っているのだから。最悪の敵から分断されるのと同様に自己自身から分断される瞬間が、どんな人にもやって来る。それがわれわれ生ある者の宿命である。

これらすべてを免れて囲いを周らされたままの領域、相反性《エナンチオトロピー》、対極性《ポラリテート》、弁証法などの束縛を受けぬままの楽園など存在するだろうか。求め合いつつも逃れ合うものが感情に過ぎぬとするなら、そういった感情の前に立止まってそれ自体非情なるものを非情な仕方で知るという使命が知性には与えられているのではないか。もしそうだとしても、それが果して望みうることであるかという疑問はもちろん残る。生命あるものとしてこの問いに決着をつけることは不可能である。情念の国への旅を共にしようと欲せぬものにそれを強制することはできぬ。さきに、生命を理解しようとすれば生命に関り合わねばならぬ、と言った。逆に、生命に関り合おうとする者は生命を理解せねばならぬ、とも言える。ここからはまた、この種の研究の規範も生じてくる。しかし生命現象の情念に即した解釈というごとき企ては際限のないもののように思われる。しかしどこかには必ず限界があるはずだという声をわれわれは耳にする。このことを学ぶためには、生命あるものそれ自身以上の師はありえない、と答えねばならぬ。自己に限界を付すること、それはあらゆる他の者にまさる生物の特技なのである。

もし一人の学者が彼のそうでなくても限定された研究領域をそれ以上拡張しようとせず、むしろその意味内容を深め、それを汲み尽そうと努める場合には、反復を完全に避けることは不可能である。だからここで、これまで既に何回も論じてきた現象を今一度取上げて、主体という点にはっきり焦点を合わせてまとめて見ることは避けがたい。それによって、主体の導入が生物学的洞察を確かなものとし、それを促進するということがなお一層明かになるはずである。他ならぬこのことによって主体の存在と同一性とが危険に曝され、証明を迫られ、検証の可否を問われるとしても、それはこの企てを遂行するための拍車を増すことになるだけである。

（α）或る物体の知覚、或る目標への運動、それはすべて堅固に構成された行為であり、いかなる行為においても知覚と運動とは固くからみ合っている。しかし個々の行為を先行する行為から導き出すことはできない。これらの個個の行為は諸機能の恒常性にではなくその変動に基いて成立っている。簡単に言うと一切の行為《アクト》は即興 Improrisation である。機能変動が作業を構成しうるためには、その機能は確かなものでなくてはならない。でないと、同一の物がさまざまの現出の仕方をとっても同一のものとして知覚されたり、同一の目標がさまざまの道筋を通って到達されたりすることは不可能であろう。変動《ヴァンデル》とは法則性欠如ではなく、現実を構成するのに必要な形式変換《ウムフォルムング》なのである。

機能変動は行為の積極的な条件であり、われわれが行為を即興とよぶのは、これを機械的に組立てるような仕方で機能法則から導き出すことはできないという意味にすぎない。それだけではない。心的事象が生理学的に導き出せないのと同様に、行為を心的要因から導き出すこともできない。これらの言い方に含まれている「……ない《ニヒト》」は、行為が現出するたびにいつもこれに伴っている不意の斬新さと同じことを指している。こうして機能変動の分析から、主体が意外な生産力の根源として、即興の源泉として働いている生物学的作業の最初の一群が明かにされる。この即興はまた、生物体の個別化 Individuation を示す範例としても挙げられる。すなわち移ろいやすく脆い、しかも計画的に制御できない作業は、生命には何といっても固有のものである一回性 Einmaligkeit の源泉でもある。主体はもろもろの一回性から構成されており、しかもこの一回性を乗越えて連続して行かねばならぬものである。

(β) 個別化はしかしながら、個々の行為が相互に類似したり近縁のものだったりしうることを拒みはしない。行為は組立て式に再生産しうるものではない。しかし個々の行為を比較することによって一つの類型《テュープス》の認識に達する。この点に関してもやはり計測的分析が特筆すべき知見を提供した。刺戟の量や機能の量を恒常的に変化させると作業の非恒常的な変化が生じる。馬の前進速度が増大すると、常歩から速歩へ、さらに駈歩へという断続的な変化が現れる。このような断続が生じるたびに、馬の歩みは速くなるだけではなくて何よりもまず違った性質のものとなる。この非恒常性《ウンシュテーティヒカイト》は行為の断続《アクトシュプリュンゲ》と呼んでもよい。動いている客体を見る場合にもこれと同じことが言えることは、特にアウァスペルクが実験で示した通りである。これは広汎な通用性を有する原理であって、一般に質《クヴァリテート》と呼ばれているものにあてはまることが私の検討の結果明かになったようである。色彩スペクトルを眺める場合などには、質は恒常的に変化し相互に移行しうるものだ、というようなことが言えるかもしれない。しかしこれが現象的に言って果して正しいかどうかの疑問も当然生じてよい。われわれの見解では、ここにはいろいろな相違があるだけで厳密な意味での恒常性はない、と言った方が正しいようである。閾値という事実だけをとってみても、それは結局刺戟(光波や音波）の量的変化に質の非恒常的な断続が対応している限りでのみ可能なことである。主体は、物理学的世界の無限で恒常的な量的多様性に対置されていながら、これとの出会いにおいては自ら有限な数の質だけに限るのである。だから主体にとっては、一つの質が無数の量的変様を代表している。生物学的行為は、質の断続を一種の量の質化 Qualifizierung des Quantitativen として行った。そしてこのことは生物学的行為の主体的制限を意味し、恐らくはまた量のはてしない無際限性からの脱出をも意味している。

例えば図形の大きさ、道具、機械などの側での量の恒常的増大（もしくは減少）に際して、作業能率の側で質的断続が出現するという注目すべき事態は、技術工学《テヒニック》にとっては周知のことである。哲学もこのことには気付いていて、例えばヘーゲル(15)は彼独得の用語でこれを「量関係の結節線」die Knotenlinie der Maßverhältnisse と表現しているが、これは変化する量がその時その時に質に「転換《ウムシュラーゲン》」するという意味である。これをさまざまな差別が或る程度の無際限さを示している一つの世界における主体の制限作業と解するならば、ここで生物の第二の特徴として区別 Unterscheidung の能力を取出せることになる。区別することによってわれわれは、単なる量的差異であるはずのものを類別《テユビジーレン》することができる。閾値の現象をこう言い表すなら、それはもはや感覚生理学的解釈におけるごとき神経物質の（爆発をモデルにして考えたような）一種の解発機制ではなく、世界に対置された主体が営む制限作業であることが判る。要素機能の固定的閾値などというものが実際には証明されえないものだったことについてはすでに述べておいた。

（γ） 機能変動は即興的個別化《インプロヴィジーレンデ・インディヴィドゥアチオン》を可能にし、質は量の代理的制限《レプレゼンタティーフェ・アインシュレンクング》を可能にする。両者は有機体がその環界に対して非依存性の大きな余地を有していることを示すものである。機能が不安定で行為が量*から比較的に独立しているからこそ、個別的生命は世界を向うにまわして自己を主張することができる。ところでこのかなり大きな自由度は、少くとももともと個々の器官の厳密な依存関係を前提としていた人達にとってはこの上なく奇妙なことであった。そこで、感応《インドウクチオン》、逆転《インヴェルジオン》、抗争《ヴェツトシュトライト》その他の諸事実は、刺戟が同一であるにもかかわらず場合によって異ったものが知覚されたり、運動系の能力が同一であるにもかかわらず場合によって異った行為がなされたりするような、興味深い特殊例とみなされた。立体鏡における〔視野の〕抗争とか、両手が同時に別々の行為をする際の相互の抑止とかの例を想起しておこう。そこでこういった生理学の「恐るべき子供《アンファン・テリブル》」が収容されたのは、随意運動という概念の中へであった。選択の自由が法則的因果性を破る場合が少くないという見解は証拠不十分だとみなされた。これに反して、もしわれわれの見解が正当さを有するのなら、一切の生物学的行為はわれわれが本章でゲシュタルトクライスへの主体の導入として述べようとしている事態を含むことによって際立った特徴を与えられていることになる。その場合、意図され熟考された運動的行為の例におけるいわゆる決断の自由が、普通に反射的反応とか知覚行為とか呼ばれているものに比して、生命あるものの主体性をより多く証明するということはなくなる。そこで次のように言える。右に述べた刺戟への非依存性は、逆転や抗争現象に際しては行為の構造を印象的に示す実例となるけれども、刺戟が連続的に増大しても運動反応や感覚質が変化しない段階に続いて、刺戟の極く微少な増大が反応を突然に別の形式あるいは別の質へと転換させるという現象が現れた場合でも、この刺戟への非依存性が低下しているわけではない。これまで述べたことはすべて、有機的なものの世界に対抗する個別化としてまとめることができる。

(δ) 自我とその環界との対照《アブゼッツング》が一切の行為にとって本質的なことだということが、以上において示されたはずである。しかしこの対照自身がそのままの形で als solche 現象に現れるかどうかについては述べられなかった。それがもしそのままの形で現れるなら、この理論にとっても何がしかのプラスになるはずである。人間が環界から自己を分離し、環界の中にまどろみながら捉われている状態から足を踏み出すということ、このことはおおむね意識と結びついた精神《ガイスト》の作業と考えられてきた。だが自我と環界を分離するのに意識的思考などは不必要であることを根拠づける理由も、いくつも挙げることができよう。まず、知覚と運動において自我と環界との境界が非常に独得な仕方で移動することがその理由となる。外的状況が同じでも、行為の対象が何であるかによって、何が身体化され何が投影されるかがそのつど全く異ってくる。私が手にペンを持って紙に向っている場合、私は感じ方いかんによって非常に異った感覚を——例えば私の手それ自身、私の手に握られているペン軸の一部、ペン先によって触れられている紙のひっかかるような抵抗、この紙をのせている下敷が硬かったり柔かかったりなどの種々その感覚を持ちうる。これらの種々の客体化のいずれひとつをとってみても、そこには環界と自己の身体部分との両者が共に関与しうるのであって、この場合自己の身体の一部はいってみれば環界の一部となっている。身体と環界の区別は消失はしないまでも減弱しているかに見える。両者とも、何らかの意味で主体ではなくて主体にとっての客体である。そこでわれわれはこの両者に共通の表現として「それ」Es という言葉を選ぼうと思う。身体化《ゾマティジールング》と投影《プロイエクチオン》とのこの不安定な関係はそれ自体一つの特別な行為的作業の現出様式であって、ここから次のような新しい認識がもたらされる。つまりわれわれはここから、生物学的作業の中で自我《イッヒ》と「それ《エス》」との対立を認識するという点に移行する。主体の導入はここに至って再び事物的な対置へと導かれる。自我に対する「それ」という組合せは、人間と世界の対置の具体例に他ならない。この二つの範疇のうち古典的自然科学に登場するのは第二の範疇だけである。この対置は決して精神的な意識行為を通じて措定されたものではなく、自我と「それ」との境界が自己の身体性の領域内で移動可能であるという経験的所見を経て到達されたものだということ、このことをはっきりさせておこう。

（ε）　以上において有機的なものの特性に関する二つの重要な規定、すなわち比較的多様な環界に向い合っての個別化という規定と、人間と世界との二元論という規定とが要約された。この二つの規定は、われわれの研究対象の中に主体を承認することから生じて来るものである。そこで次に第三の規定について述べよう。

制限《ベシュレンクング》ということを通じて、われわれはこの世界《ディー・ヴェルト》をわれわれの環界《ウンゼレ・ウムヴェルト》へと狭める。つまりわれわれは縮小《アインシュレンクング》によって世界をわがものとしている。われわれがそこで自由《フライハイト》と呼んでいるものは、この縮小の相関者《コレラート》にすぎない。自由という属性が生物学的行為に帰属するのは、ただこの意味においてのみである。しかしともあれこの意味においてはそうである。この自由の広がりはまだ確立されていないと言ってよい。自由がどの程度まで高められうるかは未確定であり、いってみれば自由の自由《フライハイト・デア・フライハイト》というようなことが言える。もちろん、多くの場合には「することが山ほど」あって、自由には余り気付かないでいる。求めもしないのに仕事が次から次へと続く。休息している時とか退屈な時には、時として事情が変ってくる。というのは休息や退屈が実は窮屈さ、余儀なさ、難儀さなどであるようなこともありうるからである。そしてここから、より一層高次の自由が、つまり最高の価値或いは最高の無価値を有する決断が生れてくることになる。クソバエは部屋中を飛びまわり、窓ガラスを這い上り這い下って休むことを知らない。ところがわれわれの行動も、濃い霧の中や星影のない闇夜などにはそれとたいして変らない。これらの例では行為の秩序立った構成のための条件が欠けているように思われる。そしてここにこれらの条件についての新しい知見をうるチャンスが求められることは明かである。

右のような事態に相当する人工的、実験的な状況は、「空白の感覚野《レーレス・ジンネスフェルト》」と呼ばれるものである。暗室の中の一個或は一対の光点は、それを知覚する人にとっては、照明の行渡った見慣れた周囲の中の同一の光点と同じものだとは限らない。両者が同じだということは、われわれがどの一つの客体をも、従ってすべての客体を、「それがあるがままに」見ていると仮定した時にのみ言えることであって、この前提は全く当てにならない。最近P・クリスツィアンはこの種の事例をいろいろと分析して、従来提唱されていた生理学的感応理論やゲシュタルト心理学理論を克服することによってのみ理解可能になると思われるようないくつかの実例を見出した。それは主として内様態的 intramodal もしくは間様態的 intermodal にひき起される運動知覚、それに加えて自己運動と運動知覚とのからみ合いの例である。暗室の中で動いている光点を見るという場合、客観的に常に同一の運動（例えば円環運動）を行っている一つの光点の他に、客観的にもさまざまの運動を行ういくつかの光点を同時に示してやると、最初の客観的には同一の運動をする光点が全く種々様々に知覚されることになる。それを決定しているものは一体何なのだろうか。知覚はそれぞれの場合にいかなるゲシュタルトを形成するのだろうか。この点について従来知られているところによれば、このような場合に眼が捉えるものは、もしこの動いている光点が実験室の装置によって制御されているのではなくて自由に重力の作用を受ける物体であったり、最小効果の原理に従って動く力学系であったりしたならば、物理学的に知られている何らかの法則に従ってやはりそこに現出するに違いないような、そのような現象である。例えば或る実験から明かになったように、眼が知覚するのは天文学が惑星や月の運動として算出して来たもの、つまり一つの物体が他の一つの物体の周囲を回転する運動である。ただしその場合は、この他の一つの物体が営むのは単純な直線的往復運動であって、この運動は眼に見えない。つまり天文学者が算出して来たものを、われわれは直観的《アンシャウリッヒ》に見ていることになる。知覚は、質量引力の法則に従う二つの天体が空虚な空間の中にあるという、ただそれだけのことから成立っているところの一つの世界が前提されてでもいるかのような態度を示す。眼は物理学的に可能であろうようなものを見る。以前に述べた可能性の命題はここでより詳細な規定を受けて、「物理学的に可能な」という概念に達する。これによってこの事例に関しては、知覚はその制限を通じて与えられた自由をどのように用いるのか、という問いに対する答が与えられたことになる。眼に見えるのはいろいろな客体の「現実の《ヴィルクリッヘ》」運動ではない。眼にとっては現実の充溢から切取られた多数の断片が与えられていて、それらのうちのどれ一つとして決った優先権を有しないからであり、またそれ故に、このような現実性という全体概念《トタールベグリフ》は眼にとっては無意味だからである。これに反して、眼が選ぶのは数学的物理学の抽象に従って可能であろうところのもの――この事例においてはしかし決して現実的ではないもの、つまりそれは回転している二つの天体だという結論なのである。その限りでは、眼はガラス窓のハエと何ら異るところのない錯覚の犠牲者である。ハエにとって直接眼に入る日光は「自由な飛翔空間」と同義であって、ハエの知覚はガラスの存在を関知していない。人間の眼は、回転が天体のそれのように極めて緩徐に、しかも視覚的に歪められて呈示された場合には、この回転の現象が知覚されないということを関知せず、また、この回転が客観的幾何学的な意味では全然生じていなくても、例えば実験的感応などの場合にはこれを知覚することもあるということを関知しない。感官知覚はここでもやはり即興であるが、それは無意識の精神《ウンベヴスター・ガイスト》として振舞うような即興である。

運動性についても同じことが言える。なかでもクリューガー学派*が示したように、或る一つの目標に向って自由に物を投げる場合、その飛行路は任意ではなく、そこで消費されるエネルギーが最小であるような仰角でもってその物体が飛んで行く。ところがいま「目標への命中」ではなくて目的の対象に「衝突」したりこれを「破壊」したりすることが課題となる場合、或はテニスをする人のようにもっと特殊な力学的パターンをもった打ち方が課題になる場合には、事情は変ってくる。これらのいろいろな場合に、行為はそのつど異ったものとなる。しかしただ命中させるというだけならば、この協調運動はやはり物理学的な最小律《ミニムムザッツ》に——その器官の所有者が通常は知らないところのこの法則に——従う。既に述べたように、危険な場所での前進運動に際しても或は図形運動の意図的実行に際してすら、これと変るところはない。意図的運動は無意識の精神として振舞うのである。

3　パトス的範疇、根拠関係、生の円環

ここで言おうとしていることは、精神《ガイスト》が客体と主体の媒介者として登場して、すべての難問を解決してしまうというようなことではない。そのような独裁体制は、生気論《ヴィタリスムス》の独裁体制に較べてもより良いものとは言えないだろう。われわれは、いくつもの行為の連結に際してそれらの行為の結びつきをどう理解すればよいのか、という問題を背負った研究の途上に依然としてとどまっているのである。個々の行為がそれ自体において有している統一性が証明された以上、この結びつき、つまり行為の系列の生成が問題となり、主体の統一ということもこの問題の解決如何にかかっている。あらゆるゲシュタルト形成の統一的な生成が諸行為の継続の中で理解されるとするならば、それはまたゲシ

ュタルトクライス原理の裏付けともなるだろう。心《プシュヘ》と物的自然《フュージス》との何らかの意味で単に外面的な二元論にかわって、ゲシュタルトクライスとして理解された生物学的行為の中にこそ、真のそして内的な統一性の実例が与えられることになるだろう。生物学が従来企てて来た多くの試みの明白な、或は無意識裡の目的は、動物の多種多様な行動を単純な力や原理から理解しようとすることであったと思われる。反射生理学の不成功という事態に対処し、しかも一方では生気論という怠惰な思考《イグナヴァ・ラツィオ》への逸脱を防止すべきはずのものは、本能や衝動に関する諸学説であった。その場合問題は、生物の行動や行為が示す絶え間ない転変を、さらにはそれのモザイク模様の全体を理解させてくれるような本能や衝動の教典が得られるかどうかという点である。それがうまく行かないならば、少くともそれの一つの理由は挙げることができるように思う。心と物的自然との外面的－実体的な二元論を主体と客体の対極的に結合した一元論に置換えたわれわれにとっては、そのような教義は事物の本性《ペル・ナートゥーラム・レールム》からして可能なことではありえない。つまり鳥瞰図的にすべての行為の組合せを展望しうるような高みは存在しない。われわれは自ら常に新たに生命の運動の中へ巻き込まれながら、それを断片的にでも捉えるように努めねばならぬ。しかし結果としての主体客体の出会いにとっての前提条件が満されるためには、主体の側からの働きで現出するもの、即ち運動と知覚が、客体の側からの働きで現出するもの、即ち物的自然の合法則性と互に出会わねばならない。この出会いは、有機体の行為が外的な自然現象と適合《コングルイーレン》し、逆に自然現象が有機体の諸条件に当てはまる《ジッヒ・アインフューゲン》時に起きる。その結果、ダーウィン*以来生物学が適応 Anpassung と呼んでいる事態が生じることになる。

　解剖学と生理学は、或る外的作用がいろいろな器官に適合した《コングルエント》形で影響を及ぼしうる条件をできうる限りの正確さで記述するが、これは既に一つの決定的な選択と制限とを意味している。つまり有機体の自己運動もやはり同様に環界のさまざまな事情に対応するような運動を形成しなくてはならず、そのようにしてこれらの事情に適応した有効な行為が成立するのである。この場合、一つの行為から次の行為への移行を導くものは転機《クリーゼ》である。しかしこの結節《クノテンリー》線《ニェ》の非恒常性《ウンシュテーティヒカイト》を貫通してその中を流れる連続性《コンテイヌイテート》は、一体何を根拠としているのであろうか。かつてわれわれはこの問題を――ゲシュタルトクライスをまだ精神物理的《プシヒョフユージッシュ》に叙述するという段階において――等価原理《エクヴィヴァレンツプリンツィプ》によって解決しようとした。しかし主体と客体の出会いの中で一つの連続性を形成しているものは、この両者の対応それ自身以外のものではありえない。なぜならば主体と客体とがこの出会いにおいて互に鏡像的に対応する場合にこそ、自我もまた自らの環界の中で安全と確実を保証されるのだからである。

器官が栄養物の匂いを信頼しうる仕方で伝えるとき――つまりその栄養物自身がその匂いを発散し、この対象に合致した知覚が生じるとき――生存《エクシステンツ》の保証が確立される。これに反して同一の匂いが別の物質から放散されたり、またはその匂いがしているのに器官が別の感覚を生み出したりする場合には、生存が脅威に曝されることになる。地球という重力の場の中で頭部がいかなる加速度と傾斜を示すかを前庭器官が信頼しうる仕方で伝え、これに対して、われわれが転倒したり衝突したりしないような仕方での運動が行われるとき、生存はその身体平衡に関して保証されることになる。しかしこの保証は常に、物理学的法則に従う環界と有機体の自己運動との鏡像的対応に基づいている。この対応が実現されている限り、しかしただその限りでのみ、連続性としての生命は可能なのである。

生命の諸形像が転変するすばやさは、悠容たる連山の姿に照してみるとき、愕然とするほどのはかなさを如実に示している。だが反面、このような転変の中にあってなお生命が存続しているということ、このことが生命をして、連山でありながら場合によっては平らに整地されもしうるような一切のものの上位に立たしめる。このような生命の優位を保証する最も確実な事実は死である。しかし、死は一つの出来事ではない。死とは包括的な秩序であり、死の反照は一切の転変、一切の没落、一切の眠り、一切の別離の上に宿っている。死は、法則として、生あるものの体験の色調をも規定する――それは受苦 Leiden の色調である。

このような認識は科学としての生物学においては差当って不必要であるかに思われる。科学的生物学は、たとえ純然たる合理主義に身を売るつもりはないにしても、所詮は悟性と思考から離反することを許されず、多くの人にとっては非情《ライデンシャフトロース》のものとみなされている。しかし真の研究者の道を辿る者、また本書における探究の歩みにこれまで従って来た者は、このようなペシミズムの色調が度外視しえないものであることをわきまえている。われわれの言うのは、感官の生理学の中には痛《シュメルツ》みの生理学も含まれねばならぬということだけではない。生命とは一つの過程《フォアガング》なのではなく、「受苦的に蒙る」もの erlitten でもあるということを明確に表明することなしには、有機体や生命についての真理に即した物の言い方はできないのだという洞察を不可避ならしめること、これが悟性の要請である。生命とはただ自己自身を措定し、能動的《アクティーフ》に働くだけのものではない。生命はまた、存在せねばならぬというはめにおちいっているのであって、その限りにおいてまた受動的《パッシーフ》でもある。この点に関してわれわれの述べるところは、存在的なるもの Ontisches のみにかかわるのではなく、パトス的なるもの Pathisches にかかわっている。そして生命のパトス的な属性については、その存在的属性についてと同じ仕方では論じられないことは明かである。

こういった名前で言われている事柄のうちには、最初からはっきり見て取られていなかったようなものは何一つ含まれていない。その傾向はすでに、知覚と運動という主題の二重化の中にも認められる。続いて登場して来た諸概念、たとえば意図、予期、不意、危険、脅威、保証、随意と自由、決断と制限などの諸概念を、読者は或は心理主義と感じたことだろう。だからここで言っておきたいのであるが、これらは決して心理主義ではなく、すべてわれわれが今パトス的としてまとめた生物の状況や生存様式を表現するものである。これらの概念は存在《ダーザイン》にかかわるのではなく、受苦《ライデン》にかかわっている。そしてこれらは物的《フュージッシュ》な面にも心的な面にも同様に表現される。なぜならば心的領域における敵に対しての不安と、物的領域における運動系の使用とは同一の事柄を表現しているのだし、願望と物を摑む協調運動も同一の事柄を表現しているのであるから。

生物学者が諸現象を記述するだけで満足していて、これを更に説明しようとしないなら、それはまだ生物学とはいえない。さらにまた、巣を作る本能や動物共同体についての純粋な記述といわれているものが、結局は物語だということになってしまい、つまりは出来事や事象を述べるだけになってしまうということは、特徴的なことである。生物学というものは事実、発生論的《ゲネーティッシュ》であるかさもなくば無かのいずれかである。だから、たとえ不完全ではあっても伝記の方が生化学や生物物理学《ビオフュジーク》よりもまだしも生物学的だ、ということがしばしばおこる。ところが発生論《ゲネーティック》にとっては原因を問うという問題が生じてくるし、それに伴って基本概念とか要素とかへの問いも生じてくる。因果律の単純な応用は余りにも成果がなかったし、物理学や化学を模範とする説明によって得られたものは全体のごく一部であるかに思われた。しかしいまわれわれが、パトス的という属性なしには生命を考えることができないことに気付いた以上、われわれが生命現象を心的もしくは物的な過程から導き出せるという前提に立つ場合には何故に部分的成果しか得られないのか、という疑問についての理解が自ずと開けてくる。生命的に現象するもの、それはその背後にあるなんらかの（心的もしくは物的な）過程から由来するものではない。その原因 Ursache はここでは事物 Sache ではないのである。この場合、ザッヘ Sache の前に置かれたドイツ語の「ウァ」Ur- は、都合の良いことには働き《ヴィルケン》を表すだけではなく、そもそもの始まり《エアスター・アンファング》を指している。つまりこれは始源《ウアシュプルング》を意味しているのであるが、残念なことにこの意味はすたれてしまった。しかし生物学的な発生論にとってはこの始源の概念は不可欠のものである。ただ、もしこの概念についてそれ以上の何の陳述も不可能だとすれば、このような指摘も何の役にも立たないことになってしまう。

もしそれ〔生命現象の始源〕がパトス的なものという要素であるのならば、そこからはさらに進んだ陳述が展開されてくるに違いない。しかしここではただ、いくつかの示唆だけを述べて本書のしめくくりとするに止めたい。この新しいテーマのめざすところは、本書に設定された研究圏域とは別の分野だからである。生命を「苦しむという形で受けること」Leiden、或は心理学的色彩をもっときっぱり避けて言うならば、生命を「蒙る」Erleiden ということは、生命がその中で結果として生じるかのごとき枠組（例えば空間）とか、生命がそこから結果として生じるかのごとき中心点（例えば現在）とかとして位置づけられるものではない。それが位置づけられうるのはただ、いかなる発《ゲネ》生《ーゼ》の中にも生じるところの転変《ヴァンドルンゲン》、現象面にも結構しばしば明瞭に現れてくる転変の切点としてのみである。つまりそれを現象《フェノメーン》あるいは体験の側から求めたり捉えたりしうるのは、本書において転機《クリーゼ》と呼ばれているものの出現するところにおいてである。転機においてはいずれにしてもパトス的という属性はその絶頂に達して勢威をほしいままにする。私は、転機の構造を表示するには自由と必然 Freiheit und Notwendigkeit の弁証法を表すために言語が作り上げて来たいろいろな表現にまさるものはないと思う。なぜならば転機の場にあるものは、顕勢的《アクトゥエル》には無でありながら潜勢的《ポテンツィエル》には全てなのだから。パトス的状態というのは存在的《オンティッシュ》状態の止揚ということと同義である。転変の転機《ヴァンドルングスクリーゼ》はパトス的属性が存在的属性との生死を賭した闘争の中にある状態を示している。一体、何がその決着を齎すのか――誰がその決着をつけるのか。

この点に関して用意されている最も手取り早い諸規定は、その性質上もはや純粋にパトス的とはいえなくなってしまったようなものである。つまりわれわれは、雌雄を決する闘争において一方の力あるいは他方の力が勝った、と言う。この場合、われわれはこの転機をすでに力動的に解釈しはじめている。（ゲシュタルトクライスの初期の捉え方もやはりまだ力動的であった。）しかしそれは異った情念《ライデンシャフト》の間の闘いの場合と同じことである。実をいえば、転機の決断を力動的に説明する人はすべて、「結果からの予言者」である。つまり愛に（或は憎悪に）有利な決定が下されたから愛の方が（或は憎悪の方が）強かったのだ、とする説明である。しかし結果が前もって知られていなかったなら――その場合にはパトス的領域においては、もっと知っていたら判っただろうに、などと言うことすらできないのである。真の転機においては決断自体が決断する。決断が端緒であり始源なのだ。決断を説明することは不可能で、むしろ決断によって別のことが説明可能となる。だがこのことはさらに、転機においては自由と必然との抗争が――主観的表現を用いれば「したい」Wollenと「ねばならぬ」Müssen との抗争が――力動的に、例えば動機づけとか因果的作用とかによって決定されはしないことを意味している。われわれはむしろ、結局どの「したい」が勝ったか、どの「ねばならぬ」が勝ったかということを遅ればせに知るだけである。つまりパトス的なものは「したい」と「ねばならぬ」との始源だと定義することができる。パトス的なものがそのつど特定の「したい」や特定の「ねばならぬ」を創始したのであって、このことを確認した時には既に存在的《オンティッシュ》に実在するものの認識への移行、事象への移行が再び開始されている。

さてその次の、つまり転機から数えて三番目の位置にあるのが可能的なもの das Mögliche の、つまり「しうる」Können と「しえない」Nichtkönnen、「すべきである」Sollen と「してもよい」Dürfen などの発生論的条件である。例えば極度の辛苦や疲労に際して「これ以上できない」ich kann nicht mehr という状態がやってくること、しかしその境界は厳密に客観的なものではないこと、このことは健康者でも知っている。しかしその場合にも、もう限界に達しているかどうかを疑うことはまだ可能であって、われわれはその決定を「したい」Wollen の側に求めるのが普通である。作業の頂点がこれから先まだ達せられ「うる」か否かは、この「しうる」の側からではなく、「したい」の側から決定されることになっている。そもそも経験が教えてくれるところによると、意志 Wille の強化は「しうる」の範囲を拡大する。だからそのような場合、「しうる」とは実は「しうるようでありたい」Könnenwollen のことなのかもしれない。しかし更に過大な要求を加えると、「しうる」がもはや「ありたい」を強制できなくなる限界にぶつかることになろう。これが純粋な「しえない」ということだろう。一〇トンもの重量を持ち上げられる人はいないのである。——ヒステリーの場合には、これと似ているが或る意味では逆の事情にある。ヒステリー性麻痺の問題点はやはり、患者は欲しさえすればできるのだ、という点にあるとしてもよかろう。いずれにせよ、素朴な見方の人の中にはそういう判断を下す人が多い。ところが患者は、したいのはやまやまなのだけれどもできないのだ、と言うのであるから、この判断は患者の言い分と喰違うことになる。そこで観察者と患者とのこの喰違いを除くために試みられた説明は、患者は欲することができないのだ、ということだった。つまりここでは（前の場合とは逆に）「したい」の方が「しうる」の方から制限されていて、この状態は「欲しうる」Wollenkönnen の制限されたものと呼ぶことができよう。

　ところでこのことの根底には、形而上学的あるいは世界観的な対立が潜んでいる。第一の「しうるようでありたい」Könnenwollen の立場は主意論《ヴォルンタリスムス》を、第二の「欲しうる」Wollenkönnen の立場は唯心論《スピリトゥアリスムス》を示すもの、という仕方でしかこの対立は特徴づけられない。第一の解釈は、その前に「お前がしたいのならしうるのだ」という前提を置いてみればすっかり理解できるし、第二の解釈は「しうるということがお前に許されているなら、お前は欲するだろう」という言葉を副えてやればはっきりする。ここでは意志《ヴィレ》の道が恩寵《グナーデ》の道に向い合っている。意志の道の入口には「お前はすべきである」du sollst の語が掲げられ、恩寵の道の入口には「お前はしてもよい」du darfst の語が掲げられている。随意運動やヒステリー性麻痺のような事情を「したい」、「しうる」、「すべきである」、「してもよい」などの諸範疇を用いずに正しく叙述するなどということは、考えられないことだと思う。つまりもし「客観的」な叙述が自然科学的因果性の叙述ということにすぎないのなら、それはまさにこの種の行為については誤りなのである。なぜならばそれはただひとつの契機、つまり因果的必然性の契機だけを問題にし、この因果的必然性が生物学的行為の中に見られるのは、ただそれが自由と対置されている限りにおいてであるから。というのは――繰返して述べるならば――行為の始源は決断 Entscheidung であり、決断とは必然と自由、「ねばならぬ」と「したい」の闘争ということに等しいからである。従って因果的必然性は行為の構造の中では「ねばならぬ」として現れる。

　存在的属性に対置されるパトス的属性の構造は、自由と必然、「したい」、「ねばならぬ」、「しうる」、「すべきである」、「してもよい」などの範疇が展開されるに伴ってはっきり輪郭づけられ、完結したものとなった。これらが動詞として、つまり主体の様態として示されるということは、文法論的にも明確な特徴をなしている。つまりこれらの範疇は、「私はしたい《イッヒ・ヴィル》」、「お前はしうる《ドゥー・カンスト》」、「彼はしてもよい《エァ・ダルフ》」などの形で言い表されて、はじめて意味をもつ。主体の導入ということがこれらのパトス的範疇でもって生物学を豊かなものにしたのである。

まさにこの点から、行為の第二の構造原理が明かになってくる。それは主体が「私《イッヒ》」、「お前《ドゥー》」、「彼《エァ》」などを通じて実現してくる変化の中に現れている。パトス的範疇を用いる際には必ず、それが或る他者に対するかかわり Verhältnis のうちにおかれた誰かへと向って具体化するということが生じざるをえない。生物学的なものに属する諸範疇は、単に主体的であるばかりでなく、社会的《ゾツィアール》でもある。生命とは個体であるとともに社会《ゾツィエテート》でもある。

ここでもう一度元へ戻らねばならぬ。「ゲシュタルトクライス」とはこういうことであった。生物学的現象はその根底に横たわっている諸機能の因果系列、現象がそこから由来するところのこの諸機能の因果系列から説明のつくものではなくて、それ自体で完結した一つの行為の構成成分である。この行為の統一性は、転機を分析することから叙述することができる。この行為に特有の属性は、存在的なものに対置されるところのパトス的なものである。この行為の構造は、私はしたい、せねばならぬ、しうる、すべきである、してもよいなどの主体的範疇へ転機の決断を弁証法的に分析した結果である。これらの範疇相互間の秩序は、これまた空間、時間、因果性などの存在的範疇によっては叙述しえず、私とお前、彼とそれなどの社会的秩序《ゲゼリゲ・オルドヌング》によって叙述しうるものである。すべての生物学的行為は、ゲシュタルトクライスとして把握される場合には、連鎖の中の一環や数列の中の一つの数ではなく、以前 Vorher に対する以後 Nachher への転変であり、変動《レヴォルツィオ》である。これを叙述するためには主体的範疇だけでなく、主体的範疇の私《イッヒ》、お前《ドゥー》その他への社会的な展開も欠かすことのできないものなのであろうか。

私がここで言えることは、私がそのことを確信している、ということだけである。だがここで神経生理学の研究対象に眼を戻してみると、そこで自然科学的方法によって取扱われている事柄もやはり、今しがた見出した生物学的行為の構造形式を導入することによってのみ適切かつ的確に捉えうるのではないだろうか、という疑問が生じてくる。

いずれにせよ、それによって従来とは全く別の新しいプログラムが立てられそうであり、従来辿られて来た道の全部が内部的に明白で首尾一貫したものであることについての大きな異論がそこから生じてくる。このことはどうしても避けることができない。事実、これまでに得られたことは成果であるよりはむしろ〔今後への〕課題であった。とはいえ、以下の考察はこの点についての不満をいくらか和げてくれるかもしれない。生物学者たちや彼らの研究は、われわれが「ゲシュタルトクライス」の標題の下に一歩一歩研究を進めながら取出そうと努めて来た範疇的構造を、実のところはこれまでも既に用いていた。その著明な一例は先に少し述べておいたノイローゼやヒステリーの近代的な分析である。しかしもう少し立入って考えてみると、知覚と運動の二元論というもの全体が、暗黙のうちにやはり主体を生物学に受入れることに他ならなかった。この非常に重要な二つの例が十分に実証しているように、生物学はたとえ暫定的で不分明な仕方ではあったにせよ、決して無意味ではないような仕方で、自らがそもそも始めから身につけている主体的な諸範疇を用いて仕事を進めるよりほかなかったのである。

このことからはさらに次のことが引出せる。学問とは単に論理的理解や感覚的観察や理性的把握だけにとどまるものではない。学問はつねにまた叙述でもあるのであって、叙述されたものは直観的に見てとれる anschaulich ものでなくてはならない。そこで、生命現象を空間や時間において直観《アンシャウエン》するという仕方からは、生物学の対象は決して直観《アンシャウリッヒ》的にはならなかった、と言える。カントは物理学における自然の経験はそのような仕方によるものだと判断した。しかし、逆説的な言い方になるようだけれども、われわれの考えでは生あるものはそういった仕方では決して直観的に見てとれない。それはむしろ――この点がまさに特徴的な区別なのであるが――主観的なものの中に捉えられることによって直観的に見てとられる。本書の冒頭に述べた生きものの「自己運動」を通じての現出の仕方を思い出しておこう。生命が現れ出るのは何かが自分で動くところにおいてであり、つまり主体性が直観されるような場合なのである。これに反して、空間時間的な直観が有機体において示すものは常に瞬間的必然性の形式にすぎない。この瞬間的必然性は生物の統一性、同一性、連続性、社会性などにとっては――その変動可能性ということを通じてならばともかく――何ら構成的な意味を有していない。

さてこの生物学的および物理学的という二種類の直観の相違は、運動の現象だけでなく生成 Werden 一般にあてはまる。生物学的運動がその本質上位置の移動としてではなく自己運動として現出するのと同様に、生物学的生成《ビオローギッシェス・ヴェルデン》一般も原因《カウザ》と結果《エフエクトウス》との一貫性としてではなく、自発的生起《シュポンターネス・エアアイクニス》として現出する。赤ん坊が生れ、生命が消え、鳥が舞い上り、獲物を目指して襲いかかり、人が目覚め、病気に罹る。物理学は、その研究において認識自我《エアケントニス・イッヒ》がそれからは独立した対象としての世界に対置されているものと前提している。生物学の経験するのは、生きものがその中に身を置いている規定の根拠それ自体は対象となりえないということである。このことを生物学における「根拠関係」Grundverhältnis と呼ぼうと思う。生物学を支配している根拠関係とは実は客観化不可能な根拠《グルント》への関り合い《フェアハルテン》であって、因果論にみられるような原因《ウアザッヘ》と結果《ヴイルクング》のごとき認識可能な事物の間の関係ではない。

つまり根拠関係とは実は主体性のことであって、これは一定の具体的かつ直観的な仕方で経験されるものである。われわれの研究はこの根拠関係の中で行われなくてはならないけれども、これをあからさまに認識することはできない。なぜならばそれは窮極的な審判者 die letzte Instanz だからである。それは一つの勢力《マハト》であり、〔それへの〕従属或は〔それからの〕自由として経験されうるものである。この従属と自由の両者は見違えるほどよく似たものとして経験されるから、われわれは両者を包括するような一つの表現によってこれを捉えようと思う。もちろんそれによってわれわれは、表現可能性そのもののぎりぎりの限界に達することになる。というのは定義上からはいかなる対象化も不可能なのであるから。元来は叙述不可能なものを表現しようとするこのような努力は、もしそれによってゲシュタルトクライスとして理解される生物学的なものの構造が他の側面からより明瞭にされうるのならば、明かに有益なことである。生きものが間断ない連続性《シュテーテイゲ・コンティヌイテート》においてではなく、そのつど新たな断続的切断において経験されるということは、直観的叙述ではないにしても根拠関係に対する一つの経験可能な表現ではある。この非恒常性、この転機的断絶は曲線の可視的な曲折に類したものでも、音系列を時間的に区切る休止に類したものでもない。そうではなくて、一挙に別のものとして別の世界に自己を見出すところの自我がそれなのである。覚醒と夢、情欲と思考、憂愁と歓喜、感情と冷静、さらには食事と仕事、横臥と舞踏、書字と音楽などの相違は、一方が他方と較べて無限に異質であると言ってもよいほどに大きい。存在《ダーザイン》と存在との異質性《フレムトハイト》、それはまさに生の充溢の瞬間には脱自性《エクスターシス》にまで高められて、それなくしては生命がもはや生命ではなくなるであろうような、常に回帰する規定なのである。

これらの相互に脱自《エクスターティッシュ》的な諸状態の触れ合い Berührung を叙述する唯一の表現は、生物と環界の出会いという形式の中に発見されるべきものであった。自我が異ったあり方 sein Anderssein へと投込まれる際に、そのような束の間の触れ合いが起きる。かもめが飛びながら海の鏡面に触れるように、この比類なく内密な鏡像的反映《シュピーゲルング》が成立するのは「ここにいま」Hier und Jetzt といわれる瞬間《モメント》においてである。しかしこの「ここにいま」において、自我と環界とは単に鏡像的反映としてだけではなく相補《エアゲンツング》としても関係しあう。物なくして鏡像なく、鏡像なくして映された物はない。この相補的補完 komplementäre Ergänzung はここで、生物学的事象一般を相補論 Komplementarismus の諸範疇によって叙述する可能性の根源として、つまりこれまでに述べてきたどちらかというと派生的ないろいろの可能性の根源として理解される。われわれはこれまでにいくつかの種類のそのような可能性を学んで来たが、ここではただ心と物的自然との相補性、等価原理、方法的不確定論における相補的統一性（回転扉の原理、将棋の原理）などを挙げておくにとどめる。これらの研究が神経生理学的に着手され、そこにはもともと知覚と運動の二元論が内在していたのである以上、右に挙げたいくつかの概念は根拠関係から一つの帰結を先取したものにすぎないことになる。知覚と運動の関係、そのからみ合い、その一元性を相補的なものとして余す所なく実現しうるためには、さらに進んだ研究が必要となってくるだろう。その場合には、知覚と運動は二つの異った機能部位（感覚性と運動性）にかかわるとか、二つの異った生物学的行為(主観的と客観的、心的と物的)にかかわるとかいう誤解は最初から起りえないだろう。知覚と運動の区別は二つの異った対象に対応するものではなく、根拠関係から、つまりそれ自体対象となりえない根拠に対する生命現象の対し方から派生した相補的二元論に対応するものだからである。

ここで最後に述べた知見も別に新しいものではない。それは既にパルメニデス*の叡智の中にも宿っている。存在《ザイン》それ自体は動かされえず、それ自体としては現出しえない。しかし現出するもの、それは不動の存在自体であり、運動はそれの現出にすぎない。

行為系列の体験上の不整合《インコヘレンツ》や因果論的不整合は、これを根拠関係の表現と解するならば、決してネガティヴな徴候でも無価値なものでもない。これも現象がそれの永遠に不可視な根底に結びついていることの一つの表現である。存在はこのことの中に常に自己同一的な象徴を求めている。これはわれわれにとって個々の生物学的行為が乗越え難い隔絶の中に止っていることを意味するのであろうか。もしそうだとすれば生命の一切の意識的計画や操作は不可能だということになろう。そういった計画や操作は、たとえそれがわれわれにとって欠かすことのできないものだとはいえ、過大に評価する必要もない。われわれは未来を確実に知りえないということに慣れている。肉体の死は数少い確実さの一つであろう。しかし死がそれのすべてではない。われわれは過ぎ去ったこととても、自分で考えているほどは良く知っていないということに、徐々に気付いて来ている。記憶が間隙を有していることを疑う人はいないだろう。自らの個人的生命の開始を想起できる人はいないのである。このように、少くとも二つの未知数のごときものが個人的生命の短い期間を取囲んでいる。この未知数は時間の中に存するものであろうか、時間の辺縁に、或は時間を存在自体から分離する境界でもあるところの、時間の境界の彼方に存するものであろうか。われわれの生命は時間の中で経過するように思われる。しかしこのことは、もし生命の極限点が時間そのものを疑問に付してしまうのであるならば、余り意味のないことになる。われわれより前には誰か他の人達がいて、われわれより後にも誰か他の人達が出て来るのだ、とわれわれは考えている。この人達はわれわれと良く似てはいるが同一人ではない。ところでここで似ているとはどういうことなのか。回帰するもの、われわれすべてを互に相似たものとするもの、それは何なのか。幼年、中年、老年、体姿、皮膚の色などは時間に結びついており、時間と共に移ろい行くものである。しかし常に回帰するもの、例えば形式や美や論理の法則や自然は、時間をあざけっているように思われる。だとすれば回帰するものとは、無時間的なものでありながらしかもただ時にふれて回帰するものだということになろうか。

これら諸概念のこうした弁証法のもとで生命は今一度直観的となるのであって、それは決して時間、空間、論理などにおいてではない。生殖、出産、成長、成熟、老年、死、さらには想起や予見などは、生きものが示す最も直観的で、反論理的で、従ってまさに最も始源に近い現象様式である。生命の消滅と生命の存続とはいわば生死を賭して同盟を誓っており、回帰 Wiederkunft とはこの同盟の永遠の象徴なのである。この回帰が終りを始めに結びつけ、始めを終りに結びつける。生成の無窮の転変の中で、永遠の回帰を示しつつ不変の始源が、存在の静止が現出する。

もろもろのゲシュタルトの系列は、窮極的にはやはり秩序をもつ。しかしそれは時間的前後関係の秩序に組込まれるのではなく、いろいろな行為や認識の系列、生の諸段階や世代の回帰の系列の中で秩序づけられる。生命の秩序はかように直線《ゲラーデ》にではなく円環《クライス》に比すべきものではあるけれども、かといってそれは円周線にではなく円の自己回帰に譬えられるべきでもある。ゲシュタルトは次々に継起する。しかしすべてのゲシュタルトのゲシュタルトはそれらのゲシュタルトの帰結ではなく、それらのゲシュタルトが永遠に始源へと帰還しながら自己自身と出会うことである。これが、ゲシュタルトクライスの名称を選んだ無意識の理由であった。ゲシュタルトクライスとは、いかなる生命現象の中にも現れている生の円環《レーベンスクライス》の叙述であり、存在《ザイン》を求めてつぶやかれた片言である。

（1） Stephen d'Irsay, Albrecht von Haller〔アルブレヒト・フォン・ハラー〕, s. 46 ff. Verlag Thieme. Leipzig 1930.

（2） Ernst Marx, Die Entwicklung der Reflexlehre seit Albrecht von Haller bis in die zweite Hälfte des 19. Jahrhunderts.〔アルブレヒト・フォン・ハラーより十九世紀後半に至る反射論の発展〕. Sitz.-Ber. Heidelberg. Akad. Wiss., math.-naturwiss. Kl. 1938, 10. Abh. V. v. Weizsäcker の序言あり。

（3） V. v. Weizsäcker, E. Marx の前掲書への序文より。

（4） J. v. Kries, Logik, Grundzüge einer kritischen und formalen Urteilslehre〔論理学、批判的及び形式的判断論綱要〕. Tübingen 1916. 本書と彼の以前の諸著作には、フェヒナー Fechner の精神物理学に対する私の知る限りでは最も専門家らしい、また最も優れた批判が見られる。

（5） この類比を頼りとしたのは、マッハ E. Mach, Analyse der Empfindungen〔感覚の分析〕であった。

（6） 特に興味深いのは、フォン・クリース J. v. Kries が彼の「論理学」においてこの問題を取扱った仕方である。その論じ方は、殆ど問題の巧妙を極めた回避にすら等しい。

（7） V. v. Weizsäcker, Der Gestaltkreis, dargestellt als psychophysiologische Analyse des optischen Drehversuchs〔ゲシュタルト・クライス、視覚性回転実験の心理・生理学的分析として提示〕, Pflügers Arch. Physiol., 231; 630, 1933. 私が講演 ,,Über medizinische Anthropologie“〔医学的人間学について〕, Phil. Anz.(H. Plessner), 2; 236, 1927 (,,Arzt und Kranker“〔医師と患者〕, 3. Aufl. I. Koehler Verlag Stuttgart 1949, S. 35 ff. に再録) で行った、どちらかと言えば人間学的演繹を参照。

（8） 「筋緊張《トーヌス》」にこのような知覚の限定を認めたのはクライント H. Kleint （前掲書）だけである。しかし彼は、このような準運動的要因を実際に観察しようと試みた訳ではなく、それを仮説として導入しただけである。そのために、彼の立場は再びパラギィ Palágyi の潜在的運動 virtuelle Bewegung やシュタイン Stein の感覚的運動 Sensorische Bewegung に近いものとなってしまう。われわれとしては、これらの諸説にくみする訳には行かない。

（9） M. H. Fischer, Die Regulationsfunktion des menschlichen Labyrinths〔人間の迷路の調節機能〕. München 1928. P. Vogel, *Über die Bedingungen des optokinetischen Schwindels*〔視覚運動性眩暈の条件について〕, *Über optokinetische Reaktionsbewegungen und Scheinbewegungen*〔視覚運動性反応運動と仮象運動について〕, Pflügers Arch. Physiol., 228; 510 u. 632, 1931. 同著者 *Beiträge zur Physiologie des vestibulären Systems beim Menschen*〔人間の前庭系生理学への寄与〕, Pflügers Arch. Physiol., 230; 16, 1932.

（10） フォーゲル P. Vogel は、頭部に定常電流を通電してみて、種々のタイプの人がいることを示した。つまり表象によって統御することを好む人もいれば、運動をもって統御しようとする人もいるのである。*

（11） A. Prinz Auersperg und H. Buhrmeister, *Experimenteller Beitrag zur Frage des Bewegtsehens*〔運動視の問題への実験的寄与〕, Z. Sinnesphysiol., 66; 274, 1936.

(12) V. v. Weizsäcker, Körpergeschehen und Neurose〔身体事象と神経症〕, Intern. Z. Psychoanal., 19; 16, 1933. 現在は単行本としても刊行 (Ernst-Klett-Verlag. Stuttgart 1947)。

(13) 夢の反論理性は、これを支持する尽きることのない実例の源である。

(14) 今日存命中のすべての生物学者のうちではボイテンディク F. J. J. Buytendijk (Wege zum Verständnis der Tiere〔動物の理解に至る道〕. Niehan, Zürich-Leipzig 1939) が、殊にフォン・ユクスキュル v. Uexkuell に遡る環境世界論からのこのような帰結を、誰よりもはっきりと洞察しているように思われる。彼はまたそれを鮮かな筆致で描出する術も心得ている。

(15) Hegel, Logik〔論理学〕I. Abschnitt III, B. また Kuno Fischer, Hegels Leben, Werke und Lehre〔ヘーゲルの生涯、著作、学説〕. Bd. 1, S. 482. Heidelberg 1901.

本書に出て来る、学術用語として一般には慣用されていない若干の概念の解説

一夫一婦制　Monogamie　現出様式の転変やそれをめざす運動の多様性にもかかわらず私の環界の一つの物の同一性が保持されること（五七ページ、一七三ページ以下参照）。

回転扉の原理　Drehtürprinzip　根拠関係を見よ。行為とはすべて知覚することおよび運動することである。しかし私は知覚しながらそれを可能ならしめている運動を知覚することはできず、運動しながらそれの条件となっている知覚をなすことはできない。その限りにおいて運動するとは「それを知覚しないこと」であり、知覚するとは「それを運動させないこと」である。両者は相互隠蔽の関係にある（五九ページ）。

からみ合い　Verschränkung　知覚するということと運動するということとは、運動が何かを知覚の中に現出させ、知覚の中には運動も現出する、という仕方でからみ合っている（四三、五八ページ）。

機能変動　Funktionswandel　或る種の機能の流れがそれと類似した、しかしながら時間的、空間的、質的にそれと異った一つの機能の流れによってとって代られること。病的な機能変動は正常な、しかしそれ自体やはり不安定な機能の平衡障碍にもとづいている（七一、一〇五、一一四、二八三ページ）。

決断　Entscheidung　一つの現在と結びついて新しい一つの秩序が成立すること。この新しい秩序は古い一つの秩序の没落と緊張価の消滅とを伴う（二三三、二九六ページ以下）。

行為、生物学的行為　Akt, biologischer Akt　生物がその運動と知覚によって環界に組込まれている限り、この運動と知覚は一つの統一であり——生物学的行為である。行為はすべて、或る障碍された秩序の再建あるいは新調としても捉えうる（四二、二七〇、二八一、二八四、二九六ページ）。

構成的錯覚　konstitutive Täuschung　自然科学の客観的方法によって認識された知覚対象に従えば当然予期されるはずの内容を有しない知覚を錯覚という。この種の逸脱の総体が、さまざまな像を或る一つの物あるいは或る一つの事象に関係づけてこ

れを同一の統一として知覚することを可能ならしめる場合、この錯覚は構成的となる。その場合には、錯覚と称せられるものが生物学的主体の諸対象を構成し、この主体にとっては一つの存在が現出することになる（五七、一八四、一九七ページ。二八七ページを参照）。

古典的学説　Klassische Lehre　精密自然科学の範例と方法が拘束力をもち、ほとんどの場合それだけが有効であるところの生理学や生物学の学問的形式。全体性、ゲシュタルト、生命力などが現実性を表す概念として導入されているような学説はもはや古典的ではない。古典的学説の産物としては、伝導原理、ノイロン説、反射学説、刺戟－感覚の生理学、神経系の概念などがある。

根拠関係　Grundverhältnis　物理学は一つの認識自我にそれの対象たる一つの世界が対置されているものと前提している。生物学においてはそれ自体生きている自我に一つの生きものが出会う。だから生物学は一つの依存関係の中にあるが、この依存関係の根拠それ自体は対象とはなりえない。この根拠に対する関係は従って二つの認識可能な事物の間の（例えば因果連関におけるがごとき）関係ではなく、或る隠されたものへの関係である。生物学者について言えることは、生物学的に捉えられた生物についても言える。生物は動きながらもしくは知覚しながら、動作しながらもしくは認識しながら行動するが、そこには相互隠蔽性の関係が存している。これを根拠関係と呼ぶ。それは生物学的行為の既述の両側面の関係を表していて、現実性概念の二元論が成立する条件となっている（二九八ページ）。

作業原理　Leistungsprinzip　同一の生物学的成果がさまざまの道を通って達成されること（三六、二〇五ページ）。

自己運動　Selbstbewegung　内在的な主体の力により自分で動く客体の運動。その運動はただ他の主体との関係においてのみ現実的である（三一、二九七ページ）。

自己増強　Selbstverstärkung　（一七五ページ）。

自己知覚　Selbstwahrnehmung　私が自分で動くと私には運動が現出する。その限りにおいてこの運動の知覚は自己知覚である（四〇ページ）。

主体、主観　Subjekt　実体、すなわち事物の本質が本来的には主体であるということを学ぶにはヘーゲルを読むのが最もよい。そしてこのことはヘーゲルによって哲学におけるスピノザの功績として認められたことである。真理の一切の認識は主体の中に源泉を有するのである以上、主体という概念の定義などというものはありえない。――しかしここでわれわれが問題にしているのは哲学的認識とか、それと名ざされているような主体とかではない。それと名ざされている主体というのは、神、この人、この動物などのことである（三一、五九ページ、二七一ページ以下）。

先取　Prolepsis　或る成果がそれをめざす運動、知覚によって、あるいはこの成果を可能な作用として含むのではなく真にこれをめざしている行為によって先取りされること（二二六ページ以下）。

相即　Kohärenz　主体とその環界とが一つの秩序の中で形成する分裂可能な統一性。その意味ではまた、平衡状態にある秩序がその中断に対して示す抵抗とか、相即を止揚する力の不在とかをも指す（四二、五五、一九六、二六六ページ）。

脱落　Ausfall　一つの機能が脱落すると、作業にはそれを代替するという任が与えられて、作業の変動が開始される。かくして作業は脱落した機能の等価物（この項参照）をしつらえる。脱落とはつまり古典的見解によれば欠陥であるが、作業原理から見ると「ネガティヴな作業」である（七〇ページ）。

知覚の可能性命題　Möglichkeitssatz der Wahrnehmung　一八四ページ、二〇〇ページ（原注11）参照。

出会い　Begegnung　生物学的秩序、ことにまた運動形式や知覚形態は、同等な諸力の合成からではなく自我と環界との出会いからその結果として生じる。出会いという語は、自我と環界（の統一）が、例えば刺戟と運動というような思弁的－機械的綜合とは違ったものだということをはっきりさせるためのものである（一九三、二三三ページ）。

転機　Krise　力動的に一つの転回点の周囲を取巻いているもろもろの過程と、この（観察不可能な）急変点それ自身との全部。そこで現出するものは非連続性あるいは中断である（二七三ページ）。

伝導原理　Leitungsprinzip　同一の道を通ってさまざまな興奮がさまざまな効果を伴って伝達されること（三六、二〇五ページ）。

等価原理（代理の原理）　Äquivalenzprinzip (Prinzip der Vertretung)　等価性とは、ゲシュタルトクライスにおいては或る量あるいはエネルギーの等価性のことではなく、生物学的主体がそれの世界（環界）に組込まれる秩序の生成に際しての代理形成をさす。この秩序において、知覚と運動は互に他を代理することができる（二五五ページ以下）。

ネガティヴな作業　Negative Leistung　「する《トゥン》」はすべて「しない《ラッセン》」でもあり、従って「しない」が作業の形成にあずかる、というようなことのもととなる生物学的事態（五八、七〇ページ）。

パトス的　Pathisch　生物学的生存が存在物としては与えられていないで、「したい」、「しうる」、「してもよい」、「すべきである」、「せねばならぬ」などとして決断に課せられているような生物学的生存の側面。パトス的性格とはまた生きものの不確定性のことでもあり、これは根拠関係に基いている（同項参照。二九一ページ以下）。

反理 Antilogik　一つの矛盾とそれの宥和を共に含んだ知覚内容あるいは思考内容。例えば、生殖においては二個の個体から一個の個体が生じ、細胞分裂では一個から二個が生じる（一八四、二七三ページ）。

量の特殊性 Spezifität der Quantitäten　生理学は、刺戟（或は神経支配）の量の連続的変化に伴って感覚質、知覚（或は運動様式）の非連続的急変が生じるということを明かにしている（五一ページ）。生物学的行為における量の質化（二八三ページ）とか、量関係の結節線（二八三ページ）とかの言い方もできる。

「ゲシュタルトクライス」について

アンリ・エー

ヴィクトーア・フォン・ヴァイツゼッカー著『ゲシュタルトクライス』の訳書をフランスの読者に御紹介するのは、私の光栄とする所であるが、私にはそれはいささか荷の重い栄誉でもある。事実本書は、極めて重大な意味《サンス》をはらんだ著作であるからフランス語で刊行せずにすませる訳にはゆかぬし、また余りにも「見通し難い《オパーク》」、つまり著者自身の観方で言えば、余りにも「生きた《ヴィヴァン》」著書でもあるから、誤解《コントルサンス》の危険を冒さずにはすまし難い書でもある。言うまでもなくミシェル・フーコー Michel Foucault* とダニエル・ロシェ Daniel Rocher の二人が細心、綿密に仕上げた訳業である以上、われわれとしてはそのような危険から護られているには違いないのだが、この序文でこの著作そのものを解明せねばならぬということになると、それを引き請けた私の課題が失敗に終るに相違ないということには、疑問の余地はない。実際V・フォン・ヴァイツゼッカーがわれわれに提言しているのは、人間の有機体に関する一種の新しい論理などではさらさらなく、またわれわれをして人間自身の姿に反映する人間の思考構造の二律背反を超克させてくれるべく定められたものでもない。それは生命そのものである論理、生命の存在論的構造の組織そのものである所の論理に他ならない。

しかしながらわれわれには、主体とその世界が互に根拠を与えあう生物学的行為を、その連鎖《ネクスス》のうちに把えんとする、つまり私が世界の一部として知覚するものは私が自分自身の運動能力から奪取するものであり、私がある所のものとは私自身の否定における第一人称に他ならないという、生物学的行為の自己創造の円環性のうちに把えんとする、この徹底的努力を位置づける試みならできるであろう。V・フォン・ヴァイツゼッカーが名前を挙げる唯一人のフランスの著作家が（ベルクソンと共に）J＝P・サルトルであるのも驚くにはあたらない。

つまり私が聞き及んだ所では、生理学者、哲学者、精神身体医学者でもあるこの高名なドイツの医家は、マックス・シェーラーとハイデッガーから着想を得る所多大であったという。確かにベルクソンの思想の分枝が神経学の分野にまで及ぶ跡**を辿ることのできたわれわれフランス人としては、神経生理学者が彼の呼吸する形而上学的思想の空気に何を負うているかについては十分心得ており、また今は亡きR・ムルグ*のお蔭で、神経・精神医学《ニューロプシキアトリー》についての哲学的解釈の数々の匠みになじむこともできたのであった。とは言え、このような思弁的スタイルの感覚、運動の実験的並びに臨床的研究にどれほど慣れ親しんだフランスの学者といえども、かりに彼らがモナコフとゴールトシュタインの著作にいかに精通しているにせよ、感官《サンス》の生理学から生理学の意味《サンス》へと歩みを進めたこの人の著書を前にしては、一種の驚きを覚えずにはいないであろう。

V・フォン・ヴァイツゼッカーは一八八六年生れで、ハイデルベルクのルドルフ・クレール**の門下生であった。そして同じハイデルベルク大学で、彼は臨床神経学と神経生理学の研究に専念した。彼の研究方向を決定し、かの偉大な医学的人間学の諸著作を書くに至らしめたのが、彼の師クレールの精神身体医学***の原理であったのは当然のことであり、これによってヴァイツゼッカーの名声は確立したのであった。しかしながらこの方面での彼の業績がいかに精力的なものであったにせよ、重要な意義をもつものとしてわれわれが力説せんとするのはそれではない。私がここで、無用の、恐らくは取るにも足らぬ装飾のごとき二、三の省察を書き加えようとしている著書は、右に挙げた彼の業績を補い、結局の所超越せんとする方向へとわれわれを導いてくれる。それは主体の存在の構造的発展のうちに、つまり我と我身に自己を反映させることによってはじめて世界に開かれる主体の峻烈な実存の弁証法のうちに、主体の自己自身との葛藤の意味を包摂、把握せんとする方向なのである。

ドイツの科学思想、哲学思想からは多少とも離れた場所で生き、考えて来たわれわれフランスの読者としては、まさしく精神物《プシコフィ》理学《ジイク》の対極にあるが故に、その否定として十分の理由をもって提出されたこの精神生理学《プシコフィジオロジー》の意味を理解するためには、いくばくかの努力を払わねばならぬであろう。V・フォン・ヴァイツゼッカーの思想はフッサール****の思想の構造環《ゲシュタルトクライス》のうちに位置づけられようが、それは（ゲーテの思想に照して言えば）自己を自己の世界へと開く我思う《コギト》を成立せしめる知覚なる生命的行為の構造そのもののうちに、外に存在せずして内に存在するものはないということが含まれているという意味においてなのである……。このような主体と客体の実存的分節（Gliederung）こそ、身体《コール》と精神《エスプリ》の実在構造における一元論を、いわば遺伝的に固持するドイツ哲学の主導動機《ライトモチーフ》に他ならない(1)。だが心理学的、哲学的迷妄に陥ってそのような組織構造を貧困化する余り、遂には一種の同形論《イソモルフイスム》に化してこれを廃滅せしめ、人間の形姿《フォルム》を客体の形態《フォルム》として彫り刻み、まさしくそれによって化石させてしまうようなことがないよう十分警戒しなければなるまい。

行動主義もまた実はこのような心身一元論《ユニテ・プシコソマティク》を喧伝しはするのだが、行動主義にとってはそれは自己の持つ本質的、実存的曖昧さを取り除くためであって、そのために様々の機制を装備し、種々の反射を条件づけ、行動を刺戟したりする訳であり、行動とは自己の外なる客体と力によってのみ組立てられる機械の製造過程や自動装置の如きものなのである。としてみれば、このような機械的模型《モデル》が心的であるためには、せいぜい心的であるかの如く見せかけるのみという方便しか残されてはいないのであって、心身一元論といっても、それは幻想を生み出すためだけの詐偽以外の何ものでもない。

この点では「ゲシュタルト心理学」もまた、これと同じ幻想からさして安全であるとは言えないであろう。成程ゲシュタルト心理学は、感覚主義《サンサシオニスム》に抗して形づくられたのであるから、不可分の全体のうちに部分を包摂する形態《ゲシュタルト》の概念の上にうち建てられたものではある。ゲシュタルト心理学が長い間かの「構造」思考心理学（「思考心理学 Denkpsychologie」）と接触を保って来たこと、そしてこの思考心理学は「全体性 Ganzheit」を唱えるライプチッヒ学団*（クリューガー）にあってはディルタイ**に繋がるものを持ちつづけ、ヴュルツブルク学派***やベルクソンの分析にあっては主観的経験の質的形式を記述したことも確かである。更にはゲシュタルト心理学がグラーツ学派（マイノング****、ベヌッシ）と共に、知覚に固有の働き、知覚の根本的志向性を力説したことにより、創造力ではないにしても、一種の組織力が主体に保証されたことも真実である。しかしそれは、心理学的原子論《アトミスム》との闘いの結果生れたものであるにも拘らず、ほどなくベルリン学派（ヴェルトハイマー、ケーラーら）に至るや、今一度感覚と行動に関する一種の分子論《テオリ・モレキュレエル》に陥って行かねばならなかった。それは知覚を知覚野の適法性《レガリテ》に結びつけることによって、感覚に対しては拒んだものを知覚にわかち与えたのであったが、そのような適法性が主体にとって外来的なものであるのは、有機体が一個の全体として応えることによって自己の「形態《ゲシュタルト》」を授けられる情況がそうであるのと何らかかわりはない。ここに至って、ゲシュタルト心理学がエーレンフェルス*****からヴェルトハイマー、ケーラーへと横すべりして、初期の洞察の数々を裏切ることになった訳が理解される。ゲシュタルト心理学は、スピアマン******の言葉を借りるならば、ありとあらゆる形而上学の雇われ者の「家事万端をする女中《ボンヌ・ア・トウ・フエール》」になり果てたのである。

従ってここで、ゴールトシュタインとV・フォン・ヴァイツゼッカーを分つものが何であるかを指摘しておく必要があるだろう。まず第一に注目すべき点は、ゴールトシュタインもV・フォン・ヴァイツゼッカーも共に、モナコフ同様、有機体の全体論《コンセプシオン・ホリスティク》に拠っているということである。彼らは有機体の存在とはそれがもつ意味にあると考えており、二人には共に、前世紀の病理学が行った解剖学的、原子論的解釈に対する闘争心が見られる。この点で有名な症例シュナイダー*******の病誌は、まさしく「ゲシュタルトクライス」の観方で書き記されたものと言えよう、何故ならその根底をなすものは症状の生物学的意味であって、両者はいずれも病気の経過 cursus morbi を内なるものによって洞察せんがため、極めて類似の仕方でこれを表出《エクスプレシオン》の形式であると考えているからである。こういった「現代生物病理学《ビオパトロジー・モデルヌ》」の代表的局面には、どこか共通するものがあるのだが、(モナコフ同様)ゴールトシュタインにはV・フォン・ヴァイツゼッカー以上に有機体の理念そのものへの固執が認められるのに対し、フォン・ヴァイツゼッカーの方は一層自由にこれから我身を解き放とうと試みたのであった。ライン・エントラルゴ*(「臨床医学史」、五六二頁)が彼の注目すべき研究の結論として述べた通り、ゴールトシュタインが病理学を「生命化《ヴイタリゼ》」したとすれば、ヴァイツゼッカーは「ゲシュタルトクライス」論において、存在者の構造そのものを第一人称の主体に照しつつ、一層統合的に人間化《ユマニゼ》したと言えるのであって、ゴールトシュタインはそれを単に第三人称に、つまり有機体の統合、集中、分化に帰着せしめようとしたにとどまるのである。これらの立場が、原型としてのジャクソンの思想に対して如何なる関りを有するかについては、今一度立ち戻って論ずるつもりである。

ここで現代フランス神経学の思想を誰よりも鼓舞した哲学者に対して、V・フォン・ヴァイツゼッカーが如何なる地位を占めるかを自問してみることは、本書のフランスの読者にとってはあながち興味のないことではあるまい。「意識の直接的与件」、「物質と記憶」、「創造的進化」、これらはわれわれにとって、「精神生理学《プシコフイジオロジー》」の古臭い偶像である機械的模型《モデル》を覆した思想運動の哲学的証書とも言える。とりわけ読者は本書の随所において、「感覚生理学」(ヘルムホルツ、プルキニエ、ヴント**、フォン・フライら)や、精神物理学《プシコフイジイク》の基礎にある感覚の強さは測定可能だという有名な考え方に対する厳しい批判、関心《アンテレ》と運動としての知覚、時間構造のうちで展開するものとしての知覚行為に関する極めて「ベルクソン流」の透徹した分析に気付かれるであろう。既に度々指摘したことだが、知覚の精神病理学を扱ったドイツの論文や著作は、その殆どすべてがM・パラージに拠っており、これはフランスのそれがベルクソンに従っているのと軌を一にしている。そのような発想はV・フォン・ヴァイツゼッカーの場合さして目につかぬとは言え、彼の着想が知覚のために「力動的」「生物学的」意味を、心像《フアンタスム》との抗争としての意味を取り戻さんという同じ要求に洞察の源泉を有する以上、疑いようのないことである。だがヴァイツゼッカーの生物学的人間学がベルクソン哲学より一層徹底したものであるとすれば、それは物質と精神の間に境界を設けんとするよりは、逆に有機体を人間とその世界の構造そのもの、つまり人間の宇宙に対する一切の関係並びに一切の間主観《アンテルシユブジエクテイヴ》的関係の核心、焦点と考え、これに余す所なく生命を与えようとしたという意味においてであろう。三十年以前ならベルクソンの形而上学を機械論に対する戦いの城塞と考えたであろう人達が今日では、主体と客体の二元論に対して更に一段徹底した異議を提出しなかったのは、また有機体を「力動化」したとは言えその結果が有機体を分割することになったにすぎぬのは、余りにも手ぬかりなことであったとして、進んで彼を非難している。ヴァイツゼッカーが終始自己の立場として主張してやまなかったのは、それとは逆の観方、つまり全面的実在主義《レアリスム・トタール》のそれであり、これによって「思考」と「反射」、知識《コネサンス》と行動《アクシオン》も、物〔身体〕《フィジィク》的なものと心的《モラール》なものの関係の代りに客観的価値と主観的価値の関係を構造的に組織化し生命的に分節する運動そのもののうちに統一せんとしたのであって、そのような価値は、本質的に意志であると共に表象、思考であると共に運動でもある所の行為がもつ意味そのものに基づくものである。

このことから理解される通り、ヴァイツゼッカーが手を握らんとしているのは、生気論《ヴィタリスト》の思想家（ドリーシュやフォン・ユクスキュル）とよりはむしろ「フッサール派」の哲学者とである。この点に関して今一つ指摘しておきたいのだが、ゲシュタルトクライスの力動的構造を理解する準備としては、メルロ＝ポンティの著作、「行動の構造」となかんずく「知覚〔の現象学〕」を読むに越すことはないであろう。メルロ＝ポンティ*とヴァイツゼッカーは共に、主体とその世界が互に相手を把えあう度ごとに、実存の構造的円環《ゲシュタルトクライス》が我と我身を自己の上に映し出しつつ再生する様を明かにしてくれたのであったが、右の著作こそこの二人が「出会う」場所に他ならない。

以上は「プロレゴメナ」であり、この展望を背景としてV・フォン・ヴァイツゼッカーの思想形式そのものが浮かび上って来るのではないかと思われる。

＊＊＊

運動は形態《フォルム》の原理である、何故なら形態には恒常性がないからである。あるものは形態の絶え間なき変換《トランスフォルマシオン》であり、それは形態による形態の生成である。反射の概念はこの生命的円環を、その純粋に形態学的、客観的な側面、つまり要するに「閉じた」「空虚な」側面で固定し凍結してしまったのであった。そうではなくて逆に、断然新しい展望に身を置き、このような硬化した図式から、運動とその継起的、内在的形式を奪い取らねばならぬ、とヴァイツゼッカーは言う。事実それは単なる円環の構造《クライスゲシュタルト》（Kreis-gestalt）ではなくて、「ゲシュタルトクライス Gestaltkreis」、つまり構造の円環なのである。この新しい用語は意図して選ばれたものであるが、それというのもこの語が極めて柔軟性に富んでおり、存在《エートル》から存在の生成《ドヴニール・ド・セット・エートル》（これはヤスパースの言葉だと思う）への移行という人間実存の最も深奥な側面をぴたりと言い当てているからなのである。従ってゲシュタルトクライスにあっては主体は、人間実存の内面自体に潜む「心《プシュケ》」と「自然《フュシス》〔物、身体〕」の対立を運動によって解消し、人間実存に主体・客体関係の際限なき更新を引き受けさせるような構造の形式と内容そのものとして存在することになる。言うまでもなく、知覚過程、それはこのような実存的関係の始めにあり終りにあるものだ——何故なら知覚とは最も実在的に客体をその主体に結びつけることによって、主客を生み出す運動を一段と鮮かに浮彫りにするものだから——事実知覚は、われわれが人間の構造的円環《ゲシュタルトクライス》をその最も深奥な実在において、このような根本的躍動と反動として把えるや否や、爆発する自己運動のごとくに湧き溢れるものである。知覚すること、それは主体の継起する諸相を横切って客体から客体へと跳び移ることである。それは主体のために真面目、関心、安楽といった距り、更には空想の距りをすら定めては、これら一切の距りを跳び越えることであり、このような距りこそ、現実的であれ幻想的であれそれらすべての側面のもとで、知覚をして一切の束縛に抗う自由な戯れたらしめるものに他ならない。本書の第一部全体は、自らに自己自身と事物を現出せしめる知覚行為を主題とする丹念な刺繡細工とも言える。様々の錯視を、眩暈を伴う仮象運動視であれ、眩暈を伴わぬそれであれ研究してみると、構造の意味として、つまり主体がその環境と共に形づくる暫定的統一である相即《コエランス》（Kohärenz）として、更に主体の「現　示《プレザンタシオン》」の堅固さ、現在への主体の嵌入の完璧さを保証するものとして与えられ、構成されるのは、常に運動と知覚の絡み合い《アントリカシオン》（Verschränkung）である。（この点に関して著者が拠り所としているのは、意識の構造の研究を掘りさげて成果を挙げたアウァスペルク公の諸著作である。）このように知覚とは、われわれが変化し得る可能性の標徴のごときものである。しかしそれはまた、この自由が示す今一つの側面として、自己の歴史的恒常性を措定しつつ自己のもとに立ち戻らねばならぬ必然性でもあるのだ。自我はどこまでも、客体と「一夫一婦《モノガミー》」の地位にある主体であり、この一夫一婦《モノガミー》制こそ事物の同一性——貞節といってもよかろう——を表すものに他ならない、とヴァイツゼッカーは言う。この段階、つまり知覚の構造分析においては、自己運動《オートムーヴマン》は回転扉の原理（Drehtürprinzip）に支配されるものとして現出する。これこそ肝心要の原理である。（ちょうどわれわれが扉を押して街路から中へ入ったり出たりする時に、知覚の背景がすっかり入れ代るように）一つの客体から他の客体へ移るという制約のもとにおいてのみ、われわれの知覚が成立つのである、つまり出会いとはもともと、よく言われるように自我《モワ》と客体との出会いではなく、自我と自我自身の一「側面」の出会いに他ならず、それは他の側面の抑圧を想定しているのであって、かくれた現実を無視することによってはじめて外に見える現実が浮かび上って来ると言える。これが生物学的観点より見た場合、知覚と運動は互に見通し難いという法則の基礎にある根　底　関　係《ラポール・フォンダマンタール》（Grundverhältnis）である。ある知覚秩序が現出するか消失するかという問題を裁断《トランシエ》するのは、つまりよってもって主体の自己運動が形づくられる所のものを現出せしめ、或はそのヴェールを取り去り、或は解読したりするのは、決断〔切り取り〕dé-cision (Entscheidung) なのである。

神経系の病的障碍において一きわ目立つのは、シュタインとV・フォン・ヴァイツゼッカーが記載した機能変動《シャンジュマン・フォンクシオネル》 (Funktionswandel) の現象である。伝導原理（例えば反射弓とその諸部分に関する理論、神経実質と神経器官を介してのそれらの伝達の理論）は、病的現象の本質を説明することはできない。そしてこのように、機能変動が本質的に失認、失行の分析によって実証されるような時間構造に関わることを明らかにしてくれる点では、V・フォン・ヴァイツゼッカーがK・ゴールトシュタインに極めて近い立場にあることがわかる。本来ならここで、本書の最も充実した一側面ともいえる病的仮象運動、触覚障碍、失行性作業障碍、小脳失調などの精緻な分析を紹介せねばならぬのであるが(2)、われわれとしてはその一般的意味を指摘しておけばよかろう。著者がゴールトシュタイン同様、自分の分析から引き出した結論は、古典論の概念的前提に改訂を加えねばならぬということだったのである。（V・フォン・ヴァイツゼッカーがかつて既にJ・シュタインと共同研究した「末梢」神経系の病理学に依拠する部分は、恐らく本書の最も興味深い箇所であろう。）

病的機能変動は正常機能の破綻に由来する、これは自明のことである。だが正常機能とはそもそも如何に理解すべきものであろうか。機能を何らかの伝導系に結びつける訳には行かない。事実、機能を定義するものは、「伝導原理 Leitungsprinzip」ではなくて、同一の生物学的成果が様々の異った作業によって達成されることを規定する「作業原理 Leistungsprinzip」(principe d'opération) である。ところで右に述べた様々の障碍において消失したり制限されたりするのは、このような機能的自由《ディスポニビリテ・フォンクシオネル》に他ならない(3)。

知覚の条件がわれわれの目に明かになるのは、知覚が思いがけず障碍された時である。それは眼の調節異常やディスメガロプシー（この場合、不十分な知覚はそれ自体表象的《ルプレザンタティフ》であり、いわば幻覚的である）、――補完的形態化《ゲシュタリザシオン・コンプレマンタール》（前者より一段と幻覚的）、――視点のずれ（これによって客体の恒常性が証明されるというよりはむしろ、客体を本気にしたり、登場させたりする可能性が生じる）、――諸感官の共感覚的《シネステジイク》もしくは間様態的《アンテルモダール》結合（その場合、刺戟と感覚印象の間の数学的対応関係は証明されない）、――客体の仮象的移動（これは眼が写真機ではなく、天文学者の如くに振舞うことを意味する）といった場合である。こういった現象はすべて、程度の差こそあれ幻覚的表象に近似のものであるが、いずれも客体とその空間的性質、時間的先行者の病理として把えられるものではなく、主体と客体の出会いの病理として理解される。ところでこの出会いは、存在の時間・空間的構造（これを私は存在の意識構造と呼びたいのだが）の制約を受けており、現在に対してその現実性《アクチュアリテ》の意味に還元されることを強要する一種の制限的節約《エコノミー》が、そのような構造の法則である。この現実性のもつ意味こそ、知覚にとって欠くことのできない「超・感性的《トランス・サンシブル》」截《クー》断《プ》の作業を行い、これに出会いの意味、その実在的現前《プレザンス》の堅牢さを分ち与えるものに他ならない。

しかしながら、身体的組織（解剖・生理学的である限りにおけるわれわれの構造）は、このような出会いに必要不可欠の条件である。それによってわれわれは制限《レストリクシオン》の法則のもとに置かれるのだが、それは身体的組織の要請を通じてはじめてわれわれの可能性も不可能性も現示されるからである。意志《ヴーロワール》が能力《プーヴオワール》の限界そのものの内で確立されるのは、まさしくこのような法則に従った上でのことであって、これに反してなのではない。運動の研究は形態の生成の学に合致する。それは「形態《フォルム》」が「行為《フェール》」に依存するからであり、形態の原理そのものが運動なのである。黒板に円形を描く運動を分析してみても、また二人の踊り手が移動しつつしかも各自の動きを互に一致させる運動を研究してみても、こういった運動はいずれも、生理学的運動論が如何に「複雑な」反射を想定しようと、そのように前提された反射に還元することができないものであることがわかる。それはそのような運動が刺戟からのずれを内含しているからなのである。運動の発生は、外的刺戟と固有の志向性の両者に依存している。ここでは外的原因《コーズ・エクステリウール》と目的原因《コーズ・フィナール》が一つの解き難い全体、構造的円環《ゲシュタルトクライス》をなしており、これこそ生物学的運動を生物学的運動として定義するものに他ならない。意図と刺戟を対置して一方を他方に還元しようとすることは、きっぱり止めねばならない。運動経験の独自性そのものは、予《プレヴ》見《イジオン》であると同時に実行《エグゼキュシオン》である点にある（とはいっても正確には、この現在のうちにいささかの予期や時間的継起をも導入し得ると言う訳ではないのだが）。形態とはかくて、形態を自らに現示《プレザント》し表象〔再現〕《ルプレザント》する所の現在《プレザン》を通して構成部分《コンスティチュアント》であると共に構成的《コンスティチュティヴ》本性を有する限りにおいて、因果関係に抗うものであることが明かになる。今一度力説することをお許しいただきたいのだが、V・フォン・ヴァイツゼッカーの思想を紹介しようとして思わず私の筆からこぼれ出た右の言葉こそ、まさしく私が研究して来た意識の構造に合致する感性的経験の定義そのものに他ならない。

ここに到ってわれわれには、「ゲシュタルトクライス」の意味に関する一般的問題を考察することが可能となる。この概念は、生物学的現象が機能の因果系列によっては説明されぬことを意味している。つまり歩みを逆にして、感覚生理学と自然の生理学以前に立ち戻らねばならないのである。精神物理学は反射の求心的部分より結果する世界を、反射の遠心的分節をあらわす自我に対置したのであったが、この古典的図式に代るものとして、「自然《フィジイク》〔物、身体〕的なもの」と「心的なもの《プシシイク》」が対極的関係にあるという一元論的《モニスト》、力動的考え方を置かねばならない。円環の存在的《オンティク》構造を定義するのは主体なのである。ただし心的なものとは単に主体の同意語ではない。主観的なものと客観的なもの、もしくは心的なものと有機的なものを対置して来た型通りの考え方を打破らねばならない。主体《シュジェ》とは事実、「危機《クリーズ》」に「陥り得る《シュジェ》」ものであり、この危機こそ主体の凋落の構造に光を投ずるものに他ならない。無意識なる概念（ショーペンハウアー、ハルトマン、フロイト）がもつ深奥な意味、それは存在者の「パトス的」形式を存在者の実存の一次元として導入すること、つまり自我とその世界の出会いの「根底関係《グルントフェアヘルトニス》」において存在者が自己自身と分裂しているという内面の葛藤をあらわす次元として導入することにある。自己の生を生きること、自己の生または自己の運命を受入れること、それは「生きられたこと《ヴェキュ》」(Erlebnis) の経験が可能《プーヴオワール》と当為《ドゥヴオワール》の間を動くものである限りにおいて、それがもつ意味自体に基礎を与えんとする経験であり、可能と当為の両極のうちに、知覚においても運動においても等しく生きられた自由の実存的問題性が内包されている。これが具体的、感性的な仕方で知覚される主体性の「根底関係《グルントフェアヘルトニス》」の意味であり、主体性が表出性《エクスプレシヴィテ》として自ら自己に対して現出する様式なのである。このように「ゲシュタルトクライス」にあって互に対立、相補しあう力の対は、外対内でも、客観的なものの対主観的なものでもなく、また心的なものの対有機的なものでもない、これらの関係が形づくる円環そのものの中に、存在者を必然性に制縛したり必然性から奪取したりするものがある。少くとも私がゲシュタルトクライスの発生と構造について省察した時、ゲシュタルトクライスに帰属するものと考えた最も深い意味はそこにあると思う。恐らく、われわれの存在の不完全さがわれわれの存在の生物学的（神経学的・身体的）構造の内にこれほどにまで深く刻み込まれているにも拘わらず、それがその運動、生、実存、そして自由の形式としてこれほどに明るみにもたらされたことは未だ一度としてなかったであろう。

＊
＊＊

この「序」の冒頭で既に触れた通り、v・ヴァイツゼッカーには精神身体医学者として仕事があり、彼の病誌研究は有名である。彼自身、絶えずフロイトとその学説の発展に関心を持ちつづけて来たと述べている。しかし無意識についてのヴァイツゼッカーの考え方は、いわば「ネガティヴ」である。ネガティヴだという意味は、彼にとっては意識の構造とは自己を制限することによってのみ構成されるような経験の形式に他ならず、本質的に無限の可能性を影のうちに残すような解明作業をその働きとしているからである。決して行動において把えられぬ存在に内在する見通し難さ《オパシテ》とはそのようなものだとv・ヴァイツゼッカーは言う。ゲシュタルトクライスとはその構造上見通し難いものだというヴァイツゼッカーの考え方を、実存の「パトス的」極という今一つの考え方で補ってみると、われわれは、無意識とはいわば「自己表出を欲しているもの」、「語らんと欲しているもの」、われわれ自身の「奥底に」あってわれわれを衝き動かし、欲求と意志を抱かせるものであるというヴァイツゼッカーに同意することができる。とは言え、知覚においても運動においても全面的知識、全面的表出といったものはあり得ぬことであるから、われわれはもともと、自分にできることと自分が欲することの間を縫って艱難を極める歩みを進めるべき運命をまぬがれることはできない。われわれは絶対的緊密さの可能性として喪ったものを、われわれの志向性のある種の分散のうちに手に入れるのである。志向性とは全体的《グローバール》で拡散《ディフューズ》するものである。「垂直方向においては」精神生物学的行為の階層のいたる所で志向性が見出され、「水平方向においては」志向性は、現在という集中、縮約された形式の焦点から外に溢れ出る。病にどこまでも何かある意味、しかもかくされた意味があるような病理学が可能であるのは、まさしくこのことに由来するのであって、病とはこのようなかくされた意味の象徴《シンボル》のようなもの、存在を圧迫して病的危機に陥れる諸々の力を描き出す、「パトス的」構造の表出のようなものである。V・ヴァイツゼッカーの医学的人間学の意味はこのあたりにある。つまりそれは象徴と無意識の概念を用いはするが、想像的《イマジネール》なものを症状の原因として認めることはしない。何故なら一切の「心因性《プシコジェネエズ》」は構造的円環《ゲシュタルトクライス》の一瞬間、一局面にすぎぬからであり、既に見た通り構造的円環《ゲシュタルトクライス》においては心的因果性は全体性としての生物学的行為のためにその権利を放棄するのである。生物学的行為こそ、その自己運動の全体性と志向性をもつものとして、様々の症状の構造、形式、意味のうちに見出されるものに他ならない。

　最後に、本書を読んで心に浮んだ、私の精神医学有機〔器質〕・力動論《オルガノ・ディナミスム》*をめぐる二、三の考えについて述べることをお許しいただきたい。私はつねづね、発生的《ジェネティク》観点を抜きにしては神経疾患、精神疾患の病理学は考えられないと思っていた。「進化論的幻想」が「構造論的幻想」によってとって代られたことは私も承知している。しかしながら、構造の各部分とは進化の各瞬間のようなものだというヘーゲルの考えは、その価値と重要性をそっくり持ちつづけているように私には思われる。無論スペンサー流のジャクソンの進化主義（近代神経学はこれを十分我がものとした）をそのまま精神医学の領域に持ち込み、人間存在の組織を「伝導」器官としての人間の神経系の組織を超越するものとして理解せねばならぬことに気付かぬのは、素朴な考え方であろう（そして私はいつも自らそれを戒めて来た）。私の見解では、V・ヴァイツゼッカーの考え方にみられる如き現代生物・人間学的《ビオ・アントロポロジク》思想なら、優れて人間的な病理学、つまり人間性において変容を蒙った人間の病理学に遙かに適わしい概念的模型を与えてくれることができるものと思う。構造の現象学が一切の発生論的《ジェネティク》観方に対する反抗として形づくられたことは私にはよく理解できるのだが、現象学にとってはそれはやり遂げることのできぬ賭けである。「ゲシュタルトクライス」は一つの歴史として、しかも固有の人格的組織を構成する歴史としてしか把えられない。従って有機組織、進化、階層的構造、「ゲシュタルトクライス」といった諸概念は、自己の形態を創造することができる生物有機体、つまり自己の存在を出発として生成する能力をもつ生物有機体に備わっているのと同じ時間・空間的組織を有する存在として人間が構成されていることを言い表すものである限り、いわば同一の概念なのである。だとすれば、このような存在の解体を対象とする病理学という概念には何ら不明の点はなく、自明の理だとも言えよう。私が有機《オル》〔器質《ガノ》〕・力動論《ディナミスム》を擁護するのはこの意味においてであり、この意味をおいて他にない。私にとって心的存在の解体過程が、機械的な物理的因果性にも心因性にも還元不可能な理由はここにある。下位の水準における再組織化、陽性と陰性の二重構造を説く「ジャクソン」主義の意義も他でもなくこの点にあり、またそれは十分に、精神身体的「蛙・鼠合戦《バトラコミオマシー》*」の超克に到る必然的道程を指し示している。ヴァイツゼッカーの数々の研究は、このような観点で綿密に検討するに価するものであろうし、私としてもいつかはそれによって、形態の構造的円環《ゲシュタルトクライス》の考え方が精神医学の有機〔器質〕・力動論の利点を一層正しく位置づけ把えることを可能にするものだということを明かになし得るであろうと予期している。

事態が必ずそのような方向に進展するであろうとまで考えている訳ではないが、本書を織りなす横糸となっている、世界への現《プレ》前《ザンス》の理解としての行為と知覚の精神生理学は、絶えず私自身の意識構造論、意識解体論へと反響するものを含んでいることを、今から既に指摘しておきたいのである。ただ本書が、そこで特に研究対象となった神経学領域の現象（感覚、失認、失行などの現象）を通じて把え得るのは、（意識の病理学に関してはあくまで周辺的なものであるという、このような障害の構造そのもののために）、私が研究した急性精神病において現実的感性的経験の解体、つまり現象的知覚野の解体として一層露わな形で出現したものではあっても、これを断片的もしくは断面において把え得るに過ぎぬであろう。しかしながらゲシュタルトクライスにおいて知覚の構造と異常、志向性の現在への嵌入、主体がどのような直接的、被構成的「与件」の奴隷にもならぬために、また意識がそれに抗って構成的に働くために必要な距離を保つことができるという可能性、これらのことに触れる一切の事、運動し表象する存在の両義性そのもののこのような形での理論的提示は、私がとって来た観方、つまり経験の身体性《コルポレイテ》こそ主体をその世界に合一せしめるものに他ならないという立場に一致する。

更にまた、ゲシュタルトクライス論に含まれる主体の概念は、極めて興味深い和解をひき出すように私には思われる。生理学と生物学[4]に主体を今一度導入することは、近代思想の（物理学と生物学を和解させるという問題と同程度に重大な、結局の所は同一の）大問題であるが、V・ヴァイツゼッカーの讃嘆すべき企て全体を貫いているのも、そのような関心である。しかしながら、彼自身述べている通り、「主体」とはそれ自体分裂したものである。主体とは事実、弱体で自己の意識構造に相応する程度の人格性《ペルソナリテ》を持つ経験主体であるが、しかしまた人格《ペルソンヌ》としての主体、つまり主体がそれによって形づくられまたそれに依存する構造的円環《ゲシュタルトクライス》の各運動から、自律と独立をいくばくかずつ奪い取った主体でもある。この点に関して知性、言語、意志といった問題を研究し、或は、各人に固有の個人的価値体系の形成を理解しようと試みるならば、このような価値体系をうち建てんとする時にはじめて主体が自ら自己の世界の第一人称となるのであって、それはもはや単に感性的経験の段階ではなく、他者との共存の水準であることがわかるであろう。ここに到ってはじめて、主体が自己の存在の「事実性《ファクティシテ》」のうちに、その実存の「パトス的」構造のうちにとらわれていることにかわりはないとしても、主体は病とは正反対の運動によって真正の人格《ペルソンヌ》にまで自己を高めることになる。v・ヴァイツゼッカーは（現代思想の強い潮流と軌を一にして）構造を発生にはっきり優先させたために、少くとも愚見によれば、力と弱さ、大きさと形態という「ゲシュタルトクライス」の二つの相異った側面を分つ構造上の相違を、十二分には重視しなかったように思われる。

しかしながら逆に、彼はこの円環形態《ゲシュタルトクライス》の構造の深い意味に対しては遙かに鋭い感覚をもっていた。つまりゲシュタルトクライスとはわれわれがわれわれ自身である在り方、われわれの世界に現前して客体界の空間と時間のうちを動くことができ、気持の赴くがままに自己の意図に従って、われわれの主人ではなく下僕である反射を一時中断せしめることもできるという在り方のうちに刻み込まれ浮きあがらせた絵《イマージュ》であるという意味に対して敏感であった。これによって彼は形而上学的思弁の深奥にまで達したのであって、それがソクラテス以前の哲学者達につながるものであることを確かめるのは、最も実証的な精神にとってすらしばしば意に適うことなのである。そして「ゲシュタルトクライス」がその理想的形態、その究極において、パルメニデスが静観した如き一元性の球形の標徴に向うものであるとすれば、構造の円環《ゲシュタルトクライス》とはまた、万物しかりとヘラクレイトスが唱えたごとく、絶え間なくそれを焼き尽し動かす炎のために真赤に燃え立つものにも似ると言ってもよかろう（いずれもやや不自然ではあるかもしれないが）。

（1） この主導動機《ライトモチーフ》はフランスの哲学思想のそれともなった（この点に関してはブレイエ Bréhier* の著書『フランス哲学思想の転換』Transformation de la pensée philosophique française, 1950 を参照）。

（2） V・フォン・ヴァイツゼッカーの著作が言語について語らない、或は更に一般的に言えば、（最後の数頁を別とすれば）殆ど一貫して人間の間主観的《アンテルシュブジェクチイヴ》構造、共存在 Mitsein を無視している点が注目される。特にこの点について彼の弟子達が師の著書を補足した仕事、殊にクリスツィアンとハース著『両人格性の本質と形式』Christian et Haas: Wesen und Formen der Bipersonalität を参照されたい。

（3） 意識構造とその解体について行った私の分析は、このような観点とぴったり一致する（私の『精神医学研究、第二十七』Etude nr 27* 参照）。

（4） 医学と哲学の問題にあてられた私の『精神医学研究』Etudes psychiatriques** の第一巻（第二版）参照。

訳注

四 * Johannes Stein. 著者の初期の研究者には Stein 姓の人物が二人おり、一九二八年まで主として体感覚の研究に従事して著者と共に「機能変動」の概念を発展させたのが H. Stein、一九二八年に体感覚、それ以後は視覚を扱い、哲学者 M. Palágyi の影響をうけて「感覚的運動」の概念（本書第Ⅲ章参照）を残したのが J. Stein であるが、著者の回想録「自然と精神」から考えると、両者は同一人物のようである。「クレールがヨハネス・シュタインを神経科の私のもとに送ってくれたのは、逸材を見抜く彼の眼識によるものであり、われわれの機能変動論の発展は、何よりもまずシュタインとの共同研究と彼の鋭い勘に負う所大なるものがあった。私はこの初期の研究にあっては、シュタインが行った部分と自分がなした部分の区別は不可能であると思う。それは、二人の共同研究者自身にとって、自分達のうちのどちらに優先権があるのかがよくわからないといった幸運なケースの一つであった。認識は個人的なものであるが、個人を越えたものでもある。われわれは検者が調べている間に圧覚閾値が変化し得ることを、脳損傷を受けたある神学者において見出した。この患者の手の触覚閾値を何度も繰返し検査しているうちに、閾値はいわば消失してしまった。事実としてはヘッドが既にこの現象を記載していた。しかしシュタイン（一九二三年）は次の決定的な文章を述べたのである、『正常な情況下で圧覚閾値を恒常に保つ能力は、圧覚の特殊な一機能である』」（「自然と精神」69頁）。この一九二三年のシュタインの論文は原注、第Ⅱ章（12）の J. Stein のものであるが、掲載誌の著者名はH. Stein となっている。著者はこの人物を評して、「狩人《イェーガー》」であるアウァスペルク公に対し「釣人《アングラー》」であったと形容し、運動より知覚の研究に適していたと述べており（「自然と精神」107頁）、彼には失認に関する脳病理学的研究もある。J. Stein は後にナチス時代になって、ハイデルベルクの大学広場で学生による焚書事件があった時、学生達の「メガフォン」であり、彼よりこの事件について意見を求められた著者は、「そのような中世的慣習を復活させようというのであれば、私は神の否定を精神分析学的に根拠づけようとしたフロイトの一著作（「幻想の未来」のこと）に思い当るのみである」と答えたという。また J. Stein は著者の門下でありながら後に著者の Klinikdirektor になったようである（「自然と精神」198頁）。

四 ** Paul Vogel (1900–　). 著者の後任として一九四一年以降ハイデルベルク大学ルドルフ・クレール内科学講座の神経科部門教授であったが最近退官した。「フォーゲルの実験は、常に刺戟、運動、感覚の三つの規定の共属性を観察するために行われ」、当時の著者のメモ帳には、この三者を一つの「生物学的行為」として理解することを象徴する「円形に画きこまれた三角形」がいくつも書きとめられていたという（「自然と精神」93頁）。本書に挙げられている論文の他に次の著作がある。Eine erste, unbekannt gebliebene Darstellung der Hysterie von Sigmund Freud (Psyche, 7; 481, 1953); Der Wert der neurologischen Studien Sigmund Freuds für die Gehirnpathologie und Psychiatrie (Schweit. Arch. Psychiat., 78; 274, 1956); Von der Selbstwahrnehmung der Epilepsie. Der Fall Dostojewski (Nervenarzt, 32; 438, 1961).

四 *** Alfred Prinz Auersperg (1899–1968). オーストリアの精神神経学者。第二次大戦前後に南米に渡りチリーのコンセプシオン精神科教授となった。ウィーンでV. Brücke に神経生理学を，ポェツル O. Pötzl に精神神経学を学んだ後，一九三四年より二年間ハイデルベルクの著者の教室で研究，その後再びウィーンに帰り私講師となった。著者の門下——というより共同研究者といった方が適切だが——では最も独創的な人物で，脳病理学におけるポェツルの構造分析と著者のゲシュタルトクライス論の結合をはかり，後者に対しては「符合並行論」,,Coincidential-parallelismus“ や「前行性及び逆行性規定」,,vorläufige und rückläufige Bestimmung“ を中心とする時間論などで少からぬ影響を与えた。晩年にはテイヤール・ド・シャルダンの思想をゲーテの自然観，ゲシュタルトクライス論との関連で論じている。その他痛み，図式，アルコール精神病に関する研究もある。追悼文を書いた H. Plügge (,,In memoriam Alfred Prinz Auersperg“, Nervenarzt,41; 1, 1970) によれば，フランス語の《désinvolture》なる語によって性格づけられるような，非常に軽妙洒脱な人柄の持主であったようである。本書に引用された論文の他に次の著作が重要である。Zur Frage der Bedeutung des Lokalisationsprinzips im Nervensystem (Medizinische Welt, 471, 1934); Landschaft und Gegenstand in der optischen Wahrnehmung (Arch. ges. Psychol., 99; 129, 1937); Die Coincidentialkorrespondenz als Ausgangspunkt der psychophysiologischen Interpretationen des bewußt Erlebten und des Bewußtseins (Nervenarzt, 25; 1, 1954); Körperbild und Körperschema (Nervenarzt, 31; 6, 1960); Vorläufige und rückläufige Bestimmung in der Physiogenese (Jb. Psychol. Psychother. med. Anthropol., 8; 223, 1960); Großhirnpathologische Syndrome als Zeitigungsstörung der Aktualgenese (In ,,Zeit in nervenärztlicher Sicht“, hrsg. von G. Schaltenbrand, F. Enke, Stuttgart, 1963); Genetisch und kybernetisch interpretierte Informationstheorie (Nervenarzt, 35; 212, 1964); Poesie und Forschung-Goethe, Weizsäcker, Teilhard de Chardin (T. zu Oettingen-Spielberg と共著，Beiträge aus der allgemeinen Medizin, Heft 18, F. Enke, Stuttgart, 1965); Die Krise in der Biologie (Jb. Psychol. Psychother. med. Anthropol., 15; 77, 1967); Das Phänomen des Personalen in Goethes Biologie und seine pathologischen Abwandlungen (Jb. Psychol. Psychother. med. Anthropol., 16; 30, 1968).

著者はアウァスペルクについて「自然と精神」の中に次のように記している。「当時（一九三〇年代）この〔ゲシュタルトクライス〕理論が新しく飛躍し前進したのは，ハイデルベルクの神経科にアウァスペルク公が参加した時のことであった。……」(90頁)「シュタインとは逆に，アウァスペルクは明らかに『狩人《イェーガー》』であり，動くものとの戯れに身軽にたずさわった。……アウァスペルクはハイデルベルクを離れ，ウィーンに自らの活動の場と，自分に従う人達を見出し，……今や私自身の仕事の場の外に，はじめて第二の活動の場が開かれた。……」(107頁以下)。

四 **** Albert Derwort (1911–). ドイツの精神神経学者，フライブルク大学を経てギーセン大学教授。著者の運動論についての研究に従事，「〔アウァスペルク公は〕最初は彼に従わなかったデァヴォルトのうちに，運動探究への伝統をうち立て，それをデァヴォルトはゆっくりと，しかし着実に新しい成果へと導いた。……〔彼は〕時間と空間がもはや相互に依存しないパラメーターではないという事実から，シュタインの如く物質的結びつきを有する，いささか神秘的な新しい種類の生命過程を推論せず，この現象の逆説性こそ事柄の本質をなすものに他ならないと考えた……」(「自然と精神」107頁以下)とある。本書に引用されている論文以後に、言語障害にゲシュタルトクライス論を応用した研究などがある。Über vestibulär induzierte Dysmorphopsien (Dtsch. Z. Nervenhk., 170; 295, 1953); Über Leistungswandel der Sprachhandlung bei den Aphasien (Dtsch. Z. Nervenhk., 171; 202, 1953); Zur funktionalen Analyse der Echolalie (In ,,Arzt im Irrsal der Zeit, V. v. Weizsäcker zum 70. Geburtstag," hrsg. von P. Vogel, Vandenhoeck u. Ruprecht, Göttingen, 1956).

四　***** Paul Christian (1910–　). ドイツの神経学者。著者のブレスラウ時代以後の共同研究者で、一九五〇年代に著者の後任としてハイデルベルク大学教授、臨床医学総論研究所所長、更に一九六〇年頃より同大学社会・労働医学研究所 (Institüt für Sozial-und Arbeitsmedizin) 所長となり、著者の思想を社会学的方向へ展開した。最初は運動知覚の研究に従事し、「アウァスペルク公の研究が物理学的運動と現象的に体験された運動が如何なる関係にあるかという、認識論的問題をめざし、さしあたり精神物理的並行論と闘いつつ生物学的時間という固有の概念をつくり出しつつあったのに対し、クリスツィアンはこれを受けついで最初から、新しくうちたてられた現実概念の上に一さいを築きあげることができる訳である。このパルメニデス的とでも呼びたい現実概念の復興については私は今ここで述べるつもりはない。この概念の言わんとする所は、われわれにとっては諸感官《ジネン》のうちに存在《ザイン》が現出するということである。それは現出するだけとはいっても、現出するものは何かといえばそれはやはり存在なのである。クリスツィアンの序論的研究 (,,Wirklichkeit und Erscheinung in der Wahrnehmung von Bewegung", Z. Sinnesphysiol., 68; 150, 1940) の他に、ハイデガーの講義『形而上学とは何か ,,Was ist Metaphysik" (1929)』を参照されたい。クリスツィアンは彼の輝かしい序論において、空間と時間のうちに閉じ込められた、いわゆる客観的物理学的世界という先入見から解き放たれた自由な土台をかちとったのである。……『運動とはむしろ、一さいの時間・空間的固定以前に存在する《活動性 Wirksamkeit》として、現象的把握の領域に一次的に与えられている』……」(「自然と精神」100頁以下)。本書に引用されている以外に次の著書あり。Wesen und Formen der Bipersonalität, Grundlagen für eine medizinische Soziologie (R. Haas と共著、Beiträge aus der Allgemeine Medizin, Heft 7, 1949); Das Personverständnis im modernen medizinischen Denken (Mohr, Tübingen, 1952); Wesen und Formen der psychotherapeutischen Situation (W. Bräutigam と共著、In ,,Handbuch der Neurosenlehre und Psychotherapie", hrsg. von V. E. Frankl u. a., Bd. I, Urban u. Schwarzenberg, München-Berlin, 1959); Moderne Strömungen in der Medizin und ihre Bedeutung für eine medizinische Anthropologie (Wichern, 1961); Die Zeitlichkeit normaler und gestörter biologischer Akte (In ,,Zeit in nerven ärztlicher Sicht", hrsg. von G. Schaltenbrand, F. Enke, Stuttgart, 1963); Neuere Erfahrungen mit dem Case-Team-Work bei sog. ,,Problempatienten" (F. Haag と共著、Nervenarzt, 40; 314, 1969).

五　*　Inter arma silent musae. キケロ (Cicero: Pro Milone, 4, 10) に《Inter arma silent leges》(武器の間では法は沈黙する) なる句があり、これをもじったものと思われる。

六　*　Jean-Paul Sartre (1905-80). この現代フランスの一面を代表する哲学者、文学者についてはあらためて紹介するまでもないが、第二次大戦直後、「存在と無」がドイツ語圏ではまだ殆ど注目されていなかった頃に著者が発表した書評 Jean-Paul Sartres ,,Sein und Nichts" (in ,,Umschau“, 1948, ,,Diesseits und Jenseits der Medezin, Arzt und Kranker/Neue Folge“, K. F. Koehler Verlag, Stuttgart, 1950 に再録）を見ても、著者は無神論的実存主義者とされるサルトルに対して好意的すぎる程好意的であり、無神論、虚無主義、感覚主義的と思えるサルトルの発言は本質的なものでなく、むしろそのようになり果てた今日の人間の現実を記述しているに過ぎず、明確に神の存在を否定した箇所は見当らぬと弁護している。これはプロテスタントでありながら教会や神学に対して（そして学問的には「大学哲学 Universitäts-Philosophie」や「学校医学 Schulmedizin」に対して）著者が終始一貫して取り続けた、一種のアウトサイダー的態度に関連しているが、著者の神学的見解は右の書評中の次の文からもうかがわれるであろう。「……人間が理性的存在であるとするのなら、人間は何故にかくも非理性的に振舞ったのであろうか。人間が誠実でない――確かにそうである――のなら、その不誠実さ Unaufrichtigkeit（これはサルトルの la mauvaise foi の訳語だが、Aufrichtigkeit なるドイツ語はフランス語の la bonne foi と la sincérité の両者を含むので十分適切な語でないとことわっている）は何に由来するのであろうか。この問いに対しては、それは悪魔《サタン》に由来するのだという唯一つの答しかないことを私は承知している。だが悪魔《サタン》は存在するのだろうか。いや確かに存在する、だがサルトルなら、悪魔《サタン》が存在しなくても世界には何の変りもないだろうと言うでもあろう。それならわれわれとしてはこう言わねばならない、つまり確かにサルトルは世界と人間の現実を正しく記述した、何故なら彼は世界と人間の現実のうちにある悪魔《サタン》をあまりにも見事に記述したので、今更悪魔《サタン》が存在するなどと主張した所で物事に何の変りもない程なのである。悪魔《サタン》の存在を主張することが余計なことになったのである。……シェリングはかつて、信仰とは本来希望であると述べた。確かにそうである。だがこう付言しておこう、つまりわれわれはいつか純粋な信仰を学ばねばならぬのではないかと、全く信じねばならぬのではないかと恐れていいるのだと。……」。著者の神学思想については H. Ehrenberg: Das Verhältnis des Arztes Weizsäcker zur Theologie und das der Theologen zu Weizsäckers Medizin (In ,,Arzt im Irrsal der Zeit, V. von Weizsäcker zum 70, Geburtstag,“ hrsg. von P. Vogel, Vandenhoeck & Ruprecht, Göttingen, 1956) をも参照されたい。またサルトルとフロイトの関係については右の書評で、精神分析では初期のフロイト以後、対人関係と転移の問題の比重が大きくなったことをサルトルが見逃している点を指摘した上で、両者の立場の相違はフロイトが理性的意識の自律を犠牲にしたのに対し、サルトルは実存の意味の把握可能性を放棄したことに起因するとし、その更に深い根をさぐって見れば、フランス思潮自体の中で続けられて来たデカルト以来の理性主義とパスカル以来の神秘主義の抗争の現われであると述べている。要するに著者は「存在と無」の今日性《アクトゥアリテェト》（ハイデガーより感覚的《ジンリッヒ》、具体的でM・シェーラーに近い）と学問的厳密さ（ニーチェのごとく激情に走らずハイデガーに劣らず方法的に厳密）を評価したようである。

六 ** Georg Wilhelm Friedrich Hegel (1770–1831). ドイツの哲学者、ベルリン大学教授、観念論を完結した体系的思想家。理性が真の実在であり、世界は絶対者としての理念の弁証法的発展の体系であるとして主知主義、汎論理主義、汎神論の立場に立った。門下からはキェルケゴール、マルクスらの反逆的人物も出た。Phänomenologie des Geistes (1807); Wissenschaft der Logik (1812–16); Encyclopädie der philosophischen Wissenschaften im Grundrisse (1817) などの著作（邦訳は「ヘーゲル全集」岩波書店）あり。

六 *** Martin Heidegger (1889–1976). ドイツの哲学者、フライブルク大学教授、実存哲学の代表的思想家。キェルケゴールとフッサールの影響をうけ基礎的存在論を唱えた。Sein und Zeit (1927); Was ist Metaphysik (1930); Der Satz vom Grund (1957) などの著書（「ハイデガー選集」理想社）あり。

七＊ Psychophysik. これは G. T. Fechner（訳注一七＊参照）の ,,Elemente der Psychophysik" (1860) に由来する語で、心と物または身体との関係を明らかにする学として提唱されたのであるが、次の三つの点に注意を要する。㈠ この語は二元論ないし並行論を前提としているかに見えるが、フェヒナー自身の立場は一種の汎心論であった。㈡ ただ彼が実際に用いた方法は物理的刺戟と心理的感覚との関係だけを問題にしたため、彼の元来の意図に反してヴェーバー－フェヒナーの法則に見る如く実験的心理学または感覚生理学発展の一契機となった。もっとも彼はこの刺戟と感覚との関係の学を äußere Psychophysik と呼び、身体の生理学的過程と感覚との関係の学 innere Psychophysik から区別したが、それは要するに心理学的側面と生理学的側面のいずれから見るかという差にすぎない。前者は今日では実証的研究方法である精神物理的測定法 psychophysische Meßmethode として残っており、後者はゲシュタルト心理学の W. Köhler らの同形論 Isomorphismus における生理学的仮定としての Psychophysik（この場合には心理生理学と訳される）につながるものである。㈢ この語は語源の上から見ると、ギリシャ語の ψυχή と φύσις に由来する。古代ギリシャではプシュケーは心、魂、霊を意味するが、それはイオニアの自然学やアリストテレスでは生命の原理、ピタゴラス学派では身体とは無縁で神に由来するもの、プラトンでは人格の座と考えられ、プュシスは人や物の固有の性質を、更に固有の性質を変じて造られる人為に対して自然を意味した。近代に入ってからも Psyche の用法には古代と大きな差は認められないが、Physis は近代の自然観が次第に物質主義的になったので自然の他に物質的事物や身体の意味を持つようになった。もっとも十八世紀にはまだカントの用法（Physik は自然学）に見るごとく、自然の全体を意味したようである。いずれにせよフェヒナーの用語の訳としても「精神物理学」は必ずしも適切でないが、本書では慣行に従った。もっとも psychophysisch なる形容詞については文脈に応じて精神物理（学）的、物心的、心身的など様々な訳語を用いた。なお著者には Psychophysik について ,,Wege psychophysischer Forschung" (1934, ,,Arzt und Kranker I", K. F. Koehler Verlag, 1949 に再録); Über Psychophysik (Nervenarzt, 16; 465, 1943) などの著作があるが、,,psychophysische Behandlung" などの用語に見るごとく心身医学的もしくは精神身体医学的 psychosomatisch に近い意味で用いられている場合もある。

一〇＊ 自己隠蔽性、回転扉の比喩。本書59頁参照。

一三＊ パトス的範疇。本書288頁以下、及び著者の次の著作参照。Das Pathische im Menschen (In ,,Begegnungen und Entscheidungen," K. F. Koehler Verlag, Stuttgart, 1949); Pathosophie (Vandenhoeck & Ruprecht, Göttignen, 1956).

一四＊ binokulares und stereoskopisches Sehen. 通常われわれは左右両側の眼で外界を見ているが、これを片方だけの眼で見る単眼視 monokulares Sehen に対して両眼視という。その場合、左右の眼にうつる二つの映像が外眼筋の運動により融合 Fusion して一つの対象が見えるが、実際には両眼の網膜には合一して見える一重視の部分と、若干喰い違って見える二重視の部分がある。立体視は実体視、奥行知覚とも呼ばれるが、両眼視によってはじめて生ずる。これが生ずる条件としては左右単眼の調節 Akkommodation（眼の水晶体の厚さが変わる）、両眼の輻輳 Konvergenz または開散 Divergenz（両眼内方または外方に回転する）、両眼視差（左右の映像のずれ）、映像の性質などが挙げられる。

一五 ＊ 古典的感覚生理学。十九世紀のプルキニエ、ヨハネス・ミュラー、ヴェーバー兄弟、フェヒナー、ヘルムホルツ、ロッツェらのそれを指す。本書で後出。

一六 ＊ Constantin von Monakow (1853–1930) はロシア出身のスイスの神経学者、チューリッヒ大学神経科初代教授。多数の脳病理学的研究があるが全体論の立場をとり、特に晩年には医学、心理学、哲学の境界領域の著作を行った。脳病理学では時間的側面を重視した Diaschisis、身心問題では Hormē（創造的衝動）の概念が重要である。著書に Gehirnpathologie (1897), Introduction biologique à l'étude de la neurologie et de la psychopathologie (R. Mourgue と共著, 1928)。

一六 ＊＊ Adhémar Gelb (1887–1936) はユダヤ系ドイツの心理学者。ゴールトシュタインの共同研究者である。著書に Zur medizinischen Psychologie und philosophischen Anthropologie (1969)。

一六 ＊＊＊ Kurt Goldstein (1878–1965) はユダヤ系ドイツの精神神経学者。最初 C. Wernicke, H. Liepmann らの局在論的脳病理学より出発したが、第一次大戦中にフランクフルト・アム・マインに脳外傷後遺症研究所を設立してゲルプと共に戦傷患者の診療に従事した頃よりゲシュタルト心理学の影響を受けて全体論の立場をとり、脳病理学に画期的貢献を行った。中でも脳損傷患者の行動を抽象的態度の喪失によって特徴づけた説が有名である。アメリカに亡命後、コロンビア大学などで教鞭をとり William James Lectures (1938/39) を行った。著書に Psychologische Analysen hirnpathologischer Fälle auf Grund von Untersuchungen Hirnverletzter (A. Gelb と共著, 1918–1924); Der Aufbau des Organismus (1934, 村上・黒丸訳「生体の機能」みすず書房一九五七年); Human nature in the light of psychopathology (1947, 西谷訳「人間、その精神病理学的考察」誠信書房、一九五七年) モナコフよりゴールトシュタインへの路線とは、脳病理学におけるいわゆる全体論 Ganzheitslehre のことで、Wernicke, Lichtheim 以来の古典的局在論や Kleist らの極端な局在論 Lokalisationslehre に対立するものである（大橋博司「臨床脳病理学」医学書院、一九六五年参照）。

一六 ＊＊＊＊ 近年の脳病理学の主張。例えば A. P. Auersperg: Zur Frage der Bedeutung des Lokalisationsprinzips im Nervensystem (Medizin. Welt, 471; 1934) など参照。

一七 ＊ フェヒナーの閃光着色。白黒の稿のある円板を回転すると着色輪が見えるという現象。Gustav Theodor Fechner (1801–87) はドイツの物理学者、心理学者、哲学者。汎神論、汎心論の傾向が強くスピノザ的精神物理並行論の立場をとるが、心理学における実験的方法の開拓者の一人で、精神物理学を創始した。ヴェーバーの法則に(イ) 強い感覚はいくつかの感覚単位の集合である、(ロ) 最小可知差異は常に等しい、の二つの仮説を加え、ヴェーバー－フェヒナーの法則（E〔感覚の強さ〕＝C log R〔刺戟の強さ〕）を立てた。実験美学（「下からの美学」）の開拓者でもある。著書に Elemente der Psychophysik (1860)。

一八 ＊ ヘルムホルツの色彩成分説によって代表されるいわゆる成分説。Hermann von Helmholtz (1821–94) は多才、独創を以って知られるドイツの生理・心理学者、物理学者。一旦外科医となった後、物理学を修めて論文「力の保存について」を発表して脚光を浴びたが、その後ヨハネス・ミュラーに学び、ベルリンで解剖・生理学や物理学の教授をつとめた。聴覚の共鳴、反応時間、神経興奮の伝導速度、筋における熱発生などの研究も有名であるが、ここで問題になっているいわゆるヤング－ヘルムホルツの色彩説が最も重要な業績である。主著に Handbuch der physiologischen Optik (1856–66); Schriften zur Erkenntnistheorie (1921, P. Hertz ら編) がある。

色彩説としては本書出版以前に、㈠ ニュートンの色のスペクトルと混色の現象より出発して赤、緑、青の三原色に対応する独立した感覚共鳴組織が網膜内にあると主張したイギリスの物理学者、医師、考古学者 Thomas Young (1773–1829) の説（一八〇一年）にヘルムホルツ（一八六〇年）が色盲の説明などによって支持を与えたヤング－ヘルムホルツの三色説、㈡ すべての色彩は黄青、赤緑（この四色を基本色とする）、黒白という三組の反対色から網膜内において合成されるとする E. Hering の四色説または反対色説（一八七四年）――この両説を成分説という――、㈢ 三原色は網膜の層、他の色は大脳皮質の層で生ずるとする F. A. C. Donders の段階説 Zonentheorie（一八八一年）、㈣ 最も原始的な色覚は白黒であり、白から黄、青が、黄からは更に緑、赤が分化するという C. Ladd-Franklin の発達説（一八九二年）、㈤ 網膜には、その中心部に集中して明るさに反応する錐体と、周辺に多く暗い場所で働く杆体とがあり、前者が色覚に関係するという J. v. Kries の二重作用説または二重視説 Duplizitätstheorie（一八九四年）、㈥ E. Q. Adams の段階説（一九二三、一九四二年）などが知られていた。その後㈦ 動物実験より白色光に対して反応する dominator と各種の波長に対して働く modulator があるとした S. L. Polyak, R. Granit の説（一九四五年）、㈧ 三反応群とそれを構成する一次的な七受容器を挙げた H. Hartridge の多色説（一九四八年）なども発表されている。

一八 ** 自然哲学 Naturphilosophie。古代ギリシャでは広く自然を対象とする学が自然学 φυσική と呼ばれ、アリストテレスによって形而上学、数学と共に理論学に含められたが、近代に至って経験的自然科学が発展するにつれて、これと区別される自然の哲学的考察ないし説明（シェリング、ヘーゲルなど）を指すようになり、更に最近では自然科学的知識全体の関連性や基本概念の考察を総称する。著者の著作中では特に Kritischer und spekulativer Naturbegriff (Logos, 1916/17; Zwischen Medizin und philosophie, 1957 に再録); Am Anfang schuf Gott Himmel und Erde. Grundfragen der Naturphilosophie, 1919/20――1954,（大橋訳「神・自然・人間」みすず書房、一九七一年）を参照。

一九 * Arthur Schopenhauer (1788–1860). ドイツの哲学者。カントの認識論、プラトンのイデア論、インド哲学のヴェーダの汎神論などの影響下に独創的な主意主義世界観を説き、ヘーゲルに対立した。この箇所は、彼の主著「意志と表象としての世界」Die Welt als Wille und Vorstellung (1819–44) を指している。

一九 ** Sigmund Freud (1856–1939). 精神分析を創始したこのユダヤ系オーストリアの心理学者、神経学者については、あらためて紹介するまでもあるまい。フロイトと著者の関係は、この二人の人物を考察するにあたっても、また学問の歴史の上から見ても避けて通ることができない重要な主題であると思われるので、以下やや長くなるが著書の回想録「自然と精神」（「 」は同書よりの引用）を参考にして著者のフロイトとの交渉を紹介しておく。なお著者にはこの他 ,,Nach Freud" (Merkur, 3;1077, 1950. ,,Diesseits und Jenseits der Medizin", K. F.

Koehler Verlag, Stuttgart 1950 に再録）など精神分析に触れた多数の著作がある。著者がフロイトの著書を知るようになったのは恐らく内科学の師 Ludolf von Krehl を介してではなかったかと思われる。クレールは既に一九〇〇年に、ブロイヤーとフロイトの《ヒステリー研究》の出版後間もなくこれを読んで深い感銘を受け、その考え方を積極的に受け入れてヒステリーに関する論文 (Volkmanns Beiträge) をものし、その後も人格の一部として無意識の意味を重視してドイツにおける精神身体医学の先駆者の一人となった。

そして著者が「フロイトの精神分析学入門講義 Vorlesungen zur Einführung in die Psychoanalyse〔1. Teil 1916, 2. u. 3. Teil 1917〕をはじめて読んだのは一九二五年のことであり、その時この精神療法運動と私の関係、諸々の対決に際しての私の加担、ごく僅かな人達によって荷われているに過ぎぬが近代医学史上極めて重要なこの現象に課された諸問題への私の共同作業がはじまった」。その時「私の人生において自然哲学が占めていた地位に心理学がとってかわった。……精神分析はこれを内科に導入することを許すものであった。というのも精神分析はそれ自体一つの臨床であり、ちゃんとした臨床医学であったからである。しかし精神分析はまた、自らはそうでないと保証しているにもかかわらず一種の哲学でもあった。何故ならそれはとどのつまりやはり人間を扱うものだからである……」(61頁)。

著者はまず一九二五年カッセルでのドイツ神経学会で行われた「神経症」のシンポジウム (O. Foerster が座長で E. Redlich, E. R. Jaensch, F. Panse, P. Schilder, E. Strans, L. Binswanger らが発言、主演者 O. Bumke が精神分析批判を行った) において „Über neurotischen Aufbau bei inneren Krankheiten“ なる講演を行い、翌一九二六年バーデン・バーデンで内科、産婦人科、小児科、精神科医とフロイト派、アードラー派の精神分析学者を集めて催された第一回精神療法医学会 Der Erste Ärztliche Kongreß für Psychotherapie では „Psychotherapie und Klinik“ なる演題で話し、身体疾患への精神分析の適用を試みた。その同じ年、著者ははじめてウィーンにフロイトを訪ねたが、「この訪問は私が自分から思い立ったものであり、彼のお蔭で私にとって医師の職業は一つの新しい方向へと拡げられ、それによってさもなくば一度ならず硬直し荒廃の危機に瀕していたこの職業に新しい生命の息吹きを吹き込んでもらったことについて、この人に感謝の意を表したいという私の願いに発するものであった。……〔この訪問の時〕私は自ら精神分析を受けたことがないと述べたが、フロイトはそれを重大なこととは考えなかった。私が、恐らく自分にも何がしかの神経症がひそんでいるのでしょうが、それはそのままでもよいのでしょうと言ったのに対し、彼はどの症例も皆分析を受ける必要がある訳では決してない、卓越した人物との交わりが有益な人達は大勢あり、神経症は大きな幸、不幸によって治癒することがあることもわかっている、ただ医師には幸、不幸を意のままにする力はないのだから、別の道を選ばざるを得ないのだ、と答えた。……私が、殊にカトリック教会の義務との間に生ずべき葛藤について質問したのに対しては、フロイトはその時明答を避けたように思われた。つまり彼は『われわれ〔精神分析家〕は、患者のそのような領域を尊重し、それに手を触れずにすます方法を常に見出し得たと思う』と述べた。フロイトの《幻想の未来》が出版されたのは僅か二、三年後のことであり、宗教の神経症的、幻想的性格についての彼の見解が当時まだ形づくられていなかったとは思えない。私はまた手紙でも、この問題について彼に口を開かせようと試みたが成功しなかった。これに反し今一つ別の方法によって、彼が普段は秘密にしていた問題や恐らくは最終的疑問に直面していた所まで足を踏み込むことができた。つまり私は彼に向って、精神分析とは有限な過程なのか、それとも無限の過程なのかと尋ねた。彼はしばらくためらった後、小声で『無限の過程だ

――と思う』と答えた。それは無論、分析を受ける人の宗教を常に尊重することができるという先の疑わしい主張以上のことを述べたことになる。この今度の返答のうちには、精神分析は心の現世的生活を越えるものであるという意味がこめられている、と私には思えた。それは勿論宗教の仕事であって、そうなると精神分析は宗教に代ってその位置を占めるに到ったのではないかという問いは、もはや不可避となる。しかし今度もまたフロイトは次のように述べて、苦もなく私との激戦場を離れてしまった――打明け話になるが、自分の多くの弟子達が治療の仕事から受け取った分析の素材が豊富すぎるために、いわば自ら神経症的になることがあるが、その場合には自分でもう一度私に分析を受けさせる、それは二、三年に一回ずつ行われると。……だが彼と別れる時になって漸く明らかになったことだが、私達の出会いは地下で嵐のごとく荒れ狂う精神的闘争の上面をまるで滑り過ぎただけという訳でもなかった。もう立ち上って別れようという時になっても、必ずしも直ぐに話を結ぶ言葉が頭に浮ばぬことはよくあるが、そのために生じた休止を私は、その場に適わしいというよりはむしろ率直に感じた言葉でさえぎった。つまり私はかなり藪から棒に、彼を訪ねた日がちょうど万霊節にあたると言ったのである。その日は事実そうであった。意外な成功は、フロイトが驚いて『どうして』と尋ねたことである。私はやや困惑気味に、自分には『ひょっとすると神秘家をも兼ねてる所があるのかもしれません』とそれを説明しようと試みた。しかしすると彼はすぐさま私の方に向きなおり、愕然としたとしか言いようのない視差をして『それはまた大変だ』と言った。私が本論にもどって『私が言いたいのは、われわれには知らないこともあるということなのです』と言うと、彼は『ああ――その点では私はあなたより上です（,,Oh――darin bin ich Ihnen über!"）』と答えた。その時の彼の苦々しい口調と、彼がすぐ話題を転じてしまったことから考えて、今度こそ彼が真剣な気持になったのだ、それのみか彼は私を少しは愛しはじめていたのだ、ということがわかった。彼はそのあとまだ、悟性の侵すべからざることについて何か述べたに違いないが、それは私の耳には入らなかったか、忘れてしまった。そして彼は腕全体を美しく振って別れの握手をした。共感がしかと生れ、それはその後も全く変ることはなかった。……」(179頁以下)。

このフロイトを訪問した一九二六年のウィーン滞在中に、著者は ,,Über medizinische Anthropologie" なる講演を行い、更にケルンでも同じ講演を行ったが、彼の「医学的人間学」の誕生がフロイトに多くのものを負っていたことについては別に述べる。とにかくこの年を境にして著者の著作には急激に精神療法、医師・患者関係、神経症などをめぐる研究が加わり、そして一九三三年にはその総決算として「その後の私の全研究にとって決定的となった、しかもスタイルと水準の上から言っても恐らくは私の最も成功した刊行物と見做されねばならぬ」(197頁)《身体事象と神経症》,,Körpergeschehen und Neurose" を書き、著者はその草稿をフロイトのもとに送り、次の二通の返書（これはフロイトの最近出た書簡集 ,,Briefe 1873–1939" (Fischer Verlag, Frankfurt a. M., 1968) に収録されていないので貴重である）を受取った。

「尊敬せる教授。一九三二年十月十六日付。御草稿をお送り下さったことについて、あなたは何らお詫びになるには及びません。むしろお礼を申しあげねばならぬのは私の方です。御草稿を一読して、私は滅多に得られぬ程の満足と鼓舞を覚えました。この気持を私の友人達にも分ち与えてやりたいと存じますので、貴論文を――その御意志があれば手を加え短くして、御希望なら私共の雑誌に――発表していただければこの上なく有難く存じます。あなたが憂慮なされていることにつきましては、私としては日和見主義だと批判したくもあるのですが、私には事態の十分な評価も理解もできません。ただよく考えてみますと、あなたが私の腹蔵なき批判をお求めになっているのは、この点についてではないと存じます。ですから私には、あなたに気乗りのしないことをなさるよう無理強いするつもりは毛頭ありません。あなたが御自分の症例に行った精神分析学的解釈が正しいことには疑問の余地はありません。この症例は同性愛的要因を過大に示していることから考えて妄想患者 Paranoid であり、純粋の『転移神経症』ほど簡単に洞察できる例でないに違いありません。しかしそういった患者こそ、その心的自己認識の能力と『器官言語』による表現能力の上で特徴的であることが少なくなく、従って特に啓発されることが多いものです。機能障害、この症例では排尿障害を、排尿器官に課せられた性愛化 Erotisierung によって説明するのは精神分析理論と完全に一致するもので、この点を私はかつて、家の主人が料理女と結んだ愛情関係が料理には利する所がなかったのに似ているという、ありきたりの比喩で説明しようとしたことがあります。更にあなたが相互に抑止、混乱させあったりしているに違いない拮抗的神経支配があることを指摘なされたのは、この障害の一段と微妙な機制を私共に示して下さったことになります。私は教育上の理由から、私の弟子達がそういった検索に近づかぬよう引き離しておかねばならなかったのです。というのは神経支配、血管拡張、神経路といったものは、彼らにとってはあまりにも危険の多い誘惑となったに違いないからです。彼らは心理学的思考法だけにとどまることを学ばねばならなかったのです。内科医の方には、私共の理解の及ぶ範囲を押し広げて下さったことについて感謝いたします。

心的疾患と身体疾患に共通の視点を規定しようと試みられた、御高著の今一つの部分は私共にとって未知の事柄で、私共自身も折にふれてこの未探究の領域の境界に接近したことがありますだけに、傾聴せずにはおれません。私共は器質疾患の心因的要因に気付いておりますので、神経症が身体疾患によって取って代られることがよくあるのを理解することができました。また多くの神経症患者が奇妙にも感染症や感冒に対して免疫性を持ち、心的症状が軽快した後にはその免疫性を失ってしまうことにも、私共は気付いていなかった訳ではありません。中断、転回、危機といった一さいの病に共通する視点は、私共を重大な新機軸へと用意してくれるものです。ただそのためにあなたがふんだんにお使いになった思弁的思考過程が、私共を説得するよりはむしろ私共の意表をつくものであったとしても、またいくつかの抽象化の過程が必ずしも固執する必要のない暫定的なものだという印象を与えたとしても、それはやむを得ないことなのでしょう。個々の立入った点についても、私共としては敢て二、三の反論を述べさせていただきたいと存じます。心理的なものは非論理的だというシェーラーの文章は、私に畏敬の念を呼び起すものではありません。それは私がいつも哲学者達に腹立ちを覚えて来た、例の眩惑的な一時の思いつきに過ぎません。事実はその背後にかくされているのであって、無意識にとっては矛盾律は存在せず、自我の思考作業に到ってはじめて綜合《ジンテーゼ》がつくり出されるように思われます。現実神《アクトゥアル・》経症《ノイローゼ》の症状理解についても、御批判に対し自分の考え方を弁護せねばなりません。この点で私共は漸く、それが直接的中毒性病因によるものだという所まで前進できたことを喜んでおり、もし精神分析的帰結の名のもとに、われわれが二日酔の頭痛や胃愁訴を心的に解明しようとしているのだと憶測するような人がいるのでしたら、私共はそれを断固拒否するでありましょう。私共としては直接的器質性影響を考慮しようとしているのに、それに不満な人がいるとは奇妙なことです。

こういうちょっとした見解の相違をこれ以上追求する気は私にはありません。御高著と御研究全体としての方向は、私共にとっては極めて希望に満ちた展望を開いて下さったものでありますから、それがあなたと私の間の文通と意見の交換だけに終ってしまうのでは残念に存じます。

敬具　フロイト」

「尊敬せる学兄。一九三二年十一月三日。厄介な流行性感冒に罹っておりますため、本日は御草稿の落掌をお報せするにとどめますが、いくばくかの新しい真理を求めて格闘なされていた時の不安について率直にお書きになっておられた御書簡の箇所には満足を覚えたことを記します。それと違った御言葉なら、私からこれ程の尊敬と共感をかちとられることはなかったでありましょう。また出歩くことができる状態になり次第、編集部と御高著について相談いたします。敬具、フロイト」(182頁以下)

著者はフロイトの批判に対して後に次のように記している、「それはいずれにせよ精神分析の方法からの逸脱であったが、身体事象と神経症というテーマが選ばれた以上は不可避のことであった。私としては、フロイトと言えどもそういった新しい概念を避けることができなかったではないかと、反論してもよかったのである。フロイトによる神経症の性愛因説の発見は、理論抜きで見出された事実であると言うことはできるとしても、彼の抑圧の概念は、どっちみちなしにすますことのできぬ理論的概念であった。……」(196頁)。その後も二人の間にはかなりの往復書簡があったとのことであるが、第二次大戦の戦火のために失われてしまったようである。

そしてこの《身体事象と神経症》は、一九三三年にフロイトが主筆の Internationale Zeitschrift für Psychoanalyse に掲載され（再刊は Klett, Stuttgart, 1947）たが、その「印刷中にドイツの政治的変革が起り、私とフロイトとの関係を利用して、私がその後も大学の公職にとどまる権能を攻撃することも考えられぬことではなかったし、実際そういったことは他の理由を挙げて試みられた。私は自分の試論の出版をとりやめることもできたのだが、しばらく考えた後成行きにまかせようと決心した。……」(197頁）その後も著者は「フロイトの関心を呼び起しそうなものを出版した時は、それをウィーンに送った。するといつも心の籠った意見を聞くことができたものだが、その最後の機会となったのは彼の八十歳の誕生日であった。一九三三年と一九三九年の出来事は、私の彼に対する内的関係に対し何の影響をも及ぼしはしなかったが、外的な接触はさまたげられ、フロイトが高齢でイギリスに移住しそこで死ぬ運命にあったとすれば、私は自分の母国の運命を分ちもつめぐりあわせになった。……」(186頁)。

最後に著者がフロイトの人物、思想、著作について書いたものの一部を引用する。

「フロイトの風貌は、市民的文化盛期の教養ある紳士のそれであった。彼にはアカデミックな衒学風な態度は一かけらとして見られず、彼の座談は真面目で難解な話題から、軽妙、優雅な雑談へと苦もなく滑って行った。しかし卓越した人物だという印象は常にあった。私が彼に会った時は、無論身体を病む人の控え目な態度が目立ったが、それでもそれは心を滅入らせるほどのものではなかった。そのために精神活動が制限されるということはなかった。しかしある時——ほんの一瞬だけのことだが——彼から精神的使命感に発する妥協のない怒りがほとばしり出たことがあるが、それは相手を殆ど驚愕せしめる程のものであった。……

フロイトはごくきゃしゃな身体つきをしていたが、少くとも中背はあった。口を痛々しくゆがめていたのは、当事既に顎の人工装具をつけていたためでもあった。数年以前、彼は上顎肉腫の手術をうけていたのである。ついでながらその手術の成果は持続的なものであったが、痛むことはよくあった。彼の目は深い黒色で、ものを観るというよりは、底知れぬ深淵へと人を吸い込まんとするようであった。年老いた顔は彼が闘いのまった中にいることを告げていた。鼻と頬の間に刻まれた深い皺は、戦旗のごとく右眼を越えて空中へとひらめいていた——とはいえ、そこには美しい眉と、平和の仕事に身を捧げつつ死の力に激突した英雄の油断のない姿勢があった。つまり彼は、地の果にあるものと戯れることを学んだのであった。青年時代の写真には、そういったものは全く見られない。若い頃の彼の姿は、りりしく強壮で均衡のとれた男のそれであった。相貌と筆蹟の平行関係があらわれたある手紙で、フロイトは私に宛ててこう書いて来た。自分の筆蹟は生涯の間に、筆者自身に同一人物だということが見わけられぬほどに変ってしまったと。彼の顔貌にも筆蹟と同じことが起ったのであろう、徐々に、しかし着実に苦痛に満ちた闘いとの係争が彼を征服して行ったに相違ない。高齢の彼の筆蹟は、私には目の密な、しかし飛躍に富んだ配列の絨毯の織目のように見えた。

……

　フロイトの著作の文体は、まだ個性的表現の領域に属している。他の人に同意してもらえるか否かはわからないが、私はドイツ語が昔のゲーテ、ランケ、フンボルト兄弟以来、最高頂から絶えず下降線を辿って来たと思う。ヘルムホルツ、ヘーリングは未だ非のうち所のない文章を書いた。しかしその後、研究者や学者の言葉はますます投げやりになる。ニーチェは言葉の効果という点では名人であったにもかかわらず、あまりよい印象を与えない。そして遂にはシェーラーのごとき卓越した思想家、クレールのごとき模範的医学者すら、悪文としか言いようのない文章を書くようになっている。良き言葉はもはや何の関心事でもなくなり、古典的手法の終末が到来したのである。ここでフロイトは例外である。彼の言葉は確かにもはや古典主義的とは言えないにしても、ある芸術的原理に導かれている。それは本質的な語のみに厳格に制限したこと、当時既に始まっていた強意語や最高級の使用を拒絶するある種のエーテル的軽妙さ、優雅さ、われわれの文化的諸国語に内在する論理性の保持、隠喩や香料を控え、学問的客観性と人間的主観性が均衡を保っていることなどに見られ、著者の自我がどこまでも叙述の即物性に浸透している。

……

にも拘らずフロイトが時に芸術家であり、才能をのばし切れなかった詩人であるといわれたのは間違っている。彼のうちにあってもわれわれのもとに来り、この土地で光芒を放ったこともあれば、非ヨーロッパ的だとして排除されたこともある所のものは、私にはもともとアジア的叡智であるかのように思われる。それはスピノザにおけるがごとき情念の分析であるが、分析といえば既にこういった魔力から力を奪い無力にしてしまうことになる。従ってその手段は洞察である。知性こそフロイトが誇りとするものであり、最後の著作において彼は知性を自分の人種の特徴として讃えたのであった。「大抵の人間が愚だということは、やはりあなたもお認めになるでしょう」と彼は私に語ったことがある。……

　ところでフロイトは、ブロイヤーと共著で一八九三年に出版した《ヒステリー研究》において既に、感覚的に知覚したものを分析的に思考したものへと特別の仕方で変化せしめているようであるのがわかる。普通なら記述し追体験し感情移入したり、さもなくば因果的に説明したりせんとするような現象を、フロイトは思考するのである。そういった現象は心的発現であるが、この分析家はそのうちにあるかくされてはいるが明確な意味を推測するのである。私にはそれは『心的論理』という語でしか言いあらわしようがない。従ってフロイトの分析は正しい説明とか間違った説明とかいうものではない。それは明察《シャルフジン》の適用と呼ぶのが最も適切である。当時のブロイヤーの神経学的思弁的説明法がフロイトの洞察力と異っていたのは特徴的である。ブロイヤーは仮説による物質的説明を支持しようと試み、フロイトは自分が観察したもの、つまり患者の陳述や行為をもう一度述べているだけのように見えるが、それこそ正しく『フロイト風』の心・理学《プシヒョ・ローギッシュ》的な仕方を用いてなのである。

この二人の人物は後に袂を分たずにはすまない運命にあった。しかしいつの場合にも誤解は更に一般的なものであり、精神分析と自然科学及び医学の思想一般との無関連性に根ざしていた。シルダー P. Schilder やハルトマン H. Hartmann のごとく精神分析の純粋に自然科学的性格を主張した弟子達は、物理学、化学、そして生物学すらそれがどんなものであるかを知らなかった。ただその主張で一つだけ正しいのは、精神分析もまずさしあたり知覚し観察し記述してから説明するということである。精神分析の始りは経験的である。ところが奇妙なことに、これこそ精神医学の反対論者達が見逃していたことであった。つまりこれを追試するには無論大変な労力を要するが、彼らはそれをしないでのっけから理論に有罪の判決を下したのである。だがこの人達が精神分析の理論と呼んだものの大部分は観察なのであった。その点では私は確信を抱いており、フロイトの超心理学《メタプシヒョロギー》をも含めて、フロイトが彼のリビド『論』、コンプレックス『論』等々で報告しているのは患者の陳述であるのだが、これに通じていない人達はそれを『彼の理論』と呼ぶのである。……夢解釈、ヒステリー症状形成の動機づけ、強迫神経症の力動のうちには無論常に何がしかの体系的秩序化の試みも含まれてはいるが、私が数えあげられぬ程の多くの症例を見た時に決定的であったのは、彼の観察を確認したことだけである。私には、フロイトがどこまでも臨床家であったのだということがわかった。……

今や世紀の変り目以来（《夢解釈》は相対性理論や量子論と同じく一九〇〇年に出版された）ある変革がはじまり、臨床の尺度のみならず学問的文化生活の尺度をも変えつつあったことは明らかである。程なく、それは神経症の心理学や臨床にとどまらず、二十世紀を用意する対立であることが認識された。神経症問題は、医学の予後を決定した一つの颶心にすぎなかった。その結果は、この一八九〇年代に始まった研究方法が一九二〇年以降に拡がって行った世界というのは、既に全く別の相貌を呈するようになっていたということである。

その跡を今少し辿ってみると、ここでも固有の絡まりが明らかになる。精神分析がその最初の十年間に人の聞耳をそばだてさせたものは二つある、一つは無意識、今一つは性生活の拡張した意味である。無意識は既に、観念論後の非理性主義哲学、殊にショーペンハウアー、フォイエルバッハ、ハルトマン、ニーチェによって、しかしまたドストイエフスキーの小説によっても用意されていた。性的なものの除幕は、フラシテン文化、長衣、コルセットの危機に、つまり一つの道徳の危機に当っていた。ところでフロイトの性的事柄における率直さと、意識の陳述に対する懐疑とは、未だ革命のない時代にあって革命的ではあったが、非常に広い層に公然たる影響力を持つに到った訳ではなかった。それはあくまで比較的限られた人達の範囲を出なかった。第一次大戦後になって大変な性的自由と、非理性的思潮に対するそれに劣らぬ寛大さが主張された時、精神分析のごとき見解を承認する門戸が一斉に押し開けられたであろうことは予期されもしたであろうし、またかなりの程度までそうなったのは事実であるが、世の中が今や精神分析の要求していると見えたもの、つまり心的抑制の除去を実現しようとしはじめた時、正にその理由でそこに既に歴史的法則に従って反動もはじまったのであり、しかも今度はそれは熱烈な闘争心をもって行われることになった。……

そのようにして、フロイトは抑制の除去によって性的享楽をすすめているのだという誤解も生じたのである。それは偽りである。それに反対の心的力、つまり意志も当然存在したのに、フロイトは若い世代の憧憬心にとって十分な程にはそれについて語らなかった。私は、彼がやはり無意識裡に確固不動の生活秩序と文化様式を前提していたのだが、そういったものは大戦後の現実にはもはやそれ程残ってはいなかったのだと思う。彼が行った宗教の放棄、意識の絶えざる批判、本来もはや病いが存在せず生活の価値そのものが疑問となるに過ぎぬような場合にも例の幻想を諦めるべきだという要求、そういったもの一さいは、もはやこの苛性清滌剤の創始者のごとくゆるぎなき盛期精神文化と市民的秩序の地盤の上に立っていない人がいるような場合には、精神分析を通り越して絶望の空虚へと導いて行くことが可能だったのである……」(172頁以下)

「私の考えは今日なお、人間はこのようなこと〔神の否定を精神分析学的に根拠づけること〕をあからさまにであれ、秘かにであれすべきではないということに変りはなく、フロイトがフォイエルバッハ、D・F・シュトラウス、ニーチェ、ヘッケルなどの系列に入るとは見たくない。フロイトの無神論は確かにこれらの人達の場合と同じく、私の目から見れば一種のかくされた宗教であり、彼らを神の否定へと追いやったものは常に、諸々の宗教のうちにひそむ虚偽への彼らの優れた感受性であったに相違ないのだが、そのような名誉ある、そしてもともと宗教的な絶望は、だからといって直ちに積極的無神論に含まれる懐疑の自己崇拝を承認するものではない。私の立場はあくまで次の言葉である、神自らにあらずんば何人も神に叛くこと能わず Contra deum nemo nisi deus ipse。ついでながらフロイトのこの書〔《幻想の未来》〕は彼の著作の何かのはずみの行き過ぎであって、彼の根本的関心事ではなかったと判断することが可能である。彼の懐疑はいつの時にも最も高貴な類のもの、つまり極端な真理愛の一形態なのであり、いつの時代にあっても率直に無神論を告白することは、他ならぬ彼の同時代の大半の人達が抱いていたような、それと口には出さずに神をないがしろにする態度にまさるものである……」(197頁以下)

「フロイトは精神分析を発見し築きあげた時にはまだ、それが医学的、医療的課題であり、それを学問的真理によって根拠づけ得るのだという幻想を抱いていた、と言えるかもしれない。ユング C. G. Jung は一旦その宗教的核心を見出してしまった以上、そのような幻想をもはや持ちつづけることはできなかったが、誤解を避けるためにはその幻想を必要とした。自分の究極的思想をユングは霧の中に包んだが、彼の究極的思想が明確なものであったか否かははっきりしない。そこから彼の本質のいわゆる名誉ある神秘化と不確かさが生れた。私にはそれが非常にはっきり感じられたが、そのことにはいわば十分な根拠があり、それは信じてもらえぬであろうような不純で無理やりの決断よりは本物であったから、結局の所はそれを尊重した。……何をおいても私はフロイトに感謝する義務があったし、その後もその点に変りはなく、ユングがフロイトの学説に対して行った改訂に参加する何の理由も持ちあわせなかった。今日でも私は、精神分析の本質的な発見と認識の一さいはもっぱらフロイトに帰するという見解である。精神分析の弱点としてフロイト派の中でも認められているものに、男性と女性の心の深層心理学的区別が十分でないということが挙げられている。一般に行われている判断によれば、ユングはその点で役に立ったという。私には敢えてそのことを自分の考えで判断し得るとまで言うことはできないし、またそれに反論する理由もない。ただ身体医学への橋渡しはフロイトの心理学からは可能であったとしても、特殊にユング的なものからは恐らく不可能であろう。……またユングには、古典的著作家に欠けてはならぬある性質が認められない。つまり彼は決して優れた文筆家ではない。彼の文体は均一を欠き、かなり非個性的であって、これは恐らくは深い思考作業の不足と彼の本質の基盤にある決定的明晰さの欠乏によるものであろう。……ユングは書く時より話す時の方が遙かに優れているのだが、彼は書くよりは話した方がよいような多くのことについて書くのである。……とは言ってもやはりユングは精神療法を人文化し、精神分析的学問の驕慢から解き放ったことによって、精神療法のために大変な貢献をしたのである。彼によって文化の危機とは一体何事であるのかが明らかになった。だがそのために彼は一層医学から遠ざからざるを得なかった。……上に示唆したことから、『フロイトかユングか』という問いは決してあり得ず、あるのは『フロイト』か『フロイトとユング』かという問いのみである。……」（160頁以下）

「フロイト以後彼の後継者となった人物は一人としていない、ユングまたしかりであり、ここで触れた問題、つまり器質性疾患の意味解釈は一人の天才を待ち望んでおり、また待たねばならぬであろう。……」（63頁）

一九　＊＊＊　ローバート・マイヤーによる力の保存原理の発見。これは正しくはエネルギー保存の法則を指す。Julius Robert von Mayer（1814-78）はドイツの医者、物理学者。船医としてジャワに渡り船員の瀉血を行った際、血液が例外なく赤色を呈していることに気付き、この観察とラヴォアジェ A. L. Lavoisier の燃焼説より熱がエネルギーであることとエネルギー保存の法則が成立つことを結論（一八四二年）した。しかしこの思想の優先権をめぐってジュール J. P. Joule と論争したり、研究が十分評価されなかったことなどより精神病となり不遇に終った。著書に Bemerkungen über das mechanische Äquivalent der Wärme (1850).

一九　＊＊＊＊　精神分析に対する多くの精神科医や医学者たちの評価。例えば一九二五年カッセルで著者も参加した神経学会の神経症シンポジウム（訳注一九＊＊参照）で「ブムケはフロイトの精神分析の論難から詳論の力をひき出した」（「自然と精神」148頁）。同じ年のベルリンにおける消化・代謝疾患医学会（G. v. Bergmann 座長）で著者が「胃腸疾患における神経症性増成」,,Über den neurotischen Aufbau bei den Magen-und Darmerkrankungen“ について講演した時、「私は誰の目にも明らかな感激をもって、フロイトの神経症論を内科医達にわからせようとした――そんなことはこんな学会では前代未聞のことであった――……ところがそこで起ったのは、私が自分なりに防ごうとしていたまさにそのこと、つまり精神療法家の教壇医学からの分離《ゼッエシオン》であった。それはもともと既に存在したものであり再統合の試みが失敗しただけのことである。私がこの運命から分ち与えられたことはといえば、私はその後一度として内科の教職を得たことがなく、神経学にとどまったことである。全身こめて精神療法的研究に専念した人のうち誰一人として大学の教職を得たものはなく、それは精神科出身であろうと内科出身であろうと変りはなかった。……私はその唯一人のとは言わなくとも、数少い例外の一人であった。精神医学者は内科学者より遙かに強硬であった。シュトリュンペル、シュルツェ、ホフマンらの内科医からは、いわゆる年金神経症の心理学的解釈が生れたが、精神科医からは出てこなかった。……」（同書157頁以下）。なおブムケの批判については、O. Bumke: Die Revision der Neurosenfrage. (Dtsche Z. Neruenhk., 88; 152, 1925) 参照。第二次大戦後（本書出版後）ではヤスペルス、グルーレの精神分析批判が有名である。K. Jaspers: Zur Kritik der Psychoanalyse, (Nervenarzt, 21; 465, 1950); H. Gruhle: Kritik der Psychoanalyse, (Studium Generale, 3; 370, 1950).

二一　＊　medizinische Anthropologie.「医学的人間学」なる用語は誰に由来するものかは明らかでないが、恐らく著者が一九二六年にマックス・シェーラーの求めによりケルンで行った講演 ,,Über medizinische Anthropologie“ (Philosophischer Anzeiger, 2; 236, 1927 後に ,,Arzt und Kranker I“, K. F. Koehler Verlag, 1949, 及び ,,Zwischen Medizin und Philosophie“, Vandenhoeck & Ruprecht, 1957 に再録）または雑誌 Kreatur に投稿した論文 ,,Der Arzt und der Kranke“ 他二編の論文（1926 か 1927 か両方の記録があるのではっきりしない。後に ,,Arzt und Kranker I“, K. F. Koehler Verlag, 1949 ,,Stücke einer medizinischen Anthropologie“ として再録）がはじめ

てではなかったかと思われる。比較的まとまった論述を行った „Grundfragen medizinischer Anthropologie“（1947, 後に単行本は Furche-Verlag, Tübingen, 1948 より出版、„Diesseits und Jenseits der Medizin“, K. F. Koehler Verlag, Stuttgart, 1950 に再録）で、著者は彼の医学的人間学誕生の頃を回顧して次のように述べている。

「ここで『医学的人間学』の名のもとに論究すべき事柄は、昨年成年の齢に達した。これについて報告するよう依頼をうけた上は、私は自分がその生みの親の一人であることを否認するつもりもない。もっともこの命名は今では私にとって全く満足できるものではなく、またこの事柄自体は既に医学の内外で生み出された他の物事とごく緊密に、時には見分けがつかぬ程にまで絡み合っており、最後にこの今や成人した息子に対して私はもはや決して完全な生殺与奪の権利など持ちあわせもしないのである。それのみか、私は今では既に孫の世代をも考慮に入れねばならぬのではないかと自問することもある。そういったこと一切のために、私の気持は内心では随分と揺れ動きはしても平静でもある。そこでここでは攻撃的議論はさしひかえ、何はともあれまず情報提供のために諸君に事実報告をしておこうと決心した次第である。

医学的人間学の生誕にあたっては、生証人とも産科医とも呼び得る二人の人物の名前、つまりマックス・シェーラーとジークムント・フロイトが浮び上って来るが、それはここで枝葉に属することではない。一九二六年にバーデン・バーデンで精神療法医学会総会が行われ、一さいの専門科のありとあらゆる考え方の医学者が出席したが、恐らくこれが契機の一つとなって私は同じ年にウィーンで、ついでケルンで、二度共『医学的人間学』について講演をすることになった。つまりフロイト及びシェーラーとの関係は既に揺籃時代に成立していたのであり、この事実がもつ意義は以下に述べることからも見てとれるであろう。一九二七年には、マルチン・ブーバー、ヨーゼフ・ヴィティヒと私が編集した雑誌 „Die Kreatur“ に、医学的人間学のための三つの論文を発表したということもあった。これらの論文で幾度も回帰する思想は、医学の本質的記述は医師と患者の関係のうちに含まれているということであったが、この考えはある経験を述べたものでもあった。このような経験的態度にも拘わらず、この思想は明かに、客観的な形の自然科学に対して決定的対立をなすものであった。医学的人間学が辿ったその後の運命もまたどこまでも、客観的自然科学に対するアンティテーゼであった。それは今までの所、他の医学の中へ継目なしにはめ込むことはできなかったし、譲歩を行っても大抵は特徴的対立点を一時しのぎの、しかも有害ですらある仕方で塗りかくそうとするだけのものであることが明らかになった。

……」

また右のケルンでの講演会（一九二六年）の直後に、著者は同じく医学的人間学創設者の一人となったドイツの精神療法家ゲープザッテル V. v. Gebsattel、及びこれに若干の疑問を抱くある精神療法家をまじえて談話したことがあるようだが、これを回顧したゲープザッテルの叙述は当時の雰囲気を伝える上でも興味深いので以下に紹介する。

「私はヴァイツゼッカーが『医学的人間学』についてケルンで行った講演会のあと、彼と今一人の高名な指導的精神療法家と一緒に語り合った時のことを思い出す。この精神療法家はこう言ったのである、『あなた方は私の心理主義を非難なされるが、私としてはあなた方の側の新しい危険——人間主義 Anthropologismus について警告したいのです。』どこに危険がひそんでいるのかと問い返された彼は、尊敬すべき演者（ヴァイツゼッカー）が考えておられる『医学的人間学』とは、そもそも形容矛盾であるという見解を述べた。何故なら人間学があらんと欲するものは人間の本質の学以外の何ものでもないのに、人間についてのロゴスと医学とを一体どのようにして同じ屋根の下に置こうというのか、という訳である。――ヴァイツゼッカーは、わかっていますよといった風に微笑を浮かべ、返事を私にまかせた。この瞬間、稲妻のごとく私の頭に浮かんだのは、その後もはや決して私の念頭を去ったことのない考え、つまりそれは人間存在の一側面の学 Aspektlehre だという考えであった。

私が答えたことはほぼ次の通りであった。勿論おっしゃる通り、医学にはどんなことがあっても、人間の本質の学を発展させるというような、大それたことはできない。医学の使命は人間的実存の意味を究めたり、人間の本質像を把えたりすることでは決してない。しかし医学者はこういったこと一切を念頭におき、それを働かせてはじめて医師たることができるのだ。決して知られたことのない、しかし常に現前する人間的全体 Totum humanum への心構えを持った時、医師は病める人間との交りにおいて、単なる自然科学者に可能であるのとは異った幅の広い考えと出会いに到達することになる。確かに人間についてのロゴスと、このロゴスへの医学的展望とはぴったり重なり合うものではなく、病んでいるということは人間の一側面を意味するにすぎないが、しかし患者との生ける接触がなされるのは、実験室内ではなくて診察時間の時であり、それが相手《パートナー》を自然科学的もしくは心理学的即物化によって、単なる『云々の一症例』に還元することではないのだということを心得ているような知識、そこにヴァイツゼッカーの人間学的医学は生きているのである。彼にとって重要なのは、医師が個人的に同胞としての一人の人間の困窮に我身で触れ、この接触の中でその人の人格的一回性、比較不可能性、交換不可能性をさとることなのだ、と。――ヴァイツゼッカーはこれと同じ意味のことを述べて私の言葉を補った。談話の相手にわれわれの考えは理解してもらえたのだろうか。フロイトの非教条的相続人であるわれわれの見解とフロイトの背後にかくされた意図との距りが、心理学的立場をとる教条学者とフロイトの学説、手法との距りより小さいことが、彼にはわかったであろうか。

ヴァイツゼッカーとの対話はやや方向を変えた。われわれの見解は、人間学の種々異った部分的側面のうちに、その医学的側面も含まれているという点で一致した。人間学自体は、人間の本質についての一層普遍的な学として妥当しなければならないが、人間についてのロゴスは、すべての分科が関与する道程を経てはじめて、しかもその場合にもごく近似的にしか開示され得ないことに恐らく間違いはなく、そのように体系的な人間のロゴスの一側面の学もまた、原理的には依然人間のロゴスによっておおわれており、従って予言者、聖人、神秘家といえども、果して相も変らず学問的に解明不可能な人間存在の秘密の地位から要請されているのか否かは疑問と言わねばならぬ、ということになった。……」

(V. E. v. Gebsattel: Medizinische Anthropologie, Einführende Gedanken. J. Psychol. Psychother. med. Anthropol., 7; 193, 1960)

また著者は右の一九四七年の論文で彼の医学的人間学には三つの側面、つまり第一に生理学的機能分析、第二に基礎概念の経験的・哲学的検討と規定、第三に医学的人間学の本質をなす特定の医療的思想及び実践の形成、があり、第三の本質的側面を形成段階から見ると第一段階が精神分析、第二段階が精神身体医学、第三段階が人間学的医学であるとし、その説明を行っている。同じ頃に医学的人間学を論じた著作としては „Anonyma" (A. Franke, Bern, 1946); „Der Begriff der allgemeinen Medizin" (Beiträge aus der Allgemeinen Medizin, Enke, Stuttgart, 1947); „Fälle und Probleme. Anthropologische Vorlesungen in der Medizinischen Klinik" (Beiträge aus der Allgemeinen Medizin, Enke, Stuttgart, 1947) などがあり、一九五〇年以後の著者の思想の発展は „Der Kranke Mensch. Eine Einführung in die medizinische Anthropologie" (K. F. Koehler Verlag, Stuttgart, 1951); ,,Pathosophie" (Vandenhoeck & Ruprecht, Göttingen, 1956) に見られる。なお著者は右に見る通り医学的人間学とほぼ同義の用語として ,,anthropologische Medizin", ,,allgemeine Medizin" なども用いている。

ところで医学的人間学は医学史上、更に精神史上で、如何なる起源、背景、位置づけをもつものであろうか。この点についてゲープザッテルは、彼が主幹の Jahrbuch für Psychologie und Psychotherapie が一九六〇年に医学的人間学の名を加えて Jahrbuch für Psychologie, Psychotherapie und medizinische Anthropologie となった機会に、その ,,Vorwort" (同誌 7; 1, 1960) 及び ,,Meditinische Anthropologie. Ein führende Gedanken" (同誌 7; 193, 1960) で検討した。それによると医学的人間学の直接の創設者には、マックス・シェーラー及びフロイトから出発した右のヴァイツゼッカーの他に、第二の源として現象学と心理学より出発したゲープザッテル自身とスイスの精神科医ビンスワンガー Ludwig Binswanger が挙げられる。ゲープザッテルの人間学的著作は既に一九一三年にまで遡る（,,Der Einzelne und der Zuschauer", Z. Pathopsychol., 2; 26, 1913 や ,,Der personale Faktor des Heilungsprozesses", Schildgenossen, 6; 495, 1925 などを指すようである）が、決定的著作となったのは一九二八年に書かれた ,,Zeitbezogenes Zwangsdenken in der Melancholie. Versuche einer konstruktiv-genetischen Betrachtung der Melancholiesymptome," Nervenarzt, 1; 275, 1928 であり（彼は後にこれらを集めた論文集を ,,Prolegomena einer medizinischen Anthropologie", Springer Verlag, Berlin, 1954 として出版している）、ビンスワンガーの人間学は一九二二年の ,,Über Phänomenologie" (後に ,,Ausgewählte Vorträge and Aufsätze" Bd I., Zur phänomenologischen Anthropologie", Franke Verlag, Bern, 1947 に収録）に遡るが、一九二七年の ,,Lebensfunktion und Lebensgeschichte" (後に同じ論文集に収録）が決定的第一歩を踏み出したものであるとされ、従って一九二六－二八年頃をもって医学的人間学誕生の時点であるとゲープザッテルは述べている。彼はこの他にウィーンの泌尿器科医、精神療法家であった Oswald Schwarz も又、著書 ,,Medizinische Anthropologie" (1929) によって医学的人間学の成立に一役を荷ったとしているが、その後世への影響は右の三者に比べると遙かに微々たるものである。ちなみに O. Schwarz には一九二五年に既に ,,Psychogenese und Psychotherapie körperlicher Symptome" なる著書 (P. Schilder, Allers らと共著) があり ,,Philosophie der Medizin", ,,Anthropologie" など類似の問題を論じており、その後にも ,,Das Leib-Seele-Problem in der Medizin" (1930); ,,Wesen und Aufgabe einer medizinischen Anthropologie" (1933) などの著作がある。またゲープザッテルは深くは立ち入ってはいないが、ベルリンの K. Bonhoeffer 門下の精神神経学者 E. Straus が果した役割もこれらの諸家同様見逃せないのであって、やはり一九二〇年代後半より ,,Wesen und Vorgang der Suggestion" (Springer, Berlin, 1925); ,,Das Zeiterlebnis in der endogenen Depression und in der psychopathischen Verstimmung" (Mschr. Psychiat, Neurol., 68; 640, 1928); ,,Die Formen des Räumlichen. Ihre Bedeutung für die Motorik und die Wahrnehmung" (Nervenarzt, 3; 633, 1930) などの人間学的研究を発表しており、後の著作 ,,Vom Sinn der Sinne" (Springer, Berlin, 1956) はこの領域における忘れ難い記念碑の一つとなっている。更にドイツ語圏以外でこれらの諸家に劣らずわれわれの念頭を去らぬ人に、ミンコフスキー Eugene Minkowski (1885–1972) があり、ベルクソンの影響が

強いとは言え彼の人間学・現象学的著作も既に一九一〇年代に遡り、《Le temps vécu》(1933) で完成を見た (もっとも彼のドイツ語の論文も見逃せない)。オランダでは L. van der Horst („Anthropologische Psychiatrie", Holkema & Warendorf, Amsterdam, 1946) がいる。

次に医学的人間学の歴史的背景についてゲープザッテルは二つの流れを指摘する。第一の思潮は、「人性論」「人類学」など様々な意味内容をもつにしても、十八世紀中葉から十九世紀中葉までの時期に博物学者、解剖学者、医学者 (特に精神医学者)、法律学者、倫理学者、教育学者、哲学者など多方面の人達によって用いられた „Anthropologie" であり、その代表例はカント (I. Kant: Anthropologie in pragmatischer Hinsicht, 1796) とロッツェ (R. H. Lotze: Mikrokosmos——Versuch einer Anthropologie, 1876–80) である。しかしこの流れは十九世紀における自然科学の勃興に圧倒されて姿をひそめ、特に医学は人間学的考え方と自然科学的方法との分裂の打撃を最も強く受けたが、これにはそれなりの理由が十分あり、当時の人間学があまりに自然科学からかけ離れていたからであるという。しかしながら近年では十九世紀の Anthropologie を今一度検討しなおそうという動きもあり、例えばハイデルベルクの Wolfgang Jacob は著書 „Medizinische Anthropologie im 19. Jahrhundert. Mensch——Natur——Gesellschaft, Beitrag zu einer theoretischen Pathologie. Zur Geistesgeschichte der sozialen Medizin und allgemeinen Krankheitslehre Virchows" (Beiträge aus der allgemeinen Medizin, Heft 20, F. Enke, Stuttgart, 1967) において、ある意味では自然科学的病理学の創設者となったともいえる Rudolf Virchow における人間理解や社会学的問題を時代史との関連で論じている。

ゲープザッテルの指摘する今一つの流れは、第一のいわばアカデミーの学者達に対し、人間存在の本質にかかわる疑問、それに発する創造的不安を自己の持続的な実存的危機として生きた人達であり、フランス、スペインのモラリストや例えば Stendhal (1783–1842), Benjamin Constant de Rebecque (1767–1830),《Adolf》の作者), Etienne de Sénancour (1770–1846,《Obermann》の作者) など、ドイツでは Novalis (1772–1801), Friedrich Schlegel (1772–1829) などのロマン主義文学者、Arthur Schopenhauer (1788–1860), Friedrich Nietsche (1844–1900) らの哲学者、デンマークでは Sören Kierkegaard (1813–55)、イギリスでは William Blake (1757–1827)、ロシアの F. M. Dostojewski (1821–81) らの名前が挙げられる。

そしてこの二つの流れを継いで医学的人間学を準備する、最後の決定的一歩を踏み出したのがフロイトであったが、彼自身は自己の精神分析学の射程を漠然と感じていたのみで、これをいわば心の自然科学であると見做していたために、深層心理学によって新しい医師・患者関係が生れたことをも十分に自覚していなかった、というのがゲープザッテルの展望である。

そして一九六〇年の時点におけるドイツ語圏の医学的人間学の現況としては、身体的存在の病理と医師・患者関係の分析に主としてたずさわるハイデルベルクの P. Christian, H. Plügge らの内科医、W. v. Baeyer, H. Tellenbach, H. Häfner, W. Bräntigam らの精神科医、フライブルクでは H. Ruffin, A. Derwort, H. Göppert ら、フランクフルトでは了解的人間学 verstehende Anthropologie を唱える J. Zutt らの精神科医、そして精神療法と医学的心理学の最初の講座が開かれたヴュルツブルクでは „personale und sozio-anthropologische Psychotherapie" を説く E. Wiesenhütter、ドイツ以上に人間学の優勢なスイスでは L. Binswanger の他に R. Kuhn といった人達が挙げられている。これを若干補足するならば、同じスイスの精神療法家 M. Boss や、ゲープザッテル、ヴァイツゼッカー、ミンコフスキーらと同じ世代に属するオランダの生理、心理学者 F. J. J. Buytendijk らの名前も忘れられないであろう。

二　** リビド、その「粘着性」フロイトのいう Libido とは、性的興奮の対象、目標、源に関する性衝動の種々の転換の基体として仮定されたエネルギーであり、その粘着性 Klebrigkeit とはフロイトの著作中で Haftbarkeit, Fähigkeit zur Fixierung, Zähigkeit, Trägheit など様々の名称をもって呼ばれており、リビドがある対象や段階で固定し易く、また一旦備給 Besetzung が行われるとそれを変化せしめ易いという性質を指す。

二　*** 相即。本書42頁以下、193頁以下、及び307頁を参照。

三　* 医学総論論集 Beiträge aus der Allgemeinen Medizin. 第二次大戦後、著者はハイデルベルク大学の臨床医学総論研究所 Institut für Allgemeine Klinische Medizin の所長となったが、これと関連して一九四七年よりシュトットガルトのエンケ書房より著者が編集して出版するようになったシリーズのことである。ここで医学総論 Allgemeine Medizin と呼んでいるのは要するに医学的人間学または人間学的医学のことで、著者によるこのシリーズ発刊の辞に以下の説明がある。「アルフレート・エンケ博士の御協力を得てここに創刊するシリーズには、ぴったりした名称が見つからなかった。このシリーズはあるグループがかなり異った素材を扱った研究を刊行したいと考えたことから生れたのだが、特殊な人間の集りとして登場するためではなくて、それと正反対の『一般的』性格を持つ現代医学の一方向に貢献するためなのであった。従ってこの著者達に特殊的なものとは一般的なものなのである。私自身はそれを、病める人間についてのある種の姿勢と一般的学であると考えている。……他方ここには専門の境界は存在しないであろう。論文が用いている方法が生理学的、社会学的、心理学的であろうと臨床的であろうと、それは副次的なこととしよう。だがもし論述を学問的形式で行わぬのを選ぶのであれば、少くとも人間学的医学と呼び得るある種の志操が明確に出ていることだけは必要である。人間学的医学とは何を意味するのかは、以下若干の論述によって説明しておこう。……」そしてこのシリーズの第一巻冒頭に、著者は「医学総論の概念」を寄稿している。この原注の各著者の論文題名は次の通りである。1. Heft (1947). Weizsäcker, V. v.: Der Begriff der allgemeinen Medizin. Kütemeyer, W.: Wandlungen medizinischer Anthropologie. 2. Heft (1947). Hantel, E.: Verborgenes Kräftespiel, Seelenpflege in der Industrie. 3. Heft (1947). Weizsäcker, V. v.: Fälle und Probleme, anthropologische Vorlesungen in der medizinischen Klinik. 4. Heft (1948). Christian, P.: Vom Wertbewußtsein im Tun, ein Beitrag zur Psychophysik der Willkürbewegung. Derwort, A.: Zur Psychophysik der handwerklichen Bewegungen bei Gesunden und Hirngeschädigten. 5. Heft (1948). Hollmann, W. und E. Hantel: Klinische Psychologie und soziale Therapie. 6. Heft (1949). Schilling, F.: Selbstbeobachtungen im Hungerzustand. Gadow, E. v.: Irrenpflege.

三　* ハラーの刺戟感応説。Albrecht von Haller (1708–77) はスイス出身の生理学者、オランダの H. Boerhaave の門下でゲッティンゲン大学教授。解剖学、生理学、植物学の研究があり詩文をも物し近代生理学の父祖といわれ、特に Irritabilitätslehre は一時期を画した。これはイギリスの生理・解剖・病理学者 Francis Glisson (1597–1677) が全く思弁的にたてた、一さいの人体組織には固有の特性として irritabilitas が備わっているという仮説を実験的に実証したもので、彼自らが行った一九〇回を含む五六七回の実験により、切除した筋肉の刺戟感応性（＝攣縮性）は一さいの筋肉組織の持つ性質であり、感受性 sensibilitas は神経組織またはそれを備えた組織のみにみられる性質であることを述べた（"De partibus corporis humani sensibilibus et irritabilibus", Comment. Soc. reg. Gotlingae, ii; 114, 1953）。主著に Elementa physiologiae corporis humani (1759–66)。

三二 ** Eigenreflex. 反射を起す刺戟を受ける受容器が、反射運動を行う効果器、即ち筋にあるような反射をいい、腱反射がその例である。

三三 * Paul Hoffmann (1884–1962). ドイツの生理学者、J. v. Kries の後任として一九二四年以降フライブルク大学教授。一九二二年に筋緊張に関する著者との共同研究あり。原注（3）の他に Die Untersuchung der Reflexzeit (1924); Untersuchung des Kraftsinnes (Muskelsinnes) (1930) などの著書あり。

三四 * Sir Charles Scott Sherrington (1857–1952). イギリスの生理学者、オクスフォード大学教授。一九三二年ノーベル賞受賞。固有感覚、除脳硬直、高次運動中枢（大脳皮質刺戟による随意筋収縮の抑制）、姿勢など中枢神経系の統合作用を研究した。原注（4）の他に、Man on his nature (1941) などの著書あり。

三五 * Guillaume Benjamin Armand Duchenne (1806–75). フランスの神経学者、電気診断法と電気治療法の創始者。デュシェンヌ－アラン型筋萎縮をはじめ、数々の疾患、症状は彼の名を冠している。著書に De l'éléctrisation localisée et de son application à la pathologie et à la thérapeutique (1855); Physiologie des mouvements, démontrée à l'aide de l'expérimentation électrique et de l'observation clinique (1867) などあり。

三五 ** Hans Ritter von Baeyer (1875–　). ドイツの整形外科学者、ハイデルベルク大学教授で著者の同僚。Der lebendige Arm (1930) などの著書あり。

四二 * 鉄道眼振。眼振 Nystagmus とは眼球の速い不随意運動で、水平、垂直、回転など種々の方向性のものがあり、生理学的に種々の刺戟で誘発されるものに温度性眼振（外耳道に温水、冷水を入れる）、回転性眼振（頭部を回転させる）、視覚運動性眼振（動く対象を注視する）などがあるが、鉄道眼振（列車など乗物に乗って窓外の相対的に動く景色を見ている時に出現する水平方向の眼振）は視覚運動性眼振に属する。内耳、中枢神経系疾患では病的眼振が出現する。

四五 * ゲシュタルト心理学の創始者達の或る種の自然哲学的学説。ケーラー、コフカらが唱えた同型説 Isomorphismus を指す。一さいの心的、意識的現象は大脳の精神物理的場における力動的過程であり、心理的過程と生理的過程の間に構造上の類似性があると主張する一種の身心並行論である。

四六 * トールボットの融合。イギリスの E. W. Talbot (1834) が記載した現象で、速やかに断続する光または交代する白黒の色を見ていると融合が起って一様の明るさに見え、照射時間a、遮断時間b、白光の強さIにより、aI (a+b) なる明るさが得られる。トールボットの法則または Talbot-Plateau の法則ともいわれる。

四七 * Wolfgang Köhler (1887–1967). ドイツ出身の心理学者、ベルリン大学教授。後にアメリカに亡命、音響心理学、類人猿の知能の研究などがあり、物理主義的ゲシュタルト理論を唱えた。ヴェルトハイマー、コフカらと共にベルリン学派と呼ばれる。Intelligenzprüfungen an Menschenaffen (1917, 宮孝訳「類人猿の智慧試験」岩波、一九三八年); Gestaltpsychology (1929), 佐久田訳「ゲシュタルト心理学」内田老鶴圃、一九三〇年)などの著書あり。

四七 ** Sir Charles Bell (1774–1842). イギリスの外科医、解剖・生理学者。脊髄前根と後根の異る機能をロバの生体解剖によって実証したことで有名であり(一八一一年)、これは後(一八二二年)にマジャンディが前根が運動神経、後根が体知覚神経であることを明らかにしたこととあわせてベル-マジャンディの法則とも呼ばれる。A new idea of the anatomy of the brain and nervous system (1811) を参照。その他ベルの麻痺(顔面神経麻痺の一種)など多くの症状は彼の名を残している。

四七 *** Marie Jean Pierre Flourens (1794–1867). フランスの比較解剖学者。発生学、骨の栄養、脳の研究があり、特に呼吸中枢 (nœud vital) の発見と、大脳の機能局在を唱える骨相学者 E. J. Gall に対し大脳皮質の均一性を主張した論争が有名である。本書で挙げられているのは、内耳の平衡感官器官を切除すると運動失調が生ずることを明らかにした実験 (Mém. Acad. d. Sci., Paris, 1828) のことと思われる。その他 Recherches expérimentales sur les propriétés et les fonctions du système nerveux dans les animaux vertébrés (1842) などの著書あり。

四七 **** Siegmund Exner (1846–1926). オーストリアの生理学者、ウィーン大学教授。神経生理、特に視覚生理を研究した。Die Lokalisation der Funktionen in der Großhirnrinde des Menschen (1881).

四七 ***** Ernst von Leyden (1832–1910). ドイツの内科学者、ベルリン大学教授。心、肺、腎臓の病理学の貢献もあるが、神経系、中でも脊髄疾患の研究が有名で、脊髄癆において運動失調の体感覚説をたてた。彼の名を冠する多くの症状名あり。著書に Klinik der Rückenmarkskrankheiten (1874–76) など。

四八 * intermodal. 感覚には視覚、聴覚、味覚、嗅覚、体感覚などがあり、体感覚には更に温度覚、痛覚、触覚、深部覚などが区別されるがこれらの各々を感覚の様態 Modalität と呼ぶ。intermodal とは、これらの各感覚様態相互の間の関係についての形容詞である。訳注八二**参照。

四八 ** カントの空間論。カントの批判哲学では、空間は時間と共に、感性的経験の先験的形式であるとされ、その主観が先験的統覚によって悟性概念と総合されることによって自然認識の諸原則が先験的総合判断として成立するとした。「純粋理性批判」参照。

四九 * Rudolf Hermann Lotze (1817–81). ドイツの医学者、哲学者。E・H・ヴェーバーに生理学、フェヒナーに物理学を学び、後者やヴントらと共に十九世紀後半の新形而上学派と呼ばれた。観念論と機械論の結合をはかり新カント学派の先駆者となる。Allgemeine Physiologie des körperlichen Lebens (1851); Medizinische Psychologie oder Physiologie der Seele (1852); Logik (1874) などの著書あり。

五〇 * Johannes Müller (1801–58). ドイツの生理・解剖学者、ベルリン大学教授で K. A. Rudolphi の後継者。生物学、医学の全領域を包括する普遍的知識を備えていたといわれ、終生生気論者であったにも拘らずドイツにおける客観的実験生理学の祖とされ、「生理学者にあらざれば心理学者たり得ず」(Nemo psychologicus nisi physiologicus) なる言葉を残した。彼の主著、Handbuch der Physiologie des Menschen für Vorlesungen (1833–40) は A. v. Haller の Elementa physiologiae に匹敵するといわれ、網膜圧迫時の色覚、脊髄神経根に関するベル－マジャンディの法則の証明、末梢感覚器官から他の神経末端への感覚投射、声帯などに関する多数の業績があるが、プルキニエと共に感覚生理学を開拓し、ヘルムホルツ、ヘーリングへの序奏となったのが最も有名である。「特殊感官エネルギー」の説 (Über die fantastische Gesichtserscheinungen, 1826) もその一つで、各感覚器官を刺戟するとそれに固有の感覚を生じ、他の如何なる感覚をも生じないというものであるが、その後彼の本来の意図を越えて広く適用され、各感覚器官や神経のみならず、各神経繊維の刺戟によってもそれに固有の感覚が得られ、ただその程度が異るだけであるという風に解釈されるようになった。門下よりデュボアーレイモン (ミュラーの評伝あり)、ヘルムホルツ、ヘッケル、ヴィルヒョウら多数の逸材を出した。

五〇　** Johannes von Kries (1853–1928). ドイツの生理学者、哲学者。ヘルムホルツ、ルートウィヒの門下でフライブルク大学教授、筋攣縮、心筋、循環系の生理学的研究もあるが感覚生理学と認識論、論理学の貢献が重要である。著書に Logik, Grundzüge einer kritischen und formalen Urteilskräfte (1916); Allgemeine Sinnesphysiologie (1923); Immanuel Kant (1924) などがある。

クリースは著者の生理学の師である。著者は既に学生時代よりクリースの教室に出入し、医師国家試験終了後、博士論文を書いた後にも内科学の師クレールのすすめもあって彼の研究室で実験した。クリースとの交りについては「自然と精神」第一章に詳しい。

「運命の決断が下される時にはままあることだが、私が第三学期に既にフライブルクのクリースのもとに行こうと決心したのは、偶然と内的必然が合致したためであった。偶然とは、クリースが私の叔父グスタフ・リューメリン Gustav Rümelin とフライブルクで親しい知人であったことであり、必然とは、クリースの生理学のやり方、生理学と哲学を結びつける特別の仕方が、他の如何なる生理学者にも増して、それに親和する私の素質をひきつけたことである。にも拘らず私が彼の弟子になったというよりは、むしろ彼が私の師になったと言った方が正しい。何故ならクリースは最も純粋かつ豊かな意味における研究者であり学者であったが、私の方は一生学問と実地の間を振子のように往復しつづける運命にあったからであり、そういう訳で彼にとっては私は弟子としては失望の対象になったに相違ないのである。

クリースの闊達な愛想の好さは、熱烈に彼を尊敬する、南ドイツ出身の一学生である私にとっては、いささか冷やかすぎるものであった。私にはまだ、この東ドイツの人間というものがわからなかったのである。私から言わせれば、彼には情熱が不足しているように見えたが、並はずれた知的客観的態度は何といっても本当の魅力であり、ただ単に圧倒的印象というにとどまるものではなかった。この客観性は礼儀作法の領域において殊に特徴的であった。彼がある時もらした特徴的な言葉は、『完全に礼儀正しいことほど困難なことはない』というのであった。……

彼の人並みはずれた繊細なつくりの容貌と、極めてきゃしゃな姿は今もはっきり私の眼前にある。私は通りすがりに街で偶々彼に出会うと動悸がした。彼が朗らかで愛想の好さそうな時は、本当は近づき難い時であった。これに反して学問上のやりとりをしていて彼の眼にこの上ない真剣味が溢れた時には、じかに彼の人格の力と近さが感じられた。……

私が当時思ったことだが、医学部前期試験《フュージクム》をすませて一九〇七年に彼の研究室で実験した時も、一九一〇年医師国家試験後に彼の研究室にいた時も、私の研究所長〔クリース〕があまりに不注意で慎重を欠いていたのはけしからぬことであった。一九〇七年にクリースが私にまかせた問題は、エンゲルマンのある見解を追試するために、分離した蛙の神経を電気刺戟した時の電流回路の拡大を検査することであった。電気回路を誘導するための水銀槽の中に神経をつけたのだが、数ヶ月間全く出鱈目な観察結果しか得られなかった。そして遂に私はミュラー－プイエの物理学教科書で接触電気現象があることを知り、それが自分の実験が失敗した原因であると思った。そのことをクリースに伝えた所、彼は『君のいうことは正しいのだろう。私はそのことを考えていなかったが、しかし君も考えはしなかったろう』と言っただけであった。その学期は徒労に終った。……こうして哲学的大著《論理学》がわれわれの手に与えられたのであり、クリースが当時彼のいくつかの実験室に滅多に顔を出さなかったのは、既に《論理学》の著作がはじまっていたからだと思う。……

それやこれや一さいのことが煮つまって、私は生理学にとどまるべきか、臨床に向うべきかを決定せねばならぬことになった。……内心では迷いつつも既にどちらかといえば臨床に心の傾いていた私は、クリース自身に尋ねて彼の返答から自分の運命を取り出そうと心をきめた。その頃の私には、いよいよ私が彼の前に出た時の彼の答が、これ又彼のあまり自発性のない態度に特徴的であると思えた。彼は『ちょっと考えてみないといかん』と言ったのである。二日経って私が呼ばれた時、君にはやはり臨床の方がいいのではないかと彼は述べた。というのは君は実験生理学の技術的課題を望ましい程度にはマスターしていないからだ、『君もやることはやるが、もともとそれに必要な所までは行っていない』と。そのことは本当だったが、私はそれが聞きたくなかった。……

一九二七年のことだったと思うが、クリースが退官して後任の問題で頭を悩ましていた時、私は彼から一通の手紙を受取った。そこには、かつて彼が私に生理学をやめさせたのは間違いではなかったかと思うことがよくあり、できれば私に彼の後任になってもらいたいので、私にその気があれば学部に推薦するがと打明けてあった。私は当時内科の私講師であったが、……こう返事した。この御問合わせをいただいた責任と名誉に私は深く心を動かされておりますが、今や私の気持は医学並びに医師の任務とぴったり一つになっておりますので、医師の職業と生理学が合致するのでなければ満足致し難いように思われます。そこで招聘していただくにつきましては、フライブルクでは生理学者の官職と平行して、小さくてもよいからとにかく大学で病棟を持ち臨床にも従事してよいという条件をつけさせていただきたいと存じます、と。そのように理論的教職と臨床医学を一人の人物が兼任している例があることはオランダで知っていたが、無論ドイツの考え方や習慣から言えば今までになかったことであろう。……私に対する拒否は、こんな問題がなくてもきまったことであったと思う。……ドイツの大学学部はそもそもそのような改新を好まなかったし、私という人物がアウトサイダーとして評価されていることには、この経験からも他の経験からも既に疑問の余地はなかった。

彼が死ぬ前に、最後にゲーテ街四二番地の彼を訪ねた時、彼はちょうど自分の生涯の決算の仕事をしており、その姿は悲しい諦念のそれであった。……彼は病み陰鬱であったが、頭ははっきりしていた。生理学もまた死に絶えんとしているのだと彼は考えていた。そして彼より若い連中のうちに彼ほどのランクの人物がいたであろうか。『そうだ、内科医達が生理学を廃墟にしてしまったのだ』と彼は語った。同じ頃クレールも、臨床で行われているような病態生理学は盛期をすぎて終焉しようとしているという意見であった。この二つの言葉は共に、増々拡がりつつあるある種の生理学的活動が生れ、それは生理学者にあっては技術の過大評価に、臨床家にあっては技術的困難の過小評価に、だがいずれの場合にも、関連性のある明晰で真に偉大な目標設定を捨てることにつながってしまっていた。そのあと感覚生理学の話になった時、彼は『その拠点も既に失われた』と言った。彼からは、そうでない判断は殆どあり得なかった。何故なら彼より若い生理学者達は、感官の主観的側面にはもはや興味を示さなくなり、神経実質の電気生理学者か生化学者になっており、他方感覚や知覚の研究は心理学者の手に移りつつあった。古典的感覚生理学はクリースをもって実際に終りを告げたのである。……

クリースは私にとっては何よりもまず、精神的領域が、精神的実存が本当に存在するということの、いつまでも絶えることのない証明であった。私が残念に思うのはただ、老いと病いの悲しみが彼をとらえた時、彼の限界が正しくそっくりそのまま私の自由となり、彼の終りが私の始りとならねばならなかったことを、しかも最も本質的なものとして彼の手に残されていた一さいの物事においてそうであったのだと、彼に言ってやれなかったことである。われわれに個人を越えたものの本質を示してくれるのも、正しくわれわれの否定なのである。……

彼は生気論がそう簡単には『解決し得』ぬ生命の問題の素朴でまやかしの解決であることを見抜いていたが、その態度は常に私自身の態度でもあった。他方彼は、ごく粗笨な物質主義的見解を主張していたシュトラスブルクのゴルツ Goltz 一派の生物学者や若きユクスキュルに対しても同じく皮肉な姿勢を示していた。つまりジャック・ロエブ Jacques Loeb やその友人達がやや派手に主張した趨性論を彼は次のように言って簡単に片付けた、『彼らは大砲で雀を射っているようだった』。クリースの羅針儀は、どこまでもカントによって基礎づけられながら、カントから独立して続行された厳密自然科学の認識論であったのに対し、私自身の哲学的発展は程を経ずしてカント風の基本姿勢とは、ますます大きな葛藤情況に陥って行った。……だがクリースの生理学的教訓と研究者の姿の永久遺産として、私の哲学的発展から生涯離れることのなかったのは、哲学は自然探究の遙か上の方で、あるいはこれと肩を並べて空中楼閣のごとくには築かれ得ないのだということに他ならない。……」

なお著者の手になるクリースの追悼文は、Frankfurter Zeitung の一九二九年八月七日号に掲載され、クリースの自伝は „Medizin der Gegenwart", hrsg. von Grote, Bd. IV, 1925 にあるという。

五三　*　Stroboskop. 等間隔で縦に並ぶ間隙を備えた太い円筒の中に帯状の紙を入れて、これに少しずつ異る図形や絵の系列を描いておき、円筒を回転すると、図形や絵が動いて見える装置をいう。これは仮象運動の一種で、映画はこの原理を応用している。

五三　**　原著は「第二」となっているが「第三」と読む。

五五　*　Konstanz der Sehdinge. 客体の恒常性を構成する要因としては、形の恒常、大きさの恒常、明るさの恒常、音の強さの恒常、運動軌道の恒常などがあり、例えば客体との距離が変化すればその網膜像の大きさは変化するが、印象としては同じ大きさのものに見えるといった現象である。

五五　**　アウァスペルク公によって明らかにされた。Auersperg, A. P. u. H. Sprockhoff: Experimenteller Beitrag zur Frage der Konstanz der Sehdinge und ihre Fundierung. (Pflügers Arch. f. Physiol., 236; 301, 1935); Auersperg, A. P. u. H. Buhrmester: Experimenteller Beitrag zur Frage des Bewegtsehens. (Z. Sinnesphysiol., 66; 274, 1936); Auersperg, A. P.: Landschaft und Gegenstand in der optischen Wahrnehmung. (Arch. ges. Psychol., 99; 129, 1937) など参照。

五九 * Psychoid. スイスの精神医学者オイゲン・ブロイラー E. Bleuler の用語で、生物（植物、下等動物）の一さいの生命維持機能を調和させ、統一的に司る装置のことで、心的と考えられるが実はそうではないものを意味し、エンテレキーと殆ど同意語である。但し C. G. Jung の用語では衝動に近い心的層をさす。E. Bleuler: Die Psychoide (1925) 参照。

五九 ** Entelechie. アリストテレスの用語エンテレケイア ἐντελέχεια で、もともとは可能性に対する現実性を意味し、精神、霊魂と同一視される生命体の活力の一種でもあったが、近代の機械論に対立する新生気論（ドリーシュなど）では、生命体内の非物質的、精神的、目的論的な力とされた。

六〇 * Vitalismus. 機械論に対立する生命論で、生物体のすべての構成要素に既にある種の生命力が宿っており、その点で無生物的物質と区別されるという考え方である。古代ギリシャのアリストテレス以来生命界と無生命界を区別する考え方はあり、古代ローマの Galenus 以後も種々の生気論が唱えられたが、近世に入ってからではイギリスの W. Harvey (1578–1657) の後成論、南ドイツの G. E. Stahl (1660–1734) の „Animismus" モンペリエ学派の T. de Bordeu (1722–76), P.-J. Barthez (1734–1806) ドイツの J. F. Blumenbach (1752–1840) の „Bildungstrieb", C. F. Wolff (1733–1794) の „Vis essentialis" 十九世紀ではフランスの M.-F.-X. Bichat (1771–1802), E. Bouchut (1818–91) などが代表的生気論であり、十九世紀から二十世紀初頭にかけては機械論者 K. Vogt (1815–95), E. H. Haeckel (1834–1919), J. Loeb (1859–1924), T. H. Morgan (1866–1945) らと新生気論者ドリーシュ、ブンゲ、J. Reinke, R. H. Francé, G. Wolff らとの間に激しい論争が行われた。これについては E. Cassirer: Das Erkenntnisproblem in der Philosophie und Wissenschaft der neueren Zeit. 3 Bde. (1922/23), Bd. 4 unter dem Titel: The problem of knowledge (1955) など参照。また著者の生気論批判は Neovitalismus (Logos, 2;113, 1911); Gesinnungsvitalismus (Klin. Wschr., 2; 30, 1923); Begriffswandel der Biologie (Z. f. d. ges. Naturwissensch., 316, 1934——A. P. Auersperg と共著）などに見られる。

六〇 ** Jakob von Uexküll (1864–1944). ドイツの動物学者、比較心理学者。動物の環境世界 Umwelt とはその動物にとっての可能的刺戟の総体 Merkwelt と、可能な反応の総体 Wirkwelt よりなり、それは各動物に固有の主観的世界であるという新しい環境概念を導入した。また動物行動の合目的性を重視して機械論と進化論に反対した。主著に Theoretische Biologie (1920) など。

六〇 *** 十七世紀の神学や有神論。例えばデカルトによれば、人間や動物の身体は心臓の熱機関を中心とする自動機械であり、その運動の原因は精神で両者の接触点は松果腺であるが、いずれも神に依存するとされた。

六四 * Erich Rudolf Jaensch (1883–1940). ドイツの心理学者、G・E・ミュラーの門下でマールブルグ大学教授。実験現象学的方法を用い、直観像を手段として精神活動の個性、民族心理の差異を研究した。

六五 * Lou Andreas-Salomé (1861–1937). ロシア生れのドイツの文筆家。ニーチェの愛をうけ、(Lou-Erlebnis)、リルケと交友あり、一九一一年以後はフロイトについて精神分析を学んで実地にも行った。著者との交友については「自然と精神」(186頁以下）に次の記述がある。

「しかし私は、精神分析との接触のお陰で知遇を得た今一人の婦人のことを述べておかねばならない。それはルウ・アンドレアス＝サロメである。一九三一年のクリスマスに、私はフロイトの七十五歳の誕生日のために彼女が書いた著書《我がフロイトへの感謝》を手に入れた。私は非常な感銘を受けたので、この未知の女性に手紙を書き、それがきっかけとなって文通がはじまり、彼女を訪問することにもなったが、それはちょうど右に述べたかの不安の時期にあった私に励しをもたらし支えとなってくれた。ルウは当時七十歳で、ゲッティンゲンでごく目立たずに精神分析の臨床を行っており、われわれの精神界の巫女《シビラ》とも言うべき神秘に包まれた生活をしていた。それというのも、彼女は娘の頃ニーチェに愛され、彼から何回か結婚の申込みをうけたことは、世の中の人によく知られていたからである。彼女がニーチェについて書いた著作は、彼の思想と本質に触れる最も優れた書の一つであった。その後長年にわたって、彼女はリルケに極めて近い関係にあった。リルケについても彼女は美しい書をものした。最後に彼女はフロイトの友情と知己を得た。彼女の書簡は比類のない鋭いセンスの霊感によって生れたものであり、最初の瞬間から相手の私がどういう人間であり、私の困窮の根がどこにあるかをよく承知していた。恐らく彼女は私の力になることはできなかったであろうが、精神を愛する術を理解し、孤独の世界に通じていた。彼女が右の書で、精神分析学派の営みに対する自由をフロイトに表明したこと、また自分の独創によって精神分析の学説を極めて個性的につくりかえたことは、私にとっては重荷を和らげてくれる働きをした。この点で、ある学説に含まれる真理は他の言葉にも飜訳可能であることがわかった。彼女の性質の女らしさと温かさを私は感謝をもって受けた。そして最初はあれ程活発だった文通が後になって途絶えたのは、損失に違いなかったとは言え、誤りではなかったであろう――彼女は私への使命を果し終ったのであり、それに対し私の方からは、年老いた彼女が必要としたでもあろうようなものは何一つ提供することはできなかったのである。この人並みはずれた婦人はなお変らず金髪をしており、いわば動く若木のごとくしなやかな足どりで歩いた。ゲルトルート・ボイマー Gertrud Bäumer やリカルダ・フーフ Ricarda Huch ほどモニュメンタルではないとは言え、人間に対する、何かを探し求めるというか手探りするようにというか、とにかく品のよい同感力を備えており、やり手で計画性に富む女性労働者にあり勝ちな、男勝りという風な所は全く認められなかった。」ルウ・アンドレアス＝サロメの著書には、本書に挙げられているものの他に Friedrich Nietsche in seinen Werken (1894); Rainer Maria Rilke (1928); Lebensrückblick (1951); In der Schule bei Freud (1958); Sigmund Freud/Lou Andreas-Salomé: Briefwechsel (1966) などがある。

六五 ＊＊　知覚と運動の相互隠蔽性の理論。ゲシュタルトクライス論または医学的人間学と現代理論物理学との関係については「自然と精神」に以下の文がある。「患者の治療に際して経験することだが、誰かわからぬものの摂理の手によってもたらされたかのごとくに偶然が立ち現れることがある。それは経過の良好な場合についても不良な場合についても言え、つまりわれわれは決して一さいの糸を残らず手中にしている訳ではないのである。私にはいつも、この意のままにならぬ要因を臨床の実践にあたって考慮に入れるだけではなく、理論へも何らかの形で組み込まねばならぬように思われた。後になって私は、ハイゼンベルクが彼の不確定性関係式によって類似のこと、つまり厳密な非厳密性を物理学に導入したことを知った。もしそこに類比があるとすれば、それはこの時期に特有な、実在に対する精神の新しい基本姿勢なのである。」(226頁)「フロイトはエスを導入したことによって、はじめて正しく自我をも導入したといえる。心の意識的領野と無意識的領野なら、相互に作用しあう二つの客体として取扱い得るのだが、自我となるとそれほど矛盾なくそっくりそのまま客体として取扱い得るという訳にはゆかない――でないとそれは正しく自我ではなくてエスだということになろう。――しかしながらこの問題が、一段と厳密に、また学界で遙かに影響の大きい仕方で取扱われたのは物理学においてであった。まずボーアが、そして次にはハイゼンベルクが彼らの哲学的天分によって、量子論の二元論の核心とは光が波動過程か粒子放射かのいずれかとして考察され得るということではなくて、この二つの見方を共に行わねばならず、そしてこの必然性は認識主体がとる等しく必然的で統一不可能な二つの姿勢の結果であるということを認識した。それによって認識論的原理が物理学に導入され、物理学と認識論はもはや従来考えられていたように、それぞれ勝手な道を歩むことはできなくなったのだということを、ボーアがまず述べたのだったと思う。このような発展もまた、主体の導入と呼ばねばならない。つまり今や、過去三十年の間に自然に対するわれわれの関係が全面的な変貌をとげ、それは少くとも生物学、心理学、物理学において起ったが、恐らく他の一さいの学問にも起りつつあるという展望をもつことができる。……」(234頁以下) この点については著者の「近縁者であり、精神的には殆ど息子とも言え」、ボーアの「学派の領野で、そして遂にはその直弟子」として育ったと自ら言う理論物理学者 Carl Friedrich von Weizsäcker が論文 „Gestaltkreis und Komplementarität" (Arzt im Irrsal der Zeit, V, v. Weizsäcker zum 70. Geburtstag, hrsg. von P. Vogel, Vandenhoeck & Ruprecht, Göttingen, 1956) においてゲシュタルトクライスとボーアの相補性の概念の関係を論じている。ボーアの自然論 „Atomtheorie und Naturbeschreibung" (1931), „Licht und Leben" (1933) も参照。

六八 * Magnus Gustaf Blix (1849–1904). スェーデンの生理学者、ルンド大学教授。筋生理学、オフタルモメトリーなどの他、体感覚の研究が有名である。

六八 ** Alfred Johannes Goldscheider (1858–1935). ドイツの内科学者、ベルリン大学教授。神経生理、特に体感覚の研究が有名であるが、代謝疾患や理学療法でも優れた貢献をした。Über die spinalen Sensibilitätsbezirke der Haut (1917) などの著書あり。

六八 *** Axonreflex. 求心性インパルスが同一神経繊維のシナップスを越えることなく、軸索突起の分岐点で遠心性インパルスに転換する現象を言い、本来の反射ではない。例えば皮膚描画症、血管拡張の際に認められる。

六八 **** John Newport Langley (1852–1925). イギリスの生理学者、ケンブリッジ大学教授。「自律神経系」(彼の命名)、末梢性神経節の遮断などに関する研究がある。The autonomic nervous system (1921) などの著書あり。

六九 * Trophoneurose. 皮膚の神経支配の脱落によって生ずる皮膚の栄養失調状態(皮膚が薄く、爪がもろくなる)をさすが、これは「神経症」の古い語法である。

六九 ** aufsteigende und absteigende Degeneration. イギリスの内科医 Augustus Volney Waller (1816–70) の名をとってワラー変性とも言われる。神経繊維を切断すると栄養源を断たれるので脂肪変性を起すが、通常求心性繊維の場合は上行性、遠心性繊維の場合には下行性の変性が見られるとされる。

六九 *** Otfried Foerster (1873–1941). ドイツの神経学者、パリのドゥジュリーヌ、ブレスラウのヴェルニッケの門下で後者の後任教授。中枢性運動障害、疼痛に対する脊髄手術、大脳の刺戟実験など多方面の研究がある。著書に Die Leitungsbahnen des Schmerzgefühls und die chirurgische Behandlung (1927) など。著者はブレスラウでフェルスターの後任となり、その追悼文 ,,Nachruf auf O. Foerster" (Nervenarzt, 9; 385, 1941) を書いている。

六九 **** Sir William Maddock Bayliss (1860–1924). イギリスの生理学者。化学、物理学的方法を用いたホルモン、腸蠕動運動などの研究があり、血圧が上昇すると血管壁が反射的に収縮する現象をベイリス効果と呼ぶ。The principles of general physiology (1914) などの著書あり。

七一 * Jean Martin Charcot (1825–93). 十九世紀フランスを代表する神経学者。パリのラ・サルペトリエール病院長で、彼が行った火曜日の臨床講義には専門家のみならず広い層の学者、医師が受講したが、特にヒステリー患者や催眠術の供覧が有名である。又彼は神経学に解剖学的基盤を与え、筋萎縮性側索硬化症、多発性硬化症など多くの神経疾患、症状を記載した。その門下からは、ジャネ P. Janet, ババンスキ J. Babinski, ピェール・マリ Pierre Marie など高名な学者を輩出したが、フロイトもその一人である。著書には十年間に達する臨床講義録が残されている。

七二 * Sir Henry Head (1861–1940). イギリスの神経学者。感覚の研究では本書で論じられている原始感覚、識別感覚の区別の他、内臓損傷時の「ヘッドの知覚過敏帯」が有名であり、失語症研究にも大きな功績を残した。著書に Studies in neurology (1920); Aphasia and kindred disorders of speech (1926)などあり。

七三 * Jan Boeke (1874–　), オランダの胎生学者、組織学者、ユトレヒト大学教授。ノイロン組織学、神経再生などの研究あり。

七三 ** Moritz Schiff (1823–96). ドイツの生物学者、解剖・生理学者、ベルン、フィレンツェ、ジュネーヴ大学教授。消化、甲状腺の他、神経系（変性、迷走神経）の研究があるが、動物の生体解剖をさかんに試みて脊髄切断実験を行い、また電気生理学的実験では脊髄を刺戟して kinesodische Substanz（運動に関係する）と ästhesodische Substanz（感覚に関係する）を区別せんと試みた。著書に Untersuchungen zur Physiologie des Nervensystems mit Berücksichtigung der Pathologie (1855) などあり。

七三 *** Charles Edouard Brown-Séquard (1817–94). フランスの神経学者、生理学者。彼が記載した脊髄の半側横断症状群（彼の名を冠す）では、体感覚障害に様態による解離が認められ、同側では触覚、深部知覚が、反対側では痛覚、温度覚、触覚が障害される。著書に Deux mémoires sur la physiologie de la moelle épinière (1855) などあり。

七四 * Max von Frey (1852–1932). ドイツの生理学者、ライプチヒ、チューリッヒ、ヴュルツブルク大学教授。皮膚感覚の研究が重要である。著書に Physiologie der Haut (1929) などあり。

七四 ** Bernard Naunyn (1839–1925). ドイツの内科学者、シュトラスブルク大学教授。

七四 *** Summationsphänomene. 本書108頁以下参照。

七五 * Neuronenlehre. ノイロン（英語読みではニューロン、神経元とも訳す、W. von Waldeyer-Hartz が一八九一年に命名）とは、神経細胞とその軸索突起（神経インパルスを伝導する神経繊維）及び樹状突起（短いもので、他の神経細胞の突起との間に連結部シナプスを形成する）を含めたもので、これが神経系を構成する独立した基本単位であるというのが神経単位《ノイロン》学説である。これはヒース W. His, フォレル A. Forel, カハール S. Ramón y Cajál, ケリカー R. v. Kölliker らによって提唱され、これに対してノイロンは独立した単位ではないとするゲルラッハ J. v. Gerlach（合胞体 Syncytium の説）, ゴルジ C. Golgi, ヘルト H. Held（Neurencytium の説）, アパティ I. Apáthy らの網状説（または連続説）との間に論争が行われた。S. Ramón y Cajál: Neuron theory or reticular theory? (1933, 英訳 1954, 福田訳「ネウロン説か網状説か」永井書店、一九六〇年）参照。

七六 * Ernst Heinrich Weber (1795–1878). ドイツの生理・解剖学者。神学者を父とするヴェーバー三兄弟中の長男で、次男は物理学者、W. E. Weber、三男は生理学者 E. F. Weber であり、しばしば共同研究を行い、物理学的生理学の先駆者となった。血液動力学における波動論（W. E. Weber と）、迷走神経の電気刺戟実験（E. F. Weber と）も有名であるが、本書との関連では体感覚における感覚強度と刺戟強度の関係に関するヴェーバーの法則（$\Delta S/S=C$, ΔS は絶対弁別閾値、C はヴェーバー比または相対弁別閾値）が重要である。これは後のヴェーバー－フェヒナーの法則の出発点となった。著書に Annotationes anatomiae et physiologiae (1838); Tastsinn und Gemeingefühl (1851) などあり。

七七 * Alles-oder-Nichtsgesetz. アメリカの生理学者バウディッチ H. P. Bowditch (1840–1911) が一八七一年に蛙の心筋を用いて提唱したもので、刺戟の強弱によって心筋の収縮は起るか起らぬかのいずれの場合しかなく、閾値上で刺戟をいくら増強しても収縮も増強する訳ではないことを述べる。その後類似の現象は骨格筋（Lucao, Pratt, Eisenberg）、神経繊維（Adrian ら）についても記述されたが、平滑筋では明らかではない。

八一 * Tastkreis. 触覚円内にある二点に加えられた触覚刺戟を別個の刺戟として弁別することはできない。

八一 ** funikuläre Myelose. 脊髄の白質、特に後索と側索に亜急性の変性病変を生じ、そのために四肢、躯幹の体感覚障害（特に深部感覚が侵される）や運動障害（特に失調）を来す疾患で、ビタミンB12の外因子と胃液中の内因子の欠乏に起因する代謝疾患とされ、悪性貧血を伴うことが多い。Friedreichsche Ataxie とはドイツの内科学者 Nikolas Friedreich (1825–82) が記載した脊髄の遺伝性疾患でフリートライヒ病とも呼ばれる。幼児期に発病して脊髄の後索と側索に変性硬化を来し、運動失調、構音障害、脊柱や下肢の変形を主症状とする。

八二 * Mescalin. メキシコの土着民が宗教的儀式に用いていたシャボテンの一種から抽出されたアルカロイド、これを服用した急性中毒状態では幻覚、共感覚など多彩な病的体験が出現するので、十九世紀末より精神薬理学的実験に用いられた。K. Beringer: Der Meskalinrausch (1927) など参照。

八二 ** synästhetische Funktion. 共感覚 Synästhesie とは一つの感覚様態（例えば音）によって他の感覚様態（例えば色）が誘発される現象を言う。正常人でもこの体験を有することがあるが、メスカリンや ＬＳＤ などの幻覚剤中毒ではよく観察される。ドイツの心理学者 H. Werner (1890–1964) は、各様態間に共通な間様態性 Intermodalität を考えた。

八五 * Georg Elias Müller (1850–1934). ドイツの哲学者、ゲッティンゲン大学教授。心理学、生理学の著作もあり、要素が結合して新しい性質をもつに至ったものが精神であるという複合説 Komplextheorie を唱えた。著書に Zur Grundlegung der Psychophysik (1878); Zur Analyse der Unterschiedsempfindlichkeit (1899); Über die Farbenempfindungen (1930) などあり。

八七 * Parese bei Poliomyelitis anterior. 前灰白脊髄炎とは例えば脊髄性小児麻痺などに見られ、脊髄の運動細胞の集る前角灰白質に病変を来し運動麻痺が出現する。

八八 * Kohnstamm と Matthäi の実験。O. Kohnstamm : Demonstration einer katatonieartigen Erscheinung beim Gesunden. (Neurol. Zentralbl., 34; 290, 1915) を参照。壁の近くに立ち、両腕をのばしておろしたまま両手背を身体で五―十秒間壁に押しつけたあと、身体をずらせて壁との間に隙間をつくると、両腕が自動的に挙上し、何か神秘な力に持ちあげられるように感ずるという現象をコーンシュタム現象という。

九一 * Parkinsonismus. イギリスの内科医 J. Parkinson (1755–1824) が記載した大脳基底核に変性病変を来す神経疾患をパーキンソン病といい、筋強剛、四肢の安静時振せん、無動症など錐体外路性運動障害を主徴とするが、類似の症状は脳炎、脳動脈硬化症などに際しても出現することがあるので、その場合にこれらの症状群をパーキンソン症状群、またはパーキンソニズムと言う。更に厳密には、パーキンソン病に特有の筋強剛が安静時振せんを伴わぬ場合をパーキンソニズムということもある。

九三 * David Katz (1884–1953). ドイツの心理学者、ロストック大学教授。知覚（触覚、色彩覚）や発達心理学の研究もあるが、平面色、表面色、空間色の区別が有名である。本書に引用の著書の他 Methoden zur Untersuchung des Vibrationssinnes (1930) などがある。

九六 * Julius Eduart Hitzig (1838–1907). ドイツの精神神経学者、ハレ大学教授。G. Fritsch (1838–91) と共に大脳皮質の電気的興奮性を発見し運動中枢の存在を実証、それによって焦点てんかんの皮質起源を説明した。著書に Untersuchungen über das Gehirn (1874) などあり。

九六 ** Sir David Ferrier (1843–1928). イギリスの精神医学者。大脳皮質の機能局在論に貢献した。著書に Functions of the brain (1876) あり。

九六 *** Fedor Krause (1857–1937). ドイツの外科学者、ハレ大学教授。脳神経外科学の開拓者の一人で、三叉神経痛をガッセル神経節の切除によって治療した他、ジャクソンてんかんを大脳の後中心回血管腫の除去によって軽快せしめ、大脳皮質の機能局在論に貢献した。著書に、Allgemeine Chirurgie der Gehirnkrankheiten (1914) などあり。

九六 **** Wilder Penfield (1891–1976). カナダの脳神経外科学者。シェリントンの門下で、てんかん治療のための脳部分切除術の際に、大脳皮質の電気刺戟を組織的に行ってその機能的局在を解明するに貢献した。著書に Speech and brain mechanisms (1959, L. Roberts と共著)、Epilepsy and the functional anatomy of the human brain (1954, H. Jasper と共著) などあり。

九六 ***** John Hughlings Jackson (1834–1911). イギリスの神経学者。フランスのシャルコーらと共に近代臨床神経学の創設者であり、失語症、てんかん（大脳皮質に病巣があり、それに相当する四肢の部位から発作症状がはじまるものをジャクソンてんかんといい、側頭葉に病巣があり幻嗅、幻味などを来す鉤回発作 uncinate fit、特異な意識変容を来す夢幻状態 dreamy state などを記載）に関する数多くの業績を残した。また彼は H. Spencer の進化論哲学の影響をうけ、evolution と dissolution の概念を用いた神経症状の説明を試み、新しい脳部位の損傷によってその機能が失われる結果、陰性症状 negative symptoms が出現し、同時により古い脳部位の機能が開発されて陽性症状 positive symptoms が生じると考えた。彼の著作を集めたものに Selected writings of J. H. Jackson（1931）がある。

九七 * Apraxie. 失行症とは大脳の限局性病変によって生じた行為の障害で、運動麻痺、運動失調、不随意運動などや一般精神障害による行動障害とは異り、行うべき行為または動作を十分了解していながらその行為を施行できない状態をいい、ドイツの精神神経学者 H. Liepmann（1900）によって明らかにされた。観念失行、観念運動性失行、肢節運動性失行、構成失行、着衣失行などに分類されるが、詳細については大橋博司著「臨床脳病理学」（医学書院、一九六五年）参照。

九八 * Carl Wernicke（1848–1905）. ドイツの精神神経学者、ブレスラウ大学教授。大脳の古典的局在論の代表者で、脳病理学の大家であり、感覚失語症（ヴェルニッケ失語と呼ぶ）を記載したことで有名であるが、この箇所で問題になっているのは錐体路性運動障害の患者がとる麻痺肢の特徴的姿勢（ヴェルニッケ－マンの姿勢）のことである。著書に Der aphasische Symptomenkomplex（1874）; Lehrbuch der Gehirnkrankheiten（1881–83）; Grundriß der Psychiatrie in klinischen Vorlesungen（1894）.

九九 * choreatische und athetotische Zuckungen. 舞踏病 Chorea には Huntington の遺伝性舞踏病、Sydenham のリューマチ性舞踏病などがあるが、アテトーゼと共にそれぞれ特徴的な不随意運動を来す錐体外路疾患に含まれる。

九九 ** kapsuläre Hemiplegie. 内包 Capsula interna で錐体路が損傷された場合に生ずる身体半側の運動麻痺で、脳卒中の時によく見られる。

一〇三 * Theodor Hermann Meynert（1833–92）. オーストリアの精神神経学者、ウィーン大学教授。多くの大脳の解剖・生理学的研究があり神経繊維に投射、連合、交連の三つを区別し Fasciculus retroflexus Meynerti, Commissurae supraopticae Meynerti などいくつかの連絡路の名称を残した。著書に Anatomie der Hirnrinde als Träger des Vorstellungslebens und ihrer Verbindungsbahnen mit den empfindenden Oberflächen und den bewegenden Massen（1865）などあり。

一〇三 ** Paul Emil Flechsig（1847–1929）. ドイツの精神神経学者、ライプチヒ大学教授。Fasciculus anterior proprius, Tractus spinocerebellaris posterior, などの連絡路は彼の名を冠す。Zur Anatomie und Entwicklungsgeschichte der Leitungsbahnen im Großhirn des Menschen（1887）などの著書あり。

一〇三 *** Associationspsychologie. 連想心理学とも訳され、心的現象を観念、表象などの心的要素の結合によって説明せんとするもので、十七—十九世紀の近世イギリスの連想学派 association school（はじめて観念連合という用語を用いた J. Locke の他、D. Hume, D. Hartley, J. S. Mill, A. Bain ら）に発するが、ドイツでは十九世紀末に H. Ebbinghaus（1850–1909）らの連合心理学がある。その影響はフロイトや現代の学習心理学にも認められる。

一〇四 * 神経網の理論。訳注七五参照。

一〇六 * Emil Heinrich du Bois-Raymond (1818–96). スイス・ロマン系のドイツの生理学者、ヨハネス・ミュラーの門下でその後継者、ベルリン大学教授。電気生理学の開拓者で、唯物論に立つが、鋭い批判的認識論的自然哲学の著作が重要である。Untersuchungen über tierische Electrizität (1848–60); Über die Grenzen des Naturerkennens (1882, 坂田訳「自然認識の限界」生田書店、一九二四年) などの著作あり。

一〇六 ** Aktionsstrom. 神経繊維、筋繊維、網膜、皮膚などに興奮が起る時に観察される微弱な電流のことで、その記録法の進歩により電気生理学が発展した。脳波、心電図などもその一種である。

一〇七 * Entartungsreaktion. 支配神経が変性した時に示す筋繊維の電気刺戟に対する反応をいい、筋におけるファラディ刺戟に対する反応が消失し、ガルヴァニ刺戟に対する興奮性が亢進する。

一〇七 ** Chronaxie. 神経、筋などを電気刺戟する場合の時間的要因の指標としてフランスの L. Lapicque が提唱した。電気刺戟に対する反応は刺戟の強さと時間の両者に関連しているが、閾値刺戟（これを基電流 Rheobase という）の二倍で刺戟した時、反応に要する時間をクロナキシーという。今日の電気的診断法では殆ど用いられない。G. Bourguignon: La chronaxie chez l'homme. (1923) など参照。

一一八 * Agnosie. 大脳の限局性病変によって生じる、一つの感覚路（視覚、触覚、聴覚など）を通じての認知障害で、要素的感覚障害や一般精神障害によるものとは一応区別される。フロイトの命名による。

一二〇 * Syringomyelie. 脊髄灰白質の中心管附近に空洞を生ずる先天性、又は後天性疾患で、頸髄に多く、体感覚各様態の解離を示す障害の他に、筋萎縮、栄養障害などを来す。

一二三 * 色彩視の理論。訳注一八＊参照。

一二四 * Protanope, Deuteranope, anomale Trichromate. ヤング－ヘルムホルツの三色説による色盲の分類で、第一色盲 Protanopie とは赤色盲、第二色盲 Deuteranopie とは緑色盲、第三色盲 Tritanopie とは青黄色盲、異色三色視 anomaler Trichromatismus とは色彩の区別はあるが色覚の弱いものを言う。

一二四 ** Johannes Koellner (1881–1924). ドイツの眼科医。緑内障、眼振、空間感覚の他、色彩感覚など視覚の研究がある。

一二五 * Raffaels Transfiguration. イタリア・ルネサンスの画家 Raffaello Sanzio (1483–1520) の未完の絵で、現在ローマのヴァティカン美術館にある。右下の部分に右手を挙げて上方のキリストをあおぐ少年のてんかん患者を画いたこの絵は、W. G. Lennox: Epilepsy and related disorders. (Little & Brown, London, 1960) の巻頭にも掲載されている。

一二六 * Sensorische Ataxie. 脊髄後索損傷時に観察され、筋、腱、関節からの深部知覚が障害されたために起る脊髄性運動失調を言う。

一二七 * François Magendie (1783–1855). フランス近代の最も高名な解剖・生理学者でコレジュ・ド・フランス教授。医学における実験的方法の創始者の一人で、動物実験を多く行い、毒物学、薬理学の業績もある。脊髄前根が運動性、後根が体感覚性であることを明らかにした（ベル－マジャンディの法則）。Claude Bernard による伝記 (1856) あり。著書に Expériences sur les fonctions des racines des nerfs qui naissent de la moelle épinière (1822); Leçons sur les fonctions et les maladies du systeme nerveux (1839) などあり。

一二七 ** Tabes dorsalis. 脊髄の梅毒性疾患で、感染後十年余を経て発病する第四期梅毒、または変性梅毒である。腰髄を侵し、その後根、後索に病変を生じることが多いので、神経痛様疼痛、膝蓋腱反射喪失、下肢の体感覚障害の他、運動性失調を来す。

一二七 *** multiple Sklerose. 中枢神経系に多発性散在性の小脱髄病巣（神経髄鞘が崩壊する）を生じる原因不明、予後不良の疾患で、運動失調はその主症状の一つである。中部及び北ヨーロッパに多いとされたが、近年我国でもかなりの患者数が確認されている。

一三一 * Wilhelm Heinrich Erb (1840–1921). ドイツの内科学者、ハイデルベルク大学教授。神経学の大家で、神経の電気変性反応の発見、脊髄癆の梅毒性病因の推論、エルブ－デュシェンヌの進行性筋萎縮の記載などの業績がある。著書に Krankheiten des Rückenmarks und seiner Hüllen (1872) などあり。

一三四 * Adolf Strümpell (1853–1925). ドイツの内科学者、ライプチヒ大学教授。知覚障害と運動障害の関係、睡眠生理、痙性脊髄麻痺、脊髄癆、脳炎、多発性硬化症など神経学の研究が多く、彼の名を冠した症状、疾患名（シュトリュンペル－マリー病など）も少くない。著書に Leitfaden für die Untersuchung und Diagnostik der wichtigsten Nervenkrankheiten (1924) など。

一三五 * 若干の例。以下に列挙されている種々の認知障害については大橋博司著「臨床脳病理学」医学書院、一九六五年、参照。

一三八 * Sensorium commune. 一般感覚 Sensus communis ともいい、アリストテレスは既に五官のもとには単一の感官があるとして、四つの共通感覚を挙げた。㈠運動、静止、数、形態、大きさなどの知覚、㈡所属性の知覚、㈢感覚の主体であるという知覚、㈣相異なる感覚の識別知覚。

一四一 * Joseph-Jules Dejerine (1847–1917). スイス出身のフランスの神経学者。ラ・サルペトリエール病院の医学史、内科病理学、神経学の教授をつとめ、失語症、脳炎、脊髄灰白質炎、脊髄空洞症などに関する多数の研究あり、著書に Traité des maladies de la moelle épinière (1902); Sémiologie des affections du système nerveux (1914, 妻の Auguste Dejerine-Klumpke と共著) などあり。

一四一 ** Harold August Fabritius (1877–). フィンランドの精神神経学者。

一四一 *** Kral Petrén (1868–) スェーデンの内科学者。ドゥジュリーヌの門下で神経学を研究した。

一四一 **** Denis Diderot (1713–84). フランスの哲学者ダランベール Jean Le Rond d'Alembert (1717–83) と共に啓蒙期の百科全書学派を代表し、理神論、懐疑主義、自然主義を経て唯物論的機械論、無神論に接近したが、生命の進化については、深い弁証法的理解も見られる。ここで挙げられている「ダランベールの夢」Le rêve de d'Alembert (1769, 新村訳、岩波文庫) はダランベールと医師ボルドウ、ダランベールが寄寓していた家のレスピナス嬢の三人の対話形式を用いて物質と生命、意識と感性の問題が後生論の立場から論じられている。

一四三 * Robert Boyle (1627–91). イギリスの物理学者、化学者。Francis Bacon の実験的方法を実地に行って、大気圧、熱などを研究、元素の概念を明らかにして「化学の父」と呼ばれる。Sceptical chymist (1661) などの著書あり。定比例の法則は、化学反応に与かる物質の質量の比率（質量比）は一定で、連続的には変化しないことを述べるもので、正しくは J. L. Proust によって発見（一七九九年）された。倍数比例の法則は、二つの物質が化合する場合には各物質の質量間に簡単な整数比が成り立つことを述べたもので、正しくはJ. Dalton によって発見（一八〇二年）された。

一四三 ** Ernst Mach (1838–1916). オーストリアの物理学者、ウィーン大学教授。歴史的批判的見地より物理学史を研究、記述的実証主義に立って科学的認識論を唱え、M. Planck と論争した。Die Mechanik in ihrer Entwicklung (1883); Analyse der Empfindungen (1886) などの著書あり。

一四四 * Erik Agduhr (1886–　). スェーデンの解剖学者、ストックホルム獣医大学、ウプサラ大学教授。特に発生学、神経組織学の研究が有名である。

一四四 ** Dezerebrierung. 除脳とは大脳がそれ以外の脳部分（間脳、中脳など脳幹）や脊髄から切除されたり、連絡を断たれたりした状態をいい、全身の筋の硬直と特徴ある姿勢が観察される。シェリントンの研究が有名である。

一四四 *** Simplex signum veri. 同じ意味の Simplex sigillum veri (Matthew of Boerhave) なる格言があるが、これを一部変えたものか。

一四四 **** Syncytium. 合胞体とはゲルラッハ J. v. Gerlach (1820–96) の命名によるもので、いくつかの細胞が合して生じた多細胞核を有する原形質体のことである。訳注七五をも参照。

一四四 ***** Wilhelm von Waldeyer-Hartz (1836–1921). ドイツの解剖生理学者、ベルリン大学教授。解剖学、発生学の綜合的叙述に秀で、ノイロンの他、染色体 Chromosoma などをも命名した。訳注七五をも参照。著書に Wie soll man Anatomie lehren und lernen (1884) などあり。

一四五 * Äther. 光エーテル Lichtäther とも言い、ホイヘンス C. Huygens が光の波動説を唱えた時、波動の媒体として真空中にも存在し、天体の運動には影響を及ぼさぬものとして想定された。しかし後に A. Einstein の相対性理論によりその実在を考える必要のないことが明らかにされた。

一四五 ** die eleatische Schule. 紀元前五世紀初頭に南イタリアのエレアを中心に発展した古代ギリシャの自然哲学の一派で、ソクラテス前の哲学者 Vorsokratiker に属す。パルメニデスを始祖とし、エレアのゼノン、サモスのメリッソスなどがそれである。パルメニデスによれば、ロゴスによって考え得るもののみが存在し、生成、消滅、運動、多などは「在らぬもの」の存在を前提としているから「在るもの」の属性としては考えられず、感覚の欺きであり、不生不滅、不動、永遠なるもののみが全き「在るもの」であって、それは球形をしているという。

一四五 *** Antinomie. カントの批判哲学において重要な役割を演じた概念で、二つの相反する命題が同等の権利をもって主張されることをいい、カント以前の独断的形而上学の方法を用いた場合に理性が二律背反の自己矛盾に陥るとした。「純粋理性批判」で挙げられている二律背反は四つあり、㈠ 世界は時間的に始めを有し空間的に有限であることと、世界は時間的にも空間的にも無限であること、㈡ 世界は単純な要素から成ることと、世界は無限に分割可能であること、㈢ 自然法則の因果性と自由の因果性があることと、前者のみがあって後者はないこと、㈣ 世界には絶対に必然的な存在が属することと、世界の内にも外にもそのような存在はないこと、である。カントは㈠㈡の定立、反定立は共に誤りであるとしたが、㈢㈣は物自体と現象の世界を考えることによって定立、反定立が共に成り立ち得ると考えた。「実践理性批判」「判断力批判」でも二律背反がある。

一五〇 * Querfunktion. ゲシュタルト心理学者 M. Wertheimer の用語で、例えばストロボスコープによる二点間の刺戟の往復運動に対し、感覚野内の二点間の往復運動が感じられるという事実に対し、並行論的に要請された機能のことである。

一五五 * Emil von Skramlik (1886–　). プラーハ生れのドイツの生理学者、イェーナ大学教授。感覚生理学の他、心臓、肝臓、脾臓などに関する研究あり。著書に Handbuch der Physiologie der niederen Sinne (1926) などあり。

一五六 * Macula. 眼の網膜にある黄斑 Macula lutea retinae のことで、視神経が網膜に入る部位（視神経円板）のやや側下方にあり、最も鋭敏な部分である。

一五六 ** Anosognosie. フランスの神経学者 J. Babinski (1857–1932) の用語で、元来片側麻痺（主として左側）に気付かぬ場合をいったが、今日ではドイツの精神神経学者 G. Anton が記載した皮質盲に気付かぬ状態やその他の自己の欠陥を否認したり無視したりする状態をも含める場合が多い。狭義の失認（訳注一一八参照）に精神症状が加わっている場合が少くない。

一六一 * Hans Berger (1873–1941). ドイツの精神神経学者、イェーナ大学教授。頭皮上より脳波を最初に記録（一九二九年）しノーベル賞を受けた。著作に Psychophysiologie in 12 Vorlesungen (1921); Über das Elektro-Encephalogramm des Menschen (1929–38) などあり。

一六一 ** Edgar Douglass Adrian (1889–1977). イギリスの神経学者、生理学者。神経伝導、脳波などの研究あり、一九三二年師のシェリントンと共にノーベル賞受賞。著書に The basis of sensation (1928); General principles of nervous activity (Hughlings Jackson Lecture 1947) などあり。

一六一 *** Joseph Erlanger (1874–1965), Herbert Spencer Gasser (1888–1963) は共にアメリカの生理学者で、個別神経繊維の高次分化機能の研究によりノーベル賞（一九四四年）をうけた。

一六一 **** Hans Piper (1877–1915). ドイツの生理学者。胎生学、血圧の研究の他、魚の聴覚器官、網膜や筋、神経の活動電流の業績がある。

一六三 * 正しくは Franz Bruno Hofmann (1869–1926) のこと、ボヘミア生れのドイツの生理学者、心臓の他、神経、筋の生理学的研究あり、特に感覚生理学（視覚、空間感覚）の業績が重要である。

一六三 ** Max Wertheimer (1880–1943). ドイツの心理学者。後にアメリカに亡命した。一九一二年に同じベルリン学派のゲシュタルト心理学者ケーラー、コフカを被験者として運動視の実験を行い、心的現象が要素の機械的結合によって説明されぬことを説いた。著書に Drei Abhandlungen zur Gestalttheorie (1925); Productive thinking (1945, 矢田部訳「創造的思考」岩波書店、一九五二年）などあり。横機能については訳注一五〇参照。

一六三　***　sensorische Bewegung. J・シュタインの用語で知覚を感覚的運動として理解する。

一六三　****　Vittorio Benussi (1878–1927). イタリアの心理学者。時間知覚，運動知覚についての実験現象学的研究あり，マイノングと共にグラーツ学派に属す。Psychologie der Zeitauffassung (1913) などの著書あり。彼は皮膚上の二点を交互にリズミカルに刺戟すると二点間の運動が感じられるのは，超感性的なものによると考えた。

一六三　*****　Melchior Palágyi (1859–1924). ハンガリーの哲学者でドイツで生活，一元論的認識論を説いた。潜在的運動 virtuelle Bewegung としての知覚の概念は彼に由来する。著書に Naturphilosophische Vorlesungen über die Grundprobleme des Bewußtseins und des Lebens (1908); Wahrnehmungslehre (1925) などあり。

一六三　******　primitives Sehen und definitives Sehen. クリースの用語で，単純視は幼児，確定視は成人の視覚の特徴であるとする。

一六三　*******　Zonentheorie. クリースの色彩感覚論，訳注一八＊参照。

一六三　********　Walter Poppelreuter (1886–　). ドイツの臨床心理学者，神経学者。第一次大戦の脳損傷患者における視覚障害の研究が有名で，連合心理学を拒け，視覚に種々の段階があることを指摘した。著書に Die psychischen Schädigungen durch Kopfschuß im Kriege 1914/17. (1917–18); Allgemeine methodische Richtlinien der praktisch-psychologischen Begutachtung (1923) などあり。

一六三　*********　Felix Krüger (1874–1948). ドイツの心理学者でライプチヒ大学教授。ヴントの後任でライプチヒ学派といわれる。精神の全体を複合体と考え全体性心理学によって発達心理を研究した。Das Wesen der Gefühle (1928); Zur Philosophie der Ganzheit (1953) などあり。

一六三　**********　Coincidentialparallelismus. 本書でも再三説明があり，訳注四の論文中特に，A. Prinz Auersperg: Die Coincidentialkorrespondenz als Ausgangspunkt der psycho-physiologischen Interpretation des bewußt Erlebten und des Bewußtseins. (Nervenarzt, 25; 1; 1954) 参照。

一七三　*　Otto Pötzl (1877–1962). オーストリアの精神神経学者，ウィーン大学教授。失語，失行，失認や大脳損傷による精神神経症状に関する多数の業績あり，脳病理学の大家であり，これらの症状の構造分析を行った。著書に Die optisch-agnostischen Störungen (1928); Über die Beziehungen des Großhirns zur Farbenwelt (1958) などあり。

一七六　*　Gustav Gründgens (1899–1963). ドイツの演劇俳優，演出家。トーマス・マンの娘と結婚し後に離婚，一九五七―五八年のファウストの演出は一時期を劃し，自らメフィストフェレスを演じた。著書に Wirklichkeit des Theaters (1953) などあり。

一八三　*　Nicholaous Copernicus (1473–1543). ポーランドの天文学者。イタリアで医学，法律を学ぶ途中，天文学に興味を抱き，プトレマイオスの天動説を批判，地動説を説いた。De revolutionibus orbium celestium (1543) その他の著書あり。

一八九　*　Karl Bühler (1879–1963). オーストリアの心理学者，ウィーン大学教授，のち渡米した。思考については非直観的意識性を，知覚では感覚を超えた形態的関係の存在を認め、発達心理では本能、馴致、知能の三段階を考えた。Die Gestaltwahrnehmungen (1913); Die geistige Entwicklung des Kindes (1918, 原田訳「幼児の精神構造発達」協同出版) などの著書あり。

一九一　* John Locke (1632–1704). イギリスの哲学者、経験論の代表者。人間は本来白紙 Tabula rasa であり、われわれの心に観念を生ぜしめる物体の性質には二種類あり、第一次性質とはわれわれが知覚すると否とにかかわらず物体そのものの中にある延長、形態、運動といったもので、第二次性質とはわれわれに感覚を生ぜしめる色、音、香などであると考えた。An essay concerning human understanding (1690, 加藤抄訳「人間悟性論」岩波文庫) などの著書あり。

一九一　** René Descartes (1596–1650). フランスの哲学者で近代哲学の父といわれる。思惟実体としての精神と、延長実体としての物体を区別して二元論に立ち、自然には空間に等しい物体と運動のみがあるという機械論を唱えた。著書に Discours de la méthode (1637, 落合訳「方法叙説」岩波文庫); Meditationes de prima philosophia (1641, 三木訳「省察」岩波文庫) などあり。

一九八　* Gottfried Wilhelm Leibniz (1646–1716). ドイツの哲学者、数学者、物理学者。外交官、技術家、実務家としても有能で、多才独創的な人物であった。微積分学、力学などの貢献の他、哲学では宇宙の予定調和を説いた。著書に Discours de métaphique (1686, 河野訳「形而上学叙説」岩波文庫); La monadologie (1714, 河野訳「単子論」岩波文庫) などあり。

一九八　** Johann Evangelista Purkyne (1787–1869). チェコ (当時オーストリア領) の生理学者。博士論文 „Beiträge zur Kenntnis des Sehens in subjektiver Hinsicht" (1819) によって一躍有名となり、ゲーテの親交を得、ブレスラウ大学教授を経てプラーハに生理学教室を創設した。「刺戟閾値」の概念は彼に由来するもので、実験的感覚生理学の開拓者の一人である。その他 Beobachtungen und Versuche zur Physiologie der Sinne (1825); Beiträge zur Kenntnis des Schwindels (1820) などの著作あり。著者はプルキニエを十九世紀ドイツ生理学の祖ヨハネス・ミュラーらと比較して次のように述べている (「自然と精神」38頁以下)。「もし仮りに例えばプルキニエがドイツ生理学の指導者となっていたら、どうなっていたであろうか。ドイツ学派は恐らく、純物理学的思考法をとる動物実験生理学へのいやます傾向をこれ程には示さなかったであろう。ヨハネス・ミュラーは本来生気論者でありながら、ますます物理主義に傾いたし、ついでそれはカール・ルートヴィヒにあっては細胞活動の唯一の厳密に物理・化学的な説明という形をとった。その後ヤーコプ・フォン・ユクスキュルに至ってはじめて、一さいの生命体を、それに、そしてそれにのみ固有の仕方で環境世界にはめこまれたものとして考察することを教えるようになった。ユクスキュルはそれによって、無生物自然界を直ちに生物界の手本として前提することはしなかったのである。しかしユクスキュルが生理学者に及ぼした影響は、今日に至るもなお極めて限られたものであって、生理学者はますます器官中の物理・化学的過程として起ることにのみ興味を示すようになった。これに反し、プルキニエは常に人間や自分自身についても実験を行い、有機体が全体としてなす作業からも目を離さなかった。それに彼には自己観察、つまり彼自らの命名では自己認知法 heautognostische Methode のすばらしい天分が備っていた。それはフォン・チェルマーク v. Tschermak に至るまで依然プラーハ学派にのみ認められる方向である。だから恐らくプルキニエの後継者であれば、遂には本物の誤謬にまで陥ることになった、生理学における例の極端な唯物論的思考方法にまでは到ることがなかったであろう。……」

一九九 ＊ Selig Hecht (1892–　). アメリカの生理学者。照度が増大すると視力が良くなるのは、賦活される網膜要素が増すためであるという説を立てた。

二〇〇 ＊ David Hilbert (1862–1943). ドイツの数学者。今世紀前半の代表的数学者の一人で、形式的公理主義の立場に立って数学の基礎論を研究し、論理学、哲学にも大きな影響を与えた。

二〇一 ＊ Wilhelm Windelband (1848–1915). ドイツの哲学者 Kuno Fischer 及びロッツェの門下で、西南ドイツ学派の創設者であり、哲学史と学問論（数学、自然科学などの法則定立的学 nomothetische Wissenschaft と歴史学などの個性記述的学 idiographische Wissenschaft の分類が重要である。著書には哲学史の他に、Präludien (1884, 河東・篠田訳「プレルーディエン――序曲」岩波書店、一九二六―二七年）などあり。

　著者は学生時代、最初にフライブルクのリッケルト H. Rickert の哲学ゼミナールに参加しようとしたが、リッケルトの著作を読んでいない場合には聴講生にしかなれないということだったので、結局ハイデルベルクでヴィンデルバントにつくことになったようである。ヴィンデルバントについては「自然と精神」(18頁以下）に次の記述がある。「彼はシュトラスブルクからハイデルベルクに移ったばかりで、ライプチヒの私講師時代の彼の講義を娘の頃聞いたことのある私の母も彼のことを感激をもって物語り、私にすすめもしていた。一九〇八年第八学期に私がハイデルベルク大学に移った時、順序よく物事が運んで、私は三学期つづけてヴィンデルバントのゼミナールに積極的に参加し、カントの三つの批判書を講読してレポートを書き上げた。……ハンス・エーレンベルク Hans Ehrenberg を大変評価していたヴィンデルバントは、恐らく彼のすすめで私に対してはリッケルトより積極的であった。彼は〔カントの〕批判書の三つの関係範疇、つまりやや得意に思った私の考えでは批判論の核心の部分について報告するように私に命じた。私はこのレポートで、ごく独創的な考えを述べたのだったと思うが、その内容は忘れてしまった。だがその考えは、実体性、因果性、相互作用の関係のうちに批判哲学全体の組織的原理が反映しているということであったと思う。ヴィンデルバントはそれに活発な興味を示し、私は非常にうまくやったのである。しかしこの成功が、私の彼に対する厚い感謝の念の基になった訳ではない。私の感謝の気持はむしろ、彼が私達をそこで価値ある対象について、つまり偉大な哲学の原文について哲学することを学ばせてくれ、その方法へと教育してくれたという素朴な事実によるものであった。……ヘーゲル以後の哲学の解体、ショーペンハウアーとニーチェの影響、精神界の自然科学、神学、歴史研究、心理学への完全な崩壊、精神の大変な故郷喪失の始まりと指導的高峯の欠如――そういったもの一さいの結果、誰もが自分の世界観、自分の哲学、いな自分の体系をすら築きはじめていた。人々は偉大な哲学とその決定的根源との接触を失っても結局また元の同じ問題に逢着するのであって、そのような問題の基本形式は大抵の場合既にプラトンとアリストテレス以来長きにわたって知られていたし、また問題の困難さと解決の可能性は明らかにされていたことにもはや気づかなくなっていた。完全な無教養のために、人々は同じく既に久しくきまりきっていた誤謬をおかしつつ、それに気づかなかった。そういったいっさいの理由から、私はそれ以後、大学においては労苦を伴う古典の研究こそ何にもまして必要な哲学の授業の課題であり、教師自身の体系を述べたり、個人的問題や生徒の疑問、憧憬といったものをとりあげたりするのは卑しむべきことであることを主張して来た。……

ヴィンデルバントはソクラテス風の醜貌をしており、やや猫背でずるそうな眼つきをし、『鬚もじゃの哲学者』でありながら礼儀正しく上品な話し方をした。これ程趣味がよく才智を表には出さなかったので、大家のうぬぼれた態度は目立ちそうにもなかった。彼はうぬぼれをもっていなかったので不安もなかったし、彼の精神的外交術もまたわれわれの及ばぬ所であった。エビングハウス Ebbinghaus だけが時々彼の度胆を抜くことはできたが、困らせる所までは行かなかった。……このゼミナールには大勢の活発な若者が出席していた。誰より光っていたのは若きエビングハウスで、ひらめきがあり、洗練されていて非常に大胆で、ヘーゲリアンと自称していた。その他には、同じくヘーゲルに傾くハンス・エーレンベルクがいた。彼は社会学から哲学を経て、後に神学の方へ進んだ。……そういう若い猟犬の群を相手にしては、ヴィンデルバントも必ずしも安全という訳ではなかった。ここで私ははじめて、大学の精神生活の戦闘的情況というものを学び知った。それは当時の如く未ださし迫った危機にはなっていなかった浅ましい派閥からの自由を大学が維持している場合にのみ、創造的で生命のもととなり得るものである。……西南ドイツ哲学なる概念にある地理的力点は、バーデンという土地が哲学的精神の世襲地であったという意味にとられてはならない。その意味では私の生地シュヴァベンこそ新生の地であるはずであった。マックス・ヴェーバー Max Weber はかつてこうまで言ったことがある、『バーデンではユダヤ人すら愚かである』と。しかし哲学の仕方には、やはりどこかオーデンヴァルト、シュヴァルツヴァルト、ヴォゲーゼン、ネッカー河、ライン河などに通ずるものがあった。一抹のロマン主義は森や山と……関係があるに違いない。……ここではディルタイやブレンターノの名前は殆ど口にされなかった。しかし世紀の転換以後、いわば新ロマン主義の徴候が見られた。そもそも西南ドイツで哲学についての高遇な概念が再生したことが新しいことであった。ヴィンデルバントはクーノー・フィッシャーの哲学史から、哲学的概念の歴史へと歩を進めた。そして彼の門下達はカントから、老いて毅然たるラソン Lasson 一人がドイツにおける代弁者であったヘーゲルへと移ることが自分達の仕事だと信じていた。ヴィンデルバントは死の直前の講演で、新ヘーゲル主義と自称するこの運動に貢献した。リッケルト学派ではフィヒテがよみがえった。われわれはシェリングを読みはじめ、カント後のドイツ観念論は一つの標語となった。……

このことに関連して私が自分のことで話さねばならぬことがある、それは医学を離れて——哲学者に『成る』という誘惑のことである。何年も経ったあとでは、そういった危機がどこまで真面目なものと考えねばならぬものかは測り難いことである。少くともヴィデルバントは私の哲学的天分を本気で考えていたことを私は知っていた。彼は私がそれ以上の努力を払えば、それを援助していてくれたであろうが、彼からの直接の影響はなかった。とにかく私は自分自身と困難な闘いを行っていると思っていたが、最後に私の意識は先まわりして次のような議論を提出した、つまり哲学とは職業ではなくて、天の定めか天分であり、人間には何か職業がなければならないのだと。……だが私は今や、自分は哲学のアマチュアとしてこの学問を通り抜けた訳ではなかったのだというある種の自信の気持を持つようになった。私は自分なりのカントを今日でもなお、彼についてのちょっとした序論や演習ができるほどに知っていると敢えて言ってもよく、実際一九三九年の戦中の冬には自分の子供達や友人の前でそれを行いもしたのである。ヴィンデルバントの哲学史の教科書にも安定した価値があることがわかった。われわれはまさしく自分が克服せざるを得なかったものに対して——今の場合には哲学における歴史主義のことになるが——生活史的観点から言えば最大の感謝の念をもちつづけることがわかる……』

二〇一 ** デモクリトス（460 頃——360 頃 B. C.)。古代ギリシャの哲学者で師レウキッポスの原子論をひきついでこれを完成し、近代の原子論に影響を与えた。世界は不生不滅のアトマ（分割不可能なもの）とケノン（空虚）より成り、アトマの形態、大きさ、配列などの異るに従って種々の物ができると説いた。

二〇一 *** Gustav von Bunge (1844–1920). ドイツの生理学者、バーゼル大学教授。初期生化学の開拓者、生気論者でもある。著書に Lehrbuch der physiologischen und pathologischen Chemie (1887); Lehrbuch der Physiologie des Menschen (1901) などあり。

二〇一 **** Niels Bohr (1885–1962). デンマークの物理学者、コペンハーゲン大学教授。ラザフォード E. Rutherford の原子模型に量子論を適用してボーアの原子模型（一九一五年）を提唱、原子物理学発展の端緒をつくり、また量子力学の基本概念として相補性 Komplementarität を唱えた。一九二二年ノーベル賞をうけた。彼の生命論については、Atomtheorie und Naturbeschreibung (1931), Licht und Leben (1933) など参照。

二〇一 ***** Max Scheler (1874–1928). ドイツの哲学者、ケルン大学教授。R. Eucken の門下であるが後 E. Husserl の現象学の影響をうけ、これを心理学、倫理学、宗教哲学、社会学などに適用、実証主義と新カント学派に反対し、哲学的人間学に立った。この箇所で問題になっているのは彼の著書 Die Stellung des Menschen im Kosmos (1928, 大島訳「宇宙における人間の地位」第一書房、一九三七年）であるが、他に次の著作あり。Der Formalismus in der Ethik und die materiale Wertethik (1913–16); Wesen und Formen der Sympathie (1923); Philosophische Weltanschauung (1929, 樺・佐藤訳「哲学的人間学」理想社、一九三五年）など。

シェーラーは著者の思想に最も大きな影響を与えた思想家の一人であり、著者がマルチン・ブーバー、ヨーゼフ・ヴィティヒらと雑誌 Kreatur（一九二六年）を創刊した時、これに参加するはずであったところ急逝したため果さなかった。著者との交友については「自然と精神」(30頁以下）に以下の叙述がある。

「一九二三年秋のことだったと思うが、私がハイデルベルクのプレック街六八番地の自宅の扉を開いた所、そこには一人の小柄で太った、鬚をそっていないどこかすさんだ風に見える男が、殆ど荷物も持たずに緑色のバイエルン帽を手にして立っていた。それはマックス・シェーラーであった。彼は数日間ハイデルベルクに滞在し、私の家の客であった。„Vom Umsturz der Werte", „Vom Ewigen im Menschen", „Der Formalismus in der Ethik" といった著書は、二、三年を経ずして既にその第二版が出ていた。そこには、人の心を間もなく全く別の諸領域で湧き立たせずにはすまなかった何ものかがあった。シェーラーは議論の対象となる人物であった。彼は罪深い生活をしているとすら噂された。彼が教授資格をとったミュンヒェン大学当局といざこざを起したことは、戦争中にもかかわらずセンセイションであった。彼が早くからカトリック教会に改宗したことは、彼を改宗者にしただけではすまず、多くの人々を改宗へと誘惑する結果になった。共和国が創設したケルン大学は彼を招聘し、改めて教授資格を与えた。……彼は決して動乱の時代の精神的かげろうなどではなく、まともな研究者、能力のある人間、哲学者であった。もっとも彼にあっては、脳髄だけではなくて心臓が、そしてこう言ってよければ腹までも、つまりは肉体の全体が哲学していた。『何故ならばエロスは哲学者である』とシュンポシオンにある。そして彼にあっては正しく、実存について哲学するのではなくて、実存が哲学するのであった。私には、そのようなアンチテーゼの正当化について議論するつもりはない――この男がそんな印象を与えたということで十分である。彼がわれわれに強いるのは、立場の表明ではなくて、即座の共感と反感なのであり、共感と反感が一秒毎に交代することもあり得た。その速さといえば、彼の顔は闘士の気高い表情から、司祭、陽気なバイエルンのとんち家、女性の誘惑者、下品この上ない酒場から出て来た人へと次々と変って行った。彼の話は学会で聞いても夜会で聞いても等しく人の心を奪うものだった。私ははじめて彼と談話した時、„Vom Ewigen im Menschen"第一巻を書き継いでいただきたいという希望と、その予定される内容についての望みを述べた。しかしシェーラーは女性についても著作についても、われわれが彼に最後に会った所に留ってはいないのだった。既に彼と教会との関係は甚しく緊密さを失い、その点に関する彼の態度は単に明答を避けているという以上のものであった。このことはまたいつまでも変転してやまぬ彼の結婚生活に関連していた。教会は『大衆精神病院』にされてしまった。私が一九二七年に彼が主催するケルン・カント協会での講演（『医学的人間学について』„Über medizinische Anthropologie"）に招待をうけ、彼の家の客となった時、彼はマリア・シェーラーと結婚していたが、今や彼の人生は死の病の徴のもとにあった。講演のあとわれわれは城砦の傍で夕食をとった。そこでは婦人方の他に、プレスナー Pleßner とクルト・シュナイダー Kurt Schneider も一緒であった。半時間経つまでにシェーラーはソーダ水、ミルク抜きコーヒー、コニャク、ビール、卵等々を次々飲食し、彼の会話は混乱してはいなかったが、殆ど物理的な力のためにあちらに飛んだりこちらに引き戻されたりしているかのようであった。彼は誰かある人のことを攻撃的に誹謗していたかと思うと、突然私の妻の方を見て口籠り、『おっと、今私は赤面しました』と言った。彼の最も見事な論文の一つである羞恥心についての著作を知っている人なら誰でも、彼にあっては哲学がどのようにして生れたのかがわかる。『心の統一』とはシェーラーにあっては問題ではなく、問題をはらむ彼自身の状態なのであった。彼はそれについてわざわざ実験を行ってみるまでもなく、彼自身がその実験なのであって、実験するかしないかの選択権は彼にはなかった。彼は実際、生身の決定的実験 Experimentum crucis であった。われわれは走ってやっと最終の市電に乗ることができたが、家に着くとマリアがあれやこれやと乞うたにも拘らず新しいビール瓶を出さねばならなかった。つまり彼は朝まで私と哲学談議をしようと思ったのである。その結果はといえば、彼は持病の狭心症の激しい発作に襲われ、講義を断わることになったが、午後にはお茶に招待してあった人達が来訪し、彼はその集りで自分の病気、病気についての経験、症状のことをこまごまとおしゃべりした。

私がここでシェーラーの身体のことに触れる訳は、そこにドイツのその後の発展の理解を全きものにするものが顕わになっているからに過ぎない。ごく僅かな人達しか、否恐らく何人といえども、第一次大戦直後の時期をとらえた精神的過程をこれ程までにはっきりと現わしてはいないであろう。今や『対角線的なるもの』への憧憬が満たされつつあった。他の数えきれぬ人達同様シェーラーにおいても、事実ありとあらゆる力が交錯しており、彼は恐らくただの焦点と言うよりは、一点に向けられた数多くの集光レンズによって他ならぬその点でたきつけられた火災なのであった。従って自然科学、精神科学、政治、宗教など、シェーラーが新しい問いや関係づけをもって刺戟し鼓舞しなかった領域は、殆ど一つとしてなかった。そういった交差点は生れては消滅したが、シェーラーは誰とでも語り合え、誰もが自分の苦しみを彼に感じとり予知してもらえたことを認めた。私が今、如何なる主要点において彼と共感、共鳴したかを示唆すべきであるのなら、全く個人的に自分のことを話さねばならないのであって、そのことこそ正しくシェーラーのデモン的本質に特徴的なのである。シェーラーはモナドであって、他のモナドを目覚ませこれに出会ったのである。彼の精神性がもつ心身論的性質とは、世界大戦の体験によってかの別世界に漂ういわゆる精神的生活の崩壊の啓示をうけた人達の誰もが感じていたことに他ならなかった。陣地戦争の科学戦、友人の死、敗戦の破局とヴェルサーユ講和条約、そういったものによってわれわれに示されたのは、伝統的方法で訓練された正常な意識の手段をもってしてはもはや理解も支配も不可能な、力と可能性の原初的暴威なのであった。市民的安穏の破壊、運命の冒険性、胃袋と財布の問題への情容赦なき依存性、それらは精神的連続性の経過を打壊し、悟性と感情、意識と無意識、心と身体といったものを個人的体験と経験に従って新たに秩序づけ調合する自由をつくり出した。……無論、仮りにシェーラーが単にそのような一状態に過ぎず、真の思想家でなかったのであれば、より大きな諸関連の上から見た精神史上の標石とは決してなっていなかったであろう。事実は彼はそのような標石であったのである。その上彼の哲学の基本線や彼の教養は既に大戦前にできあがっていたものであった。そして今や一段巨大な第二次大戦中に、もしくは大戦後にわれわれの前にせまっている時代に対しては、次のように言っておくのが有益である、つまり、当時無をもってはじめて一さいを新しくすることは何人にもできなかったし、未来においてもできないであろうと。そうではなくて、来るべき人達は常に立ち去りつつある人達が手をひいた所から始めることになるであろう。シェーラーは私の展望の及ぶ限りで言えば、あるはっきりと認知し得る精神的家族から出で来り、それを先へと続けたのであった。彼の始まりは現象学派であり、それはフッサールを、フッサールはブレンターノを、ブレンターノはカトリックのアリストテレス主義の一分枝を指し示している。この系譜において今一度哲学の中へ持ち込まれたのは、機能の因果性に対立する形態の実在である。若き日のカッシーラー Cassirer に見られる如き実体と機能ではなくて、現象学者の説いたデュナミスとエネルゲイアこそ事物の本質法則である。この歴史的基本線はシェーラーからハイデガーへと先に続くものである。この点を確認して置くことが必要なのは、西南ドイツ人とは無関係に成立したこの流れが結局のところ、また西南ドイツ人へと流入し、その後更に西南ドイツの医学と生物学、心理学と生理学において誕生し、私自身も私なりに関与している所のものにそれが近縁関係を有する事情を理解するためなのである。

　無論シェーラーのような人は、心身論的モナドであった以上、その叡知的領域では矛盾に満ちていた。その一例は医学上の問題に関する彼の判断であった。ある時私は、医師が患者の苦痛をモルヒネで治療するのと精神療法を行うのとでは、全く相異なることを行うことになると主張したことがある。彼はそれに頑なに反論し、いくら説明してもわからなかった。実際共感感情をあれ程精妙に論じた現象学者からであれば、患者がモルヒネの投与をうけるのと暗示や分析によって今までと違った心的態度を学ぶのとでは、患者の中に起る過程が全く異なること位即座に理解してもらえると期待して当然であった。ところがその時彼にとって重要なのは、望まれた成果――苦痛の除去――だけであるように思われた。今日このことを簡単に説きあかしてくれると私が考える説明は、シェーラーは自分自身の身体性に対しては無防備に等しく、――ゲーテがA・v・フンボルトに宛てた書簡の有名な言いまわしを用いれば――自己の身体性の要請から教えをうけはしたが、自ら身体性に教えを垂れることはできなかったということであろう。ゲーテはこの書簡において動物と人間の違いを示唆せんとしたのだが、シェーラーはその点では人間というより動物であったのであり、そのために彼は途方もない精神の対重が置かれた粗野な人間という印象を与えたのである。所がその彼は精神を最も弱きものと定義していた。シェーラーは私が今までに会ったうちで最も精神的な動物であったのである。」

二三一 * Henri Bergson (1859–1941). フランスの哲学者、コレージュ・ド・フランス教授。彼の時間論については Essai sur les données immédiates de la conscience (1889, 服部訳「時間と自由」岩波文庫) を参照。その他 Matière et memoire (1896, 高橋訳「物質と記憶」岩波文庫); L'évolution créatrice (1907, 真方訳「創造と進化」岩波文庫); Les deux sources de la morale et de la religion (1932, 森口訳「道徳と宗教の二源泉」中央公論社、一九七〇年) などあり。

二三八 * 通常カントでは実践理性が理論理性に対して優位を占めるとされる。

二三九 * die dritte Relationskategorie Kants. カントは一切の可能な経験の先天的制約である純粋悟性概念として範疇を量 Quantität、質 Qualität、関係 Relation、様相 Modalität の四綱に分ったが、関係の範疇には実体性、因果性、相互作用性が含まれる。

二四七 * Theodizee. 神義論とも訳し、ライプニッツの用語である。この世に悪があることを以って神の存在を否定せんとする考え方に対して、神の存在を弁護せんとするもので、神は肉体的悪をより高次の目的への手段として認め、また欲することができ、精神的悪をより高次の善のために認めることができると説明する。G. W. Leibniz: Essais de theodicée sur la bonté de Dieu, la liberté de l'homme et l'origine du mal (1710) 参照。

二四七 ** negative Theologie. 消極的神学ともいう。新プラトン学派の影響をうけパウロによってキリスト教に改宗したアテナイ人 Dionÿsios Areŏpagités の言葉で、彼は神についての積極的規定にかかわる肯定神学 kataphatikē は、高次の否定神学 apophatikē によって補われねばならず、これによって神秘的に神と合一する恍惚境に入る道が開けるとした。このように神の存在を認めつつ神に関する一さいの認識を否定する否定神学は、その後も神秘主義思想家に認められ、Meister Johannes Eckhart (1260頃–1327) などもこれに属するとされる。

二五一 * Eduart Friedrich Wilhelm Pflüger (1829–1910). ドイツの生理学者、ボン大学教授。ヨハネス・ミュラー、デュボア-レイモンの門下、血液ガス、蛋白代謝などの生化学的研究と神経生理の業績あり。Die teleologische Mechanik der lebendigen Natur (1877); Wesen und Aufgabe der Physiologie (1878) などの著書あり。

二五三 * der Kampf zwischen Newton und Goethe. 著者はこの他にもゲーテの自然観を再三論じているが、最も詳しいのは „Zur Farbenlehre" (in „Diesseits und Jenseits der Medizin." (K. F. Koehler Verlag, Stuttgart, 1950); „Gestalt und Zeit" (1942, Max Niemeyer Verlag, Halle; 1960, Vandenhoeck & Ruprecht, Göttingen) である。ゲーテのニュートンに対する色彩論に関する論駁については後者(33頁以下)に以下の記述がある。「感官知覚に関する対決で十九世紀が眼にした最も興味深いのは、問題なくゲーテがニュートンに対して挑んだ例の論駁である。しばしばゲーテの伝記がやや過小評価しているこの論争問題は、大体は解明ずみと見做され、しかもゲーテに不利な決着を見たということになっている。その場合特に指導的役割を果したのはヘルムホルツであり、彼は何度も繰返しゲーテの自然科学的著作にとり組み、一八五三年、一八七五年、一八九二年にゲーテの色彩論の誤謬の原因を詳しく分析したが、それに反してゲーテの形態学の研究に対しては最高の栄誉を認めようとした。ヘルムホルツの権威は、その後のゲーテ問題の一層自由な評価を特に妨げることになった。しかしながらゲーテとニュートンのいずれが正しいかという問いだけではなくて、ゲーテが感官知覚の対象について何かニュートン以上のことも言おうとしているのではないかという問題も提起できたのである。後の時代の人間にとっては、ゲーテがこの偉大なイギリス人を何故これ程にまで見境いもなく攻撃しなければならなかった（彼はニュートンにいかさま賭博と嘘言の罪をきせた）のかは、とても理解し難いことである。ニュートンが白色光は色彩光から合成されていると説くのに対し、ゲーテは色が白色光より混濁によって生じるのだと主張した。先入見を持たぬ人なら、この二つの表現法にどこか共通した点、合致するものが含まれてはいないかと問わねばならぬであろう。無論、ゲーテの証明の更に深い根は情念、つまり彼の宗教的自然感情であったことは、ずっと以前から気付かれてはいた。『感情がすべてである。』彼には色彩界が感官の欺きにすぎぬということが耐えられなかったのである。眼に見える自然は彼には真の啓示として、眼は太陽のごときものとして立ち現われねばならず幻想であってはいけなかった。学問の使命は、色あでやかで光きらめく自然を数学と公式によって破壊することではあり得なかった。ところが私が思うに、ヘルムホルツは彼の主張の通りゲーテが詩人として正しかったのみならず、研究者としても感官の真理を求めた点で、つまり単に詩的真理にとどまらず学問的に証示し得る真理をも求めた点で正しかったことを見逃した。またヘルムホルツが何故にこのゲーテの動機を正当に考慮しなかったかということも認識するに難くない、つまりヘルムホルツ自身に感官の真理に関する彼なりの定った見解があったからなのである。ヘルムホルツがゲーテの色彩論を批判した時、彼は物理学者として語ったのであったが、ゲーテがもともとニュートンとの論争では、今の言葉で言ってみれば生物学者として立ち上ったのだということを明らかにするには、生理学者として語らねばならなかったということをヘルムホルツは忘却していたのである。ところが色彩論が出版された一八一〇年には、まだ感覚生理学も感覚心理学もなく、またわれわれのいう意味での生物学も本当は存在しなかった。そこでゲーテは、生物学もしくは心理学的に述べた方がよかったことを、いわば物理学者として、しかも無論拙い物理学者として表現せねばならなかったのである。……」

更に「われわれの知覚像を冷静に掘りさげてみてはじめて、知覚にはゲシュタルトの完成したものは何一つなく、あるものは常にゲシュタルトを形成しつつあるものだということを教えられる。従ってゲーテの色彩論への貢献は、光学理論と色彩物理学にあてられた文章ではなく、何をおいてもまず彼の物の見方と器官の考察法を示す文章において弁護し、今一度名誉を与えるに価するのである。だからここに、そういった最も特筆すべき文章のいくつかを附録しておく。それは色彩論の教育的部分 Didaktischer Teil der Farbenlehre にある。」として「色彩論」の序論（著者は „Einleitung“ としているが、実は „Vorwort“）の第十一小節（„Ist es doch eine höchst wunderliche Forderung etc“）と本論のパラグラフ第33、34（Nr. 33„ Das Auge eines Wachenden etc“, Nr. 34„ Vielleicht entsteht das außerordentliche Behagen）を挙げ、更に以下の通り続けている。「ヘルムホルツがゲーテの仕事について、正しいのは研究者ではなくて詩人だという決定を下す場合、それによって彼は不可分のものを引き裂こうとしたことになる。人格のみならず真理も又分割不可能なものであり、自然探究者が誤謬と見做さねばならぬことを芸術家が真であると知覚することはあり得ない。としてみればゲーテとニュートンの意見の相違もまた決して今日では解明ずみのさ細な副次的出来事ではなく、依然として焦眉の問題なのである。『色彩論史への素材』„Materialien zur Geschichte der Farbenlehre“には、『ニュートンの人格』なる一章があって、ゲーテはそこでかの嫌わしい論争の跡から我身を洗い清めようと試み、この自らの敵意の問題を道徳的存在の根底まで明るみに出そうと企てている。彼は自分とニュートンとの対立を性格の違いとして説明するのだが、それによって一段高い正当性をかち取らんとする彼の企ては完全には成功したとはいえない。いずれにせよわれわれには、分析的科学と生物学的研究との破られた平衡を回復するという、繰返し立ち帰る課題が残されている。……」

二五三 ** Friedrich Wilhelm Joseph von Schelling (1775–1854). ドイツの哲学者、テュービンゲン大学でヘルダーリン、ヘーゲルと同窓、フィヒテの影響をうけイエナ大学でその後任、後ミュンヒェン大学教授。カントの批判哲学、ヘーゲルの歴史哲学と異り、神秘的直観によって汎神論的自然哲学を説き、絶対我の働きにより物質から人間精神に至る自然の諸段階を説明しようとした。彼のいう絶対者とは自然と精神の根底にあって、実在的なものと観念的なものとの同一であることより、彼の哲学は同一哲学 Identitätsphilosophie と呼ばれる。著書に Ideen zu einer Philosophie der Natur (1799); System des transzendentalen Idealismus (1800. 赤松訳「先験的観念論の体系」蒼樹社) などがある。なお著者にはシェリング論 „Über F. W. J. Schelling“ („Diesseits und Jenseits der Medizin“, K. F. Koehler Verlag, Stuttgart, 1950 に収録) がある。

カントとシェリングの対立とは、カントがその批判哲学の知識論によって近代自然科学に基礎を与えたのに対し、シェリングは汎神論的自然哲学によってオーケン L. Oken らと共に、十九世紀前半のドイツにおける反自然科学的なロマン主義医学 romantische Medizin に大きな影響を与えたことを指す。

二五六 * das James-Langesche Gesetz. Williams James (1842–1910) はアメリカの心理学者。意識の流れを重視して W. Wundt の心理学を批判、経験主義に立ってプラグマチズムを唱導した。The principles of psychology (1890, 大坪訳「心理学について」日本教文社、一九六〇年); The varieties of religious experience (1902); Pragmatism (1907) などの著書あり。Carl Lange はデンマークの心理学者。ジェイムズ=ランゲの法則とは、ジェイムズ(一八八四年)、ランゲ(一八八五年)がそれぞれ別個に主張した情動説のことで、感情においては身体的変化(ジェイムズによれば運動、ランゲによれば血管運動の変化)が重要で、心的体験としての情動はこれに随伴すると言う。

二五六 ** Iwan Petrowitsch Pawlow (1849–1936). ロシアの生理学者。犬を用いて条件反射を発見、大脳生理学の研究に貢献した。一九〇四年ノーベル賞受賞。

二七六 * Frederik J. J. Buytendijk (1887–1974). オランダの生理学者、心理学者。現象学的、人間学的立場より比較心理学、運動、生理学などの研究を行う。著書に Mensch und Tier (1958, 浜中訳「動物と人間」みすず書房、一九七〇年); Allgemeine Theorie der menschlichen Haltung und Bewegung (1956); Prolegomena zu einer anthropologischen Physiologie (1967) などあり。

二七七 * Eduard von Hartmann (1842–1906). ドイツの哲学者、ショーペンハウァーの影響をうけ「無意識者の哲学」を唱えた。彼のいう無意識者とはヘーゲルの理性とショーペンハウァーの意志をそなえた絶対者である。Philosophie des Unbewußten (1869) などの著書あり。

二八〇 * Hērakleitos (540 頃—? B.C.). 古代ギリシャのソクラテス以前の自然哲学者でエフェソスの人。ミレトス学派(タレスなど)と深い関係にあり、ピュシス(万物の根源)を火と考え、これが水、土、水、火と変化、流動する面には対立があるが、全体としては調和があり、これがロゴスであると考えた。「万物は流転する」とは彼の言葉とされる。また土と海から立ち昇る清（火的）、濁（水的）の二種の蒸気のうち、前者は宙に浮く小舟様のものに点火して天体となり、太陽はそのうちで最も清的なものであり、魂（プシュケー）も蒸発物であって、最も乾燥した光になった時に最も完全であり（神火）、従って魂は神火の一部をなす不滅のものであるとした。

二六三　＊　量。原文では「質」Qualität となっているが「量」と読む。

二八八　＊　die Schule Krügers. ライプチヒ学派のこと、訳注一六三**** *** 参照。

二八九　＊　Charles Robert Darwin (1809–1882). イギリスの生物学者。医学、神学を学んだ後自然研究をはじめ、ビーグル号の探険航海に参加、進化論を創唱した。Origin of species (1859, 八杉訳「種の起原」岩波文庫）などの著書あり。

三〇〇　＊　Parmenidēs (544–501 B. C). 古代ギリシャの哲学者。エレア学派の祖、訳注一四五**参照。

三〇二　＊　この原注に相当する番号の記入が原文には見当らない。フランス語版では、この節の終り（266頁13行目）に番号を入れているが、文脈より265頁14行目の最後に入れるのが適当かと思われる。

三〇九　＊　Michel Foucault (1926–84). フランスの哲学者。フランス現代の構造主義的思潮を代表する思想家で Maladie mentale et psychologie (1962, 神谷訳「精神疾患と心理学」みすず書房、一九七〇年）; Naissance de la clinique（神谷訳「臨床医学の誕生」みすず書房、一九六九年）; Les mots et les choses, une archéologie des sciences humaines (1966) などの著書あり。来日時の対話によると、このフランス語への訳書はフーコーの学生時代の仕事であるという（大橋博司教授による）。

三〇九　＊＊　神経学の分野にまで及ぶ跡。ベルクソンの著作中では、Matière et mémoire (1896,「物質と記憶」）が失語症など神経学上の問題に触れている。

三一〇　＊　Raoul Mourgue. フランスの精神神経学者。医学、生物学の哲学的基盤に触れた著作が少なく、ベルクソンが序文を書いた Neurobiologie de l'hallucination (1932)、モナコフとの共著 Introduction biologique à l'étude de la neurologie et de la psychopathologie (1928) が重要である。他にベルクソンの思想を論じたものとしては、Le point de vue neurobiologique dans l'œuvre de M. Bergson et les données actuelles de la science. (Rev. de Métaphys. et de Morale, 1920) がある。

三一〇　＊＊　Ludolf von Krehl (1861–1937). ドイツの内科学者、一九〇六——三〇年ハイデルベルク大学教授。著者の内科学の師であり、循環系、体温調節などに関する病態生理学的研究で有名であるが、早くからフロイトの精神分析の価値を認識し、著者の精神身体医学、医学的人間学の先駆者ともなった。このことは、クレールの次の文からも見てとれるであろう、「人間一般なるものは存在するのか、否あるのは個々の病める人間であり、個々の人格のみである。……人間とは統一体《アインハイト》であり、この人間が病むのである。……」(Pathologische Physiologie, 1923)「先人達が一八八〇年代によって立つべく与えてくれた基盤の上に、われわれは未だ確と立っている。つまり自然科学は医学の基盤をなすものの一つである。しかしわれわれがもし医学を更に発展せしめるために共に働かないというのであれば、かの偉大な巨匠達の不肖の弟子だということになろう。この共働作業こそわれわれの師に対する感謝でもある。私の見る限り、将来の発展は、人格が、研究と評価の対象として医学のうちに登場することである。それは従って精神科学及び生命全体の諸関係を、自然科学と同等の権利を有する今一つの医学の基盤として今一度投入することである。……」(Krankheitsform und Persönlichkeit. Dtsch. med. Wschr. 54; 1745, 1928) クレールはこの業績によって、著者の同僚で ,,Die Medizin in Verantwortung" (1948, 著者と共著) や ,,Medizin in Bewegung" (1949) などの著作のあるジーベック Richard Siebeck (クレールの後任) と共に神学博士の名誉称号を贈られた。著書には他に Grundriß der allgemeinen klinischen Pathologie (1893, 後に Pathologische Physiologie 1923); Entstehung, Erkennung und Behandlung innerer Krankheiten (1932) などあり。

著者はクレールについて「自然と精神」(36頁以下) に次のように記している。

「私がルドルフ・クレールにはじめて会ったのは、私の両親とテュービンゲンからシュトットガルトに行った時乗った夜の列車の車中であった。彼は既にテュービンゲンからシュトラスブルクに移っていた。彼はちょっとの間私の隣に腰をおろして、J・v・クリースの所で私がしていた研究の話を聞いたあと、『国家試験が終ったら私の所に来なさい』と言った。彼がいつもそうであるように万事は極めて迅速にはかどり、私は心の中に、彼の黒く輝く滑かでよく手をかけた頭髪と光った鬚をそなえた鋭い顔からうけた強い印象をしかととどめた。そういった招きは、何の資格もない学生には大きな印象を与えずにはすまなかった。無論そういったことの背後には、数年前彼をリーバーマイスター Liebermeister の後任たるべくテュービンゲン大学に招聘したことのある当事の文化相の私の父とクレールが親しい関係にあったという事情もあった。クレールは私の父を熱烈に尊敬していた。……そうこうするうちに、クレールはシュトラスブルクからハイデルベルクに行っており、私が国家試験までの最後の二、三学期を過すべき大学を選ぶことになった時、クレールの大学に行くことになったのも既に自明のことであった。……私は彼の講義に感激した。クレールの当時の講義は、臨床から病態生理学の領域へとかなり長い余論を行ったので、生理学といえば私の領域でもあった。ボイムラー Bäumler やフリートリッヒ・クラウス Friedrich Krauß 以後ではまずクレールが真に魅力ある内科学者であり、かけ離れた題材へと誘うというよりはむしろ、私を自分の中へ呑み込んでしまった。そして私は既に自分の将来を彼にかけていた。私は自分の生涯の殆ど三十年間以上を大抵は彼のそばで過したので、様々の思い出の山とわれわれの関係に生じた変転の数には限りがない。学生、助手、代任者、弟子として、そして彼の言葉によれば友人として、最後には彼の医師として私を彼は、彼を私は、故郷で、戦場で、大学病院で、実験室で、そして家庭で互いに知り合って来た。私は彼を愛し、彼と闘い、彼を尊敬し又批判し、研究し、そして再び愛したのである。……

〔動物実験の時に〕私は、糸を用意したり結んだりする時の彼の方法が、細い点に至るまでフライブルクのクリースのもとで私が学んだのと正確に一致するのに気づいた。いつまでも私のかけがえのない真の先生であったこの二人の人物が、ライプチヒのカール・ルートヴィヒ Karl Ludwig の同じ門下であったことを、私ははっきり意識した。自然科学の実験的研究をしたことのある人なら誰でも、どんな学派にもある空気を示唆するそういったちょっとしたことにどんな意味があるのかを感じとっていただけるであろう。……ところでカール・ルートヴィヒからの系譜はヨハネス・ミュラーにまでさかのぼっており、われわれは自分達がこのドイツ生理学の父祖の曾孫であると感じることができた。……

そんな風にわれわれ〔助手達〕は、実験室の研究と病室との間に関連が無いことや、二つの合一不可能な世界で道に迷ってしまう無意味さなどについてあれやこれやと話し合った。そしてわれわれの会話の内容はわれわれの科長に全く知られずにはすまなかった。だが彼はどうすればよかったというのであろう。他ならぬハイデルベルクの内科が家兎病院と罵られていたことは誰もが知っていたが、われわれはそれが妬みにすぎず、自分達の科長が、家兎医学者などでは全くないことをよく承知していた（また誰もが外部に対しては彼を擁護した）。それどころか、他の学派とは逆に、といっても実際に自分達に匹敵し得るのはミュンヒェンのフリートリッヒ・フォン・ミュラー Friedrich v. Müller とベルリンのフリートリッヒ・クラウス Friedrich Krauß の所だけだと思っていたが、われわれは動物実験が唯一の救済機関だという信仰を、遙かに限られた領域においてしか持っていず、彼らに比べればずっと非物質主義的に考えるよう教育されていたことがわかった。そして程を経ずしてクレールに関する伝説は逆転し、第一次大戦後には彼は神秘家、神学者、大学の破獄者にされてしまった。……

クレールは極めて敏感で、もともと決して理論家などではなかった。私は既にずっと以前から、彼にはそもそも精神的基本線などはないとにらんでいたし、私には彼が自分の信念を裏切ることすらあるように思えた。今になって考えてみると、そういう私の判断が生れねばならなかったのは、私自身にそういう基本線があり、それを頼りにしていたからであると思う。従って当時の私には、クレールの特定の精神的規範にしばられぬ態度が彼の天才的心情に必然的な影の部分にすぎぬことが理解できず、それが一種の節操の無さであると見做さずにはおれなかった。クレールは事実、精神的実存の法則を持ち歩いているというよりは、直感の芸術家であった。彼はいつも当時の画家がフォイエルバッハ Feuerbach 風につけていた黒い絹のネクタイをしていた。クレールは私を弁証家と見做して、私が帰結と正当性を要求するのをからかった。それに対して私の方は、彼がよろめく政治家、自信のない思想家であると思い、ザクセン生れの彼にはポーランド系の、ジプシーの血が混っているのではないかと感ぐったりもした。われわれの性質の対立は、種々の葛藤に発展せずにはすまなかった。

私はクレールの追悼講演で『自然科学を重視する年上の翼と、心的・政治的力点を示す年下の翼』を別けて話したが、それが私と一緒に昔助手であった人達の賛同を得たかどうかはわからない。私としては、クレールの人格に医学者と医師というこの対立があったことをわかっていただければ十分である。……クレールは臨床家であるのに、私が彼の所に行く以前には、殆ど臨床の研究をしたことはなかった。もっとも彼のヒステリー試論だけは例外であって、これは彼の素質に決定的な照明を投げかけた。われわれ、つまりグラーフェ Grafe が積極的に治療の仕事をはじめた時、クレールが微笑を浮かべて『私がライプチヒの助手時代には、そもそも治療したりはしなかったものだ』と言うのを見たことがある。更に彼は、医学の技術的発展に特に寄与した人物の一人でもなかった、もっともこの頃にはそれも必然なことと見做されて行われはしたが。今の世代の人達にはわかりにくいことだろうが、そもそも治療への転向が完全に行われたのは、内科学ではやっと第一次大戦になってからのことであった。しかしクレールのこの方面での発展は、技術、化学療法、食餌療法などに立ち向うことではなく、それとは全く逆の方向、つまり病める人間に向うことであった。われわれ年下の者にあってはこの過程は現代史的出来事であり、『医学の危機』として今日では既に歴史の一部となっているが、クレールは同年配の人達がそれには殆ど関与していなかった中で、この過程を個人的に準備したのであった。……

ヴォルテールは彼のルイ十四世の時代に、そういった人物を判定するには、その人の生涯のはじめにあった状態を規準とせねばならぬと書き残しているが、それと同じ正当性はここでも、つまり私がこういう風に特に性格描写の困難で、従って心理学的認識手段の他に歴史的方法をも含めた一さいの方法の助けによってはじめて理解し得るような人物と、今一度精神的に語り合おうという場合にも要求されるのである。クレールは何一つとして特別な発見をした訳でもないから、彼の名は何かある発見者として残されることはないであろう。しかしこれとは異る今一つ別種の人達も存在するのであって、その人達はその精神的実存を通して人から人へと一層長く生きつづけ、ある種の発動機部分の製作者にまさる不死の生命をこの地上で獲得するのである。そのようにしてクレールは、たった二つの小論文を書き残したにすぎぬといわれながらロマン期以後の医学派の創設者であり父となった年長の臨床家、つまりシェンライン Schönlein に親近感を抱いていた。……

クレールの門下であるわれわれは、自分達の師をあれこれと批判した、特に梅毒患者の場合などに彼がよく患者に向って道徳的怒りをぶちまけたこと、医師という職業の資本主義的側面に彼が関与しすぎること、患者に対して自分の好悪の感情をはっきり表に出しすぎることなど。目についたのは、彼が患者と交わる時の人間的情熱がよい意味で認められると同時に、恣意的、いな無規律ですらあるということだった。つまり彼にとっては患者は一人の患者以上のもの、つまり一人の人間であったが、この以上のものが制御されず、陶冶されていなかったのである。医師としてのクレールに本来欠けていると見えたものが私にははっきりわかったのは、一九一八年夏、私がハイデルベルクに派遣されていた間にアルバート・フレンケル Albert Fraenkel の患者との交わり方を知った時のことである。彼は胆嚢の愁訴をもつ若い兵士を、何気ない態度で共感をもって診察した。彼は腹壁をそっと触診しつつ、知らぬ間に患者の苦痛、職業上の願望、個人的問題などの問診に移り、それまでは未知の人であった患者を感情移入によって直覚することができたのである。私には、クレールがいつも自分自身の本性を患者の本性へと投影していたのに対し、フレンケルは患者の本性をそのまま受け容れていることがわかった。クレールは他者を自分の物指しで測り、フレンケルは一切何ものをも測ったり判定したりせずに、一つのイメージを受け入れたのである。私のうちにも、自分の中に他者の本質を受け容れたいというそのような憧れが活発にあって、このような過程から正しい治療形態が見つかるのではないかと私は期待した。そうすれば人間相互の間に存在するような過程が治療の本来の実質をなすものになるはずであろう。……

《病態生理学》は実際、一さいの自然科学と同じ意図をもっており、病いの現象の基盤に何があるのかを示すはずであったのだ。病理学とは、どんな犠牲を払うことになろうとも本質探究であった。勃興しつつあった新しい時代は病理学を別物、つまり臨床的企業の技術にしてしまった。こういった新種族に属するある人が、私のように『その背後にあるものは何か』とは問わずに、『それを使ってどんなことができるだろうか』と問うたことがある。そしてその人は新方法の発明者になった。私がいつも主張して来たことだが、一昔前の《病態生理学》はもともと、病いの現象ではなくて本質を究めようとした限りにおいて、経験的自然探究ではあっても、その思弁的部分をなすものである。クレールは、最初に『病態生理学』を書いた時内科疾患の治療について述べようという意図をもっていたが、そのような叙述が可能でないとわかって苦しんだと一九三三年に書いたが、それは彼が思い違いをしていたのである。彼の著書で主要動機となっていたのは研究者の衝動、知識への渇望、自然科学的方法をもってする思弁的経験主義であったのであり、この方法は意図したのとは別のもの、つまり他でもなく技術化した形の診断法と治療へと通じていたのである。本質の問題は未解決のまま残されたが、そうなるともはや問われもしなかったことになる。……」なお著者によるクレールの追悼文 ,,Ludolf von Krehl——Gedächtnisrede“ (1937, G. Thieme, Leipzig; 後に ,,Arzt und Kranker I“, 1949, K. F. Koehler Verlag, Stuttgart に再録) がある。

三〇 *** **médecine psycho-somatique.** 心身医学とも訳される。精神医学と内科学または身体医学との境界領域に位置づけられ、過去または現在の心的葛藤の結果と考えられるような身体的障害を研究対象とする。広義の精神身体医学の立場を取る場合には、一切の身体疾患に心因的要因の関与を認めることになるが、狭義では慢性の心的葛藤が植物神経系を介して諸々の身体器官に変化を惹起する場合を研究する。実際には本態性高血圧、肺結核、気管支喘息、胃潰瘍、潰瘍性大腸炎、湿疹、甲状腺機能亢進症などが心身的疾患とされる。

精神身体医学の源流は、古くは古代ギリシャのヒポクラテス、アラビアのアヴィケンナなどにも遡り、„psychosomatisch“ なる語を最初（一八一八年の „Lehrbuch der Störungen des Seelenlebens“）に用いた J. C. A. Heinroth (1773–1843) や K. G. Carus (1789–1869) K. W. M. Jacobi (1775–1858) C. F. Nasse (1778–1851) ら十九世紀前半のシェリングやオーケンの自然哲学の影響をうけたドイツ・ロマン主義医学もその背景にあるとされるが、実際には第一次大戦後に精神分析学の影響下に成立して国際的運動となった。精神分析以外にも、ゲシュタルト心理学などの全体論、W. B. Cannon (1871–1945) の精神生理学的著作 “Bodily changes in pain, hunger, fear and rage” (1929) や I. P. Pawlow の条件反射学 (1923) の影響も無視できない。

精神身体医学はユクスキュル Th. v. Uexküll によれば、その発展段階より見て三つの時期に分たれる。㈠ まず最初は G. Groddeck („Psychische Bedingtheit und psychoanalytische Behandlung organischer Leiden“, 1917) によって導入された思弁的時期で、反自然科学的傾向を著しく前面に押し出し、後に実存哲学と結びついて人間学的医学を目指すようになった流れにつながる。㈡ これにつづいたのは精神生理学的時期であり、心理学的方法と自然科学的方法の統合が試みられた。この時期を代表するのは、精神分析学を内科領域に導入しようとした F. Deutsch („Das Anwendungsgebiet der Psychotherapie in der inneren Medizin“, 1922) と、催眠法の実験を試みた G. R. Heyer („Das körper-seelische Zusammenwirken in den Lebensvorgängen. An Hand klinischer und experimenteller Tatsachen dargestellt,“ 1925) である。㈢ ついで第三期には、精神身体医学の経験的方法と理論的前提が研究対象となり、人格類型を研究した F. Dunbar (“Emotions and bodily changes”, 1935)、特定の疾患群に特殊的な葛藤を調べた F. Alexander („Psychosomatische Medizin“, 1951 英語版も同時に出版)、医師・患者関係を論じた M. Balint („Der Arzt, sein Patient und die Krankheit“, 1957) らが出たが、偽薬効果の研究や二重盲検法もこの時期に含められるとされる。

この間、多くはユダヤ系の精神療法家であった精神身体医学初期の研究者 (E. Weiss ら) はアメリカに渡ったため、精神分析学と共に精神身体医学はアメリカで隆盛を見ることになり、専門誌 “Psychosomatic medicine” (1939) が発刊され、学会 “American Psychosomatic Society” (1944) が設立された。第二次大戦後のアメリカにおける主要な著作には、E. Weiss and O. S. English: Psychosomatic medicine 1957, 第三版——初版は 1943); R. R. Grinker: Psychosomatic research (1953) などがある。

現代ヨーロッパの精神身体医学の主要な研究者としては、ドイツの A. Jores („Vom kranken Menschen“, 1960), Th. v. Uexküll („Grundfragen der psychosomatischen Medizin“, 1963) ら、スペインの Juan J. Lóbez Ibor („Psychosomatische Forschung“, in „Psychiatrie der Gegenwart“, hrsg. von H. Gruhle et al., Bd. I/2, Springer, Berlin, 1963)、フランスの L. Chertok、オランダの

B. Stokvis, イギリスの Leigh らがある。

なお著者は門下の P. Christian やスイスの M. Boss („Einführung in die psychosomatische Medizin“, 1954) らと共に、人間学派の流れに含まれるであろうが、精神身体医学を精神分析学より人間学的医学に到る医学的人間学の一段階と考えている（訳注二一＊参照）。著者の精神身体医学を論じた著作には „Psychosomatische Medizin“ (Z. f. ärztl. Fortbidd., 43; 327, 1949, u. Psyche, 3; 331, 1949); „Über psychosomatische Medizin“ (Psychol. Rundschau, 3; 157, 1952) などがあるが、無論 „Körpergeschehen und Neurose“ (Internat. Z. Psychoanal., 19; 16, 1933) を中心とする精神分析学的研究の大半は多かれ少かれ精神身体医学に触れるものである。また著者の師クレールも、同じ時期のドイツの内科学者 G. v. Bergmann („Funktionelle Pathologie“, 1936) と共に、精神身体医学を準備した人に数えられるであろう。なお精神身体医学に対する批判については、K. Kolle: Zur Kritik der sogenannten Psychosomatik. (Mschr. Psychiat. Neurol. 126; 341, 1953), H. J. Weitbrecht: Kritik der Psychosomatik (G. Thieme, Stuttgart, 1955) などを参照。

三〇　**** Edmund Husserl (1859–1938). ドイツの哲学者、フライブルク大学教授。独墺学派の影響をうけて新カント学派、心理主義に反対、現象学を創唱し、二十世紀思潮に大きな影響を与えた。Logische Untersuchungen (1900–01, 立松訳「論理学研究」みすず書房、一九六八年); Ideen zu einer reinen Phänomenologie und phänomenologischen Philosophie, 1913, 池上訳「純粋現象学及現象学的哲学考察」岩波文庫); Die Krisis der europäischen Wissenschaften und die transzendentale Phänomenologie (1936, 細谷訳「ヨーロッパの学問の危機と先験的現象学」中央公論社、一九七〇年); Erfahrung und Urteil (1939) などの著書あり。

三一　* Leipziger Gruppe. ライプチヒ学派のこと、訳注一六三********* 参照。

三一　** Wilhelm Dilthey (1833–1911). ドイツの哲学者、ベルリン大学教授。構造、分節、全体性なる概念を提唱、ヘーゲルの理性主義に反対して生の哲学を唱え、構造心理学（了解心理学）を精神科学の基礎においた。Ideen über eine beschreibende und zergliedernde Psychologie (1894, 三枝・江塚訳「記述的分析的心理学」東京モナス) などの著書あり。

三一　*** Würzburger Schule. ヴントの弟子である Oswald Külpe (1862–1915) が創始したヴュルツブルク大学の心理学派。判断、思考、意志などの高等精神作用の研究に実験的方法を用いた。アッハ N. Ach, K・ビューラーらがこれに属す。

三一　**** Alexius Meinong (1853–1920). オーストリアの哲学者。F. Brentano の弟子で、対象論の研究あり、表象と判断の中間に仮定を考えた。グラーツ大学教授であったので、彼の門下をグラーツ学派と称す。

三一　***** Christian von Ehrenfels (1859–1932). オーストリアの哲学者。ブレンターノ F. Brentano, マイノングの門下で独墺学派に属す。ゲシュタルト性質の実在を指摘して、ゲシュタルト心理学の出発点となった。Über Gestaltqualitäten (1890) などの著書あり。

三一　****** Charles Edward Spearman (1863–1945). イギリスの心理学者。心理検査に因子分析法を導入、二因子説を唱えた。Abilities of man, their nature and measurement (1927) などの著書あり。

三一　******* Fall Schneider. ゴールトシュタインとゲルプが詳細に検査した第一次大戦戦傷患者の一人で、視覚失認を示した。ゲシュタルト心理学をはじめて脳病理学に応用した記念碑的症例である。K. Goldstein und A. Gelb: Psychologische Analysen hirnpathologischer Fälle auf Grund von Untersuchungen Hirnverletzter. I. Abhandlung. Zur Psychologie des optischen Wahrnehmungs -und Erkennungs-vorgangs. (Z. f. ges. Neurol.Psychiat., 41; 1, 1918) 参照。

三一二 * Laín Entralgo. 現代スペインの医学史家，マドリード大学教授。Historia de la Medicina を編集。Introducción histórica al estudio de la patología psicosomatica (1940); Mind and body (英訳，1956); La curación por la palabra en la angüedad clásica (1958, 英訳 1970); Doctor and patient (英訳 1969) などあり。

三一二 ** Wilhelm Wundt (1832–1920). ドイツの心理学者，哲学者，ライプチヒ大学教授。はじめて心理学実験室を設立，近代心理学の建設者といわれ，門下から多くの学者を出した。Grundzüge der physiologischen Psychologie (1874); Grundriß der Psychologie (1896); Völkerpsychologie (1904, 比屋根訳「民族心理学」誠信書房) などの著作あり。

三一三 * Maurice Merleau-Ponty (1908–61). フランスの哲学者。早くからフッサールの現象学を学び，La structure du comportement (1942, 滝浦・木田訳「行動の構造」みすず書房，一九六四年) で経験主義的，機械論的生理学を，La phénoménologie de la perception (1945, 竹内・小木・木田・宮本訳「知覚の現象学」みすず書房，一九六七—七四年) で主知主義的心理学を批判し，両義性 ambiguïté の概念によって生きた身体の概念を回復せんとした。その後，Sens et non-sens (1948); Les aventures de la dialectique (1955); Signes (1960, 竹内訳「シーニュ」みすず書房，一九六九—七〇年) などの著書あり。

三一八 * Organo-dynamisme. エーの精神医学の基本思想であり，ジャクソンの神経学における階層的解体論を精神病に適用せんとしたので新ジャクソン主義 néo-jacksonisme とも呼ばれる。詳細はエーの著書，特に Études psychiatriques I (Desclée de Brouwer, Paris, 1948) を参照。

三一九 * Batrachomyomachie. βατραχομυομαχία はホメロスに帰せられているが，実はそうではない諷刺詩で，蛙の王に招かれた鼠が，蛙の背中に乗って水中王国を見物中，水蛇に驚いて溺死したため，蛙と鼠の間に大戦争が起り，ゼウスがこれを雷霆をもってしずめようとしたが果さず蟹を遣わしたという内容をもつ。ここでは大論戦または水掛け論という程の意味か。

三二〇 * Emile Bréhier (1876–1952). フランスの哲学史家。ベルクソンの影響を強くうけ，古代から現代に至る数多くの哲学史を書いた。Histoire de la philosophie (1926–32); Les thèmes actuelles de la philosophie (1951, 河野訳「現代哲学入門」，岩波新書) など。

三二一 * Etude N 27. 《Structure et déstructuration de la conscience》の標題をもつ。

三二一 ** Etudes psychiatriques の第1巻。例えば Etude No 2: Le rythme mécano-dynamiste de l'histoire de la médecine. 参照。

解　説

ヴィクトール・フォン・ヴァイツゼッカーは一八八六年四月二十一日、ドイツのヴュルテンベルク州の首都シュトゥットガルトで生れた。この地方は、彼が生涯の大半を送ることになったバーデン州（ハイデルベルク大学とフライブルク大学がある）と共に西南ドイツと呼ばれるが、後に「自然と精神」において「この地方に特有の思考様式にはどこかオーデンヴァルト、シュヴァルツヴァルト、ヴォゲーゼン、ネッカー河、ライン河と関りを持つ所があり、……一抹のロマン主義が混入しているのは森や山に、ありとあらゆる風向きの思潮を進んで合流せしめんとする態度はわれわれの徘徊と祝祭の川々に通ずる所があるに違いない」と回想している通り、その風土が彼の思想の重要な背景をなしていることは想像に難くない。

彼の父カール・フライヘル・フォン・ヴァイツゼッカー Karl Freiherr von Weizsäcker はヴュルテンベルク州の文化相、首相をつとめた人物であり、母もまた娘時代にライプチッヒ大学で若きヴィンデルバントの講義を聴いた才媛であったといい、そうした知的雰囲気が、彼の幼少年期を育くんだ。父の家系は代々、この州のシュヴァーベン地方に住むプロテスタントの牧師、神学者を生み、中でも祖父カール・ヴァイツゼッカー Carl Weizsäcker はテュービンゲン大学の新約聖書学者、祖父の兄弟の一人ユリゥス・ヴァイツゼッカー Julius Weizsäcker は歴史学者として一家をなした人物で、ヴァイツゼッカーは「十九世紀の古典ギリシャ・キリスト教的教育」を受けた。なお現在存命中のドイツの理論物理学者カール・フリートリッヒ・フォン・ヴァイツゼッカー Carl Friedrich von Weizsäcker も同じ家系の出で、ヴァイツゼッカーよりかなり年下であるが、自ら彼の「精神的息子」と称している。

ヴァイツゼッカーが一九〇五年から五年間の大学生時代の殆どを送ったのはハイデルベルク大学とフライブルク大学であった。当時既に生理学と哲学に深い関心を抱いていた彼は、一九〇七年に医学部前期試験終了後直ちにフライブルク大学に行き、カント哲学の強い影響下にあった生理学者ヨハネス・フォン・クリースの教室で、蛙の神経についての電気生理学的実験を試みた。それと同時に西南ドイツ学派の哲学者リッケルトのゼミナールに参加しようとしたが果さず、翌一九〇八年ハイデルベルク大学に移って同じ西南ドイツ学派のヴィンデルバントについて哲学を学び、カントの三つの批判書を読んで第三の関係範疇などについて論文を呈出し、後年家族や知人にカントの講読をしてやれたほどに勉強したといい、後に神学者となった友人ハンス・エーレンベルク Hans Ehrenberg とも知り合った。

職業の選択は配偶者を選ぶ場合と同じで神秘劇のようなものだとヴァイツゼッカーは後に述べているが、彼自身学生時代には専門決定について随分と迷った後、天分を認められていた生理学、哲学には進まず、父の知人でもあったハイデルベルクのルードルフ・フォン・クレールのもとで内科学を学ぶことになる。この間一九一〇年に医師国家試験に合格、その前年よりクレールの教室で研究していた貧血における血流速度のテーマで博士論文を書きあげた彼は、当時実験生理学的方法を重視して「病態生理学」を著した師クレールのすすめで再びフライブルク大学に行き、クリースの教室で心臓に関する生理学的実験に従事し、更に第一次大戦前夜にはその研究をイギリス、ケンブリッジ大学の生理学者ヒル A. V. Hill のもとで続行、一九一七年、三十一歳で、心筋活動に関する研究により講師資格を得た。

第一次大戦中、野戦病院に配属されていたヴァイツゼッカーは、クリースやクレールの学説の影響下で神経学の研究をはじめ、一九一九年に短期間ハンブルク大学神経科のマックス・ノンネ Max Nonne の教室に在籍した後再びハイデルベルクに帰り、一九二〇年以後はクレールの内科学教室の神経科部門部長、後に教授となって徐々に医学的人間学の構想を抱くと共に、これを裏づける臨床的、実験的研究を本格的に開始した。この間一九二三年に哲学者マックス・シェーラーの、一九二六年フロイトの知己を得、同じ年より一九三〇年までユダヤ系哲学者マルチン・ブーバー Martin Buber、カトリックの神学者ヨーゼフ・ヴィティヒ Joseph Wittig と三人で雑誌 Die Kreatur を発刊、一九三六年にはドイツ神経学会よりエルプ記念賞を贈られ意外の感を抱く。この時期の友人にはユダヤ系哲学者ローゼンツヴァイク Franz Rosenzweig やローゼンシュトック Eugen Rosenstock の名もあり、プロテスタントのバルト、カトリックのグヮルディニらの神学者とも接触した。

そして第二次大戦中の一九四一年には、論敵フェルスター O. Foerster の後任としてブレスラウ大学神経科教授に招聘されたが、数年を経ずして迎えたドイツの破局と共に、彼は二人の息子を戦場に失い、ソ連の占領下に入ったブレスラウの教職をも失ってハイデルベルク大学に帰った。そこでヴァイツゼッカーは、かつてクレールのもとで同僚であり、クレールの後任となっていた友人ジーベック Richard Siebeck の好意で臨床医学総論研究所 Institut für Allgemeine Klinische Medizin を設立してその所長となり、一九五二年退官するまで医学的人間学の研究に専念した。そして一九五七年一月八日、七十一歳をもってハイデルベルクで死去、近郊のハントシュースハイムの墓地に葬られた。

彼の著作は単行本だけでもかなりの数にのぼるが、これについては既刊の「神・人間・自然」(大橋博司訳、みすず書房、一九七一年)の「訳者あとがき」に紹介ずみであるので、本書では論文目録を彼の七十歳の記念論文集 ,,Viktor von Weizsäcker, Arzt im Irrsal der Zeit, Eine Freundesgabe zum 70. Geburtstag“ (Vandenhoeck & Ruprecht, Göttingen, 1956) より引用しておく(巻末参照)。ヴァイツゼッカーにはこの目録に挙げられているものの他に、カントの「判断力批判」中より目的論を抜粋編集してこれに序文をつけた ,,Der Organismus“ (1929) や、フェヒナーについての類似の仕事もあるが、特に前者の序文は彼の思想とカントの批判哲学との関係を知る上で見逃せない論述のようである(その一部は D. Wyss との共著 ,,Zwischen Medizin und Philosophie“, Vandenhoeck & Ruprecht, Göttingen, 1957 に引用されている)。またフッサールの遺作 ,,Erfahrung und Urteil“ の書評 (Psyche, 3; 211, 1949) は、現象学に対する彼の立場に触れるものである。

このように見て来ると、ヴァイツゼッカーの生涯は一見大学人としての順調な経歴を辿ったかに思われるかもしれないが、実は二十世紀前半のヨーロッパの専門化した大学の研究者としては、彼は特定の分科の枠にははまらぬ、かなり型破りの、しかもかなりアウトサイダー的人物であったようで、医学の改新という一生をかけた仕事そのもののために、彼が「医学全体の本来の核心」であると考え続け、真の ,,innere“ Medizin たらしめんとした内科学の教職につくことはできなかった。しかしながらヴァイツゼッカーは他方、完全なアウトサイダーとして当時の自然科学一辺倒の大学医学にあきたらなかった自然療法、アントロポゾフィー、占星学などの民間療法家や、殊に精神分析学派の精神療法家の思想にも盲目的に追従した訳ではなく、彼自身述べている通り大学のギルドにもアウトサイダーにも属さぬ「境界線例」,,Grenzfall“ であったことによって、きわめて独創的な思想を展開し、「医学の危機」を克服しようと試みたのであった。彼が「境界線例」であったことは単に職業上の地位のみならずその他あらゆる意味で言えることであって、彼の著作は哲学、心理学、生理学、内科学、神経学、精神医学のみならず宗教の問題にも触れるが、しかし彼は単なる境界領域の研究者ではなく、より包括的かつ根本的な立場から、透徹した論理と逆説、弾力に富む執拗な思索、パトス的洞察によって、「病める人間の学」としての医学的人間学から、世界のうちにある一切のものの連帯性を受苦《パトス》 Leiden の様相のうちに求めるパトゾフィー Pathosophie へと歩を進め、それによって自然科学と自然哲学、生理学と心理学、機械論と生気論、唯物論と唯心論、無神論と有神論という近代の二元論に由来する対立がその深刻さの度合いをいや増して行き、しかも前者が後者に対してますます優位を占めつつあったヨーロッパの精神史的情況を超克せんとしたのである。そしてその背景にはキリスト教の信仰があったが、知覚と運動、主体と客体の一元論を目ざす「ゲシュタルトクライス」もまた、そのようなヴァイツゼッカーの企ての一環をなすものである。

ヴァイツゼッカーは分割、分析する teilen よりは統合、一体化 einen を、存在よりは生成を、静的客観的考察よりは力動的主体的立場を選ぶ人であったので、そのような人物の業績と思想を段階や継起の単なる記述によって明らかにしようとすることは、その人自身の意図に反するのみならず必ずしも事柄自体に即した方法でもないが、この弱点を承知の上で「ゲシュタルトクライス」が彼の著作の中で占める位置を示唆するために、彼の生涯を貫く主題の発展の全体を展望してみると、それは仮りに三つの時期に分たれるであろう。大まかに言って第一期は一九二〇年に神経科部長となるまで、第二期は一九四五年第二次大戦終了まで、以後一九五七年の死に至るまでが第三期と言えようが、これらの三つの段階は無論無関連に並列されるべきものではなく、後にヴァイツゼッカーの思想の柱となり礎石となったいくつかの洞察は彼の初期の著作において既に見出されるのであって、そこには彼の思索の一貫した流れが見てとれる。この点を幾分なりと明らかにするための背景として、右の三つの時期に立入るに先立って、まず彼が出発点にあって見出した二十世紀初頭のドイツ医学界の情況を、彼の回想録より抜き書きしておく必要があるであろう。

ヴァイツゼッカーは学生時代より既に、当時の大学医学に対して精神的に野党《オポジツイオネル》的姿勢をとっており、精神界に対する大学の態度、医学の模範としての大学病院の臨床の形態、そのような医学が医療の基礎として設定していた目標、の三点に批判の目を向けていたが、それは要するに当時の精密自然科学に基礎を置く医学、機械論・唯物論的医学に対する疑念であった。しかしそれは同時に医師の職業そのものに課せられた永遠の宿命――研究と実践、実践と治療の相克に由来するものでもあり、彼一人のみならず当時の心ある人達の多くが感じとり、かなり広く論じられていたことでもあった。当時を支配していた精神的空気は、十九世紀初頭のドイツにおいて、自然科学の勃興に抗してシェリング、オーケンらの自然哲学を背景とするロマン主義医学が誕生した成行を鮮かに描出したライプブラント W. Leibbrand の著書 „Romantische Medizin" の最初の数章の記述に相似のものであったと言うが、二十世紀初頭にあって医学と生物学における機械論、唯物論を克服せんとした試みは、ヴァイツゼッカーの見る所ではいずれも極めて不十分なものであった。例えば代表的内科学者の一人クラウス Friedrich Kraus („Allgemeine und spezielle Pathologie der Person" Klinische Syzygiologie. 1919/1926) は医師の固有性を芸術性のうちに、代表的生理学的化学者アプデルハルデン Emil Abderhalden は倫理をもって医学改新の手段と考えたが、医学研究の実際はあくまでヘルムホルツが „Über das Denken in der Medizin" において推奨した十九世紀以来の自然科学的方法を離れることはなかったし、他方新しい自然哲学によって道を切り開こうとする試みもオストヴァルト W. Ostwald (,,Grundriß der Naturphilosophie" 1908)、ドリーシュ、ブンゲらの新生気論に見るごとく理論的に極めて不十分な基礎の上にしか立っていなかった。そのため「医師の職業に含まれる二重性が殆ど真二つに引き裂かれた状態」として感じられていた第一次大戦直前の「実存的」情況が、ドイツの敗戦による破局に移行し、戦中の体験から大学医学に対する信頼感が喪われた戦後の情況では、唯物論の代弁者ももはや存在せず、かといって新しい哲学的観念論的思考法が医学に浸透した訳でもなく、ただ自然科学的研究方法が復活しただけであった。そのためそれは更に必然的に医学の技術化 Technisierung、つまり「病的または生理学的現象の背後に何があるか」という本質に関する設問ではなく、「その現象を如何に診断と治療に利用できるか」という設問に陥らざるを得ず、彼の師クレールが晩年に試みた一種の心身医学も自己矛盾から脱出することができなかったために、このような趨勢を如何ともすることができず、諦念に終らざるを得なかった。かくして一九二〇年代より三〇年代にかけての情況は、まさしく「医学が病より一層病んでいると思えた」程のものであり、「数百の患者をかかえ、保険制度のビューロクラシーと医師会に依存する保険医《カッセンアルツト》、医療水準の低下、家庭医《ハウスアルツト》の消失、手術万能主義の専門医、注射と錠剤の医学、社会的問題に対する無関心、国民病となったノイローゼ、怪物的鑑定制度、キャリアづくりのための科学的研究」といった矛盾が深刻となり、そのままでは一九三三年のナチズムの革命に到ったのも無理からぬ情況であったという。

かくして、ここで言う第一、二期に相当する第二次大戦終了に至るまでの三十数年間における彼の立場を回顧してヴァイツゼッカーは、彼の意図はそのような「医学の危機」を「哲学的・宗教的動因より」出発して医学の基礎を再検討し、これに精神分析学より得られた心理学的知見を加えて病いの精神的意味を問い、「医学全体の人間化《フマニジールング》」を試みることにあったが、その場合あくまで医学の実験的並びに臨床的経験そのものを離れてはならず、自然研究自体の中から、自然研究自体を変えることによって、従来の医学の唯物論的・機械論的基盤をより高い秩序のうちに統合することが必要であることのみならず、それが可能であることを明らかにしようとした試みであったと述べている。そして医学の外からする、自然哲学などの世界観による抗議は、「むしろ逆に自然科学的唯物論が生物学、心理学、精神科学を征服して行く過程を促進するばかりで有害無益だ」というのである。

もっともヴァイツゼッカーの学問の第一期は、彼の師クリース、クレール、ヴィンデルバントの影響下にあってこれらの問題の所在を探った、いわば模索期であった。当時の彼は一連の自然科学的生理学的実験研究を行って「ドイツ生理学派における市民権を獲得し」、彼自身「筋肉機械を信じる敬虔な生理学者」であったと後に告白しているが、他方自然哲学への試論も見逃せない。彼は大学卒業後一年目（一九一一年）に既に哲学的に素朴なドリーシュの「新生気論」の欠陥を指摘し、(,,Neovitalismus")「時計が如何に有意味なものであるかは、時計のメカニズムを理解する人でないとわからない」如く、目的論は機械的因果性をしめ出すものではなくて両者は相互作用として考えられねばならず、しかもこれは Entweder-Oder として、つまり「カントの二律背反の如く遺憾なる〔人間理性の〕限界としてではなく」、ヘーゲル弁証法の如く Sowohl-Als として、つまり「生産的天与」として理解されねばならぬと述べている。ここには既に後のゲシュタルトクライスの概念の萌芽が見られるが、また同時に「実在がイデアに適った形態をとり得る可能性が理解できない」という文には彼の「人間における反論理《アンティ・ローギッシュ》的なものに対する受容性」が既に表現されているという。このようにカントの批判哲学的自然概念とシェリング、ヘーゲルの思弁哲学的自然概念を統合せんとする試みは、一九一六年にもなされた（„Kritischer und spekulativer Naturbegriff"）が、それは十分成功したとは言えぬと回想しており、彼はやがて自然哲学や、新カント主義より新ヘーゲル主義、現象学、実存主義へと進むことになったドイツの大学哲学とは袂を分ち、第二期に入るや人と人との出会いの問題に立ち向い、哲学的にはむしろライプニッツの単子論《モナドロジー》に接近する。なお彼が一九一九――二〇年に行った自然哲学講義（大橋訳「神・人間・自然」は戦火をまぬがれたその一部）はこの時期の彼の自然哲学研究の総決算をなす最も重要な著作の一つであった（全貌はわからない）と推定されるが、ここでも既に「反論理」の他に後の「パトス的範疇」、神のイマゴとして人間に与えられた客体化不可能な「主体性」（これは同時に後の「根底関係《グルントフェアヘルトニス》」を思わせる）、「生命とは生命の克服であり、死である」（この思想は既にシェーラーに通じる）といった考えが読みとれる他、ゲシュタルトクライスの出発点をなす近代自然科学史――物理学、数学、生物学、精神物理学、感覚生理学――の徹底的検討が試みられている。

このようにしてハイデルベルクの神経科部長となり、一九二〇年にはじまる第二期に入ったヴァイツゼッカーは、「既に内心で哲学を介してではなく、経験的探究の道を経て目標に到達しようという決断を下していた」。この時期に彼が構想を抱き展開した「医学的人間学と、そこに成立する病める人間についての一般的学は、例えば宗教や形而上学が医学を占取することによって外から医学への闖入が行われるような所で発展するのではなく、……〔医学の〕領域内《イントラテリトリアール》で、つまり学問的探究、実践医学、教育的医学の地盤の上においてのみ成立し得る」のである。しかしながら彼が宗教や哲学との関係を断ち、それらから離れてしまった訳ではないことは、ゲシュタルトクライスなる理念がアリストテレスやゲーテの「形相《フォルム》（態）」と密接な関係があること、彼の心身医学の核心をなす「人間関係の過程」とこれに基づく「医師の姿勢は、人間の内面性という性格によって異教徒やギリシャ人と区別されるキリスト教 Christentum の本質に由来するものに相違ない」という思想、更に彼のゲシュタルトクライスにも心身医学にも共にライプニッツの哲学の強い影響が認められることなどより明らかである。また彼が医学的人間学の三つの柱と考えた㈠生理学的機能分析または精神物理的生物学 psychophysische Biologie、㈡ 人間学的医学、つまり医療的思考・行為の形成、㈢ 基礎概念の批判と探究のうち、少くとも㈢ は哲学的反省なしには達成され得ぬものであって、この立場をヴァイツゼッカーは経験的・哲学的 empirisch-philosophisch と呼び、これが㈠㈡の基盤となるものであると見做している。更に彼がフロイトを評して「彼にはそもそも、偉大と呼ばれる人達に大抵の場合見出されるある資質が欠けている。つまり彼には神秘的なものに対するセンスがない、彼にはその素質があったと私は信じたいが、彼はそれを抑制してしまったのである、この態度は、他でもなくライプニッツやカントといった理性主義哲学者の傍へ彼を連れ戻すものである」と述べていることや、ヴァイツゼッカーの反論理性の概念、ニコラス・クザーヌス (Coincidentia oppositorum の思想) への親近感などは、神秘主義的傾向をうかがわせるに十分である。もっともヴァイツゼッカーにあっては、キューテマイヤーも指摘する通り、宗教的なるものは常に予期せぬ所に姿を現わすのだが。

ところでヴァイツゼッカーの医学的人間学の右に述べた三本の柱に相応して彼の第二期の著作には三つの流れがある。第一の精神物理的生物学の研究は神経学の実験と臨床の両者を含むものである。運動については一九二〇—二二年に生理学者パウル・ホフマンらと行った筋緊張、反射、運動協調の研究は、一九三〇年頃までに彼の門下カーン Kahn、ゼクサウアー Sexauer らの実験によって随意運動が反射理論によって説明されず、反射は「外界と環境世界のゲシュタルト的相応」に他ならぬという洞察へと導き、他方一九二二年に感覚生理学者マックス・フォン・フライより「刺戟毛 Reizhaare」の方法を学んだ彼はシュタインらと協力して知覚、特に触覚の研究をはじめ、一九二三年には刺戟閾値の不安定性 Schwellenlabilität の現象より機能変動 Funktionswandel の概念を提唱し、クローネンベルガーらと共に触覚円の反幾何学的性質を指摘して古典的感覚生理学と訣別、一九二四年には重量覚の実験によって「主体の導入」への手がかりを得ると共に、第一次大戦中（一九一九年）に既に最初の臨床例を観察していた平衡覚・視覚・体感覚症状群 stato-opto-sensibles Syndrom の第二例 (Fall H. B.) をゲシュタルト心理学者ゲルプの協力を得て検査し、カント、クリースの空間覚 Raumsinn の概念に疑問を抱いて共感覚の問題にぶつかり、器質性障害と機能性障害の中間領域の障害に想到し、その症状内容より反論理的なるもの das Antilogische の概念を確立する。その後の彼の教室の研究は機能変動の他の知覚様態（特に視覚）や共感覚への適用に向うが、彼自身は原理的問題に一層深い関心を抱き、一九二八年には元来数学に由来する Funktion（機能、函数）に代わる神経学（広くは生物学）に独自の概念を求めて、生理学と心理学の両者を包括するものとして作業 Leistung の概念に到達する。そして一九三一年には門下のパウル・フォーゲルがゲシュタルトクライス論に礎石を与えた眩暈についての最初の実験を行い、反射生理学または感覚生理学が刺戟と運動、または刺戟と感覚という二つの要因しか考慮しなかったのに対し、刺戟、運動、感覚の三者を同時に考慮した研究法を開発し、この三つの契機を含む生物学的行為 biologischer Akt なる概念、及び運動と知覚の等価原理 Äquivalenzprinzip をうち立てる。これに基づいて一九三三年にはゲシュタルトクライスの概念についてはじめてまとまった記述を試みたが、機能変動がいわば堅固な支えを失って機能が流動状態に陥ってしまった器官状態を意味したのに対し、ゲシュタルトクライスは有機的事象を今一度堅牢な枠組みのうちで把えんとする試みであった。更に一九三四―五年、ウィーンのポェッツルの門下アウァスペルク公との共同研究によってゲシュタルトクライス論は大きな進展を示し、先取 Prolepsis、時間の橋渡しをする現在 Zeitüberbrückende Gegenwart などの時間論、知覚の述語的 prädikativ 性格などの思想が生れた。しかしアウァスペルク公の合致並行論 Coincidentialparallelismus を二元論への逆行と見る点で二人の間には若干の差が生じる。ついで一九三八年には門下のデァヴォルトが図形運動の実験によって物理学におけるアインシュタインの理論を思わせる時間と空間の相互依存性を明らかにし、この逆説性、反論理性が生物学的行為の本質をなすものであることを確認する。一九四〇年にはやはり門下のクリスツィアンが光点の運動視の実験によって空間‐時間‐因果性などの図式はむしろ二次的なものであり、生物学的行為つまり主体と客体の出会い Begegnung のはじめにあるものは運動の有効性 Wirksamkeit der Bewegung であって、これは目的論的規定性 teleologische Bestimmtheit、最小値の原理 Minimumprinzip、行為の個別性 diskrete Einzelakte などによっても特徴づけられることを明らかにした。ここでライプニッツの単子論に通ずる世界像が鮮明になると共に、物理学における量子論との対比が行われ、また知覚の好法則性 Nomophilie の発見より心的審級《インスタンツ》と物（身体）的審級《インスタンツ》より以前に存在する精神《ロゴス》が推論され、ここに人間学的基盤が与えられたと考えた。この方面の研究のその後の進展については本書の第四版序文に詳しい。

次に同じ第二期を構成する第二の流れは、ヴァイツゼッカーの医学的人間学の本体ともいえるもので、彼自身述べている通り精神分析学から出発して心身医学を経て人間学的医学を目指すという三段階よりなる。つまり彼は神経科の臨床でしばしば観察する機会のあった「神経症、或いはむしろ神経症的人間のうちに、人間的なるものの姿が極めて意味深く、新鮮に、また包括的に露呈されている」ことに着目して、神経症の心理学を内科的身体疾患一般に適用せんと試み、その結果より更に一歩を進めて病めること Kranksein 一般についての学、病める人間についての学をうち立てようとしたのである。ヴァイツゼッカーと精神分析学やフロイトとの関係、心身医学、医学的人間学などについては訳注でかなり詳しく触れたことであり、また本書の内容とは直接関連はないので深く立入る余裕はないが、一九二四年の論文 „Über neurotischen Aufban bei inneren Krankheiten“ にはじまる人間学的心身医学の一連の研究がこの流れを形づくるものであって、中でも,,Körpergeschehen und Neurose" (1933), ,,Studien zur Pathogenese" (1935) などの症例研究と、臨床講義第一集,,Klinische Vorstellungen" (1941) が重要な著作である。ここで目立つのは、ヴァイツゼッカーがフロイトの強い影響を受けつつも、様々の意味でフロイトの学説を克服、拡張しようと試みていることであり、中でも精神分析学を人間関係の学であると考え、人間の共同性 Gemeinschaftlichkeit が認識論の前提であると共に医師・患者関係の基盤でもあることを洞察した点が注目される。ヴァイツゼッカーとフロイトの主要な相違点は、フロイトの如く夢、無意識のうちで矛盾律 Satz des Widerspruches や否定 Negation が妥当しないことを認めただけでなく、矛盾こそ生の現実 Lebenswirklichkeit そのものを構成するものに他ならぬことを認識したこと、フロイトのごとく単に心的力動や心因性を問題にするにとどまらず、心身的力動 psychophysische Dynamik を対象として器質疾患をも転回—転機的中断—変転 Wendung—kritische Unterbrechung—Wandlung という歴史的単一性の中で、つまり生活史における身体、心、精神の力動的ドラマとして把え、三者の共通の基盤としてここでも主体性なる概念を導入したこと (精神分析に対し自らの方法を「生活史的方法」,,biographische Methode", ,,psychophysische Pathologie" と呼ぶ)、エスをフロイト (,,Wo das Ich ist, Soll das Es treten") のごとく人間の恒常的不変の基盤と見做さずに、エゴがエスから分化派生する如く逆にエスがエゴの活動によって形成されることもあり得るとして Es-Bildung と Ich-Bildung なる概念を唱え、両者の背後に二元論以前の過程を考え意識と無意識の関係についても相互隠蔽性、または回転扉の原理が成り立つとした点であろう。他方ヴァイツゼッカーが、フロイトと共に彼の「医学的人間学誕生の生証人」と呼んだマックス・シェーラーから学んだことは、身体《ライプ》が人間の本質に属するのみならず、身体的《ライプハフテイヒ》なるものが精神の本質に所属することであったと言えよう。その他 ,,Ärztliche Fragen" (1935) では、後年展開されることになる疾病論の分類 (Neurose, Biose, Sklerose) の着想が既に見出される。

最後に第三の流れ、つまり基礎概念の批判と探究は、いわば右の二つの流れつまり理論生物学ないし神経学と人間学的心身医学を統合、体系化せんとする試みと考えることができ、はじめて医学的人間学の構想を発表した一九二七年の講演,,Über medizinische Anthropologie" と、ライプニッツ、ニコラス・クザーヌス (docta ignorantia) ブルーノ (natura naturans) の思想を手がかりとして「臨床、医師の職業、神経学、実験的研究、哲学を合流させた思考実験」であるという,,Wege psychophysischer Forschung" (1934) などを比較的まとまった著作と見做すことができよう。しかしながら医学的人間学の体系をヴァイツゼッカーがより明確に述べたのは、第二次大戦後 (例えば ,,Anonyma" (1946), ,,Grundfragen medizinischer Anthropologie" (1947) など)

のことである。

ところで第二次大戦終結の前夜、ドイツの再度の瓦解の響きを耳にしつつ回想録「自然と精神」を執筆したヴァイツゼッカーはこのような彼の医学改新の試みを反省して次のように述べねばならなかった「私の誤りは、医学の改革が究極的には宗教的に要請される、心の導入と内面化という疾病の考察法だけでもたらされ得ると信じたことにあった。まず哲学を、後に心理学を医学的探究と治療に持ち込んだことは事実そのように理解されるべきであった。だが自然科学的医学——というよりは正しくは一面的に化石した教壇医学に対する闘いは、まるでゴムボールや毛糸の毬をもって戦車に立ち向うのと同じ位不十分で、追いつかぬ手段をもって行われたのだということが明らかになった。……病的事象の解剖・生理学的見方を凌駕し克服するものは、哲学によっても心理学によってもパラケルスス的ロマン主義的反抗によっても得られなかったのである。宗教はもはや中世におけるが如き浸透した秩序でもなく、近代におけるがごとく少くとも強力な支えでもなくなっていたが、この宗教の喪失は個々の人間の個人的姿勢をもってしても、もはや償うことはできなかった。……そこには唯一つの道しかなかった、……それは形態を変え新しい方法を用いるにせよ、学問であった。もっとも私個人は学問の世紀の頂点は既に過去のものであるとは思うのだが……」。そして第二次大戦後のヴァイツゼッカーは、医学的人間学や医学総論の概念が彼の構想しはじめたものを表現するに狭きにすぎることに気付き、それがその一部をなすに過ぎぬ、より大きな関連を求めて「パトゾフィー」（一九五七年）へと、個人の病いに対する社会的関係の意味についての医学から、社会そのものが対象となるような病理学と医学へと歩みを進め、「人間の構造にとどまらず世界全体の構造が十字架的であり」、「そのような知が学問となるのであれば、ヨーロッパの病いの本来の十字架《クルックス》、真の十字架、つまり理性の知識と信仰への分裂も恐らく決して不治の病いではないであろう」という希望を述べる。またこのパトゾフィーへの歩みにおいて Es-Bildung, Ich-Bildung の概念を更に発展させて Logophanie, Eidologie が導入され、人間の連帯性が死のうちに見られることになる。なおこの第三期の主な著作として「パトゾフィー」の他には臨床講義第二、三集（,,Fälle und Probleme“（1947）、,,Der kranke Mensch“（1951）の前半）、医学的人間学ないし医学の改新に触れたものとしては ,,Der Begriff der allgemeinen Medizin“（1946）,,Die Medizin in der Verantwortung“（1947, R. Siebeck と共著）、論文集 ,,Diesseits und Jenseits der Medizin“（1950）第二の回想録 ,,Begegnungen und Entscheidungen“（1949）. などがあるが、医学的人間学を最も体系的に述べたものは ,,Der kranke Mensch“（1951）の後半であるとされる。

このようにヴァイツゼッカーの著作の全体を概観してみると、一九四〇年に著わされた本書「ゲシュタルトクライス」がその中で占めるべき場所も自ずから明らかであろう。それは第二期の終りにあたってこの時期の第一の研究の流れ、つまり生理学的機能分析又は理論生物学ないし神経学の研究の全成果をまとめたものであると同時に、これを第二、第三の流れに結びつけ体系化を図ろうとしたものである。ゲシュタルトクライスの概念は、要するに運動と知覚、主体と客体、内界と外界、目的論と因果論の並存もしくは一方の他方への還元という考え方を否定し、両者をこの二分対立に先行する円環構造のうちに、弁証法的緊張のうちにあるものとして理解しようとする試みである。それがデカルト以来の機械論的二元論、カントの批判哲学、シェリングらの自然哲学、フッサールの現象学、ハイデッガー以後の実存主義とも、又彼が最も親近感を抱いていたシェーラーの現象学的人間学とも若干の点で、差があり、更に医学、生物学、心理学の領域では生気論や機械論でないことは言うまでもないが、ゲシュタルト心理学やその影響下に立つゴールトシュタインの神経学その他の全体論、ヴァイツゼッカーのごく初期の理論（機能変動論）を脳病理学に導入したコンラート K. Conrad （むしろゲシュタルト心理学の影響の方が大きい）、ジャクソニスム、ヴァイツゼッカーにおとらずフロイトの影響を受けたゲープザッテル、ビンスワンガーその他の現象学的精神医学やボスの実存主義的心身医学ともやや趣を異にするものである点に留意する必要があるだろう。これらの点については D. Wyss („Zwischen Medizin und Philosophie", Vandenhoeck & Ruprecht, 1957 に付録した論文 „Viktor von Weizsäckers Stellung in Philosophie und Anthropologie der Neuzeit") が若干論じているが、ここでは立入る余裕はない。ただ最後にゲシュタルトクライスの考えがヴァイツゼッカーの極めて早い時期の思索によることを指摘し、幾分なりとも理解を援けるために、彼自身の著作から二、三の引用を行って解説を了えたい。

「……その最初のかすかな追憶は、哲学の巨擘デカルトが自分自身の体験を述べた逸話に宿命的に似ているので、これについて語るにはそのために私の心に生じる当惑感に打ち克たねばならない。その追憶とは、私が一九一五年戦場で体験した、霊感の瞬間と普通呼ばれている時のことである。その瞬間、主体と客体が根源的に不分離のものであることが、いわば身体的《ライブリッヒ》に思索していた私に開示されたのであった。その場所に懸けてあった弾薬盒をじっと眺めていると、私はその弾薬盒であり、弾薬盒は私なのであった。……」（『自然と精神』98頁）

「……目を閉じて一つの鍵を触れる場合、刺戟が私の触覚器官に与える形態と結果は、私の触知運動の形態と結果に依存している。つまり刺戟のゲシュタルトは客体と反応の二つの側より規定されている。われわれは今この過程の全体を、原因と結果の連鎖がこの過程のゲシュタルト化されていることと Gestaltetsein に関して回帰するという意味で、一つの円環過程 Kreisprozeß として理解することができる。しかしこの円環過程は、カルノーの物理学的円環過程、つまり外からの主導権によってある系の内部で一連の状態が起始状態に立ち戻るような過程とは原理的に異っている。ゲシュタルトクライスと呼びたいわれわれの円環は、系の外なる力と内なる力を包括するようなゲシュタルトの記述として理解されねばならない。……」「……医師の処方は力動的過程であるから、事実これまた両価的過程である。それは与えることであると同時に取ることである。そして反論理性《アンティロギーク》がゲシュタルトクライスに対して転機的意味をもつというわれわれの推測が正しいとすれば、治療のうちにもゲシュタルトクライスがあることになる。……今われわれが語っているのは治療的ゲシュタルトクライスであってそれは医師と患者を包括する、つまりそれは一人の二様の人間、*ein zweisamer* Mensch、一人の二人格的 bipersonell 人間である。……」(„Über medizinische Anthropologie" 1927)

「ゲシュタルトクライスの理念は、医師と患者の関係のうちで私に提示されるような形態の生命過程を、理論的に抽象したものに他ならない。」(「自然と精神」215頁)

この解説の筆を擱くにあたって、筆者は多くの師、先輩、友人の方々に感謝の気持を述べる義務がある。まず本書の存在を最初に教えていただき、しかも筆者の如き浅学の者に解説と訳注の仕事を一任され、勉強の機会を与え下さった京大精神神経科の村上仁教授、名古屋市立大精神神経科の大橋博司教授、共訳者の木村敏助教授に深く御礼申しあげねばならない。大橋先生には Wiesenhütter による本書の書評についても御教示いただいた。またどうにも調べのつかなかった今日の代表的神経外科学者 W. P. Penfield の生年を御自身でお集めになった資料より教えて下さった京大脳神経外科の半田肇教授、T. H. Garrison の医学史を生理学教室よりお借り下さった京大脳研神経生理学教室の松田好弘先生、最近四年間近くヴァイツゼッカーの講読（特に「パトゾフィー」）を一緒に続けていただいた京大精神神経科の河合逸雄（一九七一年以降）、池村義明、守田嘉男、山口俊郎、神戸大精神神経科の山鳥崇（一九六九年まで）らの諸学兄にも深い謝意を表する。しかしながら十年以前はじめて勤務した洛南病院で稲本雄二郎先生にも加わっていただき、はじめて本書の前半を一緒に読んだ今は亡き旧友中江育生君のこともしきりと追憶される。そして末筆ではあるが土曜会で最近数年間本書の内容にも関連のあるカントの目的論を読み続けていただいている坂田徳男先生にも、この紙面を借りて日頃の数えきれぬ御教示に対し厚く御礼申しあげたい。ただしこの解説と訳注の責任は、すべて筆者に帰するものであることは言うまでもない。

（一九七二・九）

浜中淑彦

訳者あとがき

本書は、Viktor von Weizsäcker の Der Gestaltkreis. Theorie der Einheit von Wahrnehmen und Bewegen. 4. Aufl. Georg Thieme Verlag, Stuttgart 1950. の全訳である。原著はその後さらに版を重ねて、最新のものは一九六八年に第六版が出ているが、これは数ヵ所に見られる誤植までも旧版通りであって、なんら改訂は加えられていない。なお、翻訳に当っては本書のフランス語訳 Le Cycle de la Structure (Der Gestaltkreis). trad. par Michel Foucault et Daniel Rocher, Préface du Dr Henry Ey. Desclée de Brouwer, Paris 1958. をも参照した。

訳者らが本書の訳出を企てたのは、実はすでに十年以上も前のことである。それ以来、本書との接触は絶えず続いていながら、翻訳の仕事は遅々としてはかどらなかった。最初、本書の前半を木村が、後半を浜中が分担して下訳のノートを作り、これを基にして木村が全体を原稿用紙に書き写してみたが、どうしても納得の行く翻訳とは思えず、さらに数年後に、旧訳を参考にしながら、まず本文の全部を木村が改訳し、原注の訳と訳注の作製を浜中が担当して、ようやくここに一応の形をととのえることができた。本書に収録したアンリ・エーの《「ゲシュタルトクライス」について》は、前述の仏語訳に附された序文であるが、殆ど同時に発表された原著の書評（Évolution Psychiatrique, 22; 379, 1957――但し細部で若干の相違あり）でもある。この部分の翻訳は浜中が担当した。

問題を含む個々の訳語や訳文については、二人の訳者の間で再三にわたる意見の交換を行ったが、結局のところ、十分満足すべき解決に達していないものが多い。それについては、浜中が解説の項で一部触れるはずである。

この種の訳本にありがちな欠陥を補うため、重要な術語や、訳文に十分意を尽し切れなかった言葉や文章などについては、ルビを付けたり原語・原文を並記したりすることによって、理解を助けようと試みたが、結局、かえってわずらわしいことになったのではないかと恐れている。人名のカナ表記については、できるかぎり同国人の発音に近い表記法を考えたため、一般の慣用とはややずれているものも生じた。原文のゲシュペルト（強調個所）は、訳文では傍点とし、原文にない言葉が補われる場合には、原則として〔 〕でかこんだ。訳者たちは、原文のページ数をも欄外に記入したかったが、種々の事情で果せなかったのは残念である。本文末尾の「若干の概念の解説」の部分は、原書ではもちろん原語のアルファベット順になっていたものを、訳語のアイウエオ順に並べかえた。原注は、原書では巻末にまとめられているが、訳書では各章末に配置した。原注においては、原書の記載が（特に引用文献に関して）かなり不統一であり、時には不親切であるため、訳者がこれを補正して読者の便宜をはかった部分がある（この部分はイタリック体で示してある）。

本書の翻訳に際しては、実に多くの方々の御厚意に甘えて、いろいろの御指導をいただいたが、特に、名古屋市立大学（現在京都大学）の大橋博司教授には、全体にわたって貴重な御教示を得たほか、終章の「ゲシュタルトクライス」の部分については、御自身でフランス語版から訳出された原稿をいただいた。これは、殊に難解なこの章の理解を助ける上に、大きな参考になり、特にここに感謝の意を表明させていただきたいと思う。

長い年月をかけ、私たちなりの苦心と労苦を注いだ翻訳であったが、出来上ったものを改めて眺めてみて、その不完全さに忸怩たるものがある。すべてこれ、訳者たちの未熟さによるものにほかならない。

終りに、長い間忍耐強く私たちの仕事を励まし続けて下さった、みすず書房の編集の方々に、親愛なる敬意を表したい。

一九七四年十二月

木村　敏
浜中淑彦

新装版あとがき

最近、ヴァイツゼッカーに対する関心がとみに高まっている。このいわば「ヴァイツゼッカー・ルネサンス」の動きを考えてみるとき、生命科学の全領域にわたって展開されつつある新しい理論構築、たとえば散逸構造論、カオス論、複雑性をめぐるさまざまな議論、オートポイエシス、実践感覚、アフォーダンス等々を生み出している基本的なパラダイムが、半世紀前のヴァイツゼッカーの言説のなかに、萌芽的というには余りにも成熟したかたちですでに述べられていることに思い至らなくてはならないだろう。

こうした動きを反映して、ドイツでは一九八六年以来、ズーアカンプ社がヴァイツゼッカー全集全十巻の刊行を開始し、現在までに七冊が上梓されている（本書『ゲシュタルトクライス』が収録される予定の第四巻は、現在のところまだ刊行されていない）。この全集の内容目録を見てあらためて感じることだが、ヴァイツゼッカーは実に多面的な学者だった。なによりもまず、彼は傑出した神経生理学者である。みずから考案した種々の実験装置を用いて、彼は従来の刺激／興奮理論を全面的に書き改めるような知覚／運動理論を提示する。その集大成が本書『ゲシュタルトクライス』であることは、改めて言うまでもない。そしてその一番のキーポイントが、有機体と環境との生命的相即関係においてそのつど成立する「主体」の概念にあることも、本書を一読すれば明らかである。

次に、彼は臨床医として、神経内科の臨床に彼独自の精神分析的理解を導入し、心身相関の問題領域にまったく新しい境地を開拓した人でもある。その一端を示す著作として、『病因論研究』（木村敏・大原貢訳、講談社学術文庫）を挙げることができるだろう。ここでもまた人間の心と身体は、当の主体が環境との折衝で示す全体的な挙措の二側面として、統一的に理解されている。そして、『ゲシュタルトクライス』に代表される神経生理学とこの心身医学の臨床を綜合して、彼は「医学的人間学」あるいは「疾病学総論」の壮大な構築を目指すことになる。

この「医学的人間学」は、「人間学的医学」によって堅固に裏打ちされたものであるとはいえ、もはや医学という限られた領域を超えて、人間に関するあらゆる基本的概念——たとえば主体／主観と客体／客観、時間と空間、存在と世界、心と身体など——の根本的な再検討を要求する哲学を内に含むものであった。最晩年に大著『パトゾフィー』として一応の総括を見ることになるこの哲学の神髄は、たとえば『ゲシュタルトと時間』、『アノニューマ』（木村敏訳で人文書院から近刊予定）などの著作に、きわめて集約されたかたちで述べられている。

このように見るとき、本書がヴァイツゼッカーの思想全体のなかで占める位置は、おのずと明らかだろう。彼が若い時代の生理学研究で着想した生物学的主体概念が、一本の赤い糸のように彼の全著作を貫いている。ゲシュタルトクライスの構想なしには、彼の心身論も医学的人間学も成立しなかった。

ところが、このような「かなめ」の位置にある本書が、ヴァイツゼッカー再評価の動きにもかかわらず、ながらく品切れになっていたのは、訳者としても大変に残念なことだった。それが今回、装いを新たにして再刊されるはこびになって、ほっとしている。

ことのついでに、訳者たちがまだ若かった時代の全体として未熟な訳文も、当時はまだ視野が狭かったために、いまから考えると選択を誤ったと言わざるをえないいくつかの術語の訳語も、思い切って改めたかったのだが、それはたちまち価格にはねかえることなので、断念することにした。他日を期するほかない。この間に訳出した『病因論研究』や、近く出版される予定の『ゲシュタルトと時間』、『アノニューマ』とのあいだに生ずることになる一部訳語の不統一については、読者の寛容を切にお願いする次第である。

一九九四年十二月

木村　敏

論文目録（Cora von Weizsäcker編）

1910 Beitrag zur Frage der Blutgeschwindigkeit bei Anämie. Dtsch. Arch. klin. Med. 101, 198 (1910)

1911 Über die mechanischen Bedingungen der Herzarbeit. Pflügers Arch. 140, 135 (1911)

Arbeit und Gaswechsel am Froschherzen. Pflügers Arch. 141, 457 (1911)

Neovitalismus. Logos 2, 113 (1911)

1912 Arbeit und Gaswechsel am Froschherzen. II. Mitteilung. Wirkung des Cyanids. Pflügers Arch. 147, 135 (1912)

Arbeit und Gaswechsel am Froschherzen. III. Mitteilung. Ruhe, Stoffwechsel, Frequenz, Rhythmus und Temperatur. Pflügers Arch. 148, 535 (1912)

1913 Über die Abhängigkeit der Strophantinwirkung von der Intensität der Herztätigkeit. Arch. exper. Path. (D) 72, 282 (1913)

Über den Mechanismus der Bindung digitalisartig wirkender Herzgifte. Arch. exper. Path. 72, 347 (1913)

1914 Myothermic Experiments in Salt-Solutions in Relation to the Various Stages of Muscular Contraction. J. Physiol. (Brit.) 49, No. 5, Sept. 8 (1914)

A. V. Hill and Viktor Weizsäcker. Improved Myothermic Apparatus (Demonstration). J. Physiol. (Brit.) 48, 35, June 6. (1914)

The effects of various physical and chemical factors on the initial heat-production of muscle. J. Physiol. (Brit.) 48, 36, June 6. (1914)

1915 Neue Versuche zur Theorie der Muskelmaschine. Münch. med. Wschr. Nr. 7, 217 u. Nr. 8, 257 (1915)

1916 Kritischer und spekulativer Naturbegriff. Logos 6, 185 (1916)

1917 Einige Beobachtungen über die Verteilung sowie die arbeitssteigernde Wirkung von Herzglykosiden. Arch. exper. Path. 81, 247 (1917)

Empirie und Philosophie. Die Naturwissenschaften 44, 669 (1917)

Methodik der Stoffwechseluntersuchungen am Herzen. Handbuch der biologischen Arbeitsmethoden (Abderhalden), Abt. 5, Teil 4, S. 1019 (1917)

Über die Energetik der Muskeln und insbesondere des Herzmuskels sowie ihre Beziehung zur Pathologie des Herzens. S.ber. Heidelbg. Akad. Wiss., math.-naturw. Klasse, Abt. B. 2. Abhandlung (1917)

1919 Über eine Täuschung in der Raumwahrnehmung bei Erkrankung des Vestibularapparates. Dtsch. Z. Nervenhk. 64, 1 (1919)

Zum Begriff der Krankheit. Dtsch. Arch. klin. Med. 129, 359 (1919)

1920 Über das Prinzip der Beziehung zwischen Muskelmasse, Muskelform und Arbeitsform besonders beim Herzen. Dtsch. Arch. klin. Med. 133, 1 (1920)

Die Entstehung der Herzhypertrophie. Erg. inn. Med. 19, 377 (1920)

Die Willkürbewegungen und Reflexe bei Erkrankungen des Zentralnervensystems. Dtsch. Z. Nervenhk. 70, 115 (1920)

1921 Ein ungewöhnlicher perakut verlaufender Fall von multipler Sklerose mit anatomischem Befund. Mschr. Psychiatr. 49, 221 (1921)

1922 Neuere Forschungen und Anschauungen über die Reflexe und ihre physiologische Bedeutung. Kl. Wschr. 1, 2217 (1922)

Wissenschaft und Volkshochschule. Die Arbeitsgemeinschaft, 1922, S. 199

Wilhelm Erb. Dtsch. med. Wschr. 47, 1595 (1922)

Untersuchung der Zuckungswärme mit thermoelektrischen Methoden. Handbuch d. biol. Arbeitsmethoden, Abt. 5, Teil 5A, 1. Hälfte S. 107

P. Hoffmann, K. Hansen und V. v. Weizsäcker. Der Tonus des quergestreiften Muskels. Z. Biologie 75, 121 (1922)

Über Reflexbewegungen und ihre Dynamik. Verhandlungen des 34. Kongresses der deutschen Gesellschaft für innere Medizin, Wiesbaden, S. 470 (1922)

Muskelkoordination und Tonusfrage. Dtsch. Z. Nervenhk. 74, 262 (1922)

Clauss und v. Weizsäcker. Über das Verhalten von Reflex- und Willkürbewegungen bei der Einwirkung äußerer, die Bewegungen störender Kräfte. Dtsch. Z. Nervenhk. 75, 370 (1922)

Die Elastizitätsmodulen menschlicher Muskeln in normalem Zustand und bei pathologischem Rigor. Arch. neerld. Physiol. 7, 547 (1922)

1923 Gesinnungsvitalismus. Klin. Wschr. 2, 30 (1923)

Über dynamische Untersuchungen zur Tonusfrage beim Menschen. Dtsch. med. Wschr. 49, 1483 (1923)

Über den Funktionswandel, besonders des Drucksinnes bei organisch Nervenkranken und über Beziehungen zur Ataxie. Pflügers Arch. 201, 317 (1923)

Das Antilogische. Psychol. Forsch. 3, 295 (1923)

Untersuchungen des Drucksinns mit Flächenreizen bei Nervenkranken (Phänomen der Verstärkung). Nach Versuchen von Frl. Niemöller. Dtsch. Z. Nervenhk. 80, 159 (1923)

1924 Über die Bedeutung quantitativer Sensibilitätsstörungen für die pathologische Physiologie der Wahrnehmung und der Bewegung. Dtsch. Z. Nervenhk. 81, 97 (1924)

Pathologie des Raumsinnes. Med. Klin. 20, 1754 (1924)

Über eine systematische Raumsinnstörung. Dtsch. Z. Nervenhk. 84, 179 (1924)

1925 Randbemerkungen über Aufgabe und Begriff der Nervenheilkunde. Dtsch. Z. Nervenhk. 87,1 (1925)

Die Pathologie der Oberflächen- und Tiefensensibilität. 37. Kongreß der Gesellschaft für innere Medizin 1925

Ludolf v. Krehl. Münch. med. Wschr. 72, 1252 (1925)

Über neurotischen Aufbau bei inneren Krankheiten. Dtsch. Z. Nervenhk. 88, 264 (1925)

1926 Über klinische Sensibilitätsprüfungen. Dtsch. Arch. klin. Med. 151, 230 (1926)

Einleitung zur Physiologie der Sinne. Handbuch der normalen und pathologischen Physiologie, Band 11, S. 1

Die Schmerzen. Kreatur 1, 315 (1926)

Die Analyse pathologischer Bewegungen. Dtsch. Z. Nervenhk. 95, 108, (1926)

H. Stein und v. Weizsäcker. Klinische Sensibilitätsprüfungen. Dtsch. Arch. klin. Med. 151, 230 (1926)

Bilden und Helfen (Hippokrates und Paracelsus). Die Schildgenossen 6, 477 (1926), Verlag Quickbornhaus, Rothenfels

Der neurotische Aufbau bei den Magen- und Darmerkrankungen. Dtsch. med. Wschr. 52, 2103 u. 2150 (1926)

Der Kranke und der Arzt. Kreatur 1, 69 (1926)

Psychotherapie und Klinik. Therapie der Gegenwart 67, 241 (1926)

1927 Über medizinische Anthropologie. Philosophischer Anzeiger 2, 236 (1927)

H. Stein u. V. v. Weizsäcker. Der Abbau der sensiblen Funktionen. Dtsch. Z. Nervenhk. 99, 1 (1927)

Stoffwechsel und Wärmebildung des Herzens. Handbuch der normalen und pathologischen Physiologie, Band 7, 1. Hälfte, S. 689 (1927)

Reflexgesetze. Handbuch der normalen und pathologischen Physiologie Band 10, S. 35 (1927)

1928 Pathophysiologie der Sensibilität. Dtsch. Z. Nervenhk. 101, 184 (1928)

Zur Pathologie der Sensibilität. Erg. Physiol. 27, 657 (1928)

Krankengeschichte. Kreatur 2, 455 (1928)

Mystik, Magie, Dämonie. Zwischen den Zeiten, 1928, Seite 540

Medizinische Klinik und Psychoanalyse. Krisis der Psychoanalyse 1, 262 (1928)

1929 Epileptische Erkrankungen, Organneurosen des Nervensystems und allgemeine Neurosenlehre. J. v. Merings Lehrbuch der Inneren Medizin, Band 2, S. 354 (1929)

Über Rechtsneurosen. Nervenarzt 2, 569 (1929)

Fortschritte der Physiologie und Pathologie des Herzens. VI. Fortbildungslehrgang in Bad Nauheim, 18.–20. 9. 1929, S. 24

1930 Funktionswandel bei Störungen räumlicher Leistungen in der Wahrnehmung und Bewegung. Dtsch. Z. Nervenhk. 116, 59 (1930)

Medizin und Seelsorge. Zwischen den Zeiten, 1930, S. 120

1931 Kasuistische Beiträge zur Lehre vom Funktionswandel bei stato-opto-sensiblen Syndromen. Dtsch. Z. Nervenhk. 117 bis 119, 716 (1931)

Ataxie und Funktionswandel (mit Bemerkungen zur Frage der Eigenreflexe). Dtsch. Z. Nervenhk. 120, 117 (1931)

Zum 70. Geburtstag von Ludolf v. Krehl. Klin. Wschr. 10, 2407 (1931)

Die Neuroregulationen. Verhandlungen der deutschen Gesellschaft für Innere Medizin 42, Kongreß Wiesbaden (1931), S. 13

Biologischer Akt, Symptom und Krankheit. Dtsch. med. Wschr. 57, 614 u. 670 (1931)

Leitung, Form und Menge in der Lehre von den nervösen Funktionen. Nervenarzt 4, 433 u. 526 (1931)

Über den Begriff der Arbeitsfähigkeit. Dtsch. med. Wschr. 57, 1653 u. 1696 (1931)

Über den sozialen Faktor in der Medizin. Wissenschaftliche Beilage zu den Ärztl. Mitteilungen aus u. f. Baden 1931, Nr. 15

Absolute Haltungen. Zentralblatt für allgemeine ärztliche Psychotherapie 1931, S. 708

Neurosen. Ärztl. Mitt. a. u. f. Baden 1931, Nr. 15

Neurologie. Münch. med. Wschr. 78, 189 (1931)

1932 Versicherung oder Sicherung. Soziale Praxis 41, 417 (1932)

Kreislauf und Herzneurose. IX. Fortbildungslehrgang in Bad Nauheim, 16.–18. 9. 1932, S. 4715

Elektrische Untersuchung des Tonus. Dtsch. Z. Nervenhk. 124, 117 (1932)

1933 Begriff der Therapie. Der praktische Arzt, 1933, S. 389

Verflechtung der Therapieformen. Dtsch. med. Wschr. 59, 1605 (1933)

Die soziale Krankheit. Dtsch. med. Wschr. 59, 1567 (1933)

Ich und Umwelt in der Erkrankung. Dtsch. med. Wschr. 59, 1503 (1933)

Natura naturans. Dtsch. med. Wschr. 59, 1701 (1933)

Über die ärztliche Grundhaltung. Dtsch. med. Wschr. 59, 1360 (1933)

Über die ärztliche Grunderfahrung. Dtsch. med. Wschr. 59, 1431 (1933)

Gesundheit und Wahrheit. Dtsch. med. Wschr. 59, 1284 (1933)

Gestaltkreis, dargestellt als psychophysiologische Analye des optischen Drehversuches. Pflügers Arch. 231, 630 (1933)

Körpergeschehen und Neurose. Internat. Z. Psychoanal. 19, 16 (1933)

Was lehrt die neuere Pathologie der Sinnesorgane für die Physiologie der Sinnesleistungen? Z. Sinnesphysiol. 64, 79 (1933)

1934 Wege psychophysischer Forschung. S. ber. Heidelbg. Akad. Wiss. 1934, 4. Abhandlung

Ärztliche Aufgaben. Volk im Werden, 1934, S. 80

1935 A. Prinz Auersperg u. v. Weizsäcker. Begriffswandel der Biologie. Zeitschrift für die gesamten Naturwissenschaften, Heft 8, Seite 316 (1934)

Soziologische Bedeutung der nervösen Krankheiten und der Psychotherapie. Zbl. Psychother. 8, 295 (1935)

1936 Zur Klinik der Schmerzen. Nervenarzt 9, 553 (1936)

1937 Untersuchung der Sensibilität. Handbuch der Neurologie (Hrsg. von O. Bumke und O. Foerster), 3. Band, S. 701 (1937)

Über Träume bei sogenannter endogener Magersucht. Dtsch. med. Wschr. 63, 253 u. 294 (1937)

Entstehung und psychophysische Behandlung sogenannter Organneurosen. Med. Klin. 33, 41 (1937)

1938 Über seelische Einflüsse auf den Ablauf der Kreislaufkrankheiten. Aus „Über seelische Krankheitsentstehung“, Leipzig 1939, S. 42

Ohr und Nervensystem. Zeitschrift für die gesamte Neurologie und Psychiatrie 165, 132 (1939)

Individualität und Subjektivität. Veröffentl. Berlin. Akad. ärztl. Fortbild. Nr. 5, 51 (1939)

1940 Das Nervensystem und seine Korrelationen. Die Tätigkeit des Zentralnervensystems. Handbuch der Inneren Medizin (G. v. Bergmann u. R. Staehlin) 3. Auflage, V. 1, S. 1

Sogenannte Unfallneurosen. Zbl. Psychother. XII, 209 (1940)

Funktionswandel der Sinne. Berichte der physikalisch-medizinischen Gesellschaft zu Würzburg 62, 204 (1940)

Pars pro toto. Ein Beitrag zur Pathologie menschlicher Affekte und Organfunktionen. Dtsch. med. Wschr. 66, 1430 (1940)

1941 Nachruf auf O. Foerster. Nervenarzt 9, 385 (1941)

1942 Der Schlaf. Hippokrates 13, 80 (1942)

1943 Über Psychophysik. Nervenarzt 16, 465 (1943)

„Arbeitstherapie“ für Hirnverletzte. Schriftenreihe für ärztliche Sonderfürsorge für Schwerverwundete, Heft 1–2, S. 32, Stuttgart 1943

Paul Christian und v. Weizsäcker. Über das Sehen figurierter Bewegungen von Lichtpunkten. Z. Sinnesphysiol. 70, 30 (1943)

1946 Der Begriff des Lebens. Wandlung, Heft 2, Heidelberg 1946

1947 Über das Wesen des Arzttums. Hippokrates 18, 351 (1947)

Adolf Wallenberg zu seinem 85. Geburtstag am 10. November 1947.

Nervenarzt 18, 529 (1947)

1948 Euthanasie und Menschenversuche. Psyche 1, 68 (1948)

P. Christian, R. Haas u. v. Weizsäcker. Über ein Farbenphänomen. Pflügers Arch. 249, 655 (1948)

Klinische Vorstellungen. Psyche 1, 258 u. 560 (1948)

R. Siebeck u. v. Weizsäcker. Die Medizin in der Verantwortung. Schriftenreihe der evangelischen Akademie 5, 5 (1948)

Sartre's „Sein und Nichts“. Umschau 2, 666 (1948)

1949 Psychosomatische Medizin. Zschr. f. ärztl. Fortb. 43, 327 (1949)

Psychosomatische Medizin. Verh. dtsch. Ges. Inn. Med., 55. Kongreß 1949, Seite 13

Zum Begriff der Arbeit. Synopsis. Festgabe für Alfred Weber, S. 705

Der Mensch und seine Krankheiten. Wirtschaftszeitung Stuttgart Nr. 5, Seite 5, 1949

Grundlagen einer neuen Medizin. Wirtschaftszeitung Stuttgart Nr. 71, Seite 4, 1949

Psychosomatische Medizin. Psyche 3, 331 (1949)

Über Psychosomatische Wissenschaft. Klin. Wschr. 26, 192 (1949)

Über die Hirnverletzten. Confinia neurologica 9, 84 (1949)

1950 A. Mitscherlich u. v. Weizsäcker. Psychosomatische Medizin. Klin. Wschr. 27, 711 (1950)

Zum 10. Todestag von Freud. Geist und Tat 4, 469 (1950)

Nach Freud. Merkur 3, 1077 (1950)

Grundprinzipien der nervösen Funktion. Rundschau 4, 188 (1950)

Funktionswandel und Gestaltkreis. Dtsch. Z. Nervenhk. 164, 43 (1950)

Der Widerstand bei Behandlung von organisch Kranken. Mit Bemerkungen über Werke von J. P. Sartre. Psyche 2, 481 (1950)

Was fangen wir mit unseren Träumen an? Wirtschaftszeitung Stuttgart Nr. 42, S. 4, 1950

1951 Erinnerung an Alexander von Humboldt. Beitrag zur Festschrift für Siegfried A. Kaehler: „Schicksalswege deutscher Vergangenheit", Düsseldorf 1950, Seite 117

Über Psychisierung und Somatisierung. Psyche 5, 81 (1951)

Das Mißliche am Schmerz. Deutsche und Wirtschaftszeitung, Stuttgart Nr. 6, Seite 4, 1951

Ein Recht der Neurose? Psyche 5, 270 (1951)

Über Traumdeutung. Psychologische Rundschau 2, 125 (1951)

Medizin und Logik. Dialectica 5, 25 (1951)

1952 Arzt und Patient. Der deutsche Arzt 2, 113 (1952)

Über Psychosomatische Medizin. Psychologische Rundschau 3, 157 (1952)

1953 Über die Lage der Medizin nach Eindrücken in Spanien. Verhandlungen des naturhistorisch-medizinischen Vereins Heidelberg 19, 25 (1953)

Sicherung statt Versicherung. Sozialer Fortschritt 2, 11 (1953)

Das Problem des Menschen in der Medizin. „Versuch einer neuen Medizin". Aus „Kraft und Innigkeit", Festschrift für Hans Ehrenberg, Heidelberg 1953, Seite 123

1954 Die Frage nach dem Sinn der Krankheit. Das ganze Deutschland 6, 5 (1954)

Versuch einer Neuen Medizin. Evangelische Welt 8, 399 (1954)

1955 Über die Leere. Situation 1, 147 (1954)

Meines Lebens hauptsächliches Bemühen. Aus „Wegweiser in der Zeitwende“, München 1955, Seite 243

ヴァイツゼッカーに関する著書・論文・書評

Auersperg, A. Prinz: Poesie und Forschung (Goethe, Weizsäcker, Teilhard de Chardin). F. Enke, Stuttgart, 1965.

Buytendijk, F. J. J., u. P. Christian: Kybernetik und Gestaltkreis als Erklärungsprinzipien des Verhaltens. Nervenarzt, 34; 97, 1963.

Derwort, A.: Professor Viktor Frhr. von Weizsäcker. Nervenarzt, 28; 241, 1957.

Herrmann, Th.: Pathosophie. Jb. Psychol. Psychother., 6; 364, 1958.

Kütemeyer, W.: Viktor von Weizsäcker zum Gedachtnis. In „Zwischen Medizin und Philosophie“, Vandenhoeck & Ruprecht, Göttingen, 1957.

Rorarius, W.: Das pathosophische Denken Viktor v. Weizsäckers. Nervenarzt, 37; 266, 1966.

Ruffin, H.: Viktor v. Weizsäcker 70 Jahre. Natur und Geist. „Erinnerungen eines Arztes.“ Nervenarzt, 27; 185, 1956.

Vogel, P.: Viktor von Weizsäcker 1886-1957. Dtsch. Z. Nervenheilk., 176; 143, 1957.

Wiesenhütter, E.: Viktor v. Weizsäcker. „Am Anfang schuf Gott Himmel und Erde.“ Jb. Psychol. Psychother., 3; 320, 1955.

Wiesenhütter, E.: Der Gestaltkreis von V. v. Weizsäcker. Jb. Psychol. Psychother., 4; 163, 1956.

Wyss, D.: Viktor von Weizsäckers Stellung in Philosophie und Anthropologie der Neuzeit. In „Zwischen Medizin und Philosophie“, Vandenhoeck & Ruprecht, Göttingen, 1957.

読者の皆様へ

二〇〇二年一月、日本精神神経学会理事会において、従来「精神分裂病」と呼ばれてきた病名を「統合失調症」に変更することが承認され、同年八月に開催された「世界精神医学会」で名称変更が公表されました。それにともない、二〇〇二年十月以後に刊行される小社の該当新刊書につきましては、書名および本文中の表記は「統合失調症」に統一する方向で考えてまいります。

また、本書のように、すでに刊行されている書籍内での「精神分裂病」あるいは「分裂病」の表記に関しましては、「統合失調症」と読みかえていただきたく存じます。「精神分裂病」という用語が医療現場や社会生活で支障を生み、名称変更にいたるいきさつは重大視しておりますが、どうぞご理解のほど、よろしくお願い申し上げます。

二〇〇二年九月

みすず書房

著者略歴

(Viktor von Weizsäcker)

1886–1957. ドイツに生まれる. 代々プロテスタントの牧師, 神学者, 学者の家系であった. 1904年テュービンゲン大学医学部に入学, のちフライブルク大学やハイデルベルク大学で生理学・哲学・内科学を学ぶ. 1909年医師国家試験に合格. 第一次大戦で野戦病院に配属中より神経学の研究をはじめる. 1920年以後ハイデルベルク大学の内科神経科部門部長. のちに教授となり医学的人間学の構想をいだくとともに臨床的・実験的研究を続ける. 第二次大戦後, ハイデルベルク大学の「臨床医学総論」講座主任教授. 邦訳に『神・人間・自然』(みすず書房, 1971),『病因論研究』(講談社, 1994),『生命と主体』(人文書院, 1995),『病いと人』(新曜社, 2000),『パトゾフィー』(みすず書房, 2010) がある.

訳者略歴

木村 敏〈きむら・びん〉1931年生まれ. 京都大学名誉教授. 元河合文化教育研究所所長, 同主任研究員. 2021年歿. 著書『木村敏著作集』全8巻 (弘文堂, 2001),『関係としての自己』(みすず書房, 2005),『精神医学から臨床哲学へ』(ミネルヴァ書房, 2010),『臨床哲学講義』(創元社, 2012) ほか. 訳書 ヴァイツゼカー『パトゾフィー』(2010), ビンスワンガー『精神分裂病』I・II (共訳, 1960-61)『現象学的人間学』(共訳, 1967), ブランケンブルク『自明性の喪失』(共訳, 1978)『目立たぬものの精神病理』(監訳, 2012, 以上みすず書房) ほか.

濱中淑彦〈はまなか・としひこ〉1933年生まれ. 名古屋市立大学名誉教授. 著書『精神の科学』1 (共著, 岩波書店, 1983),『臨床神経精神医学』(医学書院, 1986), Viktor von Weizsäcker zum 100.Geburtstag (共著, Springer, 1987),『幻覚・妄想の臨床』(編著, 医学書院, 1992) ほか. 訳書 ボイテンディク『人間と動物』(1970), エー『ジャクソンと精神医学』(共訳, 1979, 以上みすず書房), シッパーゲス『中世の患者』(監訳, 1993), ラアリー『中世の狂気』(監訳, 2010, 以上人文書院) ほか.

ゲシュタルトクライス　知覚と運動の人間学

2022年11月 8 日　新装版第1刷発行
2024年10月 9 日　新装版第3刷発行

著　者　　ヴィクトール・フォン・ヴァイツゼッカー
訳　者　　木村敏・濱中淑彦
発行所　　株式会社 みすず書房
〒113-0033 東京都文京区本郷2丁目20-7
電話 03-3814-0131(営業) 03-3815-9181(編集)
www.msz.co.jp
印刷・製本　大日本印刷株式会社

Printed in Japan
ISBN 978-4-622-09583-5
[ゲシュタルトクライス]

本書は、みすず書房より1975年2月28日、第1刷として発行した『ゲシュタルトクライス』の2017年5月18日発行、新装版第1刷を底本としています。